LES
GRANDS ÉCRIVAINS
DE LA FRANCE

NOUVELLES ÉDITIONS

PUBLIÉES SOUS LA DIRECTION

DE M. AD. REGNIER

Membre de l'Institut

ŒUVRES

DE

LA BRUYÈRE

TOME TROISIÈME

PREMIÈRE PARTIE

A LA MÊME LIBRAIRIE

ŒUVRES

DE

LA BRUYÈRE

TEXTE ÉTABLI SUR LES PLUS ANCIENNES IMPRESSIONS

ET ACCOMPAGNÉ

de variantes, de notices, de notes, de lettres inédites, d'un lexique des mots
et des locutions remarquables, de portraits, de fac-simile, etc.

PAR G. SERVOIS

TOME TROISIÈME

PREMIÈRE PARTIE

TROISIÈME ÉDITION REVUE ET AUGMENTÉE

PARIS

LIBRAIRIE HACHETTE

BOULEVARD SAINT-GERMAIN, 79

—

1922

LES CARACTÈRES

ou

LES MOEURS DE CE SIÈCLE

(SUITE)

DE L'HOMME.

Ne nous emportons point contre les hommes en voyant   1.
leur dureté, leur ingratitude, leur injustice, leur fierté,
l'amour d'eux mêmes, et l'oubli des autres[1] : ils sont
ainsi faits, c'est leur nature, c'est ne pouvoir supporter
que la pierre tombe ou que le feu s'élève[2].

Les hommes en un sens ne sont point légers, ou ne   2.
le sont que dans les petites choses. Ils changent leurs
habits, leur langage, les dehors, les bienséances ; ils
changent de goût quelquefois : ils gardent leurs mœurs
toujours mauvaises, fermes et constants dans le mal, ou
dans l'indifférence pour la vertu.

Le stoïcisme est un jeu d'esprit et une idée semblable   3.
à la République de Platon. Les stoïques ont feint qu'on
pouvoit rire dans la pauvreté ; être insensible aux injures,
à l'ingratitude, aux pertes de biens, comme à celles des
parents et des amis ; regarder froidement la mort, et
comme une chose indifférente qui ne devoit ni réjouir
ni rendre triste ; n'être vaincu[3] ni par le plaisir ni par la

---

1. Var. (édit. 1 et 2ᴬ) : l'amour qu'ils ont pour eux-mêmes, et
l'oubli où ils sont des autres.

2.   Oui, je vois ces défauts, dont votre âme murmure,
    Comme vices unis à l'humaine nature ;
    Et mon esprit enfin n'est pas plus offensé
    De voir un homme fourbe, injuste, intéressé,
    Que de voir des vautours affamés de carnage,
    Des singes malfaisants et des loups pleins de rage.
      (Molière, *le Misanthrope*, acte I, scène 1, vers 173-178.)

3. Var. (édit. 4-6) : ne pouvoir être vaincu.

douleur[1] ; sentir le fer ou le feu dans quelque partie de
son corps sans pousser le moindre soupir, ni jeter une
seule larme ; et ce fantôme de vertu et de constance ainsi
imaginé, il leur a plu de l'appeler un sage. Ils ont laissé
à l'homme tous les défauts qu'ils lui ont trouvés, et n'ont
presque relevé aucun de ses foibles. Au lieu de faire de
ses vices des peintures affreuses ou ridicules qui servissent
à l'en corriger, ils lui ont tracé l'idée d'une perfection
et d'un héroïsme dont il n'est point capable, et l'ont
exhorté à l'impossible. Ainsi le sage qui n'est pas[2], ou
qui n'est qu'imaginaire, se trouve naturellement et par
lui-même au-dessus de tous les événements et de tous
les maux : ni la goutte la plus douloureuse, ni la colique
la plus aiguë ne sauroient lui arracher une plainte ; le
ciel et la terre peuvent être renversés sans l'entraîner
dans leur chute, et il demeureroit ferme sur les ruines
de l'univers[3] : pendant que l'homme qui est en effet sort
de son sens, crie, se désespère, étincelle des yeux, et
perd la respiration pour un chien perdu ou pour une
porcelaine qui est en pièces[4]. (ÉD. 4.)

1. La 9e édition a ici une faute évidente : *douceur,* pour *douleur.*
2. VAR. (édit. 4 et 5) : qui n'est point.
3. Réminiscence d'Horace (livre III, *ode* III, vers 7 et 8) :

> *Si fractus illabatur orbis,*
> *Impavidum ferient ruinæ.*

4. Dans son intéressante *Étude sur la Bruyère et Malebranche* (Paris, 1866, p. 67-72), M. Auguste Damien rapproche de cette condamnation du stoïcisme les attaques réitérées que Malebranche a di-
rigées contre les stoïciens, et particulièrement une partie du passage
suivant, dont le souvenir semble se retrouver dans la remarque de la
Bruyère.

« Qu'y a-t-il de plus pompeux et de plus magnifique que l'idée
qu'il nous donne de son sage, dit Malebranche en parlant de Sénèque, mais qu'y a-t-il au fond de plus vain et de plus imaginaire ?
Le portrait qu'il fait de Caton est un trop beau portrait pour être
naturel.... Caton étoit un homme sujet à la misère des hommes : il

Inquiétude d'esprit, inégalité d'humeur, inconstance **4.**
de cœur, incertitude de conduite : tous vices de l'âme,
mais différents, et qui avec tout le rapport qui paroît
entre eux, ne se supposent pas toujours l'un l'autre dans
un même sujet. (ÉD. 4.)

Il est difficile de décider si l'irrésolution rend l'homme **5.**
plus malheureux que méprisable ; de même s'il y a tou-

n'étoit point invulnérable, c'est une idée ; ceux qui le frappoient le
blessoient ; il n'avoit ni la dureté du diamant, que le fer ne peut
briser, ni la fermeté des rochers, que les flots ne peuvent ébranler,
comme Sénèque le prétend ; en un mot, il n'étoit point insensible ;
et le même Sénèque se trouve obligé d'en tomber d'accord, lorsque
son imagination s'est un peu calmée, et qu'il fait davantage de réflexion à ce qu'il dit.

« Mais quoi donc? n'accordera-t-il pas que son sage peut devenir
misérable, puisqu'il accorde qu'il n'est pas insensible à la douleur ?
Non sans doute, la douleur de son âge ne le blesse pas ; la crainte
de la douleur ne l'agite pas ; son sage est au-dessus de la fortune et
de la malice des hommes ; ils ne sont pas capables de l'inquiéter. Il
n'y a point de murailles et de tours dans les plus fortes places que
les béliers et les autres machines ne fassent trembler, et ne renversent
avec le temps ; mais il n'y a point de machines assez puissantes pour
ébranler l'esprit ferme de son sage.... Les Dieux mêmes peuvent être
accablés sous les ruines de leurs temples, mais son sage n'en sera
pas accablé ; ou plutôt s'il en est accablé, il n'est pas possible qu'il
en soit blessé....

« Voilà jusqu'où l'imagination vigoureuse de Sénèque emporte sa
foible raison. Mais se peut-il faire que des hommes qui sentent continuellement leurs misères et leurs foiblesses puissent tomber dans
des sentiments si fiers et si vains que ceux de cet auteur ? Un homme
raisonnable peut-il jamais se persuader que sa douleur ne le touche
et ne le blesse pas ? Et Caton, tout sage et tout fort qu'il étoit, pouvoit-il souffrir sans quelque inquiétude ou au moins sans quelque
distraction, je ne dis pas les injures atroces d'un peuple enragé qui
le traîne, qui le dépouille et qui le maltraite de coups, mais les pi-
qûres d'une simple mouche?... » (*De la Recherche de la vérité*, livre II,
3e partie, chapitre IV, tome I, p. 3o6-3 1o, édition de 1675 ; voyez
de plus livre I, chapitre XVII, § 3 ; livre IV, chapitre X ; livre V,
chapitre II et IV.)

jours plus d'inconvénient à prendre un mauvais parti,
qu'à n'en prendre aucun. (ÉD. 6.)

6.   Un homme inégal n'est pas un seul homme, ce sont
plusieurs : il se multiplie autant de fois qu'il a de nouveaux goûts et de manières différentes ; il est à chaque
moment ce qu'il n'étoit point, et il va être bientôt ce
qu'il n'a jamais été : il se succède à lui-même. Ne demandez pas de quelle complexion il est, mais quelles
sont ses complexions ; ni de quelle humeur, mais combien il a de sortes d'humeurs. Ne vous trompez-vous
point ? est-ce *Euthycrate* que vous abordez ? aujourd'hui
quelle glace pour vous ! hier il vous recherchoit, il vous
caressoit, vous donniez de la jalousie à ses amis : vous
reconnoît-il bien ? dites-lui votre nom. (ÉD. 6.)

7.   *Ménalque*[1] descend son escalier, ouvre sa porte pour
sortir, il la referme : il s'aperçoit qu'il est en bonnet de
nuit ; et venant à mieux s'examiner, il se trouve rasé à
moitié, il voit que son épée est mise du côté droit, que
ses bas sont rabattus sur ses talons, et que sa chemise
est par-dessus ses chausses. S'il marche dans les places,
il se sent tout d'un coup rudement frapper à l'estomac

---

1. Ceci est moins un caractère particulier qu'un recueil de faits de
distractions. Ils ne sauroient être en trop grand nombre s'ils sont
agréables ; car les goûts étant différents, on a à choisir. (*Note de la
Bruyère*, ajoutée à la 8e édition.) — En même temps qu'il plaçait la
note précédente à côté du caractère de Ménalque, la Bruyère y insé-
rait plusieurs traits nouveaux, dont l'un, recueilli dans la maison
même des Condé, était emprunté au prince de la Roche-sur-Yon
(voyez l'*Appendice*, p. 286 et 287). Le comte de Brancas avait fourni les
traits principaux du caractère ; l'une des anecdotes était attribuée à
l'abbé de Mauroy : l'annotation de la Bruyère, écrite au moment où
il ajoutait le récit de l'une des aventures d'un troisième Ménalque à
celles des deux premiers, était donc d'une parfaite exactitude.

ou au visage ; il ne soupçonne point ce que ce peut être,
jusqu'à ce qu'ouvrant les yeux et se réveillant, il se trouve
ou devant un limon de charrette, ou derrière un long
ais de menuiserie que porte un ouvrier sur ses épaules.
On l'a vu une fois heurter du front contre celui d'un
aveugle, s'embarrasser dans ses jambes, et tomber avec
lui chacun de son côté à la renverse. Il lui est arrivé
plusieurs fois de se trouver tête pour tête à la rencontre
d'un prince et sur son passage, se reconnoître à peine, et
n'avoir que le loisir de se coller à un mur pour lui faire
place. Il cherche, il brouille [1], il crie, il s'échauffe, il appelle ses valets l'un après l'autre : *on lui perd tout, on
lui égare tout ;* il demande ses gants, qu'il a dans ses
mains, semblable à cette femme qui prenoit le temps de
demander son masque lorsqu'elle l'avoit sur son visage.
Il entre à l'appartement[2], et passe sous un lustre où sa
perruque s'accroche et demeure suspendue : tous les
courtisans regardent et rient ; Ménalque regarde aussi et
rit plus haut que les autres, il cherche des yeux dans
toute l'assemblée où est celui qui montre ses oreilles, et
à qui il manque une perruque. S'il va par la ville, après
avoir fait quelque chemin, il se croit égaré, il s'émeut,
et il demande où il est à des passants, qui lui disent précisément le nom de sa rue ; il entre ensuite dans sa maison, d'où il sort précipitamment, croyant qu'il s'est
trompé. Il descend du Palais [3], et trouvant au bas du
grand degré un carrosse qu'il prend pour le sien, il se

1. VAR. (édit. 6) : Il cherche, il fourrage.
2. On désignait particulièrement de ce nom les salles du château de
Versailles où la cour s'assemblait le soir lorsqu'il n'y avait pas comédie, et par suite le cercle même qui se tenait dans ces salles. (Voyez
l'*État de la France*, tome I, p. 294, édition de 1712 ; Saint-Simon,
édition Boislisle, tome I, page 71 ; et notre tome II, p. 222).
3. Il s'agit du Palais de justice.

met dedans : le cocher touche et croit remener son maître dans sa maison ; Ménalque se jette hors de la portière, traverse la cour, monte l'escalier, parcourt l'antichambre, la chambre, le cabinet ; tout lui est familier, rien ne lui est nouveau ; il s'assit [1], il se repose, il est chez soi. Le maître arrive : celui-ci se lève pour le recevoir ; il le traite fort civilement, le prie de s'asseoir, et croit faire les honneurs de sa chambre ; il parle, il rêve, il reprend la parole : le maître de la maison s'ennuie, et demeure étonné ; Ménalque ne l'est pas moins, et ne dit pas ce qu'il en pense : il a affaire à un fâcheux, à un homme oisif, qui se retirera à la fin, il l'espère, et il prend patience : la nuit arrive qu'il est à peine détrompé. Une autre fois il rend visite à une femme, et se persuadant bientôt que c'est lui qui la reçoit, il s'établit dans son fauteuil, et ne songe nullement à l'abandonner : il trouve ensuite que cette dame fait ses visites longues, il attend à tous moments qu'elle se lève et le laisse en liberté ; mais comme cela tire en longueur, qu'il a faim, et que la nuit est déjà avancée, il la prie à souper : elle rit, et si haut, qu'elle le réveille. Lui-même se marie le matin, l'oublie le soir, et découche la nuit de ses noces ; et quelques années après il perd sa femme, elle meurt entre ses bras il assiste à ses obsèques, et le lendemain, quand on lui vient dire qu'on a servi, il demande si sa femme est prête et si elle est avertie. C'est lui encore qui entre dans une église, et prenant l'aveugle qui est collé à la porte pour un pilier, et sa tasse pour le bénitier, y plonge la main, la porte à son front, lorsqu'il entend tout d'un coup le pilier qui parle, et qui lui offre des oraisons [2]. Il s'avance dans la

---

1. Tel est le texte de toutes les éditions publiées du vivant de la Bruyère.

2. « Les aveugles disent l'antienne et l'*oraison* d'un saint à l'inten-

nef, il croit voir un prié-Dieu [1], il se jette lourdement
dessus : la machine plie, s'enfonce, et fait des efforts
pour crier ; Ménalque est surpris de se voir à genoux sur
les jambes d'un fort petit homme, appuyé sur son dos,
les deux bras passés sur ses épaules, et ses deux mains
jointes et étendues qui lui prennent le nez et lui ferment
la bouche ; il se retire confus, et va s'agenouiller ailleurs. Il tire un livre pour faire sa prière, et c'est sa
pantoufle qu'il a prise pour ses Heures, et qu'il a mise [2]
dans sa poche avant que de sortir. Il n'est pas hors de
l'église qu'un homme de livrée court après lui, le joint,
lui demande en riant s'il n'a point la pantoufle de Monseigneur ; Ménalque lui montre la sienne, et lui dit :
« Voilà toutes les pantoufles que j'ai sur moi ; » il se
fouille néanmoins, et tire celle de l'évêque de **, qu'il
vient de quitter, qu'il a trouvé malade auprès de son
feu, et dont, avant de prendre congé de lui, il a ramassé
la pantoufle, comme l'un de ses gants qui étoit à terre :
ainsi Ménalque s'en retourne chez soi avec une pantoufle
de moins. Il [3] a une fois perdu au jeu tout l'argent qui
est dans sa bourse, et voulant continuer de jouer, il
entre dans son cabinet, ouvre une armoire, y prend sa
cassette, en tire ce qu'il lui plaît, croit la remettre où il
l'a prise : il entend aboyer dans son armoire qu'il vient
de fermer ; étonné de ce prodige, il l'ouvre une seconde

tion de ceux qui leur donnent l'aumône. » (*Dictionnaire de Trévoux*,
au mot *Oraison*.)

1. La forme *prié-Dieu* est la seule que contiennent le *Dictionnaire*
de Richelet (1680) et la première édition du *Dictionnaire de l'Académie* (1694). Furetière (1690) a les deux formes : *prié-Dieu* et *prie-
Dieu*.

2. La 6e édition porte : *qu'il a mis*, sans accord.

3. Cette phrase : « Il a une fois perdu au jeu, etc., » jusqu'aux
mots : « qu'il a serré pour sa cassette, » a été ajoutée dans la
8e édition.

fois, et il éclate de rire d'y voir son chien, qu'il a serré
pour sa cassette. Il joue au trictrac[1], il demande à boire,
on lui en apporte ; c'est à lui à jouer, il tient le cornet
d'une main et un verre de l'autre, et comme il a une
grande soif, il avale les dés et presque le cornet, jette le
verre d'eau dans le trictrac, et inonde celui contre qui
il joue. Et[2] dans une chambre où il est familier, il
crache sur le lit et jette son chapeau à terre, en croyant
faire tout le contraire. Il se promène sur l'eau, et il demande quelle heure il est : on lui présente une montre ;
à peine l'a-t-il reçue, que ne songeant plus ni à l'heure
ni à la montre, il la jette dans la rivière, comme une
chose qui l'embarrasse. Lui-même écrit une longue
lettre, met de la poudre dessus à plusieurs reprises, et
jette toujours la poudre dans l'encrier. Ce n'est pas
tout : il écrit une seconde lettre, et après les avoir ca-
chetées[3] toutes deux, il se trompe à l'adresse ; un duc et
pair reçoit l'une de ces deux lettres, et en l'ouvrant y lit
ces mots : *Maître Olivier, ne manquez, sitôt la présente reçue, de m'envoyer ma provision de foin....* Son
fermier reçoit l'autre, il l'ouvre, et se la fait lire ; on
y trouve : *Monseigneur, j'ai reçu avec une soumission aveugle les ordres qu'il a plu à Votre Grandeur....*
Lui-même encore écrit une lettre pendant la nuit, et
après l'avoir cachetée, il éteint sa bougie : il ne laisse
pas d'être surpris de ne voir *goutte,* et il sait à peine
comment cela est arrivé. Ménalque descend l'escalier du
Louvre ; un autre le monte, à qui il dit : *C'est vous
que je cherche ;* il le prend par la main, le fait des-

---

1. Var. (édit. 6 et 7) : Il joue une fois au trictrac.

2. La phrase : « Et dans une chambre, etc., jusqu'aux mots :
« en croyant faire tout le contraire, » a été également ajoutée dans
la 8e édition.

3. Il y a *cacheté,* sans accord dans la 6e édition.

cendre avec lui, traverse plusieurs cours, entre dans les
salles, en sort ; il va, il revient sur ses pas ; il regarde
enfin celui qu'il traîne après soi depuis un quart d'heure :
il est étonné que ce soit lui, il n'a rien à lui dire, il lui
quitte la main, et tourne d'un autre côté. Souvent il
vous interroge, et il est déjà bien loin de vous quand
vous songez à lui répondre ; ou bien il vous demande en
courant comment se porte votre père, et comme vous
lui dites qu'il est fort mal, il vous crie qu'il en est bien
aise[1]. Il vous trouve quelque autre fois sur son chemin : *Il est ravi de vous rencontrer ; il sort de chez
vous pour vous entretenir d'une certaine chose ;* il contemple votre main : « Vous avez là, dit-il, un beau ru-
bis ; est-il balais ? » il vous quitte et continue sa route :
voilà l'affaire importante dont il avoit à vous parler. Se
trouve-t-il en campagne, il dit à quelqu'un qu'il le trouve
heureux d'avoir pu se dérober à la cour pendant l'automne, et d'avoir passé dans ses terres tout le temps de
Fontainebleau[2] ; il tient à d'autres d'autres discours ;
puis revenant à celui-ci : « Vous avez eu, lui dit-il, de
beaux jours à Fontainebleau ; vous y avez sans doute
beaucoup chassé[3]. » Il commence ensuite un conte qu'il
oublie d'achever[4] ; il rit en lui-même, il éclate d'une
chose qui lui passe par l'esprit, il répond à sa pensée, il

---

1. « Ou bien il vous demande, etc.... qu'il en est bien aise, »
trait ajouté dans la 8e édition.

2. La cour, à cette époque, passait habituellement le mois d'octobre à Fontainebleau. Le Roi y chassait presque tous les jours, et
le duc de Bourgogne tous les jours.

3. Toute cette phrase, depuis les mots : « Se trouve-t-il en campagne, » a été ajoutée dans la 8e édition. De là, dans cette même
édition, la modification du début de la phrase qui suit : voyez la note
suivante.

4. Var. (édit. 6 et 7) : Se trouve-t-il en compagnie, il commence
un conte qu'il oublie d'achever.

chante entre ses dents, il siffle, il se renverse dans une
chaise, il pousse un cri plaintif, il bâille, il se croit seul.
S'il se trouve à un repas, on voit le pain se multiplier
insensiblement sur son assiette : il est vrai que ses voisins en manquent, aussi bien que de couteaux et de
fourchettes, dont il ne les laisse pas jouir longtemps. On
a inventé aux tables une grande cueillère[1] pour la commodité du service : il la prend, la plonge dans le plat,
l'emplit, la porte à sa bouche, et il ne sort pas d'étonnement de voir répandu sur son linge et sur ses habits
le potage qu'il vient d'avaler. Il oublie de boire pendant
tout le dîner ; ou s'il s'en souvient, et qu'il trouve que
l'on lui donne trop de vin, il en *flaque* plus de la moitié
au visage de celui qui est à sa droite ; il boit le reste
tranquillement, et ne comprend pas pourquoi tout le
monde éclate de rire de ce qu'il a jeté à terre ce qu'on
lui a versé de trop. Il est un jour retenu au lit pour quelque incommodité[2] : on lui rend visite ; il y a un cercle
d'hommes et de femmes dans sa ruelle qui l'entretien-
nent, et en leur présence il soulève sa couverture et
crache dans ses draps. On le mène aux Chartreux ; on
lui fait voir un cloître orné d'ouvrages, tous de la main
d'un excellent peintre[3] ; le religieux qui les lui explique
parle de saint BRUNO, du chanoine et de son aventure,
en fait une longue histoire, et la montre dans l'un de ses

1. C'est ainsi que le mot est écrit dans toutes les éditions du dix-
septième siècle.

2. VAR. (édit. 7) : par quelque incommodité. — La phrase : « Il
est un jour retenu au lit, etc., » jusqu'à ces mots : « crache dans ses
draps, » a été ajoutée dans la 7ᵉ édition.

3. La Bruyère veut parler des vingt-deux tableaux qu'Eustache
le Sueur avait peints pour le cloître des Chartreux, et où il avait
représenté l'histoire de saint Bruno. La plus grande partie de ces
tableaux est conservée au Louvre. — Le couvent des Chartreux était,
comme l'on sait, voisin du Luxembourg.

tableaux[1] : Ménalque, qui pendant la narration est hors
du cloître, et bien loin au delà, y revient enfin, et demande au père si c'est le chanoine ou saint Bruno qui est
damné. Il se trouve par hasard avec une jeune veuve ; il
lui parle de son défunt mari, lui demande comment il
est mort ; cette femme, à qui ce discours renouvelle ses
douleurs, pleure, sanglote, et ne laisse pas de reprendre
tous les détails de la maladie de son époux, qu'elle conduit depuis la veille de sa fièvre, qu'il se portoit bien,
jusqu'à l'agonie : *Madame,* lui demande Ménalque, qui
l'avoit apparemment écoutée avec attention, *n'aviez-
vous que celui-là ?* Il s'avise un matin de faire tout
hâter dans sa cuisine, il se lève avant le fruit[2], et prend
congé de la compagnie : on le voit ce jour-là en tous les
endroits de la ville, hormis en celui où il a donné un
rendez-vous précis pour cette affaire qui l'a empêché de
dîner, et l'a fait sortir à pied, de peur que son carrosse
ne le fît attendre. L'entendez-vous crier, gronder, s'em-
porter contre l'un de ses domestiques ? il est étonné de
ne le point voir : « Où peut-il être ? dit-il ; que fait-il ?
qu'est-il devenu ? qu'il ne se présente plus devant moi,
je le chasse dès à cette heure. » Le valet arrive, à qui il
demande fièrement d'où il vient ; il lui répond qu'il vient
de l'endroit où il l'a envoyé, et il lui rend un fidèle

1. Var. (édit. 7) : dans un de ses tableaux. — L'aventure dont il
s'agit, reproduite dans le troisième tableau de le Sueur, est le miracle qui, suivant la légende, détermina saint Bruno à se retirer du
monde : on allait ensevelir un éloquent et savant chanoine de Paris ;
pendant les funérailles, le mort se dressa, s'écria qu'il était damné,
puis s'affaissa dans sa bière. — Saint Bruno, fondateur de l'ordre des
Chartreux, est mort en 1101.

2. On lit dans la 6e édition : « Il s'avise un matin de faire tout
hâter dans sa cuisine, *il ne se mettra jamais assez tôt à table,* il se lève
avant le fruit, etc. — Peut-être le membre de phrase souligné a-t-il
été oublié par l'imprimeur dans la 7e édition.

compte de sa commission. Vous le prendriez souvent
pour tout ce qu'il n'est pas : pour un stupide, car il
n'écoute point, et il parle encore moins ; pour un fou, car
outre qu'il parle tout seul, il est sujet à de certaines grimaces[1] et à des mouvements de tête involontaires ; pour
un homme fier et incivil, car vous le saluez, et il passe
sans vous regarder, ou il vous regarde sans vous rendre
le salut ; pour un inconsidéré, car il parle de banqueroute
au milieu d'une famille où il y a cette tache, d'exécution
et d'échafaud devant un homme dont le père y a monté,
de roture devant des roturiers qui sont riches et qui se
donnent pour nobles. De même il a dessein d'élever
auprès de soi un fils naturel sous le nom et le personnage
d'un valet ; et quoiqu'il veuille le dérober à la connoissance de sa femme et de ses enfants, il lui échappe de l'appeler son fils dix fois le jour. Il a pris aussi la résolution
de marier son fils à la fille d'un homme d'affaires, et il ne
laisse pas de dire de temps en temps, en parlant de sa
maison et de ses ancêtres, que les Ménalques ne se sont
jamais mésalliés. Enfin il n'est ni présent ni attentif dans
une compagnie à ce qui fait le sujet de la conversation.
Il pense et il parle tout à la fois, mais la chose dont il
parle est rarement celle à laquelle il pense ; aussi ne
parle-t-il guère conséquemment et avec suite : où il dit
non, souvent il faut dire *oui,* et où il dit *oui,* croyez qu'il
veut dire *non ;* il a, en vous répondant si juste, les yeux
fort ouverts, mais il ne s'en sert point : il ne regarde
ni vous ni personne, ni rien qui soit au monde. Tout ce
que vous pouvez tirer de lui, et encore dans le temps
qu'il est le plus appliqué et d'un meilleur commerce, ce
sont ces mots : *Oui vraiment ; C'est vrai ; Bon ! Tout de
bon ? Oui-da ! Je pense qu'oui ; Assurément ; Ah ! ciel !*

---

1. Var. (édit. 6) : à certaines grimaces.

et quelques autres monosyllabes qui ne sont pas même placés à propos. Jamais aussi il n'est avec ceux avec qui il paroît être : il appelle sérieusement son laquais *Monsieur ;* et son ami, il l'appelle *la Verdure ;* il dit *Votre Révérence* à un prince du sang, et *Votre Altesse* à un jésuite. Il entend la messe : le prêtre vient à éternuer ; il lui dit : *Dieu vous assiste !* Il se trouve avec un magistrat [1] : cet homme, grave par son caractère, vénérable par son âge et par sa dignité, l'interroge sur un événement et lui demande si cela est ainsi ; Ménalque lui répond : *Oui, Mademoiselle* [2]. Il revient une fois de la campagne : ses laquais en livrées entreprennent de le voler et y réussissent ; ils descendent de son carrosse, lui portent un bout de flambeau sous la gorge [3], lui demandent la bourse, et il la rend. Arrivé chez soi, il raconte son aventure à ses amis, qui ne manquent pas de l'interroger sur les circonstances, et il leur dit : *Demandez à mes gens, ils y étoient.* (ÉD. 6).

L'incivilité n'est pas un vice de l'âme, elle est l'effet de plusieurs vices : de la sotte vanité, de l'ignorance de ses devoirs, de la paresse, de la stupidité, de la distraction, du mépris des autres, de la jalousie. Pour ne se répandre que sur les dehors, elle n'en est que plus haïssable, parce que c'est toujours un défaut visible et manifeste. Il est vrai cependant qu'il offense plus ou moins, selon la cause qui le produit. (ÉD. 4.) 8.

Dire d'un homme colère, inégal, querelleux, chagrin, 9.

1. VAR. (édit. 6) : Il se trouve avec un grand magistrat.
2. Le caractère de Ménalque finit ici dans la 6ᵉ édition. Le reste a été ajouté dans la 7ᵉ.
3. *Lui portent un bout de flambeau sous la gorge,* membre de phrase ajouté dans la 8ᵉ édition.

pointilleux, capricieux : « c'est son humeur, » n'est pas
l'excuser, comme on le croit, mais avouer sans y penser
que de si grands défauts sont irrémédiables. (ÉD. 4.)

Ce qu'on appelle humeur est une chose trop négligée
parmi les hommes : ils devroient comprendre qu'il ne
leur suffit pas d'être bons, mais qu'ils doivent encore
paroître tels, du moins s'ils tendent à être sociables,
capables d'union et de commerce, c'est-à-dire à être des
hommes. L'on n'exige pas des âmes malignes qu'elles
aient de la douceur et de la souplesse ; elle ne leur
manque jamais, et elle leur sert de piège pour surprendre
les simples, et pour faire valoir leurs artifices : l'on desi-
reroit de ceux qui ont un bon cœur qu'ils fussent toujours pliants, faciles, complaisants ; et qu'il fût moins
vrai quelquefois que ce sont les méchants qui nuisent, et
les bons qui font souffrir. (ÉD. 4.)

10.   Le commun des hommes va[1] de la colère à l'injure.
Quelques-uns en usent autrement : ils offensent, et
puis ils se fâchent; la surprise où l'on est toujours de
ce procédé ne laisse pas de place au ressentiment.
(ÉD. 4).

11.   Les hommes ne s'attachent pas assez à ne point manquer les occasions de faire plaisir : il semble que l'on
n'entre dans un emploi que pour pouvoir obliger et n'en
rien faire; la chose la plus prompte et qui se présente
d'abord, c'est le refus, et l'on n'accorde que par réflexion.

12.   Sachez précisément ce que vous pouvez attendre des

---

1. VAR. (édit. 4 et 5) : Le commun des hommes vont. — La
4ᵉ édition de Lyon (Thomas Amaulry, 1689) est la première où le
singulier *va* soit substitué au pluriel *vont*.

hommes en général, et de chacun d'eux en particulier, et jetez-vous ensuite dans le commerce du monde.
(ÉD. 8.)

Si la pauvreté est la mère des crimes, le défaut d'es- 13.
prit en est le père. (ÉD. 4.)

Il est difficile qu'un fort malhonnête homme ait assez 14.
d'esprit : un génie qui est droit et perçant conduit enfin
à la règle, à la probité, à la vertu. Il manque du sens et
de la pénétration à celui qui s'opiniâtre dans le mauvais
comme dans le faux : l'on cherche en vain à le corriger
par des traits de satire qui le désignent aux autres, et où
il ne se reconnoît pas lui-même ; ce sont des injures dites
à un sourd. Il seroit desirable pour le plaisir des honnêtes gens et pour la vengeance publique, qu'un coquin
ne le fût pas au point d'être privé de tout sentiment.

Il y a des vices que nous ne devons à personne, que 15.
nous apportons en naissant, et que nous fortifions par
l'habitude ; il y en a d'autres que l'on contracte, et qui
nous sont étrangers. L'on est né quelquefois avec des
mœurs faciles, de la complaisance, et tout le desir de
plaire ; mais par les traitements que l'on reçoit de ceux
avec qui l'on vit ou de qui l'on dépend, l'on est bientôt
jeté hors de ses mesures, et même de son naturel : l'on a
des chagrins et une bile que l'on ne se connoissoit point,
l'on se voit une autre complexion, l'on est enfin étonné
de se trouver dur et épineux.

L'on demande pourquoi tous les hommes ensemble ne 16.
composent pas comme une seule nation, et n'ont point
voulu parler une même langue, vivre sous les mêmes
lois, convenir entre eux des mêmes usages et d'un même

culte; et moi, pensant à la contrariété des esprits, des
goûts et des sentiments, je suis étonné de voir jusques à
sept ou huit personnes se rassembler sous un même toit,
dans une même enceinte, et composer une seule famille[1].
(ÉD. 2.)

17.   Il y a d'étranges pères, et dont toute la vie ne semble
occupée[2] qu'à préparer à leurs enfants des raisons de se
consoler de leur mort.

18.   Tout est étranger dans l'humeur, les mœurs et les manières de la plupart des hommes. Tel a vécu pendant
toute sa vie chagrin, emporté, avare, rampant, soumis,
laborieux, intéressé, qui étoit né gai, paisible, paresseux, magnifique, d'un courage fier et éloigné de toute
bassesse: les besoins de la vie, la situation où l'on se
trouve, la loi de la nécessité forcent la nature et y causent
ces grands changements. Ainsi tel homme au fond et en
lui-même ne se peut définir: trop de choses qui sont hors
de lui l'altèrent[3], le changent, le bouleversent; il n'est
point précisément ce qu'il est ou ce qu'il paroît être.

19.   La vie est courte et ennuyeuse: elle se passe toute à
desirer. L'on remet à l'avenir son repos et ses joies, à cet

1. Cette remarque avait paru dans la 1re édition sous la forme
suivante : « Pénétrant à fond la contrariété des esprits, des goûts et
des sentiments, je suis bien plus émerveillé de voir que les milliers
d'hommes qui composent une nation se trouvent rassemblés en un
même pays pour parler une même langue, vivre sous les mêmes lois,
convenir entre eux d'une même coutume, des mêmes usages et d'un
même culte, que de voir diverses nations se cantonner sous les différents climats qui leur sont distribués, et se partager sur toutes ces
choses. »
    2. VAR. (édit. 1-3) : et dont toute la vie semble n'être occupée.
    3. VAR. (édit. 1 et 2ᴬ) : trop de choses sont hors de lui qui l'al-
tèrent.

âge souvent où les meilleurs biens ont déjà disparu, la
santé et la jeunesse. Ce temps arrive, qui nous surprend
encore dans les desirs ; on en est là, quand la fièvre nous
saisit et nous éteint : si l'on eût guéri, ce n'étoit que pour
desirer plus longtemps[1].

Lorsqu'on desire, on se rend à discrétion à celui de 20.
qui l'on espère : est-on sûr d'avoir, on temporise, on
parlemente, on capitule. (ÉD. 8.)

Il est si ordinaire à l'homme de n'être pas heureux, et 21.
si essentiel à tout ce qui est un bien d'être acheté par
mille peines, qu'une affaire qui se rend facile devient
suspecte[2]. L'on comprend à peine, ou que ce qui coûte si
peu puisse nous être fort avantageux, ou qu'avec des mesures justes l'on doive si aisément parvenir à la fin que

1. « Nous ne sommes iamais chez nous ; nous sommes tousiours
au delà : la crainte, le desir, l'esperance nous eslancent vers l'aduenir, et nous desrobbent le sentiment et la consideration de ce qui est,
pour nous amuser à ce qui sera, voire quand nous ne serons plus.
Calamitosus est animus futuri anxius*. » (Montaigne, *Essais,* livre I,
chapitre III, tome I, p. 18, édition Furne, 1865.) — « Et ainsi, le
présent ne nous satisfaisant jamais, l'espérance nous pipe, et de
malheur en malheur, nous mène jusqu'à la mort, qui en est un com-
ble éternel. » (Pascal, *Pensées,* édition Havet, 1866, article VIII, 2.)
— « Que chacun examine ses pensées, avait encore dit Pascal (article III, 5), il les trouvera toujours occupées au passé et à l'avenir.
Nous ne pensons presque point au présent ; et si nous y pensons,
ce n'est que pour en prendre la lumière pour disposer de l'avenir.
Le présent n'est jamais notre fin : le passé et le présent sont nos
moyens ; le seul avenir est notre fin. Ainsi nous ne vivons jamais,
mais nous espérons de vivre ; et nous disposant toujours à être heureux, il est inévitable que nous ne le soyons jamais. »
2. « Elle est si bonne, écrit Mme de Sévigné en parlant d'une affaire (lettre du 4 mars 1676, tome IV, p. 373), que nous ne croyons
pas possible qu'elle puisse réussir. »

* Sénèque, *épître* XCVIII.

l'on se propose. L'on croit mériter les bons succès, mais
n'y devoir compter que fort rarement.

22.   L'homme[1] qui dit qu'il n'est pas né heureux pourroit
du moins le devenir par le bonheur de ses amis ou de
ses proches. L'envie lui ôte cette dernière ressource.
(ÉD. 4.)

23.   Quoi que j'aie pu dire ailleurs[2], peut-être que les af-
fligés ont tort. Les hommes semblent être nés pour l'infortune, la douleur et la pauvreté ; peu en échappent ; et
comme toute disgrâce peut leur arriver, ils devroient
être préparés à toute disgrâce. (ÉD. 6.)

24.   Les hommes ont tant de peine à s'approcher sur les
affaires, sont si épineux sur les moindres intérêts, si hé-
rissés de difficultés, veulent si fort tromper et si peu être
trompés, mettent si haut ce qui leur appartient, et si bas
ce qui appartient aux autres, que j'avoue que je ne sais
par où et comment se peuvent conclure les mariages, les
contrats, les acquisitions, la paix, la trêve, les traités,
les alliances.

25.   A quelques-uns l'arrogance tient lieu de grandeur,
l'inhumanité de fermeté, et la fourberie d'esprit. (ÉD. 5.)
        Les fourbes croient aisément que les autres le sont ;
ils ne peuvent guère être trompés, et ils ne trompent pas
longtemps[3].

        1. Ce paragraphe n'a été séparé du précédent qu'à partir de la
7e édition.
        2. Voyez tome II, p. 148, n° 63 : « Combien de belles et inutiles
raisons, etc. »
        3. VAR. (édit. 1) : Ceux qui sont fourbes croient aisément que
les autres le sont ; ils ne peuvent guère être trompés ni tromper.

Je me rachèterai toujours fort volontiers d'être fourbe par être stupide et passer pour tel. (ÉD. 5.)

On ne trompe point en bien ; la fourberie ajoute la malice au mensonge. (ÉD. 5.)

S'il y avoit moins de dupes, il y auroit moins de ce 26. qu'on appelle des hommes fins ou entendus, et de ceux qui tirent autant de vanité que de distinction d'avoir su, pendant tout le cours de leur vie, tromper les autres. Comment voulez-vous qu'*Érophile*, à qui le manque de parole, les mauvais offices, la fourberie, bien loin de nuire, ont mérité des grâces et des bienfaits de ceux mêmes qu'il a ou manqué de servir ou désobligés, ne présume pas infiniment de soi et de son industrie ? (ÉD. 8.)

L'on n'entend dans les places et dans les rues des 27. grandes villes, et de la bouche de ceux qui passent, que les mots d'*exploit,* de *saisie,* d'*interrogatoire,* de *promesse,* et de *plaider contre sa promesse.* Est-ce qu'il n'y auroit pas dans le monde la plus petite équité ? Seroit-il au contraire rempli de gens qui demandent froidement ce qui ne leur est pas dû, ou qui refusent nettement de rendre ce qu'ils doivent ? (ÉD. 4.)

Parchemins inventés pour faire souvenir ou pour convaincre les hommes de leur parole : honte de l'humanité ! (ÉD. 8.)

Otez les passions, l'intérêt, l'injustice, quel calme dans les plus grandes villes ! Les besoins et la subsistance n'y font pas le tiers de l'embarras. (ÉD. 4.)

Rien n'engage tant un esprit raisonnable à supporter 28. tranquillement des parents et des amis les torts qu'ils ont à son égard, que la réflexion qu'il fait sur les vices de

l'humanité, et combien il est pénible aux hommes d'être
constants, généreux, fidèles, d'être touchés d'une amitié
plus forte que leur intérêt. Comme il connoît leur portée,
il n'exige point d'eux qu'ils pénètrent les corps, qu'ils
volent dans l'air, qu'ils aient de l'équité. Il peut haïr les
hommes en général, où il y a si peu de vertu ; mais il
excuse les particuliers, il les aime même par des motifs
plus relevés, et il s'étudie à mériter le moins qu'il se peut
une pareille indulgence.

29.   Il y a de certains biens que l'on desire avec emportement, et dont l'idée seule nous enlève et nous transporte :
s'il nous arrive de les obtenir, on les sent plus tranquillement qu'on ne l'eût pensé, on en jouit moins que l'on
aspire encore à de plus grands[1].

30.   Il y a des maux effroyables et d'horribles malheurs où
l'on n'ose penser, et dont la seule vue fait frémir : s'il
arrive[2] que l'on y tombe, l'on se trouve des ressources
que l'on ne se connoissoit point, l'on se roidit contre son
infortune, et l'on fait mieux qu'on ne l'espéroit.

31.   Il ne faut quelquefois qu'une jolie maison dont on hé-
rite, qu'un beau cheval ou un joli chien dont on se trouve

---

1. Var. (édit. 1-4) : que l'on n'aspire encore à de plus grands. —
MM. Walckenaer et Destailleur ont conservé la leçon des quatre
premières éditions, attribuant à une faute d'imprimerie la suppression de la négation, qui est plutôt, ce nous semble, une correction
de l'auteur. — « Quoy que ce soit qui tumbe en nostre cognoissance
et iouïssance, dit Montaigne (livre I, chapitre LIII, tome I, p. 466
et 467), nous sentons qu'il ne nous satisfaict pas, et allons beeant
aprez les choses aduenir et incogneues, d'autant que les presentes
ne nous saoulent point ; non pas, à mon aduis, qu'elles n'ayent
assez de quoy nous saouler, mais c'est que nous les saisissons d'une
prinse malade et desreglée. »

2. Var. (édit. 7) : et s'il arrive.

le maître, qu'une tapisserie, qu'une pendule, pour adou-
cir une grande douleur, et pour faire moins sentir une
grande perte. (ÉD. 4.)

Je suppose que les hommes soient éternels sur la terre, 32.
et je médite ensuite sur ce qui pourroit me faire connoître
qu'ils se feroient alors une plus grande affaire de leur
établissement qu'ils ne s'en font dans l'état où sont les
choses. (ÉD. 5.)

Si la vie est misérable, elle est pénible à supporter; si 33.
elle est heureuse, il est horrible de la perdre[1]. L'un revient à l'autre.

Il n'y a rien que les hommes aiment mieux à conserver 34.
et qu'ils ménagent moins, que leur propre vie.

Irène se transporte à grands frais en Épidaure[2], voit 35.
Esculape dans son temple, et le consulte sur tous ses
maux. D'abord elle se plaint qu'elle est lasse et recrue
de fatigue; et le dieu prononce que cela lui arrive par la
longueur du chemin qu'elle vient de faire. Elle dit qu'elle
est le soir sans appétit; l'oracle lui ordonne de dîner peu.
Elle ajoute qu'elle est sujette à des insomnies; et il lui
prescrit de n'être au lit que pendant la nuit. Elle lui demande pourquoi elle devient pesante, et quel remède;
l'oracle répond qu'elle doit se lever avant midi, et quelquefois se servir de ses jambes pour marcher. Elle lui
déclare que le vin lui est nuisible: l'oracle lui dit de
boire de l'eau; qu'elle a des indigestions: et il ajoute

---

1. « La vie est courte...; c'est la consolation des misérables et la
douleur des gens heureux. » (Mme de Sévigné, lettre du 15 décembre
1685, tome VII, p. 481.)

2. Ville d'Argolide, célèbre par un temple et un oracle d'Esculape.

qu'elle fasse diète. « Ma vue s'affoiblit, dit Irène. —
Prenez des lunettes, dit Esculape. — Je m'affoiblis
moi-même, continue-t-elle, et je ne suis ni si forte ni si
saine que j'ai été. — C'est, dit le dieu, que vous vieil-
lissez. — Mais quel moyen de guérir de cette langueur ?
— Le plus court, Irène, c'est de mourir, comme ont fait
votre mère et votre aïeule. — Fils d'Apollon, s'écrie
Irène, quel conseil me donnez-vous ? Est-ce là toute cette
science que les hommes publient, et qui vous fait révé-
rer de toute la terre ? Que m'apprenez-vous de rare et
de mystérieux ? et ne savois-je pas tous ces remèdes que
vous m'enseignez ? — Que n'en usiez-vous donc, répond
le dieu, sans venir me chercher de si loin, et abréger
vos jours par un long voyage ? » (ÉD. 8.)

36.   La mort n'arrive qu'une fois, et se fait sentir à tous
les moments de la vie : il est plus dur de l'appréhender
que de la souffrir [1].

37.   L'inquiétude, la crainte, l'abattement n'éloignent pas
la mort, au contraire : je doute seulement que le ris excessif convienne aux hommes, qui sont mortels. (ÉD. 5.)

38.   Ce qu'il y a de certain dans la mort est un peu adouci
par ce qui est incertain : c'est un indéfini dans le temps
qui tient quelque chose de l'infini et de ce qu'on appelle
éternité. (ÉD. 5.)

39.   Pensons que comme nous soupirons présentement
pour la florissante jeunesse qui n'est plus et ne reviendra
point, la caducité suivra, qui nous fera regretter l'âge
viril où nous sommes encore, et que nous n'estimons pas
assez.

---

[1]. *Mortem timere crudelius est quam mori.* (*Publius Syrus.*)

L'on craint la vieillesse, que l'on n'est pas sûr de pou- 40.
voir atteindre.

L'on espère de vieillir, et l'on craint la vieillesse ; 41.
c'est-à-dire l'on aime la vie, et l'on fuit la mort. (ÉD. 5.)

C'est plus tôt fait de céder à la nature et de craindre 42.
la mort, que de faire de continuels efforts, s'armer de
raisons et de réflexions, et être continuellement aux
prises avec soi-même pour ne la pas craindre[1]. (ÉD. 6.)

Si de tous les hommes les uns mouroient, les autres 43.
non, ce seroit une désolante affliction que de mourir.
(ÉD. 5.)

Une longue maladie semble être placée entre la vie et 44.
la mort, afin que la mort même devienne un soulage-
ment et à ceux qui meurent et à ceux qui restent. (ÉD. 5.)

A parler humainement, la mort a un bel endroit, qui 45.
est de mettre fin à la vieillesse. (ÉD. 5.)
La mort qui prévient la caducité arrive plus à propos
que celle qui la termine. (ÉD. 5.)

Le regret qu'ont les hommes du mauvais emploi du 46.
temps qu'ils ont déjà vécu, ne les conduit par toujours à
faire de celui qui leur reste à vivre un meilleur usage.

La vie est un sommeil : les vieillards sont ceux dont 47.
le sommeil a été plus long ; ils ne commencent à se ré-
veiller que quand il faut mourir. S'ils repassent alors sur

1. « La mort est plus aisée à supporter sans y penser, que la pensée
de la mort sans péril. » (Pascal, *Pensées*, article VI, 58.)

tout le cours de leurs années, ils ne trouvent souvent ni
vertus ni actions louables qui les distinguent les unes
des autres ; ils confondent leurs différents âges, ils n'y
voient rien qui marque assez pour mesurer le temps
qu'ils ont vécu. Ils ont eu un songe confus, uniforme [1], et
sans aucune suite ; ils sentent néanmoins, comme ceux
qui s'éveillent, qu'ils ont dormi longtemps. (ÉD. 5.)

48.   Il n'y a pour l'homme que trois événements : naître,
vivre et mourir. Il ne se sent pas naître, il souffre à
mourir, et il oublie de vivre. (ÉD. 4.)

49.   Il y a un temps où la raison n'est pas encore, où l'on
ne vit que par instinct, à la manière des animaux, et
dont il ne reste dans la mémoire aucun vestige. Il y a un
second temps où la raison se développe, où elle est formée, et où elle pourroit agir, si elle n'étoit pas obscurcie
et comme éteinte par les vices de la complexion, et par
un enchaînement de passions qui se succèdent les unes
aux autres, et conduisent jusques au troisième et dernier
âge. La raison, alors dans sa force, devroit produire ;
mais elle est refroidie et ralentie par les années, par la
maladie et la douleur, déconcertée ensuite par le désordre de la machine, qui est dans son déclin : et ces
temps néanmoins sont la vie de l'homme. (ÉD. 4.)

50.   Les enfants sont hautains, dédaigneux, colères, en-
vieux, curieux, intéressés, paresseux, volages, timides,
intempérants, menteurs, dissimulés ; ils rient et pleurent
facilement ; ils ont des joies immodérées et des afflic-

---

1. VAR. (édit. 5-8) : informe. — Nous suivons, selon notre coutume, la 9e édition ; mais on peut hésiter entre les deux leçons. Nous
préférerions même *informe ;* mais *uniforme* s'accorde bien aussi avec
ce qui précède.

tions amères sur de très petits sujets ; ils ne veulent
point souffrir de mal, et aiment à en faire : ils sont déjà
des hommes. (ÉD. 4.)

Les enfants n'ont ni passé ni avenir, et ce qui ne nous 51.
arrive guère, ils jouissent du présent. (ÉD. 4.)

Le caractère de l'enfance paroît unique ; les mœurs, 52.
dans cet âge, sont assez les mêmes, et ce n'est qu'avec
une curieuse attention qu'on en pénètre la différence :
elle augmente avec la raison, parce qu'avec celle-ci
croissent les passions et les vices, qui seuls rendent les
hommes si dissemblables entre eux, et si contraires à
eux-mêmes. (ÉD. 4.)

Les enfants ont déjà de leur âme l'imagination et la 53.
mémoire, c'est-à-dire ce que les vieillards n'ont plus,
et ils en tirent un merveilleux usage pour leurs petits
jeux et pour tous leurs amusements : c'est par elles
qu'ils répètent ce qu'ils ont entendu dire, qu'ils contrefont ce qu'ils ont vu faire[1], qu'ils sont de tous métiers,
soit qu'ils s'occupent en effet à mille petits ouvrages,
soit qu'ils imitent les divers artisans par le mouvement
et par le geste ; qu'ils se trouvent à un grand festin, et y
font bonne chère ; qu'ils se transportent dans des palais
et dans des lieux enchantés ; que bien que seuls, ils se
voient un riche équipage et un grand cortège ; qu'ils
conduisent des armées, livrent bataille, et jouissent du
plaisir de la victoire ; qu'ils parlent aux rois[2] et aux plus
grands princes ; qu'ils sont rois eux-mêmes, ont des sujets, possèdent des trésors, qu'ils peuvent faire de feuilles

---

1. VAR. (édit. 4-6) : et qu'ils contrefont ce qu'ils ont vu faire.
2. VAR. (édit. 4-6) : qu'ils parlent au Roi.

d'arbres ou de grains de sable ; et ce qu'ils ignorent dans la suite de leur vie, savent à cet âge être les arbitres de leur fortune, et les maîtres de leur propre félicité. (ÉD. 4.)

54.   Il n'y a nuls vices extérieurs et nuls défauts du corps qui ne soient aperçus par les enfants ; ils les saisissent d'une première vue, et ils savent les exprimer par des mots convenables : on ne nomme point plus heureusement. Devenus hommes, ils sont chargés à leur tour de toutes les imperfections dont ils se sont moqués. (ÉD. 4.)

L'unique soin des enfants est de trouver l'endroit foible de leurs maîtres, comme de tous ceux à qui ils sont soumis : dès qu'ils ont pu les entamer, ils gagnent le dessus, et prennent sur eux un ascendant qu'ils ne perdent plus. Ce qui nous fait déchoir une première fois de cette supériorité à leur égard est toujours ce qui nous empêche de la recouvrer[1]. (ÉD. 4.)

55.   La paresse, l'indolence et l'oisiveté, vices si naturels aux enfants, disparoissent dans leurs jeux, où ils sont vifs, appliqués, exacts, amoureux des règles et de la symétrie, où ils ne se pardonnent nulle faute les uns aux autres, et recommencent eux-mêmes plusieurs fois une

---

1. « Quoique vous veilliez sur vous-mêmes pour n'y laisser rien voir que de bon, n'attendez pas que l'enfant ne trouve jamais aucun défaut en vous : souvent il apercevra jusqu'à vos fautes les plus légères.... D'ordinaire ceux qui gouvernent les enfants ne leur pardonnent rien, et se pardonnent tout à eux-mêmes. Cela excite dans les enfants un esprit de critique et de malignité ; de façon que quand ils ont vu faire quelque faute à la personne qui les gouverne, ils en sont ravis et ne cherchent qu'à la mépriser. » (Fénelon, *de l'Éducation des filles,* chapitre v.) — Le traité *de l'Éducation des filles* a paru en 1687.

seule chose qu'ils ont manquée : présages certains qu'ils
pourront un jour négliger leurs devoirs, mais qu'ils n'oublieront rien pour leurs plaisirs. (ÉD. 4.)

Aux enfants tout paroît grand, les cours, les jardins,   56.
les édifices, les meubles, les hommes, les animaux ; aux
hommes les choses du monde paroissent ainsi, et j'ose
dire par la même raison, parce qu'ils sont petits. (ÉD. 4.)

Les enfants commencent entre eux par l'état popu-   57.
laire, chacun y est le maître ; et ce qui est bien naturel,
ils ne s'en accommodent pas longtemps, et passent au
monarchique. Quelqu'un se distingue, ou par une plus
grande vivacité, ou par une meilleure disposition du
corps, ou par une connoissance plus exacte des jeux différents et des petites lois qui les composent ; les autres
lui défèrent, et il se forme alors un gouvernement absolu
qui ne roule que sur le plaisir. (ÉD. 4.)

Qui doute que les enfants ne conçoivent, qu'ils ne   58.
jugent, qu'ils ne raisonnent conséquemment ? Si c'est
seulement sur de petites choses, c'est qu'ils sont enfants, et sans une longue expérience ; et si c'est en
mauvais termes, c'est moins leur faute que celle de
leurs parents ou de leurs maîtres. (ÉD. 4.)

C'est perdre toute confiance dans l'esprit des enfants,   59.
et leur devenir inutile, que de les punir des fautes qu'ils
n'ont point faites, ou même sévèrement de celles qui
sont légères. Ils savent précisément et mieux que personne ce qu'ils méritent, et ils ne méritent guère que ce
qu'ils craignent. Ils connoissent si c'est à tort ou avec
raison qu'on les châtie, et ne se gâtent pas moins par
des peines mal ordonnées que par l'impunité. (ÉD. 4.)

60.   On ne vit point assez pour profiter de ses fautes. On en
commet[1] pendant tout le cours de sa vie ; et tout ce que
l'on peut faire à force de faillir, c'est de mourir corrigé.

Il n'y a rien qui rafraîchisse le sang comme d'avoir su
éviter de faire une sottise[2].

61.   Le récit de ses fautes est pénible ; on veut les couvrir
et en charger quelque autre[3] : c'est ce qui donne le pas
au directeur sur le confesseur.

62.   Les fautes des sots sont quelquefois si lourdes et si
difficiles à prévoir, qu'elles mettent les sages en défaut, et ne sont utiles qu'à ceux qui les font. (ÉD. 6.)

63.   L'esprit de parti abaisse les plus grands hommes jusques aux petitesses du peuple.

64.   Nous faisons par vanité ou par bienséance les mêmes
choses, et avec les mêmes dehors, que nous les ferions
par inclination ou par devoir[4]. Tel vient de mourir à

1. VAR. (édit. 1 et 2ᴬ) : L'on ne vit point assez.... L'on en commet, etc.

2. Ce n'est que dans la 7ᵉ édition que cette réflexion a été rapprochée de la précédente. Elle formait auparavant une remarque
distincte.

3. VAR. (édit. 1 et 2ᴬ) : on aime au contraire à les couvrir et en
charger quelque autre ; (édit. 2ᴮ et 3) : on aime, etc. .... et à en
charger quelque autre ; (édit. 4) : on s'efforce au contraire de les
couvrir et d'en charger quelque autre.

4. « On ne connoît point assez que c'est la vanité qui donne le
branle à la plupart de nos actions », avait dit Malebranche dans un passage que M. Damien (Étude sur la Bruyère et Malebranche, p. 58 et 59)
rapproche des remarques 64, 65, 66 et 75 du chapitre des Jugements.
Voyez dans la Recherche de la vérité, livre II, 2ᵉ partie, le chapitre VII
(de la Préoccupation des commentateurs), où Malebranche a voulu
démontrer que l'amour-propre conduit toujours les commentateurs à

Paris de la fièvre qu'il a gagnée à veiller sa femme, qu'il n'aimoit point.

Les hommes, dans le cœur, veulent être estimés, et 65. ils cachent avec soin l'envie qu'ils ont d'être estimés ; parce que les hommes veulent passer pour vertueux, et que vouloir tirer de la vertu tout autre avantage que la même vertu[1], je veux dire l'estime et les louanges[2], ce ne seroit plus être vertueux, mais aimer l'estime et les louanges, ou être vain[3] : les hommes sont très vains, et ils ne haïssent rien tant que de passer pour tels. (ÉD. 4).

Un homme vain trouve son compte à dire du bien ou 66. du mal de soi[4] : un homme modeste ne parle point de soi. (ÉD. 4.)

On ne voit point mieux le ridicule de la vanité, et combien elle est un vice honteux, qu'en ce qu'elle n'ose se montrer, et qu'elle se cache souvent sous les apparences de son contraire[5]. (ÉD. 4.)

---

louer les auteurs au delà de leurs mérites, lors même qu'ils ne s'aperçoivent point qu'en cela ils obéissent à la vanité, « si naturelle à l'homme qu'il ne la sent pas. » — « La vertu n'iroit pas loin si la vanité ne lui tenoit compagnie », écrit de son côté la Rochefoucauld (n° cc).

1. VÁR. (édit. 4-7) : tout autre avantage que la vertu même.

2. VAR. (édit. 4) : comme seroient l'estime et les louanges.

3. VAR. (édit. 4-6) : et être vain.

4. « On aime mieux dire du mal de soi-même que de n'en point parler. » La Rochefoucauld, n° cxxxviii.) — « .... Se priser et se mespriser, écrit Montaigne (livre III, chapitre xiii, tome IV, p. 106) en traduisant un passage d'Aristote (Morale à Nicomaque, livre IV, chapitre xiii), naissent souuent de pareil air d'arroganges.... » — Voyez plus loin, p. 32, note 2, le commentaire qu'a fait Malebranche du passage où Montaigne cite ainsi Aristote.

5. « L'humilité n'est souvent qu'une feinte soumission, dont on se sert pour soumettre les autres ; c'est un artifice de l'orgueil qui s'abaisse pour s'élever ; et bien qu'il se transforme en mille manières,

La fausse modestie est le dernier raffinement de la
vanité ; elle fait que l'homme vain ne paroît point tel, et
se fait valoir au contraire par la vertu opposée au vice
qui fait son caractère : c'est un mensonge. La fausse
gloire est l'écueil de la vanité ; elle nous conduit à vouloir être estimés par des choses qui à la vérité se trouvent en nous, mais qui sont frivoles et indignes qu'on
les relève : c'est une erreur. (ÉD. 4.)

67.　Les hommes parlent de manière, sur ce qui les regarde, qu'ils n'avouent d'eux-mêmes que de petits défauts[1], et encore ceux qui supposent en leurs personnes
de beaux talents ou de grandes qualités[2]. Ainsi l'on se
plaint de son peu de mémoire, content d'ailleurs de son

il n'est jamais mieux déguisé et plus capable de tromper que lorsqu'il se cache sous la figure de l'humilité. » (*La Rochefoucauld,*
n° CCLIV.)

1. « Nous n'avouons de petits défauts que pour persuader que
nous n'en avons pas de grands. » (*La Rochefoucauld,* n° CCCXXVII.)

2. En faisant cette remarque, la Bruyère, dit M. Damien (*Étude
sur la Bruyère et Malebranche,* p. 59), « semble avoir voulu généraliser
les réflexions de Malebranche sur la vanité de Montagne. » Voici le
passage de Malebranche dont il s'agit : « C'est donc vanité, et une
vanité indiscrète et ridicule à Montagne de parler avantageusement
de lui-même à tout moment. Mais c'est une vanité encore plus extravagante à cet auteur de décrire ses défauts ; car si on y prend garde,
on verra qu'il ne découvre guère que ceux dont on fait gloire dans
le monde à cause de la corruption du siècle ; qu'il s'attribue volontiers ce qui peut le faire passer pour esprit fort, et lui donner
l'air cavalier ; et afin que par cette franchise simulée de la confession
de ses désordres, on le croie plus volontiers dans les choses qu'il dit
à son avantage. Il a raison de dire que *se priser et se mespriser naissent
souuent de pareil air d'arrogance.* C'est toujours une marque certaine
que l'on est plein de soi-même ; et Montagne me paroît encore plus
fier et plus vain quand il se blâme que lorsqu'il se loue, parce que
c'est un orgueil insupportable que de tirer vanité de ses défauts au
lieu de s'en humilier. » (*De la Recherche de la vérité,* livre II,
3ᵉ partie, chapitre v, tome I, p. 328.)

grand sens et de son bon jugement [1] ; l'on reçoit le reproche de la distraction et de la rêverie, comme s'il nous
accordoit le bel esprit ; l'on dit de soi qu'on est mala-
droit, et qu'on ne peut rien faire de ses mains, fort consolé de la perte de ces petits talents par ceux de l'esprit,
ou par les dons de l'âme que tout le monde nous connoît ; l'on fait l'aveu de sa paresse en des termes qui
signifient toujours son désintéressement, et que l'on est
guéri de l'ambition ; l'on ne rougit point de sa malpro-
preté, qui n'est qu'une négligence pour les petites choses,
et qui semble supposer qu'on n'a d'application que pour
les solides et essentielles [2]. Un homme de guerre aime à
dire que c'étoit par trop d'empressement ou par curiosité
qu'il se trouva un certain jour à la tranchée, ou en
quelque autre poste très périlleux, sans être de garde ni
commandé ; et il ajoute [3] qu'il en fut repris de son général. De même une bonne tête ou un ferme génie qui se
trouve né avec cette prudence que les autres hommes

1. « Tout le monde se plaint de sa mémoire, et personne ne se
plaint de son jugement. » (*La Rochefoucauld*, nᵒ LXXXIX.) — Dans la
page même qui contient la citation faite ci-dessus, p. 32, note 2, Malebranche fait la remarque suivante : « Si nous croyons Montagne sur sa
parole, nous nous persuaderons que c'étoit un *homme de nulle retention*,
qu'il *n'avoit point de gardoire*, que la mémoire lui *manquoit du tout* [*],
mais qu'il ne manquoit pas de sens et de jugement. Cependant, si
nous en croyons le portrait même qu'il a fait de son esprit, je veux dire
son propre livre, nous ne serons pas tout à fait de son sentiment. »

2. VAR. (édit. 4-6) : et les essentielles.

3. VAR. (édit. 4) : ni commandé ; il ajoute même.

* « Et si ie suis homme de quelque leçon, ie suis homme de nulle
retention » (livre II, chapitre x, tome II, p. 112). — « Ie m'en vois
escorniflant par cy par là des liures les sentences qui me plaisent, non
pour les garder (car ie n'ay point de gardoire).... » (livre I, chapitre xxiv, tome I, p. 173). — « Elle (*la mémoire*) me manque du
tout » (livre II, chapitre xvii, tome II, p. 497). — Il est d'autres
passages encore où Montaigne se plaint de sa mémoire : voyez tome I,
p. 45 ; tome II, p. 129 ; et tome IV, p. 145.

cherchent vainement à acquérir ; qui a fortifié la trempe
de son esprit par une grande expérience ; que le nombre,
le poids, la diversité, la difficulté et l'importance des
affaires occupent seulement, et n'accablent point ; qui
par l'étendue de ses vues et de sa pénétration se rend
maître de tous les événements ; qui bien loin de consulter toutes les réflexions qui sont écrites sur le gouvernement et la politique, est peut-être de ces âmes sublimes nées pour régir les autres, et sur qui ces premières
règles ont été faites ; qui est détourné, par les grandes
choses qu'il fait, des belles ou des agréables qu'il pourroit lire, et qui au contraire ne perd rien à retracer et
à feuilleter, pour ainsi dire, sa vie et ses actions : un
homme ainsi fait peut dire aisément, et sans se com-
mettre, qu'il ne connoît aucun livre, et qu'il ne lit jamais. (ÉD. 4.)

68.   On veut quelquefois cacher ses foibles, ou en diminuer
l'opinion par l'aveu libre que l'on en fait. Tel dit : « Je
suis ignorant, » qui ne sait rien ; un homme dit : « Je
suis vieux, » il passe soixante ans ; un autre encore : « Je
ne suis pas riche, » et il est pauvre. (ÉD. 5.)

69.   La modestie n'est point, ou est confondue avec une
chose toute différente de soi, si on la prend pour un sentiment intérieur qui avilit l'homme à ses propres yeux,
et qui est une vertu surnaturelle qu'on appelle humilité.
L'homme, de sa nature, pense hautement et superbe-
ment de lui-même, et ne pense ainsi que de lui-même :
la modestie ne tend qu'à faire que personne n'en souffre ;
elle est une vertu du dehors, qui règle ses yeux, sa démarche, ses paroles, son ton de voix, et qui le fait agir
extérieurement avec les autres comme s'il n'étoit pas
vrai qu'il les compte pour rien. (ÉD. 4.)

Le monde est plein de gens qui faisant[1] intérieure-   70.
ment[2] et par habitude la comparaison d'eux-mêmes avec
les autres, décident toujours en faveur de leur propre
mérite, et agissent conséquemment.

Vous dites qu'il faut être modeste[3]; les gens bien nés   71.
ne demandent pas mieux : faites seulement que les
hommes n'empiètent pas sur ceux qui cèdent par modestie, et ne brisent pas ceux qui plient. (ÉD. 4.)

De même l'on dit : « Il faut avoir des habits modestes. » Les personnes de mérite ne desirent rien davantage ; mais le monde veut de la parure, on lui en
donne ; il est avide de la superfluité, on lui en montre.
Quelques-uns n'estiment les autres que par de beau linge
ou par une riche étoffe ; l'on ne refuse pas toujours d'être
estimé à ce prix. Il y a des endroits où il faut se faire
voir : un galon d'or plus large ou plus étroit vous fait entrer ou refuser. (ÉD. 4.)

Notre vanité et la plus grande estime que nous avons   72.
de nous-mêmes nous fait soupçonner dans les autres une
fierté à notre égard qui y est quelquefois, et qui souvent
n'y est pas[4] : une personne modeste n'a point cette délicatesse[5].

Comme il faut se défendre de cette vanité qui nous   73.

1. Il y a *faisans,* dans les éditions 7-9; les éditions précédentes ont
faisant.
2. On lit *extérieurement* dans toutes les éditions postérieures à la 5e.
A l'imitation de M. Destailleur, nous rétablissons la première leçon,
évidemment altérée dans la suite par une faute d'impression.
3. VAR. (édit. 4) : Vous dites : « Il faut être modeste. »
4. VAR. (édit. 1-5) : n'y est point.
5. « Si nous n'avions point d'orgueil, nous ne nous plaindrions
pas de celui des autres. » (*La Rochefoucauld,* n° XXXIV.)

fait penser que les autres nous regardent avec curiosité
et avec estime, et ne parlent ensemble que pour s'entretenir de notre mérite et faire notre éloge, aussi devons-
nous avoir une certaine confiance qui nous empêche de
croire qu'on ne se parle à l'oreille que pour dire du mal
de nous, ou que l'on ne rit que pour s'en moquer. (ÉD. 4.)

74.   D'où vient qu'*Alcippe* me salue aujourd'hui, me sourit, et se jette hors d'une portière[1] de peur de me manquer? Je ne suis pas riche, et je suis à pied : il doit, dans
les règles, ne me pas voir. N'est-ce point pour être vu
lui-même dans un même fond[2] avec un grand? (ÉD. 4.)

75.   L'on est si rempli de soi-même, que tout s'y rapporte ;
l'on aime à être vu, à être montré, à être salué, même
des inconnus : ils sont fiers s'ils l'oublient ; l'on veut qu'ils
nous devinent. (ÉD. 4.)

76.   Nous cherchons notre bonheur hors de nous-mêmes,
et dans l'opinion des hommes, que nous connoissons
flatteurs, peu sincères, sans équité, pleins d'envie, de
caprices et de préventions[3]. Quelle bizarrerie !

1. VAR. (édit. 4) : et jette son corps hors d'une portière.

2. C'est-à-dire, dans le fond d'une même voiture.

3. « Nous ne nous contentons pas de la vie que nous avons en
nous et en notre propre être : nous voulons vivre dans l'idée des
autres d'une vie imaginaire, et nous nous efforçons pour cela de paroître. » — « Nous sommes si présomptueux, que nous voudrions
être connus de toute la terre, et même des gens qui viendront quand
nous ne serons plus ; et nous sommes si vains, que l'estime de cinq
ou six personnes qui nous environnent nous amuse et nous contente. » (Pascal, *Pensées*, article II, 1 et 5.)

> C'est là de tous nos maux le fatal fondement :
> Des jugements d'autrui nous tremblons follement;
> Et chacun l'un de l'autre adorant les caprices,
> Nous cherchons hors de nous nos vertus et nos vices.
>
>   (Boileau, *épître* III, vers 27-30.)

Il semble que l'on ne puisse rire que des choses ridi- 77.
cules : l'on voit néanmoins de certaines gens qui rient
également des choses ridicules et de celles qui ne le sont
pas. Si vous êtes sot et inconsidéré, et qu'il vous échappe
devant eux quelque impertinence, ils rient de vous ; si
vous êtes sage, et que vous ne disiez que des choses raisonnables, et du ton qu'il les[1] faut dire, ils rient de
même.

Ceux qui nous ravissent les biens par la violence ou 78.
par l'injustice, et qui nous ôtent l'honneur par la calomnie, nous marquent assez leur haine pour nous ; mais
ils ne nous prouvent pas[2] également qu'ils aient perdu
à notre égard toute sorte d'estime : aussi ne sommes-
nous pas incapables de quelque retour pour eux, et de
leur rendre un jour notre amitié. La moquerie au contraire est de toutes les injures celle qui se pardonne le
moins ; elle est le langage du mépris, et l'une des manières dont il se fait le mieux entendre ; elle attaque
l'homme dans son dernier retranchement, qui est l'opinion qu'il a de soi-même ; elle veut le rendre ridicule à
ses propres yeux ; et ainsi elle le convainc de la plus
mauvaise disposition[3] où l'on puisse être pour lui, et le
rend irréconciliable[4].

C'est une chose monstrueuse que le goût et la facilité
qui est en nous de railler, d'improuver et de mépriser

1. La 6e édition, par erreur évidemment, a *le* pour *les*.

2. VAR. (édit. 1-4) : mais ils ne nous convainquent pas.

3. VAR. (édit. 1-4) : et ainsi elle ne le laisse pas douter un moment de la plus mauvaise disposition, etc.

4. « ... Le mépris est la dernière des injures : c'est lui qui rompt
davantage la société ; et nous ne devons point espérer qu'un homme à
qui nous avons fait connoître que nous le regardions au-dessous de
nous se puisse jamais joindre avec nous.... » (Malebranche, *de la Recherche de la vérité*, livre IV, chapitre XIII, tome II, p. 115.)

les autres ; et tout ensemble la colère que nous ressentons contre ceux qui nous raillent, nous improuvent et nous méprisent [1].

79.   La santé et les richesses, ôtant aux hommes [2] l'expérience du mal, leur inspirent la dureté pour leurs semblables ; et les gens déjà chargés de leur propre misère sont ceux qui entrent davantage par la compassion dans celle d'autrui [3]. (ÉD. 8.)

80.   Il semble qu'aux âmes bien nées les fêtes, les spectacles, la symphonie rapprochent et font mieux sentir l'infortune de nos proches ou de nos amis. (ÉD. 7.)

81.   Une grande âme est au-dessus de l'injure, de l'injustice, de la douleur, de la moquerie ; et elle seroit invulnérable si elle ne souffroit par la compassion [4].

82.   Il y a une espèce de honte d'être heureux à la vue de certaines misères [5]. (ÉD. 4.)

----

1. Cet alinéa formait une réflexion distincte dans les trois premières éditions.

2. Dans la 9e édition : « ôtent aux hommes, etc. » Comme l'a fait M. Destailleur, nous conservons la leçon des éditions antérieures, manifestement altérée par une faute d'impression.

3. *Non ignara mali, miseris succurrere disco.*
                    (Virgile, *Énéide*, livre I, vers 630.)

4. Au lieu de cette réflexion, on lit celle-ci dans les premiers exemplaires de la 1re édition : « Il y a des gens qui apportent en naissant, chacun de leur part, de quoi se haïr pendant toute leur vie, et ne pouvoir se supporter. »

5. Dans la 4e édition, qui est la première où elle ait paru, cette réflexion n'est point séparée de celle qui la précède, non plus que dans les éditions 5 et 6.

On est prompt à connoître ses plus petits avantages, 83.
et lent à pénétrer ses défauts. On n'ignore point qu'on a
de beaux sourcils, les ongles bien faits; on sait à peine
que l'on est borgne; on ne sait point du tout que l'on
manque d'esprit. (ÉD. 4.)

Argyre tire son gant pour montrer une belle main,
et elle ne néglige pas de découvrir un petit soulier qui
suppose qu'elle a le pied petit; elle rit des choses plai-
santes ou sérieuses pour faire voir de belles dents; si
elle montre son oreille, c'est qu'elle l'a bien faite; et si
elle ne danse jamais, c'est qu'elle est peu contente de sa
taille, qu'elle a épaisse. Elle entend tous ses intérêts, à
l'exception d'un seul : elle parle toujours, et n'a point
d'esprit. (ÉD. 4.)

Les hommes comptent presque pour rien toutes les 84.
vertus du cœur, et idolâtrent les talents du corps et de
l'esprit. Celui qui dit froidement de soi, et sans croire
blesser la modestie, qu'il est bon, qu'il est constant,
fidèle, sincère, équitable, reconnoissant, n'ose dire qu'il
est vif[1], qu'il a les dents belles et la peau douce : cela
est trop fort. (ÉD. 4.)

Il est vrai qu'il y a deux vertus que les hommes admirent, la bravoure et la libéralité, parce qu'il y a deux
choses qu'ils estiment beaucoup, et que ces vertus font
négliger, la vie et l'argent : aussi personne n'avance de
soi qu'il est brave ou libéral. (ÉD. 4.)

Personne ne dit de soi, et surtout sans fondement,
qu'il est beau, qu'il est généreux, qu'il est sublime : on
a mis ces qualités à un trop haut prix; on se contente de
le penser. (ÉD. 4.)

---

1. « Chacun dit du bien de son cœur, et personne n'en ose dire de
son esprit. » (*La Rochefoucauld*, n° XCVIII.)

85.   Quelque rapport qu'il paroisse de la jalousie à l'émulation, il y a entre elles le même éloignement que celui
qui se trouve entre le vice et la vertu. (ÉD. 5.)

La jalousie et l'émulation s'exercent sur le même objet, qui est le bien ou le mérite des autres : avec cette
différence, que celle-ci est un sentiment volontaire,
courageux, sincère, qui rend l'âme féconde, qui la fait
profiter des grands exemples, et la porte souvent[1] au-
dessus de ce qu'elle admire ; et que celle-là au contraire
est un mouvement violent et comme un aveu contraint
du mérite qui est hors d'elle ; qu'elle va même jusques
à nier la vertu dans les sujets où elle existe, ou qui[2],
forcée de la reconnoître, lui refuse les éloges ou lui envie
les récompenses ; une passion stérile qui laisse l'homme
dans l'état où elle le trouve, qui le remplit de lui-même,
de l'idée de sa réputation, qui le rend froid et sec sur
les actions ou sur les ouvrages d'autrui, qui fait qu'il
s'étonne de voir dans le monde d'autres talents que les
siens, ou d'autres hommes avec les mêmes talents dont
il se pique : vice honteux, et qui par son excès rentre
toujours dans la vanité et dans la présomption, et ne
persuade pas tant à celui qui en est blessé qu'il a plus
d'esprit et de mérite que les autres, qu'il lui fait croire
qu'il a lui seul de l'esprit et du mérite. (ÉD. 5.)

L'émulation et la jalousie ne se rencontrent guère que
dans les personnes de même art, de mêmes talents et
de même condition. Les plus vils artisans sont les plus
sujets à la jalousie ; ceux qui font profession des arts
libéraux ou des belles-lettres, les peintres, les musiciens,
les orateurs, les poëtes, tous ceux qui se mêlent d'écrire,
ne devroient être capables que d'émulation. (ÉD. 5.)

1. VAR. (édit. 5) : et la jette souvent.
2. Voyez le *Lexique*, au mot QUI.

Toute jalousie n'est point exempte de quelque sorte
d'envie, et souvent même ces deux passions se confondent. L'envie au contraire est quelquefois séparée de
la jalousie : comme est celle qu'excitent dans notre âme
les conditions fort élevées au-dessus de la nôtre, les
grandes fortunes, la faveur, le ministère. (ÉD. 5.)

L'envie et la haine s'unissent toujours et se fortifient
l'une l'autre dans un même sujet ; et elles ne sont reconnoissables entre elles qu'en ce que l'une s'attache à la
personne, l'autre à l'état et à la condition. (ÉD. 5.)

Un homme d'esprit n'est point jaloux d'un ouvrier qui
a travaillé une bonne épée, ou d'un statuaire qui vient
d'achever une belle figure. Il sait qu'il y a dans ces arts
des règles et une méthode qu'on ne devine point, qu'il y
a des outils à manier dont il ne connoît ni l'usage, ni
le nom, ni la figure ; et il lui suffit de penser qu'il n'a
point fait l'apprentissage d'un certain métier, pour se
consoler de n'y être point maître. Il peut au contraire
être susceptible d'envie et même de jalousie contre un
ministre et contre ceux qui gouvernent, comme si la
raison et le bon sens, qui lui sont communs avec eux,
étoient les seuls instruments qui servent à régir un
État et à présider aux affaires publiques, et qu'ils dus-
sent suppléer aux règles, aux préceptes, à l'expérience[1].
(ÉD. 5.)

1. M. Hémardinquer a rapproché de cette réflexion, ainsi que de
la réflexion n° 10 du chapitre *du Mérite personnel* (tome II, p. 65),
le passage des *Mémorables* de Xénophon (livre IV, chapitre II, 6) où
Socrate « se raille des ambitieux qui se croient capables de tout,
parce qu'ils ne savent rien. » — « C'est une chose admirable, dit Socrate (*nous ne citons que la fin du morceau, tel que le traduit, avec une
certaine liberté, M. Hémardinquer*), que ceux qui veulent passer pour
habiles sur la cithare, sur la flûte, en équitation ou en quoi que
ce soit, travaillent sans cesse, se fatiguent et souffrent pour savoir
leur métier, et non pas tous seuls, mais auprès de ceux qui passent

86.   L'on voit peu d'esprits entièrement lourds et stupides ;
l'on en voit encore moins qui soient sublimes et trans-
cendants. Le commun des hommes nage entre ces deux
extrémités. L'intervalle est rempli par un grand nombre
de talents ordinaires, mais qui sont d'un grand usage,
servent à la république, et renferment en soi l'utile et
l'agréable : comme le commerce, les finances, le détail
des armées, la navigation, les arts, les métiers, l'heureuse mémoire, l'esprit du jeu, celui de la société et de
la conversation[1].

87.   Tout l'esprit qui est au monde est inutile à celui qui
n'en a point : il n'a nulles vues, et il est incapable de
profiter de celles d'autrui. (ÉD. 4.)

88.   Le premier degré dans l'homme après la raison, ce
seroit de sentir qu'il l'a perdue ; la folie même est in-
compatible avec cette connoissance. De même ce qu'il
y auroit en nous de meilleur après l'esprit, ce seroit de
connoître qu'il nous manque. Par là on feroit l'impossible : on sauroit sans esprit n'être pas un sot, ni un
fat, ni un impertinent. (ÉD. 5.)

89.   Un homme qui n'a de l'esprit que dans une certaine
médiocrité est sérieux et tout d'une pièce ; il ne rit
point, il ne badine jamais, il ne tire aucun fruit de
la bagatelle ; aussi incapable de s'élever aux grandes
choses que de s'acommoder, même par relâchement,

pour les maîtres, dont le suffrage impose et donne la réputation ; et
que nos grands politiques, qui veulent nous persuader et nous gouverner, s'imaginent devenir subitement capables de tout, d'instinct,
sans étude et sans préparation. »

1. Var. (édit. 1-4) : les métiers, le bon conseil, l'esprit du jeu,
celui de société et de la conversation.

des plus petites, il sait à peine jouer avec ses enfants[1].
(ÉD. 4.)

Tout le monde dit d'un fat qu'il est un fat[2]; personne 90.
n'ose le lui dire à lui-même: il meurt sans le savoir, et
sans que personne se soit vengé.

Quelle mésintelligence entre l'esprit et le cœur ! Le 91.
philosophe vit mal avec tous ses préceptes, et le politique
rempli de vues et de réflexions ne sait pas se gouverner. (ÉD. 4.)

L'esprit s'use comme toutes choses; les sciences sont 92.
ses aliments[3], elles le nourrissent et le consument.

Les petits sont quelquefois chargés de mille vertus inu- 93.
tiles; ils n'ont pas de quoi les mettre en œuvre.

Il se trouve des hommes qui soutiennent facilement 94.
le poids de la faveur et de l'autorité, qui se familiarisent
avec leur propre grandeur, et à qui la tête ne tourne
point dans les postes les plus élevés. Ceux au contraire
que la fortune aveugle, sans choix et sans discernement,

---

1. « J'aime une sagesse gaye et ciuile, et fuys l'aspreté des mœurs
et l'austerité, ayant pour suspecte toute mine rebarbatifue,

> *Tristemque vultus tetrici arrogantiam....*

.... Socrates eut un visage constant, mais serein et riant ; non fas-
cheusement constant comme le vieil Crassus, qu'on ne veit iamais
rire. La vertu est qualité plaisante et gaye. » (Montaigne, livre III,
chapitre, v, tome III, p. 272 et 273.)

2. VAR. (édit. 1-3) : d'un sot qu'il est un sot.

3. Dans les éditions 6-9 : « les sciences sont aliments. » — Nous
conservons avec M. Destailleur la leçon des cinq premières éditions,
modifiée sans doute dans les suivantes par l'inadvertance de l'imprimeur.

a comme accablés de ses bienfaits, en jouissent avec
orgueil et sans modération : leurs yeux, leur démarche,
leur ton de voix et leur accès marquent longtemps en
eux l'admiration où ils sont d'eux-mêmes, et de se voir
si éminents ; et ils deviennent si farouches que leur
chute seule peut les apprivoiser.

95.   Un homme haut et robuste, qui a une poitrine large
et de larges épaules, porte légèrement et de bonne
grâce un lourd fardeau ; il lui reste encore un bras de
libre : un nain seroit écrasé de la moitié de sa charge.
Ainsi les postes éminents rendent les grands hommes
encore plus grands, et les petits beaucoup plus petits.
(ÉD. 4.)

96.   Il y a des gens qui gagnent à être extraordinaires ;
ils voguent, ils cinglent dans une mer où les autres
échouent et se brisent ; ils parviennent, en blessant
toutes les règles de parvenir ; ils tirent de leur irrégularité et de leur folie tous les fruits d'une sagesse la plus
consommée ; hommes dévoués à d'autres hommes, aux
grands à qui ils ont sacrifié, en qui ils ont placé leurs
dernières espérances, ils ne les servent point[1], mais ils
les amusent. Les personnes de mérite et de service sont
utiles aux grands, ceux-ci leur sont nécessaires ; ils blan-
chissent auprès d'eux dans la pratique des bons mots,
qui leur tiennent lieu d'exploits dont ils attendent la récompense ; ils s'attirent, à force d'être plaisants, des em-

    1. La seconde partie de la phrase est ainsi ponctuée dans les édi-
tions du dix-septième siècle : « ils tirent de leur irrégularité.... tous
les fruits d'une sagesse la plus consommée, hommes dévoués à d'autres hommes.... en qui ils ont placé leurs dernières espérances : ils
ne les servent point, etc. » — Cette ponctuation, que la Bruyère
aura laissé passer par distraction, est certainement fautive, et nous
n'hésitons pas à la changer.

plois graves, et s'élèvent par un continuel enjouement
jusqu'au sérieux des dignités ; ils finissent enfin, et
rencontrent inopinément un avenir qu'ils n'ont ni craint
ni espéré. Ce qui reste d'eux sur la terre, c'est l'exemple
de leur fortune, fatal à ceux qui voudroient le suivre.
(ÉD. 7.)

L'on exigeroit de certains personnages qui ont une fois 97.
été capables d'une action noble, héroïque, et qui a été
sue de toute la terre, que sans paroître comme épuisés
par un si grand effort, ils eussent du moins dans le reste
de leur vie cette conduite sage et judicieuse qui se remarque même dans les hommes ordinaires ; qu'ils ne
tombassent point dans des petitesses indignes de la haute
réputation qu'ils avoient acquise ; que se mêlant moins
dans le peuple, et ne lui laissant pas le loisir de les voir
de près, ils ne le fissent point passer de la curiosité et
de l'admiration à l'indifférence, et peut-être au mépris.

Il coûte moins à certains hommes de s'enrichir de 98.
mille vertus, que de se corriger d'un seul défaut. Ils sont
même si malheureux, que ce vice est souvent celui qui
convenoit le moins à leur état, et qui pouvoit leur donner
dans le monde plus de ridicule ; il affoiblit l'éclat de leurs
grandes qualités, empêche qu'ils ne soient des hommes
parfaits et que leur réputation ne soit entière. On ne leur
demande point[1] qu'ils soient plus éclairés et plus incorruptibles, qu'ils soient plus amis de l'ordre et de la discipline, plus fidèles à leurs devoirs, plus zélés pour le
bien public, plus graves : on veut seulement[2] qu'ils ne
soient point amoureux.

---

1. VAR. (édit. 1-4) : L'on ne leur demande point.
2. VAR. (édit. 1-4) : l'on veut seulement.

99.		Quelques hommes, dans le cours de leur vie, sont si
différents d'eux-mêmes par le cœur et par l'esprit qu'on
est sûr de se méprendre[1], si l'on en juge seulement par
ce qui a paru d'eux dans leur première jeunesse. Tels
étoient pieux, sages, savants, qui par cette mollesse
inséparable d'une trop riante fortune, ne le sont plus.
L'on en sait d'autres qui ont commencé leur vie par les
plaisirs et qui ont mis ce qu'ils avoient d'esprit à les
connoître, que les disgrâces ensuite ont rendus[2] religieux,
sages, tempérants : ces derniers sont pour l'ordinaire de
grands sujets, et sur qui l'on peut faire beaucoup de
fond ; ils ont une probité éprouvée par la patience et par
l'adversité ; ils entent sur cette extrême politesse que le
commerce des femmes leur a donnée, et dont ils ne se
défont jamais, un esprit de règle, de réflexion, et quelquefois une haute capacité, qu'ils doivent à la chambre
et au loisir d'une mauvaise fortune.

Tout notre mal vient de ne pouvoir être seuls : de là
le jeu, le luxe, la dissipation, le vin, les femmes, l'ignorance, la médisance, l'envie, l'oubli de soi-même et de
Dieu[3].

---

1. Var. (édit. 1-2⁴) : qu'il est sûr de se méprendre.

2. Le participe *rendu* est sans accord dans les éditions du dix-
septième siècle.

3. « Quand je m'y suis mis quelquefois, à considérer les diverses
agitations des hommes, et les périls et les peines où ils s'exposent,
dans la cour, dans la guerre, d'où naissent tant de querelles, de passions, d'entreprises hardies et souvent mauvaises, j'ai dit souvent que
tout le malheur des hommes vient d'une seule chose, qui est de ne
savoir pas demeurer en repos dans une chambre…. On ne recherche
la conversation et les divertissements des jeux que parce qu'on ne
peut demeurer chez soi avec plaisir…. De là vient que le jeu et la
conversation des femmes, la guerre, les grands emplois (*dans l'édition de Port-Royal :* « que le jeu et la chasse ») sont si recherchés….
De là vient que les hommes aiment tant le bruit et le remuement
(*dans l'édition de Port-Royal :* « et le tumulte du monde ») ; de là

L'homme semble quelquefois ne se suffire pas à soi- 100.
même ; les ténèbres, la solitude le troublent, le jettent
dans des craintes frivoles et dans de vaines terreurs :
le moindre mal alors qui puisse lui arriver est de s'ennuyer.

L'ennui est entré dans le monde par la paresse ; elle a 101.
beaucoup de part dans la recherche que font les hommes
des plaisirs, du jeu, de la société. Celui qui aime le travail a assez de soi-même. (ÉD. 5.)

La plupart des hommes emploient la meilleure partie[1] 102.
de leur vie à rendre l'autre misérable.

Il y a des ouvrages qui commencent par A et finissent 103.
par Z ; le bon, le mauvais, le pire, tout y entre ; rien en
un certain genre n'est oublié : quelle recherche, quelle
affectation dans ces ouvrages ! On les appelle des jeux
d'esprit[2]. De même il y a un jeu dans la conduite : on a

vient que la prison est un supplice si horrible ; de là vient que le
plaisir de la solitude est une chose incompréhensible. » (Pascal,
Pensées, article IV, 2.)

1. VAR. (édit. 1-8) : la première partie. — MM. Walckenaer et
Destailleur ont conservé dans le texte la leçon des huit premières
éditions. Nous convenons qu'il y a lieu à quelque doute.

2. « On a cru à tort, dit Walckenaer (*Remarques et éclaircissements*,
p. 719), que ces mots désignaient le *Dictionnaire de l'Académie*.
Cela ne se peut, puisque ce caractère a été imprimé pour la première
fois dans la 5e édition en 1690, et que la 1re édition du *Dictionnaire* a paru en 1694. La Bruyère fait ici allusion à ces espèces de
petites encyclopédies contenant des *Traités sur toutes les sciences*,
très abrégés, à l'usage de la noblesse, aux livres d'anecdotes, aux re-
cueils intitulés *Bibliothèque des gens de cour*, dont plusieurs sont
rangés par ordre alphabétique. » Cette interprétation, adoptée par
MM. Destailleur et Hémardinquer, est démentie par les termes

commencé, il faut finir ; on veut fournir toute la carrière.
Il seroit mieux ou de changer ou de suspendre ; mais il
est plus rare et plus difficile de poursuivre : on poursuit,
on s'anime par les contradictions ; la vanité soutient,
supplée à la raison, qui cède et qui se désiste. On porte
ce raffinement jusque dans les actions les plus vertueu-
ses, dans celles mêmes[1] où il entre de la religion. (éD. 5.)

104.   Il n'y a que nos devoirs qui nous coûtent, parce que,
leur pratique ne regardant que les choses que nous
sommes étroitement obligés de faire, elle n'est pas suivie
de grands éloges, qui est tout ce qui nous excite aux ac-

mêmes de la Bruyère, aussi bien que celle des annotateurs du dix-
septième siècle qui ont écrit en marge de leurs exemplaires : « *le Dictionnaire de l'Académie.* » Un dictionnaire n'est pas un jeu d'esprit ;
un recueil d'anecdotes ne l'est pas davantage, fût-il intitulé *Jeux
d'esprit* comme ceux qü'a publiés P. J. Brodeau sous le pseudonyme
de marquis de Châtre (1694 et 1698), et fût-il de plus disposé par
ordre alphabétique. Un *jeu d'esprit* « qui commence par A et finit
par Z, » où il entre beaucoup de « recherche » et d' « affectation, »
où il est « rare » et « difficile » de « poursuivre » jusqu'au bout,
que l'on achève cependant animé par les « contradictions » et soutenu par la « vanité, » ne peut être, ce nous semble, qu'un acrosti-
che, ou une pièce de vers abécédaires. Dans les acrostiches les lettres
initiales de chaque vers sont d'ordinaire tirées d'un nom déterminé :
la définition de la Bruyère peut fort bien s'appliquer aux acrostiches
de cette sorte, si l'on admet que ce soit pour plus de commodité et
de rapidité, simplement comme exemples, qu'il désigne les deux
lettres extrêmes de l'alphabet ; mais elle devient plus rigoureusement
exacte, appliquée à ce genre particulier d'acrostiches que l'on nomme
pièces *abécédaires,* et où l'ordre régulier des lettres de l'alphabet se
trouve le plus souvent reproduit par les lettres initiales des vers, le
premier commençant par A, le vingt-quatrième par Z. Sur les diverses combinaisons que peuvent présenter les poëmes et les pièces
abécédaires, voyez les *Recherches sur les jeux d'esprit,* par A. Canel,
Évreux, 1867, tome I, p. 13 et suivantes.

1. Toutes les éditions du dix-septième siècle ont ainsi *mêmes*, au
pluriel.

tions louables, et qui nous soutient dans nos entreprises[1].
N** aime une piété fastueuse qui lui attire l'intendance
des besoins des pauvres, le rend dépositaire de leur
patrimoine, et fait de sa maison un dépôt public où se
font les distributions ; les gens à petits collets[2] et les
sœurs grises[3] y ont une libre entrée ; toute une ville voit
ses aumônes et les publie : qui pourroit douter qu'il soit
homme de bien, si ce n'est peut-être ses créanciers ?
(ÉD. 4.)

Géronte meurt de caducité, et sans avoir fait ce tes-   105.
tament qu'il projetoit depuis trente années : dix têtes
viennent *ab intestat* partager sa succession[4]. Il ne vivoit depuis longtemps que par les soins d'*Astérie*, sa
femme, qui jeune encore s'étoit dévouée à sa personne,
ne le perdoit pas de vue, secouroit sa vieillesse, et lui a
enfin fermé les yeux. Il ne lui laisse pas assez de bien

----

1. « C'est pour cela, dit saint Chrysostome, …. que nous avons
beaucoup moins de peine à faire plus que nous ne devons qu'à faire
ce que nous devons ; et qu'une des erreurs les plus communes parmi
les personnes mêmes qui cherchent Dieu est de laisser le précepte et
ce qui est d'obligation, pour s'attacher au conseil et à ce qui est de
surérogation. Pourquoi ? parce qu'à faire plus qu'on ne doit, il y a
une certaine gloire que l'on ambitionne, et qui rend tout aisé ; au lieu
qu'à faire ce que l'on doit, il n'y a point d'autre louange à espérer
que celle des serviteurs inutiles : *servi inutiles sumus, quod debuimus
facere fecimus.* » (Bourdaloue, *Sermon sur la sévérité évangélique*,
prononcé en 1671, 2ᵉ partie, *OEuvres*, tome II, p. 192, édition de
Paris, 1823.) — La Bruyère est revenu sur cette même pensée un peu
plus loin : voyez ci-après, p. 65, nᵒ 139.

2. Les ecclésiastiques, dont le collet, ou rabat, était plus petit que
celui des gens du monde.

3. Nom populaire des Filles de la Charité, vêtues de serge grise.

4. VAR. (édit. 4-7) : la succession. — M. Destailleur considère la
leçon des éditions 8 et 9 (*sa succession*) comme une faute d'impression.

pour pouvoir se passer pour vivre d'un autre vieillard.
(ÉD. 4.)

106.   Laisser perdre charges et bénéfices plutôt que de vendre
ou de résigner même dans son extrême vieillesse, c'est
se persuader qu'on n'est pas du nombre de ceux qui
meurent ; ou si l'on croit que l'on peut mourir, c'est
s'aimer soi-même, et n'aimer que soi[1]. (ÉD. 4.)

107.   *Fauste* est un dissolu, un prodigue, un libertin, un
ingrat, un emporté, qu'*Aurèle,* son oncle, n'a pu haïr ni
déshériter. (ÉD. 4.)
       Frontin, neveu d'Aurèle, après vingt années d'une
probité connue, et d'une complaisance aveugle pour ce
vieillard, ne l'a pu fléchir en sa faveur, et ne tire de sa
dépouille qu'une légère pension, que Fauste, unique légataire, lui doit payer. (ÉD. 4.)

108.   Les haines sont si longues et si opiniâtrées, que le plus
grand signe de mort dans un homme malade, c'est la
réconciliation.

109.   L'on s'insinue auprès de tous les hommes, ou en les

1. Allusion à la vénalité des charges ou offices d'une part, et de
l'autre à la faculté qu'avaient les titulaires des bénéfices de les résigner au profit d'un successeur déterminé. Le paiement de la *paulette,*
ou *droit annuel,* régulièrement fait chaque année et en temps oppor-
tun par les titulaires des charges de judicature ou de finance, assurait
aux héritiers le droit de vendre celles qui n'avaient pas été résignées
en temps utile, c'est-à-dire quarante jours pour le moins avant la
mort de l'*officier :* ce privilège devait singulièrement restreindre pour
les charges le nombre des cas où la remarque de la Bruyère trouvait
son application, c'est-à-dire de ceux où les charges, devenues vacantes au profit du Roi, et tombées aux *parties casuelles,* étaient
vendues, au profit du trésor royal, à l'un des postulants qui avaient
consigné à l'avance (voyez tome II, p. 192, n° 9).

flattant dans les passions qui occupent leur âme, ou en compatissant aux infirmités qui affligent leur corps ; en cela seul consistent les soins que l'on peut leur rendre : de là vient que celui qui se porte bien, et qui desire peu de choses[1], est moins facile à gouverner.

La mollesse et la volupté naissent avec l'homme, et ne 110. finissent qu'avec lui ; ni les heureux ni les tristes évènements ne l'en peuvent séparer ; c'est pour lui ou le fruit de la bonne fortune, ou un dédommagement de la mauvaise. (ÉD. 4.)

C'est une grande difformité dans la nature qu'un vieil- 111. lard amoureux[2].

Peu de gens se souviennent d'avoir été jeunes, et 112. combien il leur étoit difficile d'être chastes et tempérants. La première chose qui arrive aux hommes après avoir renoncé aux plaisirs, ou par bienséance, ou par lassitude, ou par régime, c'est de les condamner dans les autres. Il entre dans cette conduite une sorte d'attachement pour les choses mêmes que l'on vient de quitter ; l'on aimeroit qu'un bien qui n'est plus pour nous ne fût plus aussi pour le reste du monde : c'est un sentiment de jalousie[3].

Ce n'est pas[4] le besoin d'argent où les vieillards peu- 113 vent appréhender de tomber un jour qui les rend avares,

1. *Peu de chose,* au singulier, dans la 9e édition.

2. *Amare juveni fructus est, crimen seni.* (*Publius Syrus.*)

3. « Les vieillards aiment à donner de bons préceptes, pour se consoler de n'être plus en état de donner de mauvais exemples. » (*La Rochefoucauld,* no XCIII.)

4. VAR. (édit. 1-3) : Ce n'est point.

car il y en a de tels qui ont de si grands fonds qu'ils ne peuvent guère avoir cette inquiétude ; et d'ailleurs comment pourroient-ils craindre de manquer dans leur caducité des commodités de la vie, puisqu'ils s'en privent eux-mêmes volontairement pour satisfaire à leur avarice ? Ce n'est point aussi l'envie de laisser de plus grandes richesses à leurs enfants, car il n'est pas naturel d'aimer quelque autre chose plus que soi-même, outre qu'il se trouve des avares qui n'ont point d'héritiers. Ce vice est plutôt l'effet de l'âge et de la complexion des vieillards, qui s'y abandonnent aussi naturellement qu'ils suivoient leurs plaisirs dans leur jeunesse, ou leur ambition dans l'âge viril ; il ne faut ni vigueur, ni jeunesse, ni santé, pour être avare ; l'on n'a aussi nul besoin de s'empresser ou de se donner le moindre mouvement pour épargner ses revenus : il faut laisser seulement[1] son bien dans ses coffres, et se priver de tout ; cela est commode aux vieillards, à qui il faut une passion, parce qu'ils sont hommes.

114.   Il y a des gens qui sont mal logés, mal couchés, mal habillés et plus mal nourris ; qui essuient les rigueurs des saisons ; qui se privent eux-mêmes de la société des hommes, et passent leurs jours dans la solitude ; qui souffrent du présent, du passé et de l'avenir ; dont la vie est comme une pénitence continuelle, et qui ont ainsi trouvé le secret d'aller à leur perte par le chemin le plus pénible : ce sont les avares.

115.   Le souvenir de la jeunesse est tendre dans les vieillards : ils aiment les lieux où ils l'ont passée ; les personnes qu'ils ont commencé de connoître dans ce temps

---

1. Var. (édit. 1-3) : il faut seulement laisser.

leur sont chères ; ils affectent quelques mots du premier langage qu'ils ont parlé ; ils tiennent pour l'ancienne manière de chanter, et pour la vieille danse ; ils vantent les modes qui régnoient alors dans les habits, les meubles et les équipages. Ils ne peuvent encore désapprouver des choses qui servoient à leurs passions, qui étoient si utiles à leurs plaisirs, et qui en rappellent la mémoire[1]. Comment pourroient-ils leur préférer de nouveaux usages et des modes toutes récentes où ils n'ont nulle part, dont ils n'espèrent rien, que les jeunes gens ont faites, et dont ils tirent à leur tour de si grands avantages contre la vieillesse ?

Une trop grande négligence comme une excessive parure dans les vieillards multiplient leurs rides, et font mieux voir leur caducité. 116.

1. « Ainsi, de peur que ie ne seiche, tarisse et m'aggraue de prudence, aux interualles que mes maux me donnent,

Mens intenta suis ne siet usque malis *,

ie gauchis tout doulcement, et desrobbe ma veue de ce ciel orageux et nubileux que i'ay deuant moy,... et me voys amusant en la recordation des ieunesses passees :

.... Animus quod perdidit optat,
Atque in præterita se totas imagine versat **.

Que l'enfance regarde deuant elle, la vieillesse derriere.... Les ans m'entraisnent s'ils veulent, mais à reculons ! autant que mes yeulx peuuent recognoistre cette belle saison expiréo, io les y destourne à secousses : si elle eschappe de mon sang et de mes veines, au moins n'en veulx ie desraciner l'image de la memoire ;

... Hoc est
Vivere bis, vita posse priore frui ***. »
(*Montaigne*, livre III, chapitre v, tome III, p. 267 et 268.)

* Ovide, *Tristes*, livre IV, *élégie* i, vers 4.
** Pétrone, *Satiricon*, chapitre cxxviii.
*** Martial, livre X, *épigramme* xxiii, vers 7 et 8.

117. Un vieillard est fier, dédaigneux, et d'un commerce difficile, s'il n'a beaucoup d'esprit[1].

118. Un vieillard qui a vécu à la cour, qui a un grand sens et une mémoire fidèle, est un trésor inestimable ; il est plein de faits et de maximes ; l'on y trouve l'histoire du siècle revêtue de circonstances très curieuses, et qui ne se lisent nulle part ; l'on y apprend des règles pour la conduite et pour les mœurs qui sont toujours sûres, parce qu'elles sont fondées sur l'expérience.

119. Les jeunes gens, à cause des passions qui les amusent, s'accommodent mieux de la solitude que les vieillards.

120. *Phidippe,* déjà vieux, raffine sur la propreté et sur la mollesse ; il passe aux petites délicatesses ; il s'est fait un art du boire, du manger, du repos et de l'exercice ; les petites règles qu'il s'est prescrites, et qui tendent toutes aux aises de sa personne, il les observe avec scrupule, et ne les romproit pas pour une maîtresse, si le régime lui avoit permis d'en retenir ; il s'est accablé de superfluités, que l'habitude enfin lui rend nécessaires. Il double ainsi et renforce les liens qui l'attachent à la vie, et il veut employer ce qui lui en reste à en rendre la perte plus douloureuse. N'appréhendoit-il pas assez de mourir ? (ÉD. 4.)

---

1. « Mais il me semble qu'en la vieillesse nos ames sont subiectes à des maladies et imperfections plus importunes qu'en la ieunesse.... Oultre une sotte et caducque fierté, un babil ennuyeux, ces humeurs espineuses et inassociables, et la superstition, et un soing ridicule des richesses, lorsque l'usage en est perdu, i'y treuue plus d'enuie, d'iniustice et de malignité ; elle nous attache plus de rides en l'esprit qu'au visage ; et ne se veoid point d'ames, ou fort rares, qui en vieillissant ne sentent l'aigre et le moisi. » (*Montaigne,* livre III, chapitre II, tome III, p. 230.)

Gnathon[1] ne vit que pour soi, et tous les hommes en- 121.
semble sont à son égard comme s'ils n'étoient point.
Non content de remplir à une table la première place, il
occupe lui seul celle de deux autres ; il oublie que le
repas est pour lui et pour toute la compagnie ; il se rend
maître du plat, et fait son propre de chaque service : il
ne s'attache à aucun des mets, qu'il n'ait achevé d'essayer
de tous ; il voudroit pouvoir les savourer tous tout à la
fois. Il ne se sert à table que de ses mains ; il manie les
viandes, les remanie, démembre[2], déchire, et en use de
manière qu'il faut que les conviés, s'ils veulent manger,
mangent ses restes. Il ne leur épargne aucune de ces
malpropretés dégoûtantes, capables d'ôter l'appétit aux
plus affamés ; le jus et les sauces lui dégouttent du menton et de la barbe ; s'il enlève un ragoût de dessus un
plat, il le répand en chemin dans un autre plat et sur la
nappe ; on le suit à la trace. Il mange haut et avec grand
bruit ; il roule les yeux en mangeant ; la table est pour
lui un râtelier ; il écure ses dents, et il continue à manger[3]. Il se fait, quelque part où il se trouve, une manière
d'établissement, et ne souffre pas d'être plus pressé au
sermon ou au théâtre que dans sa chambre. Il n'y a dans
un carrosse que les places du fond qui lui conviennent ;
dans toute autre, si on veut l'en croire, il pâlit et tombe
en foiblesse. S'il fait un voyage avec plusieurs, il les prévient dans les hôtelleries, et il sait toujours se conserver
dans la meilleure chambre le meilleur lit. Il tourne tout

1. Dans la 4e édition ce caractère n'est pas séparé du précédent.
2. Var. (édit. 4) : il ne s'attache à aucun des mets, qu'il n'ait
achevé d'essayer de tous ; il les manie, remanie, démembre, etc. —
C'est à la 5e édition que l'auteur a inséré ces mots : « il voudroit
pouvoir les savourer tous tout à la fois. Il ne se sert à table que de
ses mains. »
3. Cette phrase et la précédente : « Il ne leur épargne, etc., » ont
été ajoutées dans la 5e édition.

à son usage ; ses valets, ceux d'autrui, courent dans le même temps pour son service[1]. Tout ce qu'il trouve sous sa main lui est propre, hardes, équipages. Il embarrasse tout le monde, ne se contraint pour personne, ne plaint personne, ne connoît de maux que les siens, que sa réplétion et sa bile, ne pleure point la mort des autres, n'appréhende que la sienne, qu'il rachèteroit volontiers de l'extinction du genre humain. (ÉD. 4.)

122.　*Cliton* n'a jamais eu en toute sa vie que deux affaires, qui est de dîner le matin et de souper le soir ; il ne semble né que pour la digestion. Il n'a de même qu'un entretien : il dit les entrées qui ont été servies au dernier repas où il s'est trouvé ; il dit combien il y a eu de potages, et quels potages[2] ; il place ensuite le rôt et les entremets[3] ; il se souvient exactement de quels plats on a relevé le premier service ; il n'oublie pas les *hors-d'œuvre*, le fruit et les assiettes[4] ; il nomme tous les vins et toutes

---

1. Var. (édit. 4) : sont dans le même temps en campagne pour son service.

2. Les potages prenaient place parmi les entrées, et l'on en servait plusieurs dans les grands repas. Un potage était souvent d'ailleurs un plat d'entrée, tel qu'on l'entend aujourd'hui, car il y avait des potages de pigeonneaux, de canards aux navets, de perdrix aux choux, etc.

> .... Cependant on apporte un potage :
> Un coq y paroissoit en pompeux équipage,
> Qui changeant sur ce plat et d'état et de nom,
> Par tous les conviés s'est appelé chapon.
>
> (Boileau, *satire* III, vers 45-48.)

3. « *Entremets,* tous les petits ragoûts et autres choses délicates qui se servent après les viandes (*c'est-à-dire après le rôti*) et immédiatement devant le fruit. » (*Dictionnaire de Richelet,* 1680.)

4. « *Hors-d'œuvre....* se dit ordinairement des petits ragoûts qu'on sert aux bonnes tables, outre les plats d'entrée ou d'entremets, qui sont rangés avec quelque ordre. » (*Dictionnaire de l'Académie,* 1694.) Les hors-d'œuvre d'entrée et les hors-d'œuvre d'entremets ne figu-

les liqueurs dont il a bu ; il possède le langage des cui-
sines autant qu'il peut s'étendre, et il me fait envie de
manger à une bonne table où il ne soit point[1]. Il a surtout un palais sûr, qui ne prend point le change, et il ne
s'est jamais vu exposé à l'horrible inconvénient de manger un mauvais ragoût ou de boire d'un vin médiocre.
C'est un personnage illustre dans son genre, et qui a
porté le talent de se bien nourrir jusques où il pouvoit

raient pas dans la symétrie du service, et sont le plus souvent définis : « tout mets dont on pourroit se passer sans intéresser le service. » (*Dictionnaire portatif de cuisine, d'office et de distillation,*
P. Vincent, 1767, p. 322.) — « On appelle *assiette* en cuisine, est-il
dit dans le même ouvrage (p. ix), les petites entrées, [*entremets*] et
hors-d'œuvre dont la quantité n'excède pas ce que peut contenir
une assiette. Dans l'office, on dit *assiette* de fruits crus, de fro-
mages,... et autres choses qui se servent sur une assiette. »

> Deux assiettes suivoient, dont l'une étoit ornée
> D'une langue en ragoût, de persil couronnée ;
> L'autre, d'un godiveau tout brûlé par dehors,
> Dont un beurre gluant inondoit tous les bords.
> . . . .
> . . . .
> Deux marmitons crasseux, revêtus de serviettes,
> Lui servoient de massiers, et portoient deux assiettes,
> L'une de champignons avec des ris-de-veau,
> Et l'autre de pois verts qui se noyoient dans l'eau.
>
> (Boileau, *satire* III, vers 49-52 et 153-156.)

1.   CLITANDRE.
Mais le jeune Cléon, chez qui vont aujourd'hui
Nos plus honnêtes gens, que dites-vous de lui ?
                       CÉLIMÈNE.
Que de son cuisinier il s'est fait un mérite,
Et que c'est à sa table à qui l'on rend visite.
                       ÉLIANTE.
Il prend soin d'y servir des mets fort délicats.
                       CÉLIMÈNE.
Oui, mais je voudrois bien qu'il ne s'y servît pas.
C'est un fort méchant plat que sa sotte personne,
Et qui gâte, à mon goût, tous les repas qu'il donne.

Molière, *le Misanthrope,* acte II, scène iv, vers 608-615.)

aller : on ne reverra plus un homme qui mange tant et
qui mange si bien ; aussi est-il l'arbitre des bons morceaux, et il n'est guère permis d'avoir du goût pour ce
qu'il désapprouve. Mais il n'est plus : il s'est fait du moins
porter à table jusqu'au dernier soupir ; il donnoit à manger le jour qu'il est mort. Quelque part où il soit, il
mange ; et s'il revient au monde, c'est pour manger.
(ÉD. 5.)

123.   *Ruffin* commence à grisonner ; mais il est sain, il a un
visage frais et un œil vif qui lui promettent encore vingt
années de vie ; il est gai, *jovial,* familier, indifférent ; il
rit de tout son cœur, et il rit tout seul et sans sujet : il
est content de soi, des siens, de sa petite fortune ; il dit
qu'il est heureux. Il perd son fils unique, jeune homme
de grande espérance, et qui pouvoit un jour être l'honneur de sa famille ; il remet sur d'autres le soin de le
pleurer ; il dit : « Mon fils est mort, cela fera mourir sa
mère ; » et il est consolé[1]. Il n'a point de passions, il n'a
ni amis ni ennemis, personne ne l'embarrasse, tout le
monde lui convient, tout lui est propre ; il parle à celui
qu'il voit une première fois avec la même liberté et la
même confiance qu'à ceux qu'il appelle de vieux amis,
et il lui fait part[2] bientôt de ses *quolibets* et de ses historiettes. On l'aborde, on le quitte sans qu'il y fasse attention, et le même conte qu'il a commencé de faire à quelqu'un, il l'achève à celui qui prend sa place. (ÉD. 4.)

124.   N** est moins affoibli par l'âge que par la maladie, car

1. Cette phrase : « Il perd son fils, etc., » a été ajoutée dans la
7ᵉ édition.
2. VAR. (édit. 4-6) : qu'à ceux qu'il appelle de vieux amis ; il
lui fait part, etc. — Le mot *quolibets* n'a été imprimé en italique qu'à
partir de la 6ᵉ édition.

il ne passe point soixante-huit ans; mais il a la goutte,
et il est sujet à une colique néphrétique; il a le visage
décharné, le teint verdâtre, et qui menace ruine : il fait
marner sa terre, et il compte que de quinze ans entiers
il ne sera obligé de la fumer; il plante un jeune bois, et
il espère qu'en moins de vingt années il lui donnera un
beau couvert[1]; il fait bâtir dans la rue** une maison de
pierre de taille[2], raffermie dans les encoignures par des
mains de fer, et dont il assure, en toussant et avec une
voix frêle et débile[3], qu'on ne verra jamais la fin; il se
promène tous les jours dans ses ateliers sur le bras d'un
valet[4] qui le soulage; il montre à ses amis ce qu'il a
fait, et il leur dit ce qu'il a dessein de faire[5]. Ce n'est pas[6]
pour ses enfants qu'il bâtit, car il n'en a point, ni pour
ses héritiers, personnes viles et qui se sont brouillées[7]
avec lui : c'est pour lui seul, et il mourra demain.

Antagoras a un visage trivial[8] et populaire : un suisse   125.
de paroisse ou le saint de pierre qui orne le grand autel
n'est pas mieux connu que lui de toute la multitude. Il
parcourt le matin toutes les chambres et tous les greffes
d'un parlement, et le soir les rues et les carrefours d'une
ville; il plaide depuis quarante ans, plus proche de sortir

1. « Il fait marner sa terre, et il compte, etc. .... il plante un
jeune bois, et il espère.... un beau couvert », membres de phrase
ajoutés dans la 7ᵉ édition.

2. VAR. (édit. 1-3) : une maison solide de pierre de taille.

3. Les mots : « en toussant et avec une voix frêle et débile, »
ont été ajoutés dans la 6ᵉ édition.

4. VAR. (édit. 1-3) : sur les bras d'un valet.

5. « Il montre à ses amis ce qu'il a fait, et il leur dit, etc. »,
membre de phrase ajouté dans la 6ᵉ édition.

6. VAR. (édit. 1-4) : Ce n'est point.

7. *Et qui se sont brouillés*, au masculin, dans les cinq premières
éditions.

8. Connu de tous.

de la vie que de sortir d'affaires. Il n'y a point eu au Palais depuis tout ce temps de causes célèbres ou de procé-
dures longues et embrouillées où il n'ait du moins intervenu : aussi a-t-il un nom fait pour remplir la bouche de
l'avocat, et qui s'accorde avec le demandeur ou le défen-
deur comme le substantif et l'adjectif. Parent de tous et
haï de tous, il n'y a guère de familles dont il ne se plaigne,
et qui ne se plaignent de lui. Appliqué successivement à
saisir une terre, à s'opposer au sceau[1], à se servir d'un
committimus[2], ou à mettre un arrêt à exécution, outre
qu'il assiste chaque jour à quelques asssemblées de créanciers ; partout syndic de directions[3], et perdant à toutes
les banqueroutes, il a des heures de reste pour ses visites : vieil meuble de ruelle, où il parle procès et dit des
nouvelles. Vous l'avez laissé dans une maison au Marais,
vous le retrouvez au grand Faubourg[4], où il vous a pré-
venu, et où déjà il redit ses nouvelles et son procès. Si
vous plaidez vous-même, et que vous alliez le lendemain
à la pointe du jour[5] chez l'un de vos juges pour le solliciter, le juge attend pour vous donner audience qu'Antagoras soit expédié. (ÉD. 8.)

126.   Tels hommes passent une longue vie à se défendre des
uns et à nuire aux autres, et ils meurent consumés de

1. C'est-à-dire, à mettre opposition à la vente d'une charge ou
d'une rente sur l'État.

2. On appelle de ce nom le droit qu'avaient certaines personnes
privilégiées de plaider devant certaines juridictions. Les commensaux de la maison du Roi pouvaient, par exemple, faire évoquer
leurs affaires aux Requêtes de l'Hôtel.

3. Terme de procédure ancienne. Un syndic de direction était
chargé de régir, dans l'intérêt des créanciers, les biens abandonnés
par un débiteur.

4. Sans doute le faubourg Saint-Germain.

5. Dans la 9ᵉ édition : « à la pointe de jour, » par erreur évidemment.

vieillesse, après avoir causé autant de maux qu'ils en ont soufferts [1].

Il faut des saisies de terre [2] et des enlèvements de meubles, des prisons et des supplices, je l'avoue ; mais justice, lois et besoins à part, ce m'est une chose toujours nouvelle de contempler avec quelle férocité les hommes traitent d'autres hommes.   127.

L'on voit certains animaux farouches, des mâles et des femelles, répandus par la campagne, noirs, livides et tout brûlés du soleil, attachés à la terre qu'ils fouillent et qu'ils remuent avec une opiniâtreté invincible ; ils ont comme une voix articulée, et quand ils se lèvent sur leurs pieds, ils montrent une face humaine, et en effet ils sont des hommes. Ils se retirent la nuit dans des tanières, où ils vivent de pain noir, d'eau et de racines [3] ; ils épargnent aux autres hommes la peine de semer, de labourer et de recueillir [4] pour vivre, et méritent ainsi de ne pas manquer de ce pain qu'ils ont semé. (ÉD. 4.)   128.

Don [5] Fernand, dans sa province, est oisif, ignorant, médisant, querelleux, fourbe, intempérant, impertinent ; mais il tire l'épée contre ses voisins, et pour un rien il expose sa vie ; il a tué des hommes, il sera tué [6]. (ÉD. 4.)   129.

Le noble de province, inutile à sa patrie, à sa famille   130.

1. *Soufferts* est ainsi au pluriel dans les anciennes éditions.
2. *Terres*, dans les éditions 1-3 ; les suivantes ont le singulier.
3. Les éditions 7-9 ont *racine*, au singulier.
4. La 9ᵉ édition porte : « de labourer et recueillir. »
5. *Dom* dans les éditions 4-7.
6. VAR. (édit. 4-6) : et il sera tué. — Cette allusion aux violences des gentilshommes de province a son commentaire dans les *Mémoires* de Fléchier *sur les grands jours d'Auvergne* (1665-1666).

et à lui-même, souvent sans toit, sans habits et sans aucun mérite, répète dix fois le jour qu'il est gentilhomme,
traite les fourrures[1] et les mortiers[2] de bourgeoisie, occupé toute sa vie de ses parchemins et de ses titres,
qu'il ne changeroit pas contre les masses d'un chancelier[3]. (ÉD. 4.)

131.   Il se fait généralement dans tous les hommes des combinaisons infinies de la puissance, de la faveur, du génie,
des richesses, des dignités, de la noblesse, de la force,
de l'industrie, de la capacité, de la vertu, du vice, de la
foiblesse, de la stupidité, de la pauvreté, de l'impuis-
sance, de la roture et de la bassesse. Ces choses, mêlées
ensemble en mille manières différentes, et compensées
l'une par l'autre en divers sujets, forment aussi les divers
états et les différentes conditions. Les hommes d'ailleurs,
qui tous savent le fort et le foible les uns des autres,
agissent aussi réciproquement comme ils croient le devoir faire, connoissent ceux qui leur sont égaux, sentent
la supériorité que quelques-uns ont sur eux, et celle
qu'ils ont sur quelques autres ; et de là naissent entre
eux ou la familiarité[4], ou le respect et la déférence, ou
la fierté et le mépris. De cette source vient que dans les

1. « On appelle absolument *fourrure* une sorte d'habit que portent
les docteurs et bacheliers d'une université dans quelque action de
cérémonie. La fourrure qui est dans cet habit marque leur caractère
et leur qualité. » (Le *Dictionnaire des arts et des sciences,* par M. D. C.
de l'Académie françoise, 1694.)

2. Les *mortiers* désignent les présidents du Parlement. Voyez
tome II, p. 202.

3. Les masses d'un chancelier sont les bâtons, à tête garnie d'argent, que l'on portait devant lui dans les cérémonies, et que l'on
figurait en sautoir derrière l'écu de ses armes.

4. Une erreur d'impression a substitué *formalité* à *familiarité* dans
le texte des 9e et 10e éditions.

endroits publics et où le monde se rassemble, on se
trouve à tous moments entre celui que l'on cherche à
aborder ou à saluer, et cet autre que l'on feint de ne pas
connoître, et dont l'on veut encore moins se laisser
joindre ; que l'on se fait honneur de l'un, et qu'on a
honte de l'autre ; qu'il arrive même que celui dont vous
vous faites honneur, et que vous voulez retenir, est celui
aussi qui est embarrassé de vous, et qui vous quitte ; et
que le même est souvent celui qui rougit d'autrui, et
dont on rougit, qui dédaigne ici, et qui là est dédaigné.
Il est encore assez ordinaire de mépriser qui nous méprise. Quelle misère ! et puisqu'il est vrai que dans un
si étrange commerce, ce que l'on pense gagner d'un côté
on le perd de l'autre, ne reviendroit-il pas au même de
renoncer à toute hauteur et à toute fierté, qui convient si
peu aux foibles hommes, et de composer ensemble, de
se traiter tous avec une mutuelle bonté, qui avec l'avantage de n'être jamais mortifiés, nous procureroit un aussi
grand bien que celui de ne mortifier personne ? (ÉD. 4.)

Bien loin de s'effrayer ou de rougir même du nom de   132.
philosophe, il n'y a personne au monde qui ne dût avoir
une forte teinture de philosophie[1]. Elle convient à tout
le monde ; la pratique en est utile à tous les âges, à tous
les sexes et à toutes les conditions ; elle nous console du
bonheur d'autrui, des indignes préférences, des mauvais
succès, du déclin de nos forces ou de notre beauté ; elle
nous arme contre la pauvreté, la vieillesse, la maladie et
la mort, contre les sots et les mauvais railleurs ; elle nous
fait vivre sans une femme, ou nous fait supporter celle
avec qui nous vivons.

1. L'on ne peut plus entendre que celle qui est dépendante de la
religion chrétienne. (*Note de la Bruyère.*)

133.   Les hommes en un même jour ouvrent leur âme à de
petites joies, et se laissent dominer par de petits chagrins; rien n'est plus inégal et moins suivi que ce qui se
passe en si peu de temps dans leur cœur et dans leur esprit. Le remède à ce mal est de n'estimer les choses du
monde précisément que ce qu'elles valent.

134.   Il est aussi difficile de trouver un homme vain qui se
croie assez heureux, qu'un homme modeste qui se croie
trop malheureux.

135.   Le destin du vigneron, du soldat et du tailleur de
pierre m'empêche de m'estimer malheureux par la fortune des princes ou des ministres qui me manque.

136.   Il n'y a pour l'homme qu'un vrai malheur, qui est de
se trouver en faute, et d'avoir quelque chose à se reprocher[1].

137.   La plupart des hommes, pour arriver à leurs fins, sont
plus capables d'un grand effort que d'une longue persévérance : leur paresse ou leur inconstance leur fait perdre
le fruit des meilleurs commencements; ils se laissent
souvent devancer par d'autres qui sont partis après eux,
et qui marchent lentement, mais constamment[2].

138.   J'ose presque assurer que les hommes savent encore
mieux prendre des mesures que les suivre, résoudre ce

---

1. C'est un des sens qu'on peut donner à la *maxime* suivante de
la Rochefoucauld (n° CLXXXIII) : « Il faut demeurer d'accord, à l'honneur de la vertu, que les plus grands malheurs des hommes sont
ceux où ils tombent par les crimes. »

2. La Bruyère ne se souvient-il pas de la fable x du livre VI de
la Fontaine : *le Lièvre et la Tortue?*

qu'il faut faire et ce qu'il faut dire que de faire ou de
dire ce qu'il faut. On se propose fermement, dans une
affaire qu'on négocie, de taire une certaine chose, et
ensuite ou par passion, ou par une intempérance de
langue, ou dans la chaleur de l'entretien, c'est la première qui échappe. (ÉD. 7.)

Les hommes agissent mollement dans les choses qui 139.
sont de leur devoir, pendant qu'ils se font un mérite, ou
plutôt une vanité, de s'empresser pour celles qui leur
sont étrangères, et qui ne conviennent ni à leur état ni à
leur caractère[1].

La différence d'un homme qui se revêt d'un caractère 140.
étranger à lui-même, quand il rentre dans le sien, est
celle d'un masque à un visage. (ÉD. 4.)

Télèphe a de l'esprit, mais dix fois moins, de compte 141.
fait, qu'il ne présume d'en avoir : il est donc, dans ce
qu'il dit, dans ce qu'il fait, dans ce qu'il médite et ce
qu'il projette, dix fois au delà de ce qu'il a d'esprit ; il
n'est donc jamais dans ce qu'il a de force et d'étendue :
ce raisonnement est juste. Il a comme une barrière qui
le ferme, et qui devroit l'avertir de s'arrêter en deçà ;
mais il passe outre, il se jette hors de sa sphère ; il
trouve lui-même son endroit foible, et se montre par cet
endroit ; il parle de ce qu'il ne sait point, et de ce qu'il
sait mal[2] ; il entreprend au-dessus de son pouvoir, il
desire au delà de sa portée ; il s'égale à ce qu'il y a de
meilleur en tout genre. Il a du bon et du louable, qu'il

---

1. Cette même pensée se trouve déjà exprimée ci-dessus, p. 48,
n° 104.
2. VAR. (édit. 5-8) : ou de ce qu'il sait mal.

offusque par l'affectation du grand ou du merveilleux ;
on voit clairement ce qu'il n'est pas, et il faut deviner ce
qu'il est en effet. C'est un homme qui ne se mesure
point, qui ne se connoît point ; son caractère est de ne
savoir pas se renfermer dans celui qui lui est propre, et
qui est le sien. (ÉD. 5.)

142.   L'homme du meilleur esprit est inégal ; il souffre des
accroissements et des diminutions[1] ; il entre en verve,
mais il en sort : alors, s'il est sage, il parle peu, il n'écrit
point, il ne cherche point à imaginer ni à plaire. Chante-
t-on avec un rhume ? ne faut-il pas attendre que la voix
revienne ? (ÉD. 5.)

Le sot est *automate*[2], il est machine, il est ressort ; le
poids l'emporte, le fait mouvoir, le fait tourner, et toujours, et dans le même sens, et avec la même égalité ; il
est uniforme, il ne se dément point : qui l'a vu une fois,
l'a vu dans tous les instants et dans toutes les périodes
de sa vie ; c'est tout au plus le bœuf qui meugle, ou le
merle qui siffle : il est fixé et déterminé par sa nature, et
j'ose dire par son espèce. Ce qui paroît le moins en lui,
c'est son âme ; elle n'agit point, elle ne s'exerce point,
elle se repose. (ÉD. 5.)

143.   Le sot ne meurt point ; ou si cela lui arrive selon
notre manière de parler, il est vrai de dire qu'il gagne à
mourir, et que dans ce moment où les autres meurent,
il commence à vivre. Son âme alors pense, raisonne,
infère, conclut, juge, prévoit, fait précisément tout ce

---

1. Dans la 5ᵉ édition : « il souffre des diminutions et des accroissements. »

2. Allusion à la théorie de Descartes sur les bêtes : il soutenait,
comme l'on sait, qu'elles ne sont que des automates, et qu'elles sont
dépourvues de la conscience des mouvements qu'elles exécutent.

qu'elle ne faisoit point ; elle se trouve dégagée d'une masse de chair où elle étoit comme ensevelie sans fonction, sans mouvement, sans aucun du moins qui fût digne d'elle : je dirois presque qu'elle rougit de son propre corps et des organes bruts[1] et imparfaits auxquels elle s'est vue attachée si longtemps, et dont elle n'a pu faire qu'un sot ou qu'un stupide ; elle va d'égal avec les grandes âmes, avec celles qui font les bonnes têtes ou les hommes d'esprit. L'âme d'*Alain*[2] ne se démêle plus d'avec celles du grand Condé, de Richelieu, de Pascal, et de Lingendes[3]. (ÉD. 6.)

144. La fausse délicatesse dans les actions libres, dans les mœurs ou dans la conduite, n'est pas ainsi nommée parce qu'elle est feinte, mais parce qu'en effet elle s'exerce sur des choses et en des occasions qui n'en méritent point. La fausse délicatesse de goût et de complexion n'est telle, au contraire, que parce qu'elle est feinte ou affectée : c'est

1. Dans les éditions du dix-septième siècle ce mot est écrit *brutes* : c'est ainsi qu'écrivait encore Voltaire.

2. De celui de Molière, par exemple : voyez *l'École des Femmes.*

3. Claude de Lingendes, jésuite, né en 1591, mort à Paris en 1660, l'un des plus célèbres prédicateurs du dix-septième siècle, et non son cousin Jean de Lingendes, évêque de Mâcon, à tort nommé ici dans la plupart des éditions. Il composait en latin les sermons qu'il devait prononcer en français, et l'édition française que l'on possède de ses sermons n'est qu'une imitation de ceux qu'il avait préparés en latin. Nous ne pouvons donc nous rendre compte aujourd'hui de son éloquence ; mais le P. Rapin le citait en 1672, dans ses *Réflexions sur l'éloquence* (*Œuvres complètes*, tome II, p. 92, édition de 1725), comme l'un des « deux plus parfaits prédicateurs » qu'il eût connus en son siècle, les vivants exceptés. Voyez le portrait qu'en a tracé le P. Rapin (*ibidem*, p. 92-95), et l'appréciation qu'en a faite M. Jacquinet, dans l'ouvrage intitulé : *des Prédicateurs du dix-septième siècle avant Bossuet*, p. 217 et suivantes. — Cet alinéa n'a formé une réflexion distincte qu'à la 8e édition ; dans les 6e et 7e, il faisait partie de la remarque précédente.

Émilie qui crie de toute sa force sur un petit péril qui
ne lui fait pas de peur ; c'est une autre qui par mignar-
dise pâlit à la vue d'une souris[1], ou qui veut aimer les
violettes et s'évanouir aux tubéreuses[2]. (ÉD. 4.)

145.   Qui oseroit se promettre de contenter les hommes ?
Un prince, quelque bon et quelque puissant qu'il fût,
voudroit-il l'entreprendre ? qu'il l'essaye. Qu'il se fasse
lui-même une affaire de leurs plaisirs[3] ; qu'il ouvre son
palais à ses courtisans ; qu'il les admette jusque dans son
domestique ; que dans des lieux dont la vue seule est un
spectacle[4], il leur fasse voir d'autres spectacles ; qu'il
leur donne le choix des jeux, des concerts et de tous les
rafraîchissements ; qu'il y ajoute une chère splendide et
une entière liberté ; qu'il entre avec eux en société des
mêmes amusements ; que le grand homme devienne aimable, et que le héros soit humain et familier : il n'aura
pas assez fait. Les hommes s'ennuient enfin des mêmes
choses qui les ont charmés dans leurs commencements :
ils déserteroient la *table des Dieux,* et le *nectar* avec le
temps leur devient insipide[5]. Ils n'hésitent pas de critiquer des choses qui sont parfaites ; il y entre de la vanité et une mauvaise délicatesse : leur goût, si on les en
croit, est encore au delà de toute l'affectation qu'on auroit à les satisfaire, et d'une dépense toute royale que
l'on feroit pour y réussir ; il s'y mêle de la malignité,
qui va jusques à vouloir affoiblir dans les autres la joie
qu'ils auroient de les rendre contents[6]. Ces mêmes gens,

1. VAR. (édit. 4) : à la vue d'un chat.
2. VAR. (édit. 7 et 9) : et s'évanouit aux tubéreuses.
3. Allusion aux fêtes que Louis XIV donnait à sa cour.
4. Versailles, Fontainebleau, Marly.
5. Voyez le *la Rochefoucauld* de M. Gilbert, tome I, p. 168, note 1.
6. VAR. (édit. 4) : de nous rendre contents.

pour l'ordinaire si flatteurs et si complaisants, peuvent se démentir : quelquefois on ne les reconnoît plus, et l'on voit l'homme jusque dans le courtisan. (ÉD. 4.)

L'affectation dans le geste, dans le parler et dans les manières est souvent une suite de l'oisiveté ou de l'indifférence ; et il semble qu'un grand attachement ou de sérieuses affaires jettent l'homme dans son naturel. 146.

Les hommes n'ont point de caractères[1], ou s'ils en ont, c'est celui de n'en avoir aucun qui soit suivi, qui ne se démente point, et où ils soient reconnoissables. Ils souffrent beaucoup à être toujours les mêmes, à persévérer dans la règle ou dans le désordre ; et s'ils se délassent quelquefois d'une vertu par une autre vertu, ils se dégoûtent plus souvent d'un vice par un autre vice. Ils ont des passions contraires et des foibles qui se contredisent ; il leur coûte moins de joindre les extrémités que d'avoir une conduite dont une partie naisse de l'autre. Ennemis de la modération, ils outrent toutes choses, les bonnes et les mauvaises, dont ne pouvant ensuite supporter l'excès, ils l'adoucissent par le changement. *Adraste* étoit si corrompu et si libertin, qu'il lui a été moins difficile de suivre la mode et se faire dévot : il lui eût coûté davantage d'être homme de bien. (ÉD. 4.) 147.

D'où vient que les mêmes hommes qui ont un flegme tout prêt pour recevoir indifféremment les plus grands désastres, s'échappent, et ont une bile intarissable sur les plus petits inconvénients ? Ce n'est pas sagesse en eux qu'une telle conduite, car la vertu est égale et ne se dé- 148.

1. Il y a ainsi *caractères,* au pluriel, dans toutes les éditions du dix-septième siècle.

ment point ; c'est donc un vice, et quel autre que la vanité, qui ne se réveille et ne se recherche que dans les
évènements où il y a de quoi faire parler le monde, et
beaucoup à gagner pour elle, mais qui se néglige sur tout
le reste ? (ÉD. 4.)

149.   L'on se repent rarement de parler peu, très souvent
de trop parler : maxime usée et triviale que tout le monde
sait, et que tout le monde ne pratique pas. (ÉD. 4.)

150.   C'est se venger contre soi-même, et donner un trop
grand avantage à ses ennemis, que de leur imputer des
choses qui ne sont pas vraies, et de mentir pour les décrier.

151.   Si l'homme savoit rougir de soi, quels crimes, non
seulement cachés, mais publics et connus, ne s'épargne-
roit-il pas ! (ÉD. 4.)

152.   Si certains hommes ne vont pas dans le bien[1] jusques
où ils pourroient aller, c'est par le vice de leur première
instruction[2].

153.   Il y a dans quelques hommes une certaine médiocrité
d'esprit qui contribue à les rendre sages.

154.   Il faut aux enfants les verges et la férule[3] ; il faut aux

1. VAR. (édit. 1-3): Si les hommes ne vont pas ordinairement
dans le bien.
2. Voyez plus loin, au chapitre *des Jugements,* p. 113, les réflexions 84 et 85.
3. Tel n'était point l'avis de Montaigne (voyez ses *Essais,* livre I,
chapitre xxv, et livre II, chapitre viii, tome I, p. 219 et 220, et
tome II, p. 90 et suivantes) ; mais l'aphorisme que place ici la
Bruyère n'avait jamais rencontré que de rares contradictions. Male-

hommes faits une couronne, un sceptre, un mortier, des
fourrures, des faisceaux, des timbales, des hoquetons[1].
La raison et la justice dénuées de tous leurs ornements
ni ne persuadent ni n'intimident[2]. L'homme, qui est esprit, se mène par les yeux et les oreilles[3].

Timon, ou le misanthrope, peut avoir[4] l'âme austère   155.
et farouche ; mais extérieurement il est civil et *cérémonieux :* il ne s'échappe pas, il ne s'apprivoise pas avec les
hommes ; au contraire, il les traite honnêtement et sérieusement ; il emploie à leur égard tout ce qui peut éloigner leur familiarité ; il ne veut pas les mieux connoître
ni s'en faire des amis, semblable en ce sens à une femme
qui est en visite chez une autre femme. (ÉD. 5.)

branche lui-même, après avoir démontré « qu'il n'y a rien qui soit
si contraire à l'avancement des enfants dans les sciences.... que les
peines dont on les punit et dont on les menace sans cesse, » déclare
qu'il est « quelquefois utile d'effrayer et de punir les enfants par des
châtiments sensibles, » rappelant ce passage des *Proverbes* (chapitre XIII, verset 24) : *Qui parcit virgæ odit filium suum.* (*De la Recherche
de la vérité,* livre II, 2e partie, chapitre VIII, § 2 ; tome I, p. 204 et
207. — Voyez aussi le *Traité de morale* de Malebranche, 2e partie,
chapitre XXIV, § VII et X, p. 166 et 171, édition d'Amsterdam, 1684.)

   1. *Hoquetons,* vêtements des archers.
   2. *Ni ne persuade ni n'intimide,* au singulier, dans les éditions 1-6.
   3. « Nos magistrats ont bien connu ce mystère. Leurs robes rouges,
leurs hermines, dont ils s'emmaillotent en chats fourrés, les palais
où ils jugent, les fleurs de lis, tout cet appareil auguste étoit fort nécessaire ; et si les médecins n'avoient des soutanes et des mules, et
que les docteurs n'eussent des bonnets carrés et des robes trop amples
de quatre parties, jamais ils n'auroient dupé le monde, qui ne peut
résister à cette montre si authentique. Les seuls gens de guerre ne se
sont pas déguisés de la sorte, parce qu'en effet leur part est plus
essentielle : ils s'établissent par la force, les autres par grimace. »
(Pascal, *Pensées,* article III, 3.)
   4. VAR. (édit. 5) : Le Misanthrope peut avoir. — Les deux premiers mots ont été ajoutés dans la 6e édition. Il nous semble permis
de voir dans cet alinéa une critique du *Misanthrope* de Molière ; c'est

156.   La raison tient de la vérité, elle est une ; l'on n'y arrive
que par un chemin, et l'on s'en écarte par mille. L'étude
de la sagesse a moins d'étendue que celle que l'on feroit
des sots et des impertinents. Celui qui n'a vu que des hommes polis et raisonnables, ou ne connoît pas l'homme,
ou ne le connoît qu'à demi : quelque diversité qui se
trouve[1] dans les complexions ou dans les mœurs, le
commerce du monde et la politesse donnent les mêmes
apparences, font qu'on se ressemble les uns aux autres
par des dehors qui plaisent réciproquement, qui semblent
communs à tous, et qui font croire qu'il n'y a rien ailleurs qui ne s'y rapporte. Celui au contraire qui se jette
dans le peuple ou dans la province y fait bientôt, s'il a
des yeux, d'étranges découvertes, y voit des choses qui
lui sont nouvelles, dont il ne se doutoit pas, dont il ne
pouvoit avoir le moindre soupçon ; il avance par des
expériences continuelles dans la connoissance de l'humanité ; il calcule presque en combien de manières différentes l'homme peut être insupportable. (ÉD. 7.)

157.   Après avoir mûrement approfondi les hommes et
connu le faux de leurs pensées, de leurs sentiments, de
leurs goûts et de leurs affections, l'on est réduit à dire
qu'il y a moins à perdre pour eux par l'inconstance que
par l'opiniâtreté. (ÉD. 4.)

158.   Combien d'âmes foibles[2], molles et indifférentes, sans
de grands défauts[3], et qui puissent fournir à la satire !

peut-être pour la rendre moins directe que la Bruyère, dans la 6ᵉ édition, a donné un nom au misanthrope, qu'il avait d'abord appelé
simplement *le Misanthrope*.

    1. VAR. (édit. 7) : quelque diversité qu'il se trouve.
    2. VAR. (édit. 4) : Combien y a-t-il d'âmes foibles.
    3. VAR. (édit. 4-6) : sans de grandes vertus et aussi sans de grands
défauts.

Combien[1] de sortes de ridicules répandus parmi les hommes, mais qui par leur singularité ne tirent point à conséquence, et ne sont d'aucune ressource pour l'instruction et pour la morale ! Ce sont des vices uniques qui ne sont pas contagieux, et qui sont moins de l'humanité que de la personne. (ÉD. 4.)

1. VAR. (édit. 4) : De même combien.

DES JUGEMENTS.

1. Rien ne ressemble plus[1] à la vive persuasion que le mauvais entêtement : de là les partis, les cabales, les hérésies.

2. L'on ne pense pas toujours constamment[2] d'un même sujet : l'entêtement et le dégoût se suivent de près.

3. Les grandes choses étonnent, et les petites rebutent ; nous nous apprivoisons avec les unes et les autres par l'habitude.

4. Deux choses toutes contraires nous préviennent également, l'habitude et la nouveauté[3]. (ÉD. 4.)

5. Il n'y a rien de plus bas, et qui convienne mieux au peuple, que de parler en des termes magnifiques de ceux mêmes[4] dont l'on pensoit très modestement avant leur élévation.

6. La faveur des princes n'exclut pas le mérite, et ne le suppose pas aussi.

7. Il est étonnant qu'avec tout l'orgueil dont nous sommes

1. Var. (édit. 1-8) : Rien ne ressemble mieux.
2. C'est-à-dire d'une manière invariable.
3. « Les impressions anciennes ne sont pas seules capables de nous abuser : les charmes de la nouveauté ont le même pouvoir. » (Pascal, *Pensées,* article III, 3.) — Voyez aussi Montaigne, livre I, chapitres xliii et xlix (tome I, p. 409 et 448).
4. Il y a *même,* sans accord, dans les éditions 1-3.

gonflés, et la haute opinion que nous avons de nous-
mêmes et de la bonté de notre jugement, nous négligions
de nous en servir pour prononcer sur le mérite des autres. La vogue, la faveur populaire, celle du Prince,
nous entraînent comme un torrent : nous louons ce qui
est loué, bien plus que ce qui est louable.

Je ne sais s'il y a rien au monde qui coûte davantage   8.
à approuver et à louer que ce qui est plus digne d'approbation et de louange[1], et si la vertu, le mérite, la beauté,
les bonnes actions, les beaux ouvrages, ont un effet plus
naturel et plus sûr que l'envie, la jalousie, et l'antipathie.
Ce n'est pas d'un saint dont un dévot[2] sait dire du bien,
mais d'un autre dévot. Si une belle femme approuve la
beauté d'une autre femme, on peut conclure qu'elle a
mieux que ce qu'elle approuve. Si un poëte loue les vers
d'un autre poëte, il y a à parier qu'ils sont mauvais et
sans conséquence[3]. (ÉD. 5.)

Les hommes ne se goûtent qu'à peine les uns les au-   9.
tres, n'ont qu'une foible pente à s'approuver récipro-

---

1 *Louanges* est au pluriel dans la 5ᵉ édition.
2 Faux dévot. (*Note de la Bruyère.*)
3. Cette remarque a rappelé à M. Hémardinquer le passage suivant de l'*Impromptu de Versailles* (scène v):

MOLIÈRE.

Par la sang-bleu ! on m'a dit qu'on le va dauber (*il s'agit de Molière lui-même*), lui et toutes ses comédies, de la belle manière ; et que
les comédiens et les auteurs, depuis le cèdre jusqu'à l'hyssope, sont
diablement animés contre lui.

MADEMOISELLE MOLIÈRE.

Cela lui sied fort bien. Pourquoi fait-il de méchantes pièces que
tout Paris va voir, et où il peint si bien les gens que chacun s'y connoît ? Que ne fait-il des comédies comme celles de Monsieur Lysi-
das ? il n'auroit personne contre lui, et tous les auteurs en diroient
du bien.

quement : action, conduite, pensée, expression, rien ne
plaît, rien ne contente ; ils substituent à la place de ce
qu'on leur récite, de ce qu'on leur dit ou de ce qu'on
leur lit, ce qu'ils auroient fait eux-mêmes en pareille
conjoncture, ce qu'ils penseroient ou ce qu'ils écriroient
sur un tel sujet, et ils sont si pleins de leurs idées, qu'il
n'y a plus de place pour celles d'autrui. (ÉD. 7.)

10.   Le commun des hommes est si enclin au déréglement
et à la bagatelle, et le monde est si plein d'exemples ou
pernicieux ou ridicules, que je croirois assez que l'esprit
de singularité, s'il pouvoit avoir ses bornes et ne pas
aller trop loin, approcheroit fort de la droite raison et
d'une conduite régulière.

« Il faut faire comme les autres : » maxime suspecte,
qui signifie presque toujours : « il faut mal faire, » dès
qu'on l'étend au delà de ces choses purement exté-
rieures, qui n'ont point de suite[1], qui dépendent de l'u-
sage, de la mode ou des bienséances[2].

---

1. *Suites*, au pluriel dans les éditions 1-4.
2. « Ces considerations ne destournent pas un homme d'entendement de suyure le style commun : ains au rebours, il me semble
que toutes façons escartees et particulieres partent plustost de folie
ou d'affectation ambitieuse que de vraye raison ; et que le sage doibt
au dedans retirer son ame de la presse et la tenir en liberté et puissance de iuger librement des choses ; mais quant au dehors, qu'il
doibt suyure entierement les façons et formes receues. » (Montaigne,
livre I, chapitre xxii, tome I, p. 145.) — Sénèque a exprimé cette
même pensée dans sa v[e] *lettre* à Lucilius, et la Bruyère y reviendra
plus loin. — On peut encore rapprocher de cette réflexion le passage
suivant de Descartes : « .... Encore que le peuple juge très mal,
dit-il à l'appui d'une argumentation qui n'a rien de commun avec la
remarque de la Bruyère, toutefois à cause que nous ne pouvons
vivre sans lui, et qu'il nous importe d'en être estimés, nous devons
souvent suivre ses opinions plutôt que les nôtres, touchant l'extérieur
de nos actions. » (*Des passions de l'âme*, 3e partie, article CCVI, *de*

Si les hommes sont hommes plutôt qu'ours et pan- 11.
thères, s'ils sont équitables, s'ils se font justice à eux-
mêmes, et qu'ils la rendent aux autres, que deviennent
les lois, leur texte et le prodigieux accablement de
leurs commentaires? que devient le *pétitoire* et le *possessoire*[1], et tout ce qu'on appelle jurisprudence? Où se
réduisent même ceux qui doivent tout leur relief et toute
leur enflure à l'autorité où ils sont établis de faire valoir
ces mêmes lois? Si ces mêmes hommes ont de la droiture
et de la sincérité, s'ils sont guéris de la prévention, où
sont évanouies les disputes de l'école, la scolastique et les
controverses? S'ils sont tempérants, chastes et modérés,
que leur sert le mystérieux jargon de la médecine, et qui
est une mine d'or pour ceux qui s'avisent de le parler?
Légistes, docteurs, médecins, quelle chute pour vous, si
nous pouvions tous nous donner le mot de devenir sages!
(ÉD. 5.)

De combien de grands hommes dans les différents
exercices de la paix et de la guerre auroit-on dû se
passer! A quel point de perfection et de raffinement n'a-
t-on pas porté de certains arts et de certaines sciences
qui ne devoient point être nécessaires, et qui sont dans
le monde comme des remèdes à tous les maux dont notre
malice est l'unique source! (ÉD. 5.)

Que de choses depuis Varron[2], que Varron a ignorées!
Ne nous suffiroit-il pas même de n'être savant que comme
Platon ou comme Socrate? (ÉD. 5.)

---

l'Usage de ces deux passions [la Gloire et la Honte, dont « il n'est pas
bon de se dépouiller entièrement.] »)

1. Termes de droit. Le *pétitoire* est une action par laquelle on
demande la propriété d'une chose ; le *possessoire*, une action par laquelle on en demande la possession.

2. M. Terentius Varron, auteur d'un grand nombre d'ouvrages,
et entre autres des traités *de Re rustica*, et *de Lingua latina*. On le
nommait le plus savant des Romains ; il mourut l'an 26 avant J. C.

12.   Tel à un sermon, à une musique, ou dans une galerie de peintures, a entendu à sa droite et à sa gauche, sur une chose précisément la même, des sentiments précisément opposés. Cela me feroit dire volontiers que l'on peut hasarder, dans tout genre d'ouvrages, d'y mettre le bon et le mauvais : le bon plaît aux uns, et le mauvais aux autres. L'on ne risque guère davantage d'y mettre le pire : il a ses partisans.

13.   Le phénix de la poésie *chantante*[1] renaît de ses cendres ; il a vu mourir et revivre sa réputation en un même jour. Ce juge même si infaillible et si ferme dans ses jugements, le public, a varié sur son sujet : ou il se trompe, ou il s'est trompé. Celui qui prononceroit aujourd'hui que Q** en un certain genre est mauvais poëte, parleroit presque aussi mal[2] que s'il eût dit il y a quelque temps : *Il est bon poëte.* (ÉD. 4.)

1. Quinault, qui sera désigné plus bas par la lettre initiale de son nom, et qui après avoir fait des tragédies et des comédies sur lesquelles, à ce qu'il paraît, la Bruyère partageait le sentiment de Boileau, composa des opéras qui eurent un grand succès et qui sont ses meilleurs titres littéraires. La remarque de la Bruyère a été écrite et peut-être imprimée pendant la vie de Quinault ; mais il était mort quand fut mise en vente la 4e édition, la première qui la contienne : l'*Achevé d'imprimer* est du 15 février 1689, et Philippe Quinault est mort le 26 novembre 1688. Boileau, dont on connaît les sévérités pour Quinault*, était l'un de ceux qui avaient « varié sur son sujet. » « J'ajouterai même, sur ce dernier (dit-il, en parlant de Quinault, dans une phrase ajoutée en 1685 à sa préface de 1683), que dans le temps où j'écrivis contre lui, nous étions tous deux fort jeunes, et qu'il n'avoit pas fait alors beaucoup d'ouvrages qui lui ont dans la suite acquis une juste réputation. » Voyez de plus la lettre que Boileau écrivit à Racine le 19 août 1687.

2. VAR. (édit. 4) : celui qui prononceroit aujourd'hui que Q** est mauvais poëte parleroit aussi mal, etc.

* Voyez les *satires* ii, vers 187 et suivants ; iii, vers 20 ; ix, vers 98 et 288 (1664, 1665, 1668), etc.

C. P. étoit fort riche, et C. N. ne l'étoit pas[1] : *la Pucelle*   14.
et *Rodogune* méritoient chacune une autre aventure. Ainsi
l'on a toujours demandé pourquoi, dans telle ou telle
profession, celui-ci avoit fait sa fortune, et cet autre l'a-
voit manquée ; et en cela les hommes cherchent la raison
de leurs propres caprices, qui dans les conjonctures pres-
santes de leurs affaires, de leurs plaisirs, de leur santé et
de leur vie, leur font souvent laisser les meilleurs et
prendre les pires. (ÉD. 4.)

La condition des comédiens étoit infâme chez les Ro-   15.
mains et honorable chez les Grecs : qu'est-elle chez nous?
On pense d'eux comme les Romains, on vit avec eux
comme les Grecs. (ÉD. 4.)

Il suffisoit à *Bathylle* d'être pantomime pour être couru   16.

1. VAR. (édit. 4 et 5) : Chapelain étoit riche, et Corneille ne l'étoit
pas. — Chapelain était riche en effet, mais ce n'était pas la vente du
poëme de *la Pucelle* qui l'avait enrichi, « Le mieux renté de tous les
beaux esprits, » comme a dit Boileau dans sa IXe *satire* (vers 218),
« il recevoit de divers endroits, » à s'en tenir au témoignage de
Boileau, « huit mille livres de pension » : il faut ajouter à ces gra-
tifications annuelles la fortune qu'il avait héritée de son père, ancien notaire de Paris, et le produit de ses bénéfices. Célibataire et
très avare, il vivait avec la plus grande économie, et lorsqu'il
mourut (1674), on trouva chez lui, dit-on, sans parler des contrats qui constataient ses prêts, plus de cent cinquante mille francs
en espèces. Corneille au contraire, qui avait à pourvoir aux besoins d'une famille nombreuse, était pauvre. Ses pièces lui rapportaient peu, et il lui est échappé de répondre un jour à Boileau, qui
lui parlait de sa gloire : « Oui, je suis saoûl de gloire et affamé d'argent ! » — Il est juste d'ajouter ici que Chapelain, qui, cédant aux
exigences de Richelieu, avait consenti en 1637 à rédiger les *Sentiments critiques de l'Académie sur* le Cid, inscrivit en 1663 Corneille sur la liste des écrivains auxquels il conseillait à Colbert
d'accorder une pension. C'est en partie à lui que Corneille dut les deux
mille francs qu'il reçut chaque année : voyez l'*Appendice*, p. 314.

des dames romaines ; à *Rhoé* de danser au théâtre ; à
Roscie et à *Nérine* de représenter dans les chœurs, pour
s'attirer une foule d'amants. La vanité et l'audace, suites
d'une trop grande puissance, avoient ôté aux Romains le
goût du secret et du mystère ; ils se plaisoient à faire du
théâtre public celui de leurs amours ; ils n'étoient point
jaloux de l'amphithéâtre, et partageoient avec la multitude les charmes de leurs maîtresses. Leur goût n'alloit
qu'à laisser voir qu'ils aimoient, non pas une belle personne ou une excellente comédienne, mais une comédienne[1]. (ÉD. 4.)

17.   Rien ne découvre mieux dans quelle disposition sont
les hommes à l'égard des sciences et des belles-lettres[2],
et de quelle utilité ils les croient dans la République, que
le prix qu'ils y ont mis, et l'idée qu'ils se forment de ceux
qui ont pris le parti de les cultiver. Il n'y a point d'art si
mécanique ni de si vile condition où les avantages ne
soient plus sûrs, plus prompts et plus solides. Le comédien, couché dans son carrosse, jette de la boue au visage
de CORNEILLE, qui est à pied[3]. Chez plusieurs, savant et
pédant sont synonymes.

Souvent où le riche parle, et parle de doctrine[4], c'est
aux doctes à se taire, à écouter, à applaudir, s'ils veulent
du moins ne passer que pour doctes.

18.   Il y a une sorte de hardiesse à soutenir devant certains
esprits la honte de l'érudition : l'on trouve chez eux une

1. Ce mot, à cette place, est imprimé en italique jusqu'à la 7ᵉ édition inclusivement.

2. VAR. (édit. 1-3) : Rien ne découvre mieux quel goût ont les
hommes pour les sciences et pour les belles-lettres.

3. Voyez l'*Art poétique* de Boileau, chant II, vers 149 et 150.

4. C'est-à-dire de science.

prévention toute établie[1] contre les savants, à qui ils
ôtent les manières du monde, le savoir-vivre, l'esprit de
société, et qu'ils renvoient ainsi dépouillés à leur cabinet et à leurs livres. Comme l'ignorance est un état
paisible et qui ne coûte aucune peine, l'on s'y range en
foule, et elle forme à la cour et à la ville un nombreux
parti, qui l'emporte sur celui des savants. S'ils allèguent en leur faveur les noms d'ESTRÉES, de HARLAY,
BOSSUET, SEGUIER, MONTAUSIER, WARDES, CHEVREUSE,
NOVION, LAMOIGNON, SCUDERY[2], PELISSON, et de tant
d'autres personnages[3] également doctes et polis ; s'ils

---

1. Il y a *toute établie* dans les diverses éditions du dix-septième
siècle.

2. Mlle de Scudery. (*Note de la Bruyère* dans les éditions 4, 5
et 9 ; dans les éditions 6-8 on a imprimé : « Mlle Scudery. ») — La
Bruyère a cru nécessaire de placer ici cette note pour prévenir toute
confusion entre la sœur et le frère ; c'est sous le nom de son frère
que les romans de Mlle de Scudéry avaient paru. Georges de Scudéry,
auteur du poëme d'*Alaric,* de plusieurs tragi-comédies, etc., était
mort depuis 1667 ; sa sœur, Madeleine de Scudéry, auteur de *Cyrus,*
de *Clélie,* de plusieurs volumes publiés sous le titre de *Conversations
sur divers sujets, Conversations morales* ou *nouvelles,* etc., vivait encore.

3. VAR. (édit. 1-3) : S'ils allèguent en leur faveur les noms de HAR-
LAY, BOSSUET, SEGUIER, et de tant d'autres personnages, etc. — Les
noms de Montausier, Wardes, Chevreuse, Novion, Lamoignon,
Scudery et Pelisson ont été ajoutés dans la 4e édition ; celui d'Estrées dans la 6e. — Parmi les membres de la famille d'Estrées, le
compliment de la Bruyère s'adressait particulièrement au cardinal
César d'Estrées (1628-1714), membre de l'Académie française depuis
1656, et à son neveu Victor-Marie d'Estrées, qui fut connu plus tard
sous le nom de maréchal de Cœuvres, puis sous celui de maréchal
d'Estrées. « Il n'a rien imprimé, que l'on sache, a écrit Chapelain en
donnant place au cardinal d'Estrées sur la liste des écrivains célèbres
qu'il a composée par l'ordre de Colbert ; mais on a vu de lui plusieurs lettres latines et françoises de la dernière beauté, et qui font bien
voir qu'il n'est pas seulement docteur en théologie, mais encore au
Parnasse entre les premiers. » Son neveu n'avait alors que trente ans ;
mais déjà il avait la réputation d'homme « docte et poli : » voyez

osent même citer les grands noms de CHARTRES, de
CONDÉ, de CONTI, de BOURBON, du MAINE, de VENDÔME[1],

l'éloge qu'en fait Mme de Sévigné, toute charmée de son esprit et de
son savoir, dans sa lettre du 20 novembre 1689 (tome IX, p. 319).
— Le nom de Harlay est sans doute placé ici comme un hommage à
François de Harlay (1625-1695), archevêque de Paris et membre
de l'Académie française depuis 1671. Ses discours obtenaient toujours un grand succès. Il est bien plus vraisemblablement le Harlay
« docte et poli » que le premier président Achille de Harlay. —
Le nom de Seguier est le seul des noms cités par la Bruyère qui
n'eût pas à cette époque de représentant célèbre : le Chancelier était
mort en 1672 ; mais la Bruyère, qui désirait entrer à l'Académie
française, ne pouvait oublier ici le nom de celui qui en avait été si
longtemps le protecteur. — Le duc de Montausier, ancien gouverneur du Dauphin, vivait encore quand parut la 5ᵉ édition des *Caractères* : il mourut le 17 mai 1690. — Sur le marquis de Vardes,
courtisan instruit, dont le nom avait été prononcé lorsqu'il s'était
agi de donner un gouverneur au duc de Bourgogne, voyez tome II,
p. 438. — Le duc de Chevreuse, fils du duc de Luynes, avait reçu
à Port-Royal une excellente éducation. Il « écrivoit aisément, agréablement et admirablement bien et laconiquement, » dit Saint-Simon
(édition Boislisle, tome XXIII, p. 196). C'est lui qui corrigea pour
Fénelon les épreuves des *Maximes des saints*. — Nicolas Potier de
Novion, premier président au Parlement jusqu'en 1689, était membre
de l'Académie française depuis 1681 ; il mourut en 1693. — Paul
Pellisson (1624-1693) a composé des mémoires pour Foucquet, une
histoire de l'Académie française, dont il était membre, et divers autres
ouvrages.

   1. VAR. (édit. 1-3) : les grands noms de CONDÉ, d'ENGHIEN et de
CONTI. — Les noms de BOURBON, du MAINE, de VENDÔME ont été ajoutés dans la 4ᵉ édition (1689); celui de CHARTRES dans la 6ᵉ (1691).
— Le duc de Chartres, qui devait être duc d'Orléans et régent du
royaume, avait alors dix-sept ans. Il était « savant sans être pédant, »
au témoignage de sa mère (voyez la *Correspondance de Madame,
duchesse d'Orléans, née princesse palatine*, tome I, p. 30). — Le seul
prince de Conti qui vécût à cette époque était François-Louis de
Bourbon-Conti (1664-1709), l'un des plus savants et des plus charmants personnages de la cour : « C'étoit, dit Saint-Simon (édition
Boislisle, tome XVII, p. 122), un très bel esprit, lumineux, juste,
exact, vaste, étendu, d'une lecture infinie. » Son père, Armand de
Bourbon, qui avait composé des livres de théologie et de morale,

comme de princes qui ont su joindre aux plus belles
et aux plus hautes connoissances et l'atticisme des Grecs
et l'urbanité des Romains, l'on ne feint point de leur
dire que ce sont des exemples singuliers ; et s'ils ont
recours à de solides raisons, elles sont foibles contre
la voix de la multitude. Il semble néanmoins que l'on
devroit décider sur cela avec plus de précaution, et se
donner seulement la peine de douter si ce même esprit
qui fait faire de si grands progrès dans les sciences[1],

était mort en 1666. — Le nom de Bourbon en 1689 représentait
l'élève de la Bruyère, M. le duc de Bourbon, alors âgé de vingt et un
ans. Son père, Henri-Jules de Bourbon, que depuis la mort du grand
Condé (8 déc. 1686) l'on nommait Monsieur le Prince, c'est-à-dire M. le
prince de Condé, recevait dans l'édition de 1689, non pas au nom de
Bourbon, mais à celui de Condé la part d'éloges qui lui revenait : la
Bruyère, il est vrai, qui dans les trois premières éditions, comme on
l'a vu au début de cette note, avait réservé le nom de Condé pour le
grand Condé, et désigné son fils Henri-Jules de Bourbon par son ancien
titre d'Enghien, n'effaça *Enghien* qu'au moment où il ajouta *Bourbon ;*
mais le nom de Bourbon ne prit jamais place dans les titres qui furent
donnés à Henri-Jules. L'emploi de l'appellation *Enghien* dans les éditions de 1688, alors qu'elle ne convenait plus à Henri-Jules, permet
de supposer que la réflexion 18 a été écrite du vivant du grand Condé.
Après sa mort et avant de porter le manuscrit au libraire, la Bruyère
aurait pu et aurait dû supprimer le mot *Enghien*. — Le duc du Maine
(Louis-Auguste de Bourbon, fils légitimé de Louis XIV), l'ancien
élève de Mme de Maintenon, avait alors vingt ans. Dès son enfance
on le tenait pour « un prodige d'esprit » (voyez les *Lettres de Mme de
Sévigné*, tome IV, p. 549, et tome V, p. 10 et 11), et aussi pour un
prodige d'instruction : en 1678 Mme de Maintenon et l'abbé le Ragois
avaient fait paraître un recueil de ses lettres et de ses thèmes sous ce
titre : *Œuvres diverses d'un auteur de sept ans.* — Le nom de Vendôme était alors porté par le duc Louis-Joseph de Vendôme et par le
grand prieur Philippe de Vendôme, qui vivaient l'un et l'autre au
milieu d'un cercle de beaux esprits.

1. Var. (édit. 1 et 2^A) : si le même esprit qui fait faire de si
grands progrès dans des sciences raisonnables ; (édit. 2^B et 3) : si le
même esprit.... dans les sciences raisonnables ; (édit. 4) : si ce même
esprit.... dans des sciences raisonnables.

qui fait bien penser, bien juger, bien parler et bien écrire,
ne pourroit point encore servir à être poli.

Il faut très peu de fonds pour la politesse dans les manières ; il en faut beaucoup pour celle de l'esprit.

19.   « Il est savant, dit un politique, il est donc incapable
d'affaires ; je ne lui confierois l'état de ma garde-robe ; »
et il a raison. Ossat, Ximenès, Richelieu[1] étoient savants : étoient-ils habiles ? ont-ils passé pour de bons
ministres ? « Il sait le grec, continue l'homme d'État,
c'est un grimaud, c'est un philosophe. » Et en effet, une
fruitière à Athènes, selon les apparences, parloit grec,
et par cette raison étoit philosophe. Les Bignons[2], les
Lamoignons[3] étoient de purs grimauds : qui en peut dou-

---

1. Avant de devenir diplomate et homme d'État, le cardinal d'Ossat (1537-1604) avait enseigné la rhétorique et la philosophie dans
l'Université de Paris. — Le cardinal Ximenès (1437-1517) prit part
à une édition des *OEuvres d'Aristote* et à diverses autres publications,
créa plusieurs établissements scientifiques, parmi lesquels la célèbre
Université d'Alcala, et fit publier à ses frais la *Bible polyglotte* qui
fut préparée dans cette université. — Richelieu, fondateur de l'Académie française, a composé, comme l'on sait, avant d'être ministre,
des ouvrages de théologie, et plus tard plusieurs tragédies.

2. Le plus célèbre et le plus savant des « Bignons » était Jérôme
Bignon, magistrat, et grand maître de la Bibliothèque du Roi, mort
en 1656. Son père, l'avocat Roland Bignon, mort au commencement
du dix-septième siècle, son fils Jérôme Bignon, conseiller d'État
puis avocat général au Parlement et maître de la librairie du Roi,
et son petit-fils l'abbé Jean-Paul Bignon, qui devint plus tard biblio-
thécaire du Roi et membre des deux académies, étaient aussi des
savants. L'avocat général Jérôme Bignon, qui avait donné sa démission de maître de la librairie en 1683, vivait encore ; son fils n'avait
que vingt-huit ans.

3. Guillaume de Lamoignon, premier président au Parlement,
mort en 1677, et son fils Chrétien-François de Lamoignon, avocat
général, puis président à mortier, amis l'un et l'autre des écrivains
de leur temps. Le dernier, qui vécut jusqu'en 1709, est celui qui eut
un commerce d'amitié avec Racine et Boileau.

ter? ils savoient le grec. Quelle vision, quel délire au grand, au sage, au judicieux ANTONIN, de dire qu'*alors les peuples seroient heureux, si l'empereur philoso-phoit, ou si le philosophe ou le grimaud venoit à l'em-pire*[1] ! (ÉD. 5.)

Les langues sont la clef ou l'entrée des sciences, et rien davantage ; le mépris des unes tombe sur les autres. Il ne s'agit point si les langues sont anciennes ou nou-velles, mortes ou vivantes, mais si elles sont grossières ou polies, si les livres qu'elles ont formés sont d'un bon ou d'un mauvais goût[2]. Supposons que notre langue pût un jour avoir le sort de la grecque et de la latine, seroit-on pédant, quelques siècles après qu'on ne la parleroit plus, pour lire MOLIÈRE ou LA FONTAINE ? (ÉD. 5.)

Je nomme *Eurypyle,* et vous dites : « C'est un bel es- 20. prit. » Vous dites aussi de celui qui travaille une poutre : « Il est charpentier ; » et de celui qui refait un mur : « Il est maçon. » Je vous demande quel est l'atelier où tra-vaille cet homme de métier, ce bel esprit ? quelle est son enseigne ? à quel habit le reconnoît-on ? quels sont ses outils ? est-ce le coin ? sont-ce le marteau ou l'enclume ? où fend-il, où cogne-t-il son ouvrage ? où l'expose-t-il en vente ? Un ouvrier se pique d'être ouvrier : Eurypyle se pique-t-il d'être bel esprit ? S'il est tel, vous me peignez un fat, qui met l'esprit en roture, une âme vile et mé-canique, à qui ni ce qui est beau ni ce qui est esprit ne sauroient s'appliquer sérieusement ; et s'il est vrai qu'il ne se pique de rien, je vous entends, c'est un homme

---

1. L'auteur de cette pensée est Platon (voyez le VIIe livre de la *République*). L'empereur Marc-Aurèle la répétait souvent, et c'est lui que la Bruyère désigne sous le nom d'Antonin.

2. Conférez la remarque n° 2 du chapitre *de la Mode,* 9e alinéa, p. 139, et la remarque 71 du chapitre *de quelques Usages,* p. 202.

sage et qui a de l'esprit[1]. Ne dites-vous pas encore du
savantasse : « Il est bel esprit, » et ainsi du mauvais
poëte? Mais vous-même, vous croyez-vous sans aucun
esprit? et si vous en avez, c'est sans doute de celui qui
est beau et convenable : vous voilà donc un bel esprit ;
ou s'il en faut peu que vous ne preniez ce nom pour une
injure, continuez, j'y consens, de le donner à Eurypyle,
et d'employer cette ironie comme les sots, sans le
moindre discernement, ou comme les ignorants, qu'elle
console d'une certaine culture qui leur manque, et qu'ils
ne voient que dans les autres. (ÉD. 6.)

21.   Qu'on ne me parle jamais d'encre, de papier, de
plume, de style, d'imprimeur, d'imprimerie[2]; qu'on ne
se hasarde plus de me dire : « Vous écrivez si bien,
Antisthène[3]! continuez d'écrire ; ne verrons-nous point
de vous un *in-folio?* traitez de toutes les vertus et de
tous les vices dans un ouvrage suivi, méthodique, qui
n'ait point de fin ; » ils devroient ajouter : « et nul
cours. » Je renonce à tout ce qui a été, qui est et qui
sera livre. *Bérylle* tombe en syncope à la vue d'un chat,
et moi à la vue d'un livre. Suis-je mieux nourri et plus
lourdement vêtu, suis-je dans ma chambre à l'abri du
nord, ai-je un lit de plumes, après vingt ans entiers qu'on
me débite dans la place? J'ai un grand nom, dites-vous,
et beaucoup de gloire : dites que j'ai beaucoup de vent
qui ne sert à rien. Ai-je un grain de ce métal qui procure
toutes choses? Le vil praticien[4] grossit son mémoire, se

---

1. VAR. (édit. 6) : c'est un homme sage et qui a de l'esprit, autrement un homme de mérite, que vous appelez un bel esprit.

2. VAR. (édit. 5) : et d'imprimerie.

3. VAR. (édit. 5) : *D mocrite.*

4. L'Académie (1694) définit ainsi le mot : « Celui qui suit,
qui exerce, qui entend la pratique. Il ne se dit guère que de ceux qui

fait rembourser des frais qu'il n'avance pas, et il a pour gendre un comte ou un magistrat. Un homme *rouge* ou *feuille-morte*[1] devient commis, et bientôt plus riche que son maître; il le laisse dans la roture, et avec de l'argent il devient noble. B**[2] s'enrichit à montrer dans un cercle des marionnettes; BB**[3] à vendre en bouteille l'eau de la rivière. Un autre charlatan arrive ici de delà les monts avec une malle; il n'est pas déchargé que les pensions courent, et il est prêt de retourner d'où il arrive avec des mulets et des fourgons. *Mercure* est *Mercure,* et rien davantage, et l'or ne peut payer ses médiations et ses intrigues : on y ajoute la faveur et les distinctions. Et sans parler que des gains licites, on paye au tuilier sa tuile, et à l'ouvrier son temps et son ouvrage : paye-t-on à un auteur ce qu'il pense et ce qu'il écrit ? et s'il pense très bien, le paye-t-on très largement? Se meuble-t-il, s'anoblit-il à force de penser et d'écrire juste[4] ? Il faut que les hommes soient habillés,

savent la manière d'instruire et de conduire les procès.... *Ce procureur est habile praticien.* »

1. VAR. (édit. 5) : Un homme jaune ou feuille morte. — C'est-à-dire un homme de livrée. La Bruyère a déjà parlé des laquais subitement enrichis : voyez tome II, p. 161, n° 15.

2. Benoît, sculpteur de figures de cire, qui tenait rue des Saints-Pères le *Cercle royal* (voyez *les Adresses de Paris ou Livre commode,* 1692, p. 109), et y montrait à prix d'argent une galerie de figures ; ou peut-être encore l'un des Brioché, dont le vrai nom de famille était Datelin, et qui avaient établi à Paris un théâtre de marionnettes.

3. « Barbereau, qui avoit fait fortune en vendant de l'eau de rivière pour des eaux minérales. » (*Clefs.*) — Dans la *Comédie de J. de la Bruyère,* p. 107, Édouard Fournier a en outre rapproché de ce double *B* le nom de Brimbœuf, vendeur *d'eaux de Jouvence,* cité par Pépinocourt dans ses *Réflexions, pensées et bons mots,* 1696, p. 143.

4. Dans la 5e édition, il y a ici deux fautes, dont la première a entraîné la seconde : « de penser à décrire juste. »

qu'ils soient rasés ; il faut que retirés dans leurs maisons, ils aient une porte qui ferme bien : est-il nécessaire
qu'ils soient instruits ? Folie, simplicité, imbécillité, continue Antisthène[1], de mettre l'enseigne d'auteur ou de
philosophe ! Avoir, s'il se peut, un *office lucratif,* qui
rende la vie aimable, qui fasse prêter à ses amis, et donner à ceux qui ne peuvent rendre ; écrire alors par jeu,
par oisiveté, et comme *Tityre* siffle ou joue de la flûte ;
cela ou rien ; j'écris à ces conditions, et je cède ainsi à la
violence de ceux qui me prennent à la gorge, et me
disent : « Vous écrirez. » Ils liront pour titre de mon
nouveau livre : DU BEAU, DU BON, DU VRAI, DES IDÉES, DU
PREMIER PRINCIPE, *par Antisthène*[2], *vendeur de marée.*
(ÉD. 5.)

22.   Si les ambassadeurs des princes étrangers[3] étoient
des singes instruits à marcher sur leurs pieds de derrière, et à se faire entendre par interprète, nous ne pourrions pas marquer un plus grand étonnement que celui
que nous donne[4] la justesse de leurs réponses, et le bon
sens qui paroît quelquefois dans leurs discours[5]. La prévention du pays, jointe à l'orgueil de la nation, nous fait
oublier que la raison est de tous les climats, et que l'on
pense juste partout où il y a des hommes. Nous n'aime-
rions pas à[6] être traités ainsi de ceux que nous appelons

1. VAR. (édit. 5) : continue Démocrite.
2. VAR. (édit. 5) : *par Démocrite.*
3. VAR. (édit. 1-3) : des rois étrangers.
4. *Donne* est ainsi au singulier dans toutes les éditions du dix-
septième siècle.
5. Allusion au séjour que des ambassadeurs siamois firent à Paris
en 1686, et à la curiosité qu'ils excitèrent. Le *Mercure galant* publia
quatre volumes supplémentaires pour mettre le public au courant de
tout ce qui les concernait.
6. *A* est omis dans les éditions 2ᴮ et 3.

barbares ; et s'il y a en nous quelque barbarie, elle consiste à être épouvantés de voir d'autres peuples raisonner
comme nous[1].

Tous les étrangers ne sont pas barbares, et tous nos
compatriotes ne sont pas civilisés : de même toute campagne n'est pas agreste[2] et toute ville n'est pas polie. Il
y a dans l'Europe un endroit d'une province maritime
d'un grand royaume où le villageois est doux et insinuant, le bourgeois au contraire et le magistrat grossiers[3], et dont la rusticité est héréditaire[4].

Avec un langage si pur, une si grande recherche dans
nos habits, des mœurs si cultivées, de si belles lois et
un visage blanc, nous sommes barbares pour quelques
peuples[5].

23.

1. Cette pensée, que l'on retrouvera dans les remarques suivantes
(nos 23 et 24), avait été développée par Montaigne dans ses *Essais*,
livre I, chapitre xxx, tome I. p. 288, p. 293 et suivantes, et livre II,
chapitre xii, tome II, p. 201 et 202.

2. Ce terme s'entend ici métaphoriquement. (*Note de la Bruyère.*)

3. Dans les éditions 9 et 10 : *grossier*, au singulier.

4. Var. (édit. 1-3) : où le villageois est doux et insinuant, le
magistrat au contraire grossier, et dont la rusticité peut passer en
proverbe. — Cet alinéa, séparé du précédent et rapproché du suivant
dans les éditions 1 et 2ᴬ, formait une réflexion distincte dans les éditions 2ᴮ, 3, 4 et 5. Il a été réuni dans la 6ᵉ édition à l'alinéa qui
précède.

5. On peut rapprocher de cette remarque une réflexion que nous
avons vue plus haut, la 71ᵉ du chapitre *des Biens de fortune*, tome II,
p. 179. — « .... Il n'est pas nécessaire, avait dit Malebranche, de
passer deux fois la ligne pour voir observer religieusement des lois
et des coutumes déraisonnables, ou pour trouver des gens qui suivent
des modes incommodes et bizarres : il ne faut pas sortir de la France
pour cela.... En vérité, ajoute-t-il en opposant certaine méthode
d'Éthiopie aux modes de France, je ne sais si les François ont tout
à fait droit de se moquer des Éthiopiens et des sauvages. » (*De la
Recherche de la vérité*, livre II, 3ᵉ partie, chapitre ii, tome I, p. 297
et 298.)

24.   Si nous entendions dire des Orientaux qu'ils boivent
ordinairement d'une liqueur qui leur monte à la tête,
leur fait perdre la raison et les fait vomir, nous dirions :
« Cela est bien barbare. »

25.   Ce prélat se montre peu[1] à la cour, il n'est de nul commerce, on ne le voit point avec des femmes ; il ne joue
ni à grande ni à petite prime[2], il n'assiste ni aux fêtes ni
aux spectacles, il n'est point homme de cabale, et il n'a
point l'esprit d'intrigue ; toujours dans son évêché, où il
fait une résidence continuelle, il ne songe qu'à instruire
son peuple par la parole et à l'édifier par son exemple ;
il consume son bien en des aumônes, et son corps par la
pénitence ; il n'a que l'esprit de régularité, et il est imi-
tateur du zèle et de la piété des Apôtres. Les temps sont
changés, et il est menacé sous ce règne d'un titre plus
éminent[3].

26.   Ne pourroit-on point faire comprendre aux personnes
d'un certain caractère et d'une profession sérieuse, pour
ne rien dire de plus, qu'ils ne sont point obligés à faire
dire d'eux qu'ils jouent, qu'ils chantent, et qu'ils badi-
nent comme les autres hommes ; et qu'à les voir si plaisants et si agréables, on ne croiroit point qu'ils fussent
d'ailleurs si réguliers et si sévères ? Oseroit-on même
leur insinuer qu'ils s'éloignent par de telles manières de
la politesse dont ils se piquent ; qu'elle assortit, au contraire, et conforme les dehors aux conditions, qu'elle
évite le contraste, et de montrer le même homme sous

1. VAR. (premiers exemplaires de la 1re édition) : ne se montre
point.
2. *Grande* et *petite prime,* jeux de cartes, autrefois fort en vogue.
3. Au lieu de cette dernière phrase on lit dans les premiers exemplaires de la première édition : « Comment lui est venue, dit le
peuple, cette dernière dignité ? »

des figures différentes[1] et qui font de lui un composé
bizarre ou un grotesque ? (ÉD. 4.)

Il ne faut pas juger des hommes comme d'un tableau 27.
ou d'une figure, sur une seule et première vue : il y a un
intérieur et un cœur qu'il faut approfondir. Le voile de la
modestie couvre le mérite, et le masque de l'hypocrisie
cache la malignité. Il n'y a qu'un très petit nombre de
connoisseurs qui discerne, et qui soit en droit de prononcer ; ce n'est que peu à peu[2], et forcés même par le
temps et les occasions, que la vertu parfaite et le vice[3]
consommé viennent enfin à se déclarer. (ÉD. 4.)

FRAGMENT.

.... Il disoit que l'esprit dans cette belle personne 28.
étoit un diamant bien mis en œuvre, et continuant de
parler d'elle : « C'est, ajoutoit-il, comme une nuance de
raison et d'agrément qui occupe les yeux et le cœur de
ceux qui lui parlent ; on ne sait si on l'aime ou si on
l'admire ; il y a en elle de quoi faire une parfaite amie,
il y a aussi de quoi vous mener plus loin que l'amitié.
Trop jeune et trop fleurie pour ne pas plaire, mais trop
modeste pour songer à plaire, elle ne tient compte aux
hommes que de leur mérite, et ne croit avoir que des
amis. Pleine de vivacités et capable de sentiments, elle
surprend et elle intéresse ; et sans rien ignorer de ce qui
peut entrer de plus délicat et de plus fin dans les conversations, elle a encore ces saillies heureuses qui entre
autres plaisirs qu'elles font, dispensent toujours de la

---

1. VAR. (édit. 4-7) : sous des figures si différentes.
2. VAR. (édit. 4-7) : et ce n'est que peu après.
3. VAR. (édit. 4-7) : que la vertu parfaite ou le vice, etc.

réplique. Elle vous parle comme celle qui n'est pas savante, qui doute et qui cherche à s'éclaircir ; et elle vous
écoute comme celle qui sait beaucoup, qui connoît le
prix de ce que vous lui dites, et auprès de qui vous ne
perdez rien de ce qui vous échappe. Loin de s'appliquer
à vous contredire avec esprit, et d'imiter *Elvire*, qui
aime mieux passer pour une femme vive que marquer du
bon sens et de la justesse, elle s'approprie vos sentiments,
elle les croit siens, elle les étend[1], elle les embellit : vous
êtes content de vous d'avoir pensé si bien, et d'avoir
mieux dit encore que vous n'aviez cru. Elle est toujours
au-dessus de la vanité, soit qu'elle parle, soit qu'elle
écrive : elle oublie les traits où il faut des raisons ; elle a
déjà compris que la simplicité est éloquente[2]. S'il s'agit de
servir quelqu'un et de vous jeter dans les mêmes intérêts,
laissant à Elvire les jolis discours et les belles-lettres,
qu'elle met à tous usages, *Arthénice* n'emploie auprès de
vous que la sincérité, l'ardeur, l'empressement et la persuasion. Ce qui domine en elle, c'est le plaisir de la lecture, avec le goût des personnes de nom et de réputation, moins pour en être connue que pour les connoître.
On peut la louer d'avance de toute la sagesse qu'elle aura
un jour, et de tout le mérite qu'elle se prépare par les
années, puisque avec une bonne conduite elle a de meilleures intentions, des principes sûrs, utiles à celles qui
sont comme elle exposées aux soins et à la flatterie ; et
qu'étant assez particulière[3] sans pourtant être farouche,

1. *Elle les entend,* leçon de la 9e édition, est évidemment une faute
d'impression.

2. Dans la 9e édition : *éloquence,* ce qui très probablement est encore une faute.

3. « On dit qu'un homme est *particulier,* lorsqu'il fuit le commerce et la fréquentation des autres hommes, qu'il n'aime pas à
visiter et à être visité. » (*Dictionnaire de Furetière,* 1690.)

ayant même un peu de penchant pour la retraite, il ne
lui sauroit peut-être manquer que les occasions, ou ce
qu'on appelle un grand théâtre, pour y faire briller
toutes ses vertus. » (ÉD. 8.)

Une belle femme est aimable dans son naturel ; elle 29.
ne perd rien à être négligée, et sans autre parure que celle
qu'elle tire de sa beauté et de sa jeunesse. Une grâce
naïve éclate sur son visage, anime ses moindres actions :
il y auroit moins de péril à la voir avec tout l'attirail de
l'ajustement et de la mode. De même un homme de bien
est respectable par lui-même, et indépendamment de
tous les dehors dont il voudroit s'aider pour rendre sa
personne plus grave et sa vertu plus spécieuse. Un air
réformé, une modestie outrée, la singularité de l'habit,
une ample calotte, n'ajoutent rien à la probité, ne relèvent pas le mérite ; ils le fardent, et font peut-être qu'il
est moins pur et moins ingénu [1]. (ÉD. 5.)

Une gravité trop étudiée devient comique ; ce sont
comme des extrémités qui se touchent et dont le milieu
est dignité ; cela ne s'appelle pas être grave, mais en
jouer le personnage ; celui qui songe à le devenir ne le
sera jamais : ou la gravité n'est point, ou elle est naturelle ; et il est moins difficile d'en descendre que d'y
monter. (ÉD. 6.)

Un homme de talent et de réputation, s'il est chagrin 30.
et austère, il effarouche les jeunes gens, les fait penser
mal de la vertu, et la leur rend suspecte d'une trop
grande réforme et d'une pratique trop ennuyeuse. S'il

1. « .... Il me semble, dit Montaigne (voyez ci-dessus, p. 76,
note 1), que toutes façons escartees et particulieres partent plustost
de folie ou d'affectation ambitieuse que de vraye raison. »

est au contraire d'un bon commerce, il leur est une
leçon utile ; il leur apprend qu'on peut vivre gaiement et
laborieusement, avoir des vues sérieuses sans renoncer
aux plaisirs honnêtes ; il leur devient un exemple qu'on
peut suivre. (ÉD. 6.)

31. La physionomie n'est pas une règle qui nous soit donnée pour juger des hommes : elle nous peut[1] servir de
conjecture. (ÉD. 4.)

32. L'air spirituel est dans les hommes ce que la régularité
des traits est dans les femmes : c'est le genre de beauté
où les plus vains puissent aspirer. (ÉD. 4.)

33. Un homme qui a beaucoup de mérite et d'esprit, et
qui est connu pour tel, n'est pas laid, même avec des
traits qui sont difformes ; ou s'il a de la laideur, elle ne
fait pas[2] son impression. (ÉD. 4.)

34. Combien d'art pour rentrer dans la nature ! combien
de temps, de règles, d'attention et de travail pour danser
avec la même liberté et la même grâce que l'on sait marcher ; pour chanter comme on parle ; parler et s'exprimer
comme l'on pense ; jeter autant de force, de vivacité, de
passion et de persuasion dans un discours étudié et que
l'on prononce dans le public, qu'on en a quelquefois
naturellement et sans préparation dans les entretiens les
plus familiers ! (ÉD. 7.)

35. Ceux qui, sans nous connoître assez, pensent mal de
nous, ne nous font pas de tort : ce n'est pas nous qu'ils
attaquent, c'est le fantôme de leur imagination.

1. VAR. (édit. 4-6) : elle peut nous, etc.
2. VAR. (édit. 4) : elle ne fait point.

Il y a de petites règles, des devoirs, des bienséances 36.
attachées[1] aux lieux, aux temps, aux personnes, qui ne se
devinent point à force d'esprit, et que l'usage apprend
sans nulle peine : juger des hommes par les fautes qui
leur échappent en ce genre avant qu'ils soient assez
instruits, c'est en juger par leurs ongles ou par la pointe
de leurs cheveux ; c'est vouloir un jour être détrompé.

Je ne sais s'il est permis de juger des hommes par une 37.
faute qui est unique, et si un besoin extrême, ou une
violente passion, ou un premier mouvement tirent à
conséquence. (ÉD. 6.)

Le contraire des bruits qui courent des affaires ou des 38.
personnes est souvent la vérité. (ÉD. 4.)

Sans une grande roideur et une continuelle attention 39.
à toutes ses paroles, on est exposé à dire en moins d'une
heure le oui ou le non sur une même chose ou sur une
même personne, déterminé seulement par un esprit de
société et de commerce qui entraîne naturellement à ne
pas contredire celui-ci et celui-là qui en parlent différemment. (ÉD. 4.)

Un homme partial est exposé à de petites mortifica- 40.
tions ; car comme il est également impossible que ceux
qu'il favorise soient toujours heureux ou sages, et que
ceux contre qui il se déclare soient toujours en faute ou
malheureux, il naît de là qu'il lui arrive souvent de
perdre contenance dans le public, ou par le mauvais
succès de ses amis, ou par une nouvelle gloire qu'acquiè-
rent ceux qu'il n'aime point. (ÉD. 8.)

---

1. Ce participe s'accorde ainsi avec le dernier substantif, « bienséances, » dans les éditions du dix-septième siècle.

41.   Un homme sujet à se laisser prévenir, s'il ose remplir une dignité ou séculière ou ecclésiastique, est un aveugle qui veut peindre, un muet qui s'est chargé d'une harangue, un sourd qui juge d'une symphonie : foibles images, et qui n'expriment qu'imparfaitement la misère de la prévention. Il faut ajouter qu'elle est un mal désespéré, incurable, qui infecte tous ceux qui s'approchent du malade, qui fait déserter les égaux, les inférieurs, les parents, les amis, jusqu'aux médecins : ils sont bien éloignés de le guérir, s'ils ne peuvent[1] le faire convenir de sa maladie, ni des remèdes, qui seroient d'écouter, de douter, de s'informer et de s'éclaircir. Les flatteurs, les fourbes, les calomniateurs, ceux qui ne délient leur langue que pour le mensonge et l'intérêt, sont les charlatans en qui il se confie, et qui lui font avaler tout ce qui leur plaît : ce sont eux aussi qui l'empoisonnent et qui le tuent. (ÉD. 4.)

42.   La règle de Descartes, qui ne veut pas qu'on décide sur les moindres vérités avant qu'elles soient connues clairement et distinctement[2], est assez belle et assez juste pour devoir s'étendre au jugement que l'on fait des personnes.

43.   Rien ne nous venge mieux des mauvais jugements que les hommes font de notre esprit, de nos mœurs et de nos

---

1. VAR. (édit. 4-6) : s'ils ne peuvent même, etc.

2. Le premier des quatre préceptes que j'avais pris la résolution d'observer, nous dit Descartes, « étoit de ne recevoir jamais aucune chose pour vraie que je ne la connusse évidemment être telle, c'est-à-dire d'éviter soigneusement la précipitation et la prévention, et de ne comprendre rien de plus en mes jugements que ce qui se présenteroit si clairement et si distinctement à mon esprit, que je n'eusse aucune occasion de le mettre en doute. » (*Discours de la Méthode,* 2ᵉ partie.)

manières[1], que l'indignité et le mauvais caractère de
ceux qu'ils approuvent.

Du même fond[2] dont on néglige un homme de mérite,
l'on sait encore admirer un sot.

Un sot est celui qui n'a pas même ce qu'il faut d'esprit 44.
pour être fat.

Un fat est celui que les sots croient un homme de 45.
mérite[3].

L'impertinent est un fat outré. Le fat lasse, ennuie, 46.
dégoûte, rebute; l'impertinent rebute, aigrit, irrite,
offense : il commence où l'autre finit. (ÉD. 4.)

Le fat est entre l'impertinent et le sot : il est composé
de l'un et de l'autre[4]. (ÉD. 4.)

Les vices partent d'une dépravation du cœur[5]; les dé- 47.
fauts, d'un vice de tempérament; le ridicule, d'un défaut
d'esprit. (ÉD. 7.)

L'homme ridicule est celui qui tant qu'il demeure tel,
a les apparences du sot. (ÉD. 4.)

Le sot ne se tire jamais du ridicule, c'est son caractère; l'on y entre quelquefois avec de l'esprit, mais l'on
en sort. (ÉD. 4.)

Une erreur de fait jette un homme sage dans le ridicule. (ÉD. 7.)

1. VAR. (édit. 1-3) : que les hommes font de notre esprit et de
nos manières.
2. Ce mot est écrit sans s dans les éditions du dix-septième
siècle.
3. Cette réflexion n'a été séparée de la précédente, pour former
une remarque distincte, qu'à la 4e édition.
4. Cet alinéa n'a été rapproché du précédent qu'à la 7e édition.
5. VAR. (édit. 7) : d'une dépravation de cœur.

La sottise est dans le sot, la fatuité dans le fat, et l'impertinence dans l'impertinent : il semble que le ridicule réside tantôt dans celui qui en effet est ridicule[1], et tantôt dans l'imagination de ceux qui croient voir le ridicule où il n'est point et ne peut être[2]. (ÉD. 4.)

48.   La grossièreté, la rusticité, la brutalité peuvent être les vices d'un homme d'esprit. (ÉD. 4.)

49.   Le stupide est un sot qui ne parle point, en cela plus supportable[3] que le sot qui parle. (ÉD. 4.)

50.   La même chose souvent est, dans la bouche d'un homme d'esprit, une naïveté ou un bon mot, et dans celle d'un sot[4], une sottise. (ÉD. 8.)

51.   Si le fat pouvoit craindre de mal parler, il sortiroit de son caractère. (ÉD. 4.)

52.   L'une des marques de la médiocrité de l'esprit est de toujours conter. (ÉD. 4.)

53.   Le sot est embarrassé de sa personne ; le fat a l'air libre et assuré ; l'impertinent passe à l'effronterie : le mérite a de la pudeur. (ÉD. 4.)

54.   Le suffisant est celui en qui la pratique de certains détails que l'on honore du nom d'affaires se trouve jointe à une très grande médiocrité d'esprit. (ÉD. 8.)

1. VAR. (édit. 6): qui est en effet ridicule.
2. Les trois alinéas de cette remarque qui datent de la 4e édition formaient dans les éditions 4, 5 et 6 trois remarques distinctes.
3. Dans la 7e édition : *insupportable,* faute évidente.
4. VAR. (édit. 8) : du sot.

Un grain d'esprit et une once d'affaires plus qu'il n'en entre dans la composition du suffisant, font l'important. (ÉD. 8.)

Pendant qu'on ne fait que rire de l'important, il n'a pas un autre nom ; dès qu'on s'en plaint, c'est l'arrogant. (ÉD. 8.)

L'honnête homme[1] tient le milieu entre l'habile homme   55. et l'homme de bien, quoique dans une distance inégale de ses deux extrêmes[2]. (ÉD. 7.)

La distance qu'il y a de l'honnête homme à l'habile homme s'affoiblit de jour à autre, et est sur le point de disparoître. (ÉD. 7.)

1. « Je ne puis plus souffrir qu'on dise qu'un tel est *honnête homme,* et que l'un conçoive sous ce terme une chose, et l'autre une autre, » écrivait Corbinelli à Bussy le 27 février 1679, en lui demandant la définition du galant homme, de l'homme de bien, de l'homme d'honneur, et de l'honnête homme. Bussy répondit le 6 mars 1679 : « L'*honnête homme* est un homme poli et qui sait vivre ; l'*homme de bien* regarde la religion ; le *galant homme* est une qualité particulière qui regarde la franchise et la générosité ; l'*homme d'honneur* est un homme de parole, et cela regarde la probité…. » (*Lettres de Mme de Sévigné,* tome V, p. 525 et 529.) — La définition de Bussy exprime assez bien ce que l'on entendait généralement au dix-septième siècle par un « honnête homme » : les « honnêtes gens » étaient les gens bien élevés et d'un esprit cultivé. La Bruyère toutefois, qui s'est plusieurs fois servi des expressions *honnête homme* et *honnêtes gens**, n'a pas toujours tenu compte de la distinction qu'il établit ici entre l'*honnête homme* et l'*homme de bien :* voyez tome II, p. 67, n° 15, et p. 136, n° 20. La Rochefoucauld a de même confondu l'*honnête homme* et l'*homme de bien* dans les *maximes* CCII et CCVI ; mais l'acception particulière, et propre au dix-septième siècle, des mots *honnête homme* se retrouve dans les *maximes* CCIII et CCCLIII.

2. Les éditeurs modernes ont imprimé : « *ces* deux extrêmes ; » nous rétablissons l'orthographe des éditions du dix-septième siècle.

* Voyez tome II, p. 34, n° 24 ; p. 67, n° 15 ; p. 71, n° 25 ; p. 136, n° 20 ; p. 211, n° 9 ; p. 247, n° 94 ; et p. 267, note 2.

L'habile homme est celui qui cache ses passions, qui entend ses intérêts, qui y sacrifie beaucoup de choses, qui a su acquérir du bien ou en conserver. (ÉD. 7.)

L'honnête homme est celui qui ne vole pas sur les grands chemins, et qui ne tue personne, dont les vices enfin ne sont pas scandaleux. (ÉD. 7.)

On connoît assez qu'un homme de bien est honnête homme; mais il est plaisant d'imaginer que tout honnête homme n'est pas homme de bien. (ÉD. 7.)

L'homme de bien est celui qui n'est ni un saint ni un dévot[1], et qui s'est borné à n'avoir que de la vertu. (ÉD. 7.)

56.   Talent, goût, esprit, bon sens, choses différentes, non incompatibles. (ÉD. 4.)

Entre le bon sens et le bon goût il y a la différence de la cause à son effet[2]. (ÉD. 4.)

Entre esprit et talent il y a la proportion du tout à sa partie. (ÉD. 6.)

Appellerai-je homme d'esprit celui qui, borné et renfermé dans quelque art, ou même dans une certaine science qu'il exerce dans une grande perfection, ne montre hors de là ni jugement, ni mémoire, ni vivacité, ni mœurs, ni conduite; qui ne m'entend pas, qui ne pense point, qui s'énonce mal; un musicien par exemple, qui après m'avoir comme enchanté par ses accords, semble s'être remis avec son luth dans un même étui, ou n'être plus sans cet instrument qu'une machine démontée, à qui il manque quelque chose, et dont il n'est plus permis[3] de rien attendre? (ÉD. 6.)

---

1. Faux dévot. (*Note. de la Bruyère.*)
2. Cet alinéa formait une remarque isolée dans les éditions 4 et 5.
3. VAR. (édit. 9) : et dont il n'est pas permis, etc. — Le sens de

Que dirai-je encore de l'esprit du jeu? pourroit-on me
le définir? Ne faut-il ni prévoyance, ni finesse, ni habileté pour jouer l'hombre ou les échecs? et s'il en faut,
pourquoi voit-on des imbéciles qui y excellent, et de
très beaux génies qui n'ont pu même atteindre la médiocrité, à qui une pièce ou une carte dans les mains trouble
la vue, et fait perdre contenance? (ÉD. 6).

Il y a dans le monde quelque chose, s'il se peut, de
plus incompréhensible. Un homme paroît grossier [1],
lourd, stupide [2]; il ne sait pas parler, ni raconter ce qu'il
vient de voir : s'il se met à écrire, c'est le modèle des
bons contes; il fait parler les animaux, les arbres, les
pierres, tout ce qui ne parle point : ce n'est que légèreté,
qu'élégance, que beau naturel, et que délicatesse dans
ses ouvrages. (ÉD. 6.)

Un autre est simple [3], timide, d'une ennuyeuse conversation; il prend un mot pour un autre, et il ne juge
de la bonté de sa pièce que par l'argent qui lui en revient; il ne sait pas la réciter, ni lire son écriture. Laissez-
le s'élever par la composition : il n'est pas au dessous
d'AUGUSTE, de POMPÉE, de NICOMÈDE, d'HÉRACLIUS; il est
roi, et un grand roi; il est politique, il est philosophe; il
entreprend de faire parler des héros, de les faire agir; il
peint les Romains; ils sont plus grands et plus Romains
dans ses vers que dans leur histoire. (ÉD. 6.)

Voulez-vous quelque autre prodige [4]? Concevez un

la phrase paraît indiquer que la meilleure leçon est celle des éditions
6, 7 et 8, et que la substitution du mot *pas* au mot *plus* est une erreur
d'impression. Pour éviter la répétition du mot *plus* dans la phrase,
la Bruyère en aurait-il altéré le sens par mégarde ?

1. Portrait de la Fontaine, qui vivait encore quand parut ce caractère. Voyez l'*Appendice*, p. 339.

2. Voyez ci-dessus, p. 98, n° 49.

3. Portrait de Corneille, mort depuis six ans.

4. Portrait de Santeul, ami de la Bruyère. Voyez l'*Appendice*, p. 345.

homme facile, doux, complaisant, traitable, et tout d'un
coup violent, colère, fougueux, capricieux. Imaginez-
vous un homme simple, ingénu, crédule, badin, volage,
un enfant en cheveux gris ; mais permettez-lui de se recueillir, ou plutôt de se livrer à un génie qui agit en lui,
j'ose dire, sans qu'il y prenne part et comme à son insu :
quelle verve ! quelle élévation ! quelles images ! quelle
latinité ! — Parlez-vous d'une même personne ? me direz-
vous. — Oui, du même, de *Théodas,* et de lui seul. Il
crie, il s'agite, il se roule à terre, il se relève, il tonne, il
éclate ; et du milieu de cette tempête il sort une lumière
qui brille et qui réjouit. Disons-le sans figure : il parle
comme un fou, et pense comme un homme sage ; il dit
ridiculement des choses vraies, et follement des choses
sensées et raisonnables ; on est surpris de voir naître et
éclore le bon sens du sein de la bouffonnerie, parmi les
grimaces et les contorsions. Qu'ajouterai-je davantage ?
Il dit et il fait mieux qu'il ne sait ; ce sont en lui comme
deux âmes qui ne se connoissent point, qui ne dépendent
point l'une de l'autre, qui ont chacune leur tour, ou leurs
fonctions toutes séparées[1]. Il manqueroit un trait à cette

---

1. **Ménage** rapprochait de cette phrase un passage de Cervantès :
« Dans *Don Quichotte,* quand le Duc voit le héros du roman raisonner si sagement de tout où il n'est pas question de chevalerie, et si
ridicule d'ailleurs partout où il s'agit de fées, d'enchanteurs et
d'Amadis, il dit de même qu'il y a deux âmes dans don Quichotte,
dont la nature et les fonctions sont différentes. » (*Menagiana,* tome III,
p. 381 et 382.) — « Cette variation et contradiction qui se veoid en
nous, si souple, avait dit Montaigne dans le chapitre intitulé : *de
l'Inconstance de nos actions* (livre II, chapitre 1, tome I, p. 7), a faict
que aulcuns nous songent deux ames, d'aultres deux puissances,
qui nous accompaignent et agitent chascune à sa mode, vers le bien
l'une, l'autre vers le mal, une si brusque diuersité ne se pouuant
bien assortir à un subiect simple. » — Citons enfin Pascal, parlant,
il est vrai, non plus des variations, mais des grandeurs et des misères
de l'homme : « Cette duplicité de l'homme est si visible, qu'il y en

peinture si surprenante, si j'oubliois de dire qu'il est tout
à la fois avide et insatiable de louanges, prêt de se jeter
aux yeux de ses critiques, et dans le fond assez docile
pour profiter de leur censure. Je commence à me persuader moi-même que j'ai fait le portrait de deux personnages tout différents[1]. Il ne seroit pas même impossible d'en trouver un troisième dans Théodas; car il est
bon homme, il est plaisant homme, et il est excellent
homme. (ÉD. 6.)

Après l'esprit de discernement, ce qu'il y a au monde 57
de plus rare, ce sont les diamants et les perles.

Tel, connu dans le monde par de grands talents, ho- 58.
noré et chéri partout où il se trouve, est petit dans son
domestique et aux yeux de ses proches, qu'il n'a pu réduire à l'estimer; tel autre, au contraire, prophète dans
son pays, jouit d'une vogue qu'il a parmi les siens et qui
est resserrée dans l'enceinte de sa maison, s'applaudit
d'un mérite rare et singulier, qui lui est accordé par
sa famille dont il est l'idole, mais qu'il laisse chez soi
toutes les fois qu'il sort, et qu'il ne porte nulle part.

Tout le monde s'élève contre un homme qui entre en 59.
réputation[2] : à peine ceux qu'il croit ses amis lui pardon-

a qui ont pensé que nous avions deux âmes, un sujet simple leur
paroissant incapable de telles et si soudaines variétés, d'une présomption démesurée à un horrible abattement de cœur. » (*Pensées,*
article XII, 3.)

1. « Il n'y a point d'homme plus différent d'un autre que de soi-
même dans les divers temps. » (Pascal, *de l'Esprit géométrique,*
tome II, p. 300.) — « On est quelquefois aussi différent de soi-même
que des autres. » (*La Rochefoucauld,* n° cxxxv.)

2. Sitôt que d'Apollon un génie inspiré
   Trouve loin du vulgaire un chemin ignoré,

nent-ils un mérite naissant, et une première vogue qui
semble l'associer à la gloire dont ils sont déjà en possession ; l'on ne se rend qu'à l'extrémité, et après que le
Prince s'est déclaré par les récompenses : tous alors se
rapprochent de lui, et de ce jour-là seulement il prend
son rang d'homme de mérite.

60.   Nous affectons souvent de louer avec exagération des
hommes assez médiocres, et de les élever, s'il se pouvoit,
jusqu'à la hauteur de ceux qui excellent, ou parce que
nous sommes las d'admirer toujours les mêmes personnes, ou parce que leur gloire, ainsi partagée, offense
moins notre vue, et nous devient plus douce et plus supportable[1]. (ÉD. 8.)

61.   L'on voit des hommes que le vent de la faveur pousse
d'abord à pleines voiles ; ils perdent en un moment la
terre de vue, et font leur route : tout leur rit, tout leur
succède[2] ; action, ouvrage, tout est comblé d'éloges et
de récompenses ; ils ne se montrent que pour être em-
brassés et félicités. Il y a un rocher immobile qui s'élève
sur une côte ; les flots se brisent au pied ; la puissance,
les richesses, la violence, la flatterie, l'autorité, la faveur, tous les vents ne l'ébranlent pas : c'est le public,
où ces gens échouent. (ÉD. 7.)

> En cent lieux contre lui les cabales s'amassent,
> Ses rivaux obscurcis autour de lui croassent ;
> Et son trop de lumière, importunant les yeux,
> De ses propres amis lui fait des envieux.
>
> (Boileau, *épître* VII, *à Racine*, vers 9-14.)

1. « Nous élevons la gloire des uns pour abaisser celle des autres ;
et quelquefois on loueroit Monsieur le Prince et M. de Turenne,
si on ne les vouloit point blâmer tous deux. » (*La Rochefoucauld*,
n° CXCVIII.)

2. Tout leur réussit.

Il est ordinaire et comme naturel de juger du travail 62. d'autrui seulement par rapport à celui qui nous occupe. Ainsi le poëte, rempli de grandes et sublimes idées, estime peu le discours de l'orateur, qui ne s'exerce souvent que sur de simples faits ; et celui qui écrit l'histoire de son pays ne peut comprendre qu'un esprit raisonnable emploie sa vie à imaginer des fictions et à trouver une rime ; de même le bachelier[1] plongé dans les quatre premiers siècles, traite toute autre doctrine de science triste, vaine et inutile, pendant qu'il est peut-être méprisé du géomètre.

Tel a assez d'esprit pour exceller dans une certaine 63. matière et en faire des leçons, qui en manque pour voir qu'il doit se taire sur quelque autre dont il n'a qu'une foible connoissance : il sort hardiment des limites de son génie, mais il s'égare, et fait que l'homme illustre parle comme un sot. (ÉD. 4.)

Hérille, soit qu'il parle, qu'il harangue ou qu'il écrive, 64. veut citer : il fait dire au *Prince des philosophes* que le vin enivre, et à l'*Orateur romain* que l'eau le tempère. S'il se jette dans la morale, ce n'est pas lui, c'est le *divin Platon*[2] qui assure que la vertu est aimable, le vice

1. Il y avait au dix-septième siècle des bacheliers en théologie, en droit canon, en droit civil, en médecine. On peut entendre ici le mot soit du bachelier en droit canon, soit du bachelier en théologie, plongés, l'un dans l'étude des anciens canons, l'autre dans celle de l'histoire ecclésiastique des premiers siècles. Il est probable au reste que la Bruyère ne s'attache point au sens particulier du terme, et qu'il dit *bachelier,* comme il aurait pu dire *docteur,* pour désigner simplement un homme occupé d'études toutes spéciales.

2. Les mots : *Prince des philosophes, Orateur romain, divin Platon,* imprimés en italique dans les éditions 5, 6 et 7, ont cessé de l'être à la 8ᵉ. Comme il est vraisemblable que la substitution des lettres romaines aux lettres italiques dans les réimpressions des *Caractères* est

odieux, ou que l'un et l'autre se tournent en habitude.
Les choses les plus communes, les plus triviales, et qu'il
est même capable de penser, il veut les devoir aux anciens, aux Latins, aux Grecs ; ce n'est ni pour donner
plus d'autorité à ce qu'il dit, ni peut-être pour se faire
honneur de ce qu'il sait : il veut citer. (ÉD. 5.)

65.   C'est souvent hasarder un bon mot et vouloir le perdre
que de le donner pour sien : il n'est pas relevé, il tombe

souvent le fait de l'imprimeur (voyez tome II, p. 15 et 16, la *Notice
des Caractères*), et qu'ici les italiques sont nécessaires pour qu'il n'y
ait aucun doute sur le sens ironique du passage, nous les rétablissons
par exception. Beaucoup de prédicateurs, d'avocats et d'écrivains
ne désignaient Aristote et Cicéron que par ces deux antonomases : le
Prince des philosophes et l'*Orateur romain ;* Platon était presque toujours le *divin Platon.* Il arrivait à la Bruyère lui-même d'écrire :
l'*Orateur romain :* voyez tome II, p. 28, n° 9. C'est peut-être avec
une intention plaisante que Pascal dans sa IVe *Provinciale* (1656), et
Malebranche dans le IIIe chapitre du IVe livre *de la Recherche de la
vérité* (1675), s'étaient servis de la première de ces façons de parler :
le *Prince des philosophes.* Bouhours, de son côté, l'avait condamnée
comme donnant une traduction inexacte du latin *princeps ;* mais revenant presque immédiatement sur sa critique, il s'était empressé
de reconnaître que l'usage avait consacré l'expression, toute vicieuse
qu'elle fût : voyez les *Doutes sur la langue françoise proposés à l'Académie françoise par un gentilhomme de la province* (1674, p. 107 et
108), et les *Remarques nouvelles sur la langue françoise* (édition de
1676, p. 136 et 137). — On retrouve au surplus dans Malebranche
la réflexion de la Bruyère : « Il est, ce me semble, évident qu'il n'y a
que la fausse érudition et l'esprit de polymathie qui ait pu rendre
les citations à la mode comme elles ont été jusqu'ici, et comme elles
sont encore maintenant chez quelques savants. Car il n'est pas fort
difficile de trouver des auteurs qui citent à tous moments de grands
passages sans aucune raison de citer.... Il est contraire au sens
commun d'apporter un grand passage grec pour prouver que l'air
est transparent, parce que c'est une chose connue à tout le monde ;
de se servir de l'autorité d'Aristote pour nous faire croire qu'il y
a des intelligences qui remuent les cieux, parce qu'il est évident
qu'Aristote n'en pouvoit rien savoir.... » (*De la Recherche de la vérité,* livre IV, chapitre VIII, tome II, p. 66 et 67.)

avec des gens d'esprit ou qui se croient tels, qui ne l'ont
pas dit, et qui devoient le dire. C'est au contraire le faire
valoir que de le rapporter comme d'un autre : ce n'est
qu'un fait, et qu'on ne se croit pas obligé de savoir ; il
est dit avec plus d'insinuation et reçu avec moins de jalousie ; personne n'en souffre[1] : on rit s'il faut rire, et
s'il faut admirer, on admire. (ÉD. 5.)

On a dit de SOCRATE qu'il étoit en délire, et que c'étoit   66.
un fou tout plein d'esprit[2] ; mais ceux des Grecs qui parloient ainsi d'un homme si sage passoient pour fous. Ils
disoient : « Quels bizarres portraits nous fait ce philosophe ! quelles mœurs étranges et particulières ne dé-
crit-il point ! où a-t-il rêvé, creusé, rassemblé des idées
si extraordinaires ? quelles couleurs ! quel pinceau ! ce

1. VAR. (édit. 5-7) : personne ne souffre.
2. *Et que c'étoit un fou tout plein d'esprit* : nous rétablissons ici
comme nous l'avons déjà fait ci-dessus (p. 105, nᵒ 64), les lettres
italiques supprimées à la 8ᵉ édition. Ce désobligeant compliment :
« vous êtes un fou tout plein d'esprit », avait sans doute été adressé plus
d'une fois à la Bruyère : voyez ci-après, p. 519 et p. 521, dans la correspondance de la Bruyère, les lettres de Jérôme Phélypeaux, datées
de 1694, où la « folie » de l'auteur des *Caractères* semble un sujet
de plaisanterie habituel. C'est lui-même, et non Socrate, que l'auteur défend ici contre les attaques des critiques ; la Bruyère en fait
presque l'aveu dans une lettre à Ménage, qui avait vu dans cette
phrase une inexactitude historique : « Pour ce qui regarde Socrate,
dit la Bruyère, je n'ai trouvé nulle part qu'on ait dit de lui en propres termes que c'étoit *un fou tout plein d'esprit* : façon de parler à
mon avis impertinente et pourtant en usage, que j'ai essayé de
décréditer en la faisant servir pour Socrate, comme l'on s'en sert
aujourd'hui pour diffamer les personnes les plus sages, mais qui
s'élevant au-dessus d'une morale basse et sévère qui règne depuis si
longtemps, se distinguent dans leurs ouvrages par la hardiesse et la
vivacité de leurs traits et par la beauté de leur imagination. Ainsi
Socrate ici n'est pas Socrate ; c'est un nom qui en cache un autre.... »
Voyez ci-après, p. 507, la lettre entière ; elle est le commentaire de
cette remarque.

sont des chimères. » Ils se trompoient : c'étoient des
monstres, c'étoient des vices, mais peints au naturel ;
on croyoit les voir, ils faisoient peur. Socrate s'éloignoit
du cynique ; il épargnoit les personnes, et blâmoit les
mœurs qui étoient mauvaises. (ÉD. 4.)

67. Celui qui est riche par son savoir-faire connoît un philosophe, ses préceptes, sa morale et sa conduite, et n'i-
maginant pas dans tous les hommes une autre fin de
toutes leurs actions que celle qu'il s'est proposée lui-
même toute sa vie, dit en son cœur : « Je le plains, je le
tiens échoué, ce rigide censeur ; il s'égare, et il est hors
de route[1] ; ce n'est pas ainsi qu'on prend le vent et
que l'on arrive au délicieux port de la fortune ; » et selon
ses principes il raisonne juste. (ÉD. 4.)

« Je pardonne, dit *Antisthius*[2], à ceux que j'ai loués
dans mon ouvrage s'ils m'oublient : qu'ai-je fait pour
eux ? ils étoient louables. Je le pardonnerois moins à tous
ceux dont j'ai attaqué les vices sans toucher à leurs personnes, s'ils me devoient un aussi grand bien que celui
d'être corrigés ; mais comme c'est un évènement qu'on
ne voit point, il suit de là que ni les uns ni les autres ne
sont tenus de me faire du bien. (ÉD. 4.)

« L'on peut, ajoute ce philosophe, envier ou refuser à
mes écrits leur récompense : on ne sauroit en diminuer
la réputation ; et si on le fait, qui m'empêchera de le[3]
mépriser ? » (ÉD. 5.)

68. Il est bon d'être · philosophe, il n'est guère utile de
passer pour tel. Il n'est pas permis de traiter quelqu'un

---

1. VAR. (édit. 4) : il s'égare et est hors de route.
2. VAR. (édit. 4 et 5) : *Antisthène*.
3. Dans la 5e édition : *la*, par une faute évidente, qu'on s'explique
aisément.

de philosophe : ce sera toujours lui dire une injure, jusqu'à ce qu'il ait plu aux hommes d'en ordonner autrement, et en restituant à un si beau nom son idée propre
et convenable, de lui concilier toute l'estime qui lui est
due. (ÉD. 5.)

Il y a une philosophie qui nous élève au-dessus de 69.
l'ambition et de la fortune, qui nous égale, que dis-je?
qui nous place plus haut que les riches, que les grands
et que les puissants; qui nous fait négliger les postes
et ceux qui les procurent; qui nous exempte de desirer,
de demander, de prier, de solliciter, d'importuner, et
qui nous sauve même l'émotion et l'excessive joie d'être
exaucés. Il y a une autre philosophie qui nous sou-
met et nous assujettit à toutes ces choses en faveur
de nos proches ou de nos amis : c'est la meilleure.
(ÉD. 6.)

C'est abréger et s'épargner mille discussions, que de 70.
penser de certaines gens qu'ils sont incapables de parler
juste, et de condamner ce qu'ils disent, ce qu'ils ont dit,
et ce qu'ils diront. (ÉD. 4.)

Nous n'approuvons les autres que par les rapports que 71.
nous sentons qu'ils ont avec nous-mêmes; et il semble
qu'estimer quelqu'un, c'est l'égaler à soi[1].

Les mêmes défauts qui dans les autres sont lourds 72.
et insupportables sont chez nous comme dans leur centre; ils ne pèsent plus, on ne les sent pas. Tel parle d'un

1. « Il n'y a point d'homme qui se croie, en chacune de ses qualités, au-dessous de l'homme du monde qu'il estime le plus. » (*La
Rochefoucauld*, n° CDLII.)

autre et en fait un portrait affreux, qui ne voit pas qu'il
se peint lui-même[1]. (ÉD. 4.)

Rien ne nous corrigeroit plus promptement de nos
défauts, que si nous étions capables de les avouer et
de les reconnoître dans les autres : c'est dans cette juste
distance que nous paroissant tels qu'ils sont, ils se feroient haïr autant qu'ils le méritent. (ÉD. 4.)

73. La sage conduite roule sur deux pivots, le passé et
l'avenir. Celui qui a la mémoire fidèle et une grande
prévoyance est hors du péril de censurer dans les autres
ce qu'il a peut-être fait lui-même, ou de condamner une
action dans un pareil cas, et dans toutes les circonstances
où elle lui sera un jour inévitable. (ÉD. 4.)

74. Le guerrier et le politique, non plus que le joueur habile, ne font pas le hasard, mais ils le préparent, ils l'attirent, et semblent presque le déterminer. Non seulement
ils savent ce que le sot et le poltron ignorent, je veux
dire se servir du hasard quand il arrive ; ils savent même
profiter, par leurs précautions et leurs mesures, d'un tel
ou d'un tel hasard, ou de plusieurs tout à la fois. Si ce
point arrive, ils gagnent ; si c'est cet autre, ils gagnent
encore ; un même point souvent le fait gagner de plu-

---

1. « Nos yeulx ne veoyent rien en derriere : cent fois le iour nous
nous mocquons de nous sur le subiect de nostre voysin ; et detestons
en d'aultres les defauts qui sont en nous plus clairement, et les admi-
rons d'une merueilleuse impudence et inaduertence. Encores hier ie
feus à mesme de veoir un homme d'entendement et gentil personnage se mocquant, aussi plaisamment que iustement, de l'inepte façon d'un aultre qui rompt la teste à tout le monde du registre de ses
genealogies et alliances, plus de moitié faulses... ; et luy, s'il eust
reculé sur soy, se feust trouué non gueres moins intemperant et ennuyeux à semer et à faire valoir la prerogatiue de la race de sa
femme. » (*Montaigne*, livre III, chapitre VIII, tome III, p. 412
et 413.)

sieurs manières. Ces hommes sages peuvent être loués de
leur bonne fortune comme de leur bonne conduite, et
le hasard doit être récompensé en eux comme la vertu.
(ÉD. 6.)

Je ne mets au-dessus d'un grand politique que celui 75.
qui néglige de le devenir, et qui se persuade de plus en
plus que le monde ne mérite point qu'on s'en occupe.
(ÉD. 8.)

Il y a dans les meilleurs conseils de quoi déplaire. Ils 76.
viennent d'ailleurs que de notre esprit : c'est assez pour
être rejetés d'abord par présomption et par humeur, et
suivis seulement par nécessité ou par réflexion. (ÉD. 5.)

Quel bonheur surprenant a accompagné ce favori pen- 77.
dant tout le cours de sa vie ! quelle autre fortune mieux
soutenue, sans interruption, sans la moindre disgrâce ?
les premiers postes, l'oreille du Prince, d'immenses trésors, une santé parfaite, et une mort douce. Mais quel
étrange compte à rendre d'une vie passée dans la faveur,
des conseils que l'on a donnés, de ceux qu'on a négligé
de donner ou de suivre, des biens que l'on n'a point faits,
des maux au contraire que l'on a faits[1] ou par soi-même
ou par les autres ; en un mot, de toute sa prospérité !

L'on gagne à mourir d'être loué de ceux qui nous sur- 78.
vivent, souvent sans autre mérite que celui de n'être
plus : le même éloge sert alors pour *Caton* et pour
Pison[2]. (ÉD. 4.)

---

1. Dans toutes les éditions du dix-septième siècle on a imprimé
sans accord le participe *fait* de ces deux membres de phrase : « des
biens que l'on n'a point fait, des maux.... que l'on a fait. »
2. Le Pison que la Bruyère oppose à Caton doit être Lucius Cal

« Le bruit court que Pison est mort : c'est une grande
perte ; c'étoit un homme de bien, et qui méritoit une plus
longue vie ; il avoit de l'esprit et de l'agrément, de la fermeté et du courage ; il étoit sûr, généreux, fidèle. » Ajou-
tez : « pourvu qu'il soit mort. » (ÉD. 4.)

79.   La manière dont on se récrie sur quelques-uns qui se
distinguent par la bonne foi, le désintéressement et la
probité, n'est pas tant leur éloge que le décréditement
du genre humain. (ÉD. 4.)

80.   Tel soulage les misérables, qui néglige sa famille et
laisse son fils dans l'indigence ; un autre élève un nouvel
édifice, qui n'a pas encore payé les plombs d'une maison
qui est achevée depuis dix années ; un troisième fait des
présents et des largesses, et ruine ses créanciers. Je
demande : la pitié, la libéralité, la magnificence, sont-ce
les vertus d'un homme injuste ? ou plutôt si la bizarrerie et la vanité ne sont pas les causes de l'injustice[1].
(ÉD. 7.)

81.   Une circonstance essentielle à la justice que l'on doit
aux autres, c'est de la faire promptement et sans différer :
la faire attendre, c'est injustice. (ÉD. 8.)

Ceux-là font bien, ou font ce qu'ils doivent, qui font
ce qu'ils doivent. Celui qui dans toute sa conduite laisse
longtemps dire de soi qu'il fera bien, fait très mal.
(ÉD. 8.)

purnius Piso, beau-père de César, celui qui fut mis en accusation
sur la demande de Clodius en 59 avant J. C. pour ses exactions,
et qui, chargé en 57 de l'administration de la Macédoine, la ruina
par les rapines que signala Cicéron dans son discours *de Provinciis
consularibus* et dans sa harangue *in Pisonem*.

   1. Voyez des pensées analogues, p. 48, n° 104, et p. 65, n° 139.

L'on dit d'un grand qui tient table deux fois le jour, 82.
et qui passe sa vie à faire digestion, qu'il meurt de faim,
pour exprimer qu'il n'est pas riche, ou que ses affaires
sont fort mauvaises : c'est une figure ; on le diroit plus
à la lettre de ses créanciers. (ÉD. 7.)

L'honnêteté, les égards et la politesse des personnes 83.
avancées en âge de l'un et de l'autre sexe me donnent
bonne opinion de ce qu'on appelle le vieux temps[1].
(ÉD. 4.)

C'est un excès de confiance dans les parents d'es- 84.
pérer tout de la bonne éducation de leurs enfants,
et une grande erreur de n'en attendre rien et de la
négliger[2].

Quand il seroit vrai, ce que plusieurs disent, que l'é- 85.
ducation ne donne point à l'homme un autre cœur ni
une autre complexion, qu'elle ne change rien dans son
fond et ne touche qu'aux superficies, je ne laisserois pas
de dire qu'elle ne lui est pas inutile[3]. (ÉD. 4.)

Il n'y a que de l'avantage pour celui qui parle peu : la 86.
présomption est qu'il a de l'esprit ; et s'il est vrai qu'il
n'en manque pas, la présomption est qu'il l'a excellent.
(ÉD. 4.)

Ne songer qu'à soi et au présent, source d'erreur dans 87.
la politique. (ÉD. 5.)

1. La réflexion 74 du chapitre *de la Cour* (tome II, p. 239) contient
le même éloge des vieillards.
2. VAR. (premiers exemplaires de la 1ʳᵉ et de la 2ᵉ édition): « et
une grande erreur d'en attendre tout et de la négliger ».
3. Cet alinéa n'a été séparé du précédent qu'à la 5ᵉ édition.

88.   Le plus grand malheur, après celui d'être convaincu d'un crime, est souvent d'avoir eu à s'en justifier. Tels arrêts nous déchargent et nous renvoient absous, qui sont infirmés par la voix[1] du peuple. (ÉD. 4.)

89.   Un homme est fidèle à de certaines pratiques de religion, on le voit s'en acquitter avec exactitude : personne ne le loue ni ne le désapprouve ; on n'y pense pas. Tel autre y revient après les avoir négligées dix années entières : on se récrie, on l'exalte ; cela est libre : moi, je le blâme d'un si long oubli de ses devoirs, et je le trouve heureux d'y être rentré.

90.   Le flatteur n'a pas assez bonne opinion de soi ni des autres. (ÉD. 4.)

91.   Tels sont oubliés dans la distribution des grâces, et font dire d'eux : *Pourquoi les oublier ?* qui, si l'on s'en étoit souvenu, auroient fait dire : *Pourquoi s'en souvenir ?* D'où vient cette contrariété ? Est-ce du caractère de ces personnes, ou de l'incertitude de nos jugements, ou même de tous les deux ? (ÉD. 4.)

92   L'on dit communément : « Après un tel, qui sera chancelier ? qui sera primat des Gaules ? qui sera pape ? » On va plus loin : chacun, selon ses souhaits ou son caprice, fait sa promotion, qui est souvent de gens plus vieux et plus caducs que celui qui est en place ; et comme il n'y a pas de raison qu'une dignité tue celui qui s'en trouve revêtu, qu'elle sert au contraire à le rajeunir, et à donner au corps et à l'esprit de nouvelles ressources, ce n'est pas

---

1. Il y a, par erreur, *voye* (*voie*), au lieu de *voix,* dans la 9e édition.

un événement fort rare à un titulaire d'enterrer son successeur. (ÉD. 6.)

La disgrâce éteint les haines et les jalousies. Celui-là 93.
peut bien faire, qui ne nous aigrit plus[1] par une grande
faveur : il n'y a aucun mérite, il n'y a sorte de vertus
qu'on ne lui pardonne; il seroit un héros impunément.
(ÉD. 5.)

Rien n'est bien[2] d'un homme disgracié : vertus, mérite, tout est dédaigné, ou mal expliqué, ou imputé à
vice ; qu'il ait un grand cœur, qu'il ne craigne ni le fer
ni le feu, qu'il aille d'aussi bonne grâce à l'ennemi que
BAYARD et MONTREVEL[3], c'est un bravache[4] ; on en plaisante ; il n'a plus de quoi être un héros. (ÉD. 5.)

---

1. VAR. (édit. 5) : Il est permis de bien faire à celui qui ne nous
aigrit plus, etc.

2. VAR. (édit. 5-7) : Rien n'est bon.

3. Marq. de Montrevel, Comm. gén. D. L. C. Lieut. Gén. (*Note
de la Bruyère,* ajoutée à la 8ᵉ édition. Lisez : Marquis de Montrevel,
commissaire général de la cavalerie, lieutenant général.) Si le
nom de Bayard, le chevalier sans peur et sans reproche, peut se
passer de tout commentaire, il n'en est pas de même du nom
de Montrevel, qui, comme l'a prédit Saint-Simon, ne se trouve
guère dans les histoires. La Bruyère, après l'avoir imprimé sans
annotation dans les éditions 6 et 7, avait cru devoir, à la 8ᵉ, ren-
seigner ses lecteurs sur celui des Montrevel dont il voulait parler.
Montrevel était du moins fort connu à la cour, et Saint-Simon a fait
à deux reprises le portrait peu flatté de « ce favori des sottes, des
modes, du bel air, du maréchal de Villeroy, et presque du feu
Roi, » insistant sur son peu d'esprit, sa malhonnêteté, son âpreté,
« son ignorance universelle », ses prodigalités, mais lui reconnaissant une « valeur brillante » : voyez ses *Mémoires,* édition Boislisle,
tome XI, p. 49-52, et tome XXX, p. 83 et 220. Montrevel venait
d'être nommé lieutenant général quand la Bruyère le cita en compagnie de Bayard. Il devint maréchal de France en 1703, et mourut
en 1716 de l'effroi que lui causa, tout brave qu'il était, une salière
renversée, si l'on en croit Saint-Simon.

4. VAR. (édit. 5) : qu'il aille de bonne grâce à l'ennemi, c'est un

Je me contredis, il est vrai : accusez-en les hommes, dont je ne fais que rapporter les jugements ; je ne dis pas de différents hommes, je dis les mêmes, qui jugent si différemment. (ÉD. 5.)

94.   Il ne faut pas vingt années accomplies pour voir changer les hommes d'opinion sur les choses les plus sérieuses, comme sur celles qui leur ont paru les plus sûres et les plus vraies. Je ne hasarderai pas d'avancer que le feu en soi, et indépendamment de nos sensations, n'a aucune chaleur, c'est-à-dire rien de semblable à ce que nous éprouvons en nous-mêmes à son approche [1], de peur que quelque jour il ne devienne aussi chaud qu'il a jamais été. J'assurerai aussi peu qu'une ligne droite tombant sur une autre ligne droite fait deux angles droits, ou égaux à deux droits, de peur que les hommes venant à y découvrir quelque chose de plus ou de moins, je ne sois raillé de ma proposition. Aussi [2] dans un autre genre, je dirai à peine avec toute la France : « VAUBAN est infaillible, on n'en appelle point : » qui me garantiroit que dans peu de temps on n'insinuera pas que même sur le siége, qui est son fort et où il décide souverainement [3], il erre quelquefois, sujet aux fautes comme *Antiphile*? (ÉD. 6.)

95.   Si vous en croyez des personnes aigries [4] l'une contre

---

bravache. — Dans les 8e, 9e et 10e éditions, l'on a imprimé : « c'est une bravache ; » on ne peut voir là qu'une faute d'impression.

1. C'est la doctrine que Descartes avait fait prévaloir.

2. VAR. (édit. 6-8) : Ainsi.

3. Lorsque parut cette réflexion (juin 1691), Vauban venait encore de s'illustrer au siége de Mons, dont il avait dirigé les attaques, au mois d'avril, sous les yeux du Roi.

4. Dans la 5e édition : *aigres,* faute évidente.

l'autre et que la passion domine, l'homme docte est un *savantasse*, le magistrat un bourgeois ou un praticien[1], le financier un *maltôtier*, et le gentilhomme un *gentillâtre*; mais il est étrange que de si mauvais noms, que la colère et la haine ont su inventer, deviennent familiers, et que le dédain, tout froid et tout paisible qu'il est, ose s'en servir. (ÉD. 4.)

Vous vous agitez, vous vous donnez un grand mouvement, surtout lorsque les ennemis commencent à fuir et que la victoire n'est plus douteuse, ou devant une ville après qu'elle a capitulé ; vous aimez, dans un combat ou pendant un siége, à paroître en cent endroits pour n'être nulle part, à prévenir les ordres du général de peur de les suivre, et à chercher les occasions plutôt que de les attendre et les recevoir : votre valeur seroit-elle fausse? (ÉD. 4.) 96.

Faites garder aux hommes quelque poste où ils puissent être tués, et où néanmoins ils ne soient pas tués : ils aiment l'honneur et la vie[2]. (ÉD. 4.) 97.

A voir comme les hommes aiment la vie, pouvoit-on soupçonner qu'ils aimassent quelque autre chose plus que la vie? et que la gloire, qu'ils préfèrent à la vie, ne fût souvent qu'une certaine opinion d'eux-mêmes établie dans l'esprit de mille gens ou qu'ils ne connoissent point ou qu'ils n'estiment point[3]? (ÉD. 7.) 98.

1. Voyez ci-dessus, p. 86, note 3.
2. « On ne veut point perdre la vie, et on veut acquérir de la gloire…. » (*La Rochefoucauld*, n° CCXXI.)
3. « La douceur de la gloire est si grande, qu'à quelque chose qu'on l'attache, même à la mort, on l'aime…. Nous perdons encore la vie avec joie, pourvu qu'on en parle. » (Pascal, *Pensées*, ar-

99.   Çeux qui, ni guerriers ni courtisans, vont à la guerre
et suivent la cour, qui ne font pas un siége, mais qui y
assistent[1], ont bientôt épuisé leur curiosité sur une place
de guerre, quelque surprenante qu'elle soit, sur la tranchée, sur l'effet des bombes et du canon, sur les coups
de main, comme sur l'ordre et le succès d'une attaque
qu'ils entrevoient. La résistance continue, les pluies sur-
viennent, les fatigues croissent, on plonge dans la fange,
on a à combattre les saisons et l'ennemi, on peut être
forcé dans ses lignes et enfermé entre une ville et une
armée : quelles extrémités ! On perd courage, on murmure. « Est-ce un si grand inconvénient que de lever
un siége? Le salut de l'État dépend-il d'une citadelle
de plus ou de moins? Ne faut-il pas, ajoutent-ils, fléchir
sous les ordres du Ciel, qui semble se déclarer contre
nous, et remettre la partie à un autre temps? » Alors ils
ne comprennent plus la fermeté, et s'ils osoient dire,
l'opiniâtreté du général, qui se roidit contre les obstacles,
qui s'anime par la difficulté de l'entreprise, qui veille la
nuit et s'expose le jour pour la conduire à sa fin[2]. A-t-on
capitulé, ces hommes si découragés relèvent l'importance de cette conquête, en prédisent les suites, exagè-
rent la nécessité qu'il y avoit de la faire, le péril et la

ticle II, 1 *bis* et 2 *bis*.) — « Nous récusons des juges pour les plus
petits intérêts, et nous voulons bien que notre réputation et notre
gloire dépendant du jugement des hommes, qui nous sont tous
contraires, ou par leur jalousie, ou par leur préoccupation, ou par
leur peu de lumière ; et ce n'est que pour les faire prononcer en
notre faveur que nous exposons, en tant de manières, notre repos et
notre vie. » (*La Rochefoucauld*, n° CCLXVIII.). — On peut aussi rapprocher de la pensée de la Bruyère sa remarque 76, du chapitre *de
l'Homme*, ci-dessus, p. 36.

    1. Un certain nombre de magistrats avaient assisté par curiosité
au siége de Namur, en juin 1692, l'année même où fut imprimée
la 7ᵉ édition, la première où se trouve cette remarque.

    2. VAR. (édit. 7) : pour la conduire à la fin.

honte qui suivoient de s'en désister, prouvent que l'armée qui nous couvroit des ennemis étoit invincible. Ils
reviennent avec la cour, passent par les villes et les bour-
gades ; fiers d'être regardés de la bourgeoisie qui est
aux fenêtres, comme ceux mêmes qui ont pris la place,
ils en triomphent par les chemins, ils se croient braves.
Revenus chez eux, ils vous étourdissent de flancs, de re-
dans, de ravelins, de fausse-braie, de courtines et de
chemin couvert ; ils rendent compte des endroits où
l'*envie de voir* les a portés, et où *il ne laissoit pas d'y
avoir du péril,* des hasards qu'ils ont courus[1] à leur retour d'être pris ou tués par l'ennemi : ils taisent seulement qu'ils ont eu peur. (ÉD. 7.)

C'est le plus petit inconvénient du monde que de demeurer court dans un sermon ou dans une harangue : il
laisse à l'orateur ce qu'il a d'esprit, de bon sens, d'imagination, de mœurs et de doctrine ; il ne lui ôte rien ;
mais on ne laisse pas de s'étonner que les hommes, ayant
voulu une fois y attacher une espèce de honte et de ridicule, s'exposent, par de longs et souvent d'inutiles
discours, à en courir tout le risque. (ÉD. 4.)

Ceux qui emploient mal leur temps sont les premiers
à se plaindre de sa brièveté : comme ils le consument à
s'habiller, à manger, à dormir, à de sots discours, à se
résoudre sur ce qu'ils doivent faire, et souvent à ne rien
faire, ils en manquent pour leurs affaires ou pour leurs
plaisirs ; ceux au contraire qui en font un meilleur
usage en ont de reste. (ÉD. 4.)

Il n'y a point de ministre si occupé qui ne sache perdre

---

1. Le participe *couru* est sans accord dans les éditions du dix-
septième siècle.

chaque jour deux heures de temps : cela va loin à la fin
d'une longue vie ; et si le mal est encore plus grand dans
les autres conditions des hommes, quelle perte infinie
ne se fait pas dans le monde d'une chose si précieuse,
et dont l'on se plaint qu'on n'a point assez ! (ÉD. 4.)

102.   Il y a des créatures de Dieu qu'on appelle des hommes, qui ont une âme qui est esprit, dont toute la vie
est occupée et toute l'attention est réunie à scier du
marbre : cela est bien simple, c'est bien peu de chose.
Il y en a d'autres qui s'en étonnent, mais qui sont entièrement inutiles, et qui passent les jours à ne rien
faire : c'est encore moins que de scier du marbre.
(ÉD. 4.)

103.   La plupart des hommes oublient si fort qu'ils ont
une âme, et se répandent en tant d'actions et d'exercices
où il semble qu'elle est inutile, que l'on croit parler
avantageusement de quelqu'un en disant qu'il pense ;
cet éloge même est devenu vulgaire, qui pourtant ne
met cet homme qu'au-dessus du chien ou du cheval.
(ÉD. 5.)

104.   « A quoi vous divertissez-vous ? à quoi passez-vous le
temps ? » vous demandent les sots et les gens d'esprit. Si
je réplique que c'est à ouvrir les yeux et à voir, à prêter
l'oreille et à entendre, à avoir la santé, le repos, la liberté, ce n'est rien dire. Les solides biens, les grands
biens[1], les seuls biens ne sont pas comptés, ne se font
pas sentir. Jouez-vous ? masquez-vous[2] ? il faut répondre. (ÉD. 4.)

1. VAR. (édit. 4-6) : les plus grands biens.
2. Voyez le *Lexique*.

Est-ce un bien pour l'homme que la liberté, si elle peut être trop grande et trop étendue, telle enfin qu'elle ne serve qu'à lui faire desirer quelque chose, qui est d'avoir moins de liberté? (ÉD. 7.)

La liberté n'est pas oisiveté; c'est un usage libre du temps, c'est le choix du travail et de l'exercice. Être libre en un mot n'est pas ne rien faire, c'est être seul arbitre de ce qu'on fait ou de ce qu'on ne fait point. Quel bien en ce sens que la liberté! (ÉD. 7.)

CÉSAR n'étoit point trop vieux pour penser à la con- 105. quête de l'univers[1]; il n'avoit point d'autre béatitude à se faire que le cours d'une belle vie, et un grand nom après sa mort ; né fier, ambitieux, et se portant bien comme il faisoit, il ne pouvoit mieux employer son temps qu'à conquérir le monde. ALEXANDRE étoit bien jeune pour un dessein si sérieux : il est étonnant que dans ce premier âge les femmes ou le vin n'aient plus tôt[2] rompu son entreprise.

UN JEUNE PRINCE[3], D'UNE RACE AUGUSTE. L'AMOUR 106.

1. Voyez les *Pensées* de M. Pascal, chapitre XXXI, où il dit le contraire. (*Note de la Bruyère.*) — Voici la réflexion de Pascal, telle que la donne l'édition de Port-Royal : « César étoit trop vieil, ce me semble, pour s'aller amuser à conquérir le monde. Cet amusement étoit bon à Alexandre : c'étoit un jeune homme qu'il étoit difficile d'arrêter; mais César devoit être plus mûr. » — Le texte de M. Havet (article IV, 44) offre cette variante : « Cet amusement étoit bon à Auguste ou à Alexandre : c'étoient des jeunes gens, qu'il est difficile d'arrêter.... »
2. VAR. (édit. 1-4) : n'aient pas plus tôt.
3. Éloge, en style d'inscription, du grand Dauphin. En 1688, il avait commandé l'armée sur les bords du Rhin et s'était distingué au siége de Philisbourg. — Dès la 1re édition, cet alinéa reçut la ponctuation que nous avons reproduite; mais il n'a été imprimé en lettres capitales qu'à la 4e édition.

ET L'ESPÉRANCE DES PEUPLES. DONNÉ DU CIEL POUR PRO-
LONGER LA FÉLICITÉ DE LA TERRE. PLUS GRAND QUE SES
AÏEUX. FILS D'UN HÉROS QUI EST SON MODÈLE, A DÉJA
MONTRÉ A L'UNIVERS PAR SES DIVINES QUALITÉS, ET PAR
UNE VERTU ANTICIPÉE, QUE LES ENFANTS DES HÉROS SONT
PLUS PROCHES DE L'ÊTRE QUE LES AUTRES HOMMES [1].

107.   Si le monde dure seulement cent millions d'années, il
est encore dans toute sa fraîcheur, et ne fait presque
que commencer; nous-mêmes nous touchons aux premiers hommes et aux patriarches, et qui pourra ne nous
pas confondre avec eux dans des siècles si reculés? Mais
si l'on juge par le passé de l'avenir, quelles choses
nouvelles nous sont inconnues dans les arts, dans les
sciences, dans la nature, et j'ose dire dans l'histoire!
quelles découvertes ne fera-t-on point! quelles différentes révolutions ne doivent pas arriver sur toute la
face de la terre, dans les États et dans les empires!
quelle ignorance est la nôtre! et quelle légère expérience que celle de six ou sept mille ans! (ÉD. 4.)

108.   Il n'y a point de chemin trop long à qui marche lentement et sans se presser: il n'y a point d'avantages trop
éloignés à qui s'y prépare par la patience. (ÉD. 4.)

109.   Ne faire sa cour à personne, ni attendre de quelqu'un

1. Contre la maxime latine et triviale. (*Note de la Bruyère.*) — Il
fait allusion à cet adage, traduit du grec : *Filii heroum noxæ*, ἡρώων
παῖδες πήματα ou λῶϐαι, « les fils des héros sont des dommages *ou*
des outrages, » c'est-à-dire, les fils dégénèrent, les pères illustres ont
d'indignes fils. L'idée est développée par Valère Maxime, livre III,
chapitre v, et par Spartien, dans l'histoire de Sévère, § 20 et 21.
Voyez aussi Érasme (*Adagiorum chiliades*, col. 411 et 412, édition
de Genève, 1606, in-f°.)

qu'il vous fasse la sienne, douce situation, âge d'or, état de l'homme le plus naturel! (éd. 4.)

Le monde est pour ceux qui suivent les cours ou qui 110. peuplent les villes; la nature n'est que pour ceux qui habitent la campagne: eux seuls vivent, eux seuls du moins connoissent qu'ils vivent. (éd. 7.)

Pourquoi me faire froid, et vous plaindre de ce qui 111. m'est échappé sur quelques jeunes gens qui peuplent les cours? Êtes-vous vicieux, ô *Thrasylle*? Je ne le savois pas, et vous me l'apprenez: ce que je sais est que vous n'êtes plus jeune. (éd. 4.)

Et vous qui voulez être offensé personnellement de ce que j'ai dit de quelques grands, ne criez-vous point de la blessure d'un autre? Êtes-vous dédaigneux, malfaisant, mauvais plaisant, flatteur, hypocrite? Je l'ignorois, et ne pensois pas à vous: j'ai parlé des grands. (éd. 4.)

L'esprit de modération et une certaine sagesse dans 112. la conduite laissent les hommes dans l'obscurité: il leur faut de grandes vertus pour être connus et admirés, ou peut-être de grands vices. (éd. 4.)

Les hommes, sur la conduite des grands et des petits 113. indifféremment, sont prévenus, charmés, enlevés par la réussite: il s'en faut peu que le crime heureux ne soit loué comme la vertu même, et que le bonheur[1] ne tienne lieu de toutes les vertus. C'est un noir attentat, c'est une sale et odieuse entreprise, que celle que le succès ne sauroit justifier[2]. (éd. 4.)

1. Var. (édit. 4-6): loué comme la vertu, et même que le bonheur....
2. Toute la fin du chapitre, à partir de ce paragraphe, est con-

114. Les hommes, séduits par de belles apparences et de spécieux prétextes, goûtent aisément un projet d'ambition que quelques grands ont médité; ils en parlent avec intérêt; il leur plaît même par la hardiesse ou par la nouveauté que l'on lui impute; ils y sont déjà accoutumés, et n'en attendent que le succès, lorsque venant au contraire à avorter, ils décident avec confiance, et sans nulle crainte de se tromper, qu'il étoit téméraire et ne pouvoit réussir[1]. (ÉD. 4.)

115. Il y a de tels projets, d'un si grand éclat et d'une conséquence si vaste, qui font parler les hommes si longtemps, qui font tant espérer ou tant craindre, selon les divers intérêts des peuples, que toute la gloire et toute la fortune d'un homme y sont commises. Il ne peut pas avoir paru sur la scène avec un si bel appareil pour se retirer sans rien dire; quelques affreux périls qu'il commence à prévoir dans la suite de son entreprise, il faut

---

sacrée à Guillaume de Nassau, prince d'Orange, stathouder de Hollande, et à la révolution qui le plaça sur le trône d'Angleterre en 1688.

1. Peu de temps avant que parût cette réflexion, Bussy écrivait de son côté sur le même sujet : « L'Angleterre nous va donner une grande scène, Monsieur. Quand les têtes couronnées en sont les acteurs, les spectateurs en sont plus attentifs. Si le roi d'Angleterre réussit, ce sera un héros pour le monde et pour le ciel. Si le prince d'Orange demeure le maître, il n'en sera pas de même. Les hommes ne jugent aujourd'hui des grands desseins que par le succès. Nous ne sommes plus dans le temps qu'on pensoit :

Et si desint vires, audacia certe erit*.

(*Correspondance de Bussy Rabutin,* lettre au marquis de Termes, du 29 octobre 1688, tome VI, p. 172.)

* Vers altérés de Properce, livre II, *élégie* x, vers 5 et 6 ; il faut lire :

*Quod si deficiant vires, audacia certe
Laus erit....*

qu'il l'entame : le moindre mal pour lui est de la manquer. (éd. 4.)

Dans un méchant homme il n'y a pas de quoi faire un 116.
grand homme. Louez ses vues et ses projets, admirez sa
conduite, exagérez son habileté à se servir des moyens
les plus propres et les plus courts pour parvenir à ses
fins : si ses fins sont mauvaises, la prudence n'y a aucune
part ; et où manque la prudence, trouvez la grandeur,
si vous le pouvez. (éd. 8).

Un ennemi est mort[1] qui étoit à la tête d'une armée 117.
formidable, destinée à passer le Rhin ; il savoit la guerre,
et son expérience pouvoit être secondée de la fortune :
quels feux de joie a-t-on vus ? quelle fête publique ? Il y a
des hommes au contraire naturellement odieux, et dont
l'aversion devient populaire : ce n'est point précisément
par les progrès qu'ils font, ni par la crainte de ceux qu'ils
peuvent faire, que la voix du peuple éclate à leur mort,
et que tout tressaille, jusqu'aux enfants, dès que l'on
murmure dans les places que la terre enfin en est
délivrée[2]. (éd. 6.)

1. Il s'agit de Charles V, duc de Lorraine, mort le 18 avril 1690,
à Welz, près de Lintz, alors qu'il commandait les armées de l'Empereur, et qu'allait s'ouvrir la campagne de 1690. Bien que cette
mort fût considérée comme un bonheur pour Louis XIV, « à qui la
Providence » ôtait « à point nommé, suivant l'expression de Mme de
Sévigné (tome IX, p. 513), un ennemi de dessus les bras, » on ne
l'avait pas apprise en France sans regret ; on citait, à l'éloge du duc
de Lorraine, ces paroles de Louis XIV : « J'ai perdu le plus grand, le
plus sage et le plus généreux de mes ennemis. » Voyez la *Gazette* du
13 mai, p. 218 ; l'*Histoire de la réunion de la Lorraine à la France,*
par le comte d'Haussonville, tome III, p. 386 et 387 ; et les *Lettres
de Mme de Sévigné* de mai 1690, tome IX, p. 505 et 513. La réflexion
de la Bruyère est de 1691.
2. A l'impression qu'avait produite en France la nouvelle de la

118.   « O temps ! ô mœurs[1] ! s'écrie *Héraclite*, ô malheureux siècle ! siècle rempli de mauvais exemples, où la vertu souffre, où le crime domine, où il triomphe ! Je veux être un *Lycaon*, un *Ægiste*[2] ; l'occasion ne peut être meilleure, ni les conjonctures plus favorables, si je desire du moins de fleurir et de prospérer. Un homme[3] dit : « Je passerai la mer, je dépouillerai mon père de son patrimoine, je le chasserai, lui, sa femme, son héritier, de ses terres et de ses États[4], » et comme il l'a dit il l'a fait. Ce qu'il devoit appréhender, c'étoit le ressentiment de plusieurs rois qu'il outrage en la personne d'un seul roi ; mais ils tiennent pour lui ; ils lui ont presque dit : « Passez la mer, dépouillez votre père, montrez à tout l'univers qu'on peut chasser un roi de son royaume, ainsi qu'un petit seigneur de son château, ou un fermier de sa métairie ; qu'il n'y ait plus de différence entre de simples particuliers et nous ; nous sommes las de ces distinctions : apprenez au monde que ces peuples que Dieu a mis sous nos pieds peuvent

mort de Charles de Lorraine, la Bruyère oppose les démonstrations populaires qui avaient accueilli, dans les derniers jours de juillet 1690, la fausse nouvelle de la mort de Guillaume d'Orange : voyez le tome II, p. 283, note 4. « Je demande en grâce à l'étoile du Roi, écrivait Mme de Sévigné en parlant de la mort du duc de Lorraine (tome IX, p. 505), de nous ôter encore le prince d'Orange, et puis nous la laisserons en paix ; mais celle-là est nécessaire. » Un mois plus tard, dans sa lettre du 13 août (*ibidem*, p. 561), elle exprimait le regret que la nouvelle de la mort de Guillaume fût démentie.

1. C'est l'énergique exclamation de Cicéron dans la 1ʳᵉ *Catilinaire* (chapitre 1) : *O tempora ! o mores !*

2. Lycaon, roi d'Arcadie, que Jupiter changea en loup pour le punir de ses meurtres. Voyez les *Métamorphoses* d'Ovide, livre I, vers 163 et suivants. — Égisthe, fils de Thyeste, et meurtrier d'Agamemnon.

3. Toujours le prince d'Orange, gendre de Jacques II, roi d'Angleterre, qu'il avait détrôné.

4. Vᴀʀ. (édit. 5-7) : et de son État.

nous abandonner, nous trahir, nous livrer, se livrer eux-
mêmes à un étranger, et qu'ils ont moins à craindre de
nous que nous d'eux et de leur puissance. » Qui pourroit
voir des choses si tristes avec des yeux secs et une âme
tranquille ? Il n'y a point de charges qui n'aient leurs privilèges ; il n'y a aucun titulaire qui ne parle, qui ne plaide,
qui ne s'agite pour les défendre : la dignité royale seule
n'a plus de privilèges ; les rois eux-mêmes y ont renoncé. Un seul, toujours bon et magnanime, ouvre ses bras
à une famille malheureuse[1]. Tous les autres se liguent
comme pour se venger de lui, et de l'appui qu'il donne à
une cause qui leur est commune[2]. L'esprit de pique et de
jalousie prévaut chez eux à l'intérêt de l'honneur, de la
religion et de leur État; est-ce assez ? à leur intérêt personnel et domestique : il y va, je ne dis pas de leur élection, mais de leur succession, de leurs droits comme
héréditaires ; enfin dans tous[3] l'homme l'emporte sur le
souverain. Un prince[4] délivroit l'Europe, se délivroit
lui-même d'un fatal ennemi, alloit jouir de la gloire
d'avoir détruit un grand empire[5] : il la néglige pour une
guerre douteuse[6]. Ceux qui sont nés arbitres et mé-

1. Louis XIV, qui reçut Jacques II à sa cour lorsqu'il s'enfuit
devant Guillaume, lui donna des secours, et lui offrit de nouveau
l'hospitalité après la défaite de la Boyne.

2. Dans la 9e édition : « qui lui est commune. » Cette leçon, qui
est évidemment une faute d'impression, a été reproduite par la
10e édition.

3. Ici encore nous croyons devoir suivre le texte des premières
éditions. La 9e et la 10e donnent : « dans tout. »

4. L'empereur d'Allemagne, Léopold Ier.

5. La Turquie.

6. « Pour une guerre douteuse, » c'est-à-dire, pour une guerre
contre la France. Allusion à la ligue d'Augsbourg (1686), à la guerre
qui la suivit (1688), et au nouveau « traité avec les Provinces Unies »
que Léopold signa le 12 mai 1689, et qui par les adhésions succes-
sives de ses autres alliés devint le traité de la Grande alliance.

diateurs [1] temporisent ; et lorsqu'ils pourroient avoir déjà
employé utilement leur médiation, ils la promettent.
O pâtres ! continue Héraclite, ô rustres qui habitez sous
le chaume et dans les cabanes ! si les évènements ne vont
point jusqu'à vous, si vous n'avez point le cœur percé
par la malice des hommes, si on ne parle plus [2] d'hommes dans vos contrées, mais seulement de renards et de
loups-cerviers, recevez-moi parmi vous à manger votre
pain noir et à boire l'eau de vos citernes. » (ÉD. 5.)

119.   « Petits hommes, hauts de six pieds, tout au plus de
sept, qui vous enfermez aux foires comme géants et
comme des pièces rares dont il faut acheter la vue, dès
que vous allez jusques à huit pieds ; qui vous donnez
sans pudeur de la *hautesse* et de l'*éminence*, qui est tout
ce que l'on pourroit accorder à ces montagnes voisines
du ciel et qui voient les nuages se former au-dessous
d'elles ; espèce d'animaux glorieux et superbes, qui méprisez toute autre espèce, qui ne faites pas même comparaison avec l'éléphant et la baleine ; approchez, hommes, répondez un peu à *Démocrite*. Ne dites-vous pas
en commun proverbe : *des loups ravissants, des lions
furieux, malicieux comme un singe* ? Et vous autres, qui
êtes-vous ? J'entends corner sans cesse à mes oreilles :
L'homme est un animal raisonnable. Qui vous a passé
cette définition ? sont-ce les loups, les singes et les lions,
ou si vous vous l'êtes accordée à vous-mêmes ? C'est déjà
une chose plaisante que vous donniez aux animaux, vos
confrères, ce qu'il y a de pire, pour prendre pour vous
ce qu'il y a de meilleur. Laissez-les un peu se définir
eux-mêmes, et vous verrez comme ils s'oublieront et

---

1. Le pape Innocent XI, dont la politique, plus nette que ne
paraît le croire la Bruyère, fut manifestement hostile à Jacques II.
2. VAR. (édit. 5 et 6) : si l'on ne parle pas.

comme vous serez traités. Je ne parle point, ô hommes,
de vos légèretés, de vos folies et de vos caprices, qui
vous mettent au-dessous de la taupe et de la tortue, qui
vont sagement leur petit train, et qui suivent sans va-
rier l'instinct de leur nature ; mais écoutez-moi un moment. Vous dites d'un tiercelet de faucon [1] qui est fort léger, et qui fait une belle descente sur la perdrix : « Voilà
un bon oiseau ; » et d'un lévrier qui prend un lièvre corps
à corps : « C'est un bon lévrier. » Je consens aussi que
vous disiez d'un homme qui court le sanglier, qui le met
aux abois, qui l'atteint et qui le perce : « Voilà un brave
homme. » Mais si vous voyez deux chiens qui s'aboient,
qui s'affrontent, qui se mordent et se déchirent, vous
dites : « Voilà de sots animaux ; » et vous prenez un bâton
pour les séparer. Que si l'on vous disoit que tous les
chats d'un grand pays sont assemblés par milliers dans
une plaine, et qu'après avoir miaulé tout leur soûl, ils se
sont jetés avec fureur les uns sur les autres, et ont joué
ensemble de la dent et de la griffe ; que de cette mêlée il est
demeuré de part et d'autre neuf à dix mille chats sur la
place, qui ont infecté l'air à dix lieues de là par leur puan-
teur, ne diriez-vous pas : « Voilà le plus abominable *sab-
bat* dont on ait jamais ouï parler? » Et si les loups en faisoient de même : « Quels hurlements ! quelle boucherie ! »
Et si les uns ou les autres [2] vous disoient qu'ils aiment la
gloire, concluriez-vous de ce discours qu'ils la mettent
à se trouver à ce beau rendez-vous, à détruire ainsi et à
anéantir leur propre espèce? ou après l'avoir conclu, ne
ririez-vous pas de tout votre cœur de l'ingénuité de ces
pauvres bêtes? Vous avez [3] déjà, en animaux raisonna-

---

1. C'est-à-dire d'un faucon mâle. *Tiercelet* est un terme de fau-
connerie qui se dit des mâles des oiseaux de proie.
2. Var. (édit. 6) : les uns et les autres.
3. Var. (édit. 6) : Vous aviez.

bles, et pour vous distinguer de ceux qui ne se servent que
de leurs dents et de leurs ongles, imaginé les lances, les
piques, les dards, les sabres et les cimeterres, et à mon
gré fort judicieusement ; car avec vos seules mains que
pouviez-vous vous faire les uns aux autres, que vous arracher les cheveux, vous égratigner au visage, ou tout au
plus vous arracher les yeux de la tête ? au lieu que vous
voilà munis d'instruments commodes, qui vous servent
à vous faire réciproquement de larges plaies d'où peut
couler votre sang jusqu'à la dernière goutte, sans que
vous puissiez craindre d'en échapper. Mais comme vous
devenez d'année à autre plus raisonnables, vous avez bien
enchéri sur cette vieille manière de vous exterminer :
vous avez de petits globes qui vous tuent tout d'un coup[1],
s'ils peuvent seulement vous atteindre à la tête ou à la
poitrine ; vous en avez d'autres, plus pesants et plus mas-
sifs[2], qui vous coupent en deux parts ou qui vous éven-
trent, sans compter ceux qui tombant sur vos toits[3],
enfoncent les planchers, vont du grenier à la cave, en
enlèvent les voûtes, et font sauter en l'air, avec vos maisons, vos femmes qui sont en couche, l'enfant et la nourrice : et c'est là encore où *gît* la gloire ; elle aime le
remue-ménage, et elle est personne d'un grand fracas.
Vous avez d'ailleurs des armes défensives, et dans les
bonnes règles vous devez en guerre être habillés de fer,
ce qui est sans mentir une jolie parure, et qui me fait
souvenir de ces quatre puces célèbres que montroit autrefois un charlatan, subtil ouvrier, dans une fiole où il
avoit trouvé le secret de les faire vivre : il leur avoit mis
à chacune une salade en tête, leur avoit passé un corps
de cuirasse, mis des brassards, des genouillères, la lance
sur la cuisse ; rien ne leur manquoit, et en cet équipage

1. Les balles de mousquet. — 2. Les boulets de canon.
3. Les bombes.

elles alloient par sauts et par bonds dans leur bouteille.
Feignez un homme de la taille du mont *Athos*[1], pourquoi non? une âme seroit-elle embarrassée d'animer un
tel corps? elle en seroit plus au large : si cet homme
avoit la vue assez subtile pour vous découvrir quelque
part sur la terre avec vos armes offensives et défensives,
que croyez-vous qu'il penseroit de petits marmousets
ainsi équipés, et de ce que vous appelez guerre[2], cavalerie, infanterie, un mémorable siège, une fameuse
journée? N'entendrai-je donc plus bourdonner d'autre
chose parmi vous? le monde ne se divise-t-il plus[3] qu'en
régiments et en compagnies? tout est-il devenu bataillon
ou escadron? *Il a pris une ville, il en a pris une seconde*[4], *puis une troisième ; il a gagné une bataille, deux
batailles ; il chasse l'ennemi, il vainc sur mer, il vainc
sur terre* : est-ce de quelqu'un de vous autres, est-ce
d'un géant, d'un *Athos*, que vous parlez? Vous avez surtout un homme pâle et livide qui n'a pas sur soi dix
onces de chair, et que l'on croiroit jeter à terre du
moindre souffle[5]. Il fait néanmoins plus de bruit que
quatre autres, et met tout en combustion : il vient de pê-
cher en eau trouble une île toute entière[6] ; ailleurs à la

1. On s'explique le choix de ce terme de comparaison en se rappelant la proposition de l'architecte Dinocrate, qui voulait tailler le
mont Athos de manière à lui donner la figure d'Alexandre le Grand.

2. VAR. (édit. 6) : guerres.

3. VAR. (édit. 6) : le monde ne se divise plus.

4. VAR. (édit. 6) : *Il a pris une ville, en a pris une seconde.*

5. Le roi Guillaume. Le portrait est exact, et Boileau, s'adressant
à la ville de Namur, a pu dire au propre et au figuré tout à la fois :

> Dans Bruxelles Nassau *blême*
> Commence à trembler pour toi.
>
> (*Ode sur la prise de Namur*, vers 53 et 54.)

6. L'Angleterre. — « Toute entière » est le texte des éditions du
dix-septième siècle.

vérité, il est battu et poursuivi, mais il se sauve par *les marais*[1], et ne veut écouter ni paix ni trêve. Il a montré de bonne heure ce qu'il savoit faire : il a mordu le sein de sa nourrice[2] ; elle en est morte, la pauvre femme : je m'entends, il suffit. En un mot il étoit né sujet, et il ne l'est plus ; au contraire il est le maître, et ceux qu'il a domptés et mis sous le joug vont à la charrue et labourent de bon courage[3] : ils semblent même appréhender, les bonnes gens, de pouvoir se délier un jour et de devenir libres, car ils ont étendu la courroie et allongé le fouet de celui qui les fait marcher ; ils n'oublient rien pour accroître leur servitude ; ils lui font passer l'eau pour se faire d'autres vassaux et s'acquérir de nouveaux domaines : il s'agit, il est vrai, de prendre son père et sa mère par les épaules et de les jeter hors de leur maison ; et ils l'aident dans une si honnête entreprise. Les gens de delà l'eau et ceux d'en deçà[4] se cotisent et mettent

1. En Hollande, où Guillaume, en 1672, avait rompu les digues, ouvert les écluses, et arrêté l'armée française par l'envahissement des eaux.

2. Adopté, sur la proposition de Jean de Witt, par la république hollandaise (1666), Guillaume s'était montré en 1672 également ingrat contre la république et contre J. de Witt. On se plaisait en France à lui faire un grief d'avoir « toute sa vie combattu la liberté en Hollande, » suivant l'expression de Michelet (*Louis XIV et la Révocation de l'édit de Nantes,* p. 443) ; on plaignait avec Boileau le Batave

Désormais docile esclave * ;

et l'on disait plaisamment que Guillaume était stathouder en Angleterre et roi en Hollande.

3. Il s'agit ici des Hollandais, ainsi que le démontre ce qui suit, et non des Anglais, comme l'a pensé M. Destailleur.

4. Les Anglais et les Hollandais. Nous n'avons pas besoin de dire que plus loin les appellations *Pictes* et *Saxons* désignent par les noms

* *Ode sur la prise de Namur,* vers 56.

chacun du leur pour se le rendre à eux tous de jour en
jour plus redoutable : les *Pictes* et les *Saxons* imposent
silence aux *Bataves,* et ceux-ci aux *Pictes* et aux *Saxons;*
tous se peuvent vanter d'être ses humbles esclaves, et
autant qu'ils le souhaitent. Mais qu'entends-je de certains personnages qui ont des couronnes, je ne dis pas
des comtes ou des marquis, dont la terre fourmille, mais
des princes et des souverains? ils viennent trouver cet
homme dès qu'il a sifflé, ils se découvrent dès son antichambre, et ils ne parlent que quand on les interroge[1].
Sont-ce là ces mêmes princes si pointilleux, si formalistes
sur leurs rangs et sur leurs préséances, et qui consument
pour les régler les mois entiers dans une diète? Que fera
ce nouvel *archonte* pour payer une si aveugle soumission,
et pour répondre à une si haute idée qu'on a de lui? S'il
se livre une bataille, il doit la gagner, et en personne;
si l'ennemi fait un siége, il doit le lui faire lever, et avec
honte, à moins que tout l'océan ne soit entre lui et l'en-

anciens les habitants de la Grande-Bretagne, les Écossais et les Anglais;
et que les *Bataves* sont les Hollandais.

1. Lorsque Guillaume vint à la Haye en 1691, il manda auprès de
lui les princes ligués ; l'humilité avec laquelle ils y prodiguèrent les
marques de respect à l'usurpateur Guillaume étonna et scandalisa la
cour de Versailles. L'électeur Maximilien de Bavière, gouverneur des
Pays-Bas, avait dû, par exemple, attendre patiemment une audience
dans l'antichambre du nouveau roi d'Angleterre et prendre place dans
les réunions officielles sur un tabouret, tandis que le roi occupait un
fauteuil. Saint-Simon a noté cette dernière humiliation et une carica-
ture du temps représente l'électeur sur son modeste siège. C'est à ce
même Maximilien visé ici, dit-on, par la Bruyère, que le libraire
Léonard de Bruxelles eut la singulière pensée de dédier en 1693 une
édition des *Caractères.* Cette édition, il est vrai, reproduisait la
4e édition originale qui ne contenait point les pages que nous annotons.
Les jugements que porta la Bruyère sur la révolution d'Angleterre
n'empêchèrent point Léonard de réimprimer les éditions suivantes des
Caractères, mais il les reproduisit expurgées (voyez la *Notice bibliogra-
phique,* tome IV, p. 32, no 4 *ter* et p. 35, no 7 *bis*).

nemi : il ne sauroit moins faire en faveur de ses courtisans. *César*[1] lui-même ne doit-il pas venir en grossir le
nombre ? il en attend du moins d'importants services ;
car ou l'archonte échouera avec ses alliés, ce qui est plus
difficile qu'impossible à concevoir, ou s'il réussit et que
rien ne lui résiste, le voilà tout porté, avec ses alliés
jaloux de la religion et de la puissance de César, pour
fondre sur lui, pour lui enlever l'*aigle,* et le réduire, lui
et son héritier[2], à la *fasce d'argent* et aux pays héréditaires[3]. Enfin c'en est fait, ils se sont tous livrés à lui
volontairement, à celui peut-être de qui ils devoient se
défier davantage. *Ésope* ne leur diroit-il pas : *La gent*
volatile d'une certaine contrée prend l'alarme et s'effraye
du voisinage du lion, dont le seul rugissement lui fait
peur : elle se réfugie auprès de la bête[4] *qui lui fait*
parler d'accommodement et la prend sous sa protection,
qui se termine enfin à les croquer tous l'un après l'autre[5].
(ÉD. 6.)

1. L'empereur d'Allemagne.
2. VAR. (édit. 6-8) : lui ou son héritier.
3. C'est-à-dire, lui enlever l'Empire et le réduire aux armes de la
maison d'Autriche.
4. Dans la 6ᵉ édition ce mot est souligné, c'est-à-dire imprimé en
caractère romain, tandis que le reste de la phrase est en italique.
5. L'apologue a quelque analogie, mais pour la morale seulement,
avec la *fable* IV du livre X de la Fontaine : *les Poissons et le Cor-*
moran.

DE LA MODE.

Une chose folle et qui découvre bien notre petitesse, **1.**
c'est l'assujettissement aux modes quand on l'étend à ce
qui concerne le goût, le vivre, la santé et la conscience.
La viande noire est hors de mode, et par cette raison insipide ; ce seroit pécher contre la mode que de guérir de
la fièvre par la saignée. De même l'on ne mouroit plus
depuis longtemps par *Théotime* ; ses tendres exhorta-
tions ne sauvoient plus que le peuple, et Théotime[1] a vu
son successeur.

La curiosité n'est pas un goût pour ce qui est bon ou **2.**
ce qui est beau, mais pour ce qui est rare, unique, pour
ce qu'on a et ce que les autres n'ont point. Ce n'est pas
un attachement à ce qui est parfait, mais à ce qui est
couru, à ce qui est à la mode. Ce n'est pas un amusement, mais une passion, et souvent si violente, qu'elle
ne cède à l'amour et à l'ambition que par la petitesse de
son objet. Ce n'est pas une passion qu'on a généralement pour les choses rares et qui ont cours, mais qu'on
a seulement pour une certaine chose, qui est rare, et
pourtant à la mode. (ÉD. 6.)

Le fleuriste a un jardin dans un faubourg ; il y court
au lever du soleil, et il en revient à son coucher. Vous
le voyez planté, et qui a pris racine au milieu de ses tulipes et devant la *Solitaire* : il ouvre de grands yeux, il
frotte ses mains, il se baisse, il la voit de plus près, il ne
l'a jamais vue si belle, il a le cœur épanoui de joie ; il

1. Il y a ici *Théot.*, en abrégé, dans les trois premières éditions.

la quitte pour l'*Orientale,* de là il va à la *Veuve,* il passe au *Drap d'or,* de celle-ci à l'*Agathe,* d'où il revient enfin à la *Solitaire,* où il se fixe, où il se lasse, où il s'assit , où il oublie de dîner : aussi est-elle nuancée, bordée, huilée, à pièces emportées ; elle a un beau vase ou un beau calice : il la contemple, il l'admire. Dieu et la nature sont en tout cela ce qu'il n'admire point ; il ne va pas plus loin que l'oignon de sa tulipe, qu'il ne livreroit pas pour mille écus, et qu'il donnera pour rien quand les tulipes seront négligées et que les œillets auront prévalu. Cet homme raisonnable, qui a une âme, qui a un culte et une religion, revient chez soi fatigué, affamé, mais fort content de sa journée : il a vu des tulipes[1]. (ÉD. 6.)

Parlez à cet autre de la richesse des moissons, d'une ample récolte, d'une bonne vendange : il est curieux de fruits ; vous n'articulez pas, vous ne vous faites pas entendre. Parlez-lui de figues et de melons, dites que les poiriers rompent de fruit cette année, que les pêchers[2] ont donné avec abondance ; c'est pour lui un idiome inconnu : il s'attache aux seuls pruniers, il ne vous répond pas. Ne l'entretenez pas même de vos pruniers : il n'a

---

1. « Il n'y a point de si petits caractères qu'on ne puisse rendre agréables par le coloris ; le Fleuriste de la Bruyère en est la preuve. » (*OEuvres de Vauvenargues,* édition Gilbert, tome I, p. 438 et 439.) — Nous mettons à profit cette citation exceptionnelle de Vauvenargues pour donner la raison qui nous a fait écarter des notes de cette édition le texte des remarques de Vauvenargues que l'on peut rapprocher de celles de la Bruyère : c'est que nous ne reproduisons au bas des réflexions de notre auteur que celles des écrivains qu'il a pu lire et dont il a pu s'inspirer. Il était intéressant d'indiquer ici les imitations qu'il a faites ; il l'était beaucoup moins, à notre avis, de mentionner celles qu'on a faites de lui après sa mort. On trouvera dans l'excellente édition de Vauvenargues qu'a publiée la librairie Furne en 1857 les rapprochements qu'il y a lieu de noter entre la Bruyère et lui.

2. *Pêches* dans la 9ᵉ et dans la 10ᵉ édition.

de l'amour que pour une certaine espèce, toute autre
que vous lui nommez le fait sourire et se moquer. Il
vous mène à l'arbre, cueille artistement cette prune exquise ; il l'ouvre, vous en donne une moitié, et prend
l'autre : « Quelle chair ! dit-il ; goûtez-vous cela ? cela
est-il divin ? voilà ce que vous ne trouverez pas ailleurs. »
Et là-dessus ses narines s'enflent ; il cache avec peine sa
joie et sa vanité par quelques dehors de modestie. O
l'homme divin en effet ! homme [1] qu'on ne peut jamais
assez louer et admirer ! homme dont il sera parlé dans
plusieurs siècles ! que je voie sa taille et son visage pendant qu'il vit ; que j'observe les traits et la contenance
d'un homme qui seul entre les mortels possède une telle
prune ! (ÉD. 6.)

Un troisième que vous allez voir vous parle des curieux ses confrères, et surtout de *Diognète*. « Je l'admire,
dit-il, et je le comprends moins que jamais. Pensez-vous
qu'il cherche à s'instruire par les médailles, et qu'il les
regarde comme des preuves parlantes de certains faits [2],
et des monuments fixes et indubitables de l'ancienne
histoire ? rien moins. Vous croyez peut-être que toute la
peine qu'il se donne pour recouvrer une *tête* vient du
plaisir qu'il se fait de ne voir pas une suite d'empereurs
interrompue ? c'est encore moins. Diognète sait d'une
médaille le *frust*, le *feloux,* et la *fleur de coin* [3] ; il a une
tablette dont toutes les places sont garnies à l'exception
d'une seule : ce vide lui blesse la vue, et c'est précisé-

1. VAR. (édit. 6) : ô homme.
2. VAR. (édit. 6) : des preuves parlant de certains faits.
3. Une médaille *fruste* est une médaille usée, sur laquelle le type
et la légende sont effacés. — *Flou* (du latin *fluidus*) se dit des médailles dont les angles rentrants et saillants sont empâtés. — Une
médaille *à fleur de coin* est celle que le frottement n'a pas usée et qui
semble avoir été tout récemment frappée par le coin. — *Frust* et
feloux est l'orthographe des éditions du dix-septième siècle.

ment et à la lettre pour le remplir qu'il emploie son bien
et sa vie. (ÉD. 6.)

« Vous voulez, ajoute *Démocède,* voir mes estampes ? »
et bientôt il les étale et vous les montre. Vous en ren-
contrez une qui n'est ni noire, ni nette, ni dessinée,
et d'ailleurs moins propre à être gardée dans un cabinet
qu'à tapisser, un jour de fête, le Petit-Pont ou la rue
Neuve [1] : il convient qu'elle est mal gravée, plus mal dessinée; mais il assure qu'elle est d'un Italien qui a travaillé peu, qu'elle n'a presque pas été tirée, que c'est la
seule qui soit en France de ce dessin [2], qu'il l'a achetée
très cher, et qu'il ne la changeroit pas pour ce qu'il a de
meilleur. « J'ai, continue-t-il, une sensible affliction, et
qui m'obligera de renoncer [3] aux estampes pour le reste
de mes jours : j'ai tout *Callot* [4], hormis une seule, qui
n'est pas, à la vérité, de ses bons ouvrages ; au contraire
c'est un des moindres, mais qui m'achèveroit Callot : je
travaille depuis vingt ans à recouvrer cette estampe, et je
désespère enfin d'y réussir ; cela est bien rude ! » (ÉD. 6.)

Tel autre fait la satire de ces gens qui s'engagent par
inquiétude ou par curiosité dans de longs voyages, qui
ne font ni mémoires ni relations, qui ne portent point de
tablettes ; qui vont pour voir, et qui ne voient pas, ou qui
oublient ce qu'ils ont vu ; qui desirent seulement de connoître de nouvelles tours ou de nouveaux clochers, et de
passer des rivières qu'on n'appelle ni la Seine ni la Loire ;
qui sortent de leur patrie pour y retourner, qui aiment

---

1. Le Petit-Pont était alors couvert de maisons. On les tapissait
de tentures et d'images, ainsi que celles de la rue Neuve, c'est-à-dire
de la rue Neuve-Notre-Dame, les jours de procession.

2. *Dessein* dans les éditions du dix-septième siècle.

3. VAR. (édit. 6-8) : m'obligera à renoncer.

4. Jacques Callot, peintre, dessinateur et graveur, mort en 1653.
— Son nom est imprimé *Calot* dans les éditions du dix-septième
siècle.

à être absents, qui veulent un jour être revenus de loin : et ce satirique parle juste, et se fait écouter. (ÉD. 6.)

Mais quand il ajoute que les livres en apprennent plus que les voyages, et qu'il m'a fait comprendre par ses discours qu'il a une bibliothèque, je souhaite de la voir : je vais trouver cet homme, qui me reçoit dans une maison où dès l'escalier je tombe en foiblesse d'une odeur de maroquin noir dont ses livres sont tous couverts. Il a beau me crier aux oreilles, pour me ranimer, qu'ils sont dorés sur tranche, ornés de filets d'or, et de la bonne édition, me nommer les meilleurs l'un après l'autre, dire que sa galerie est remplie à quelques endroits près, qui sont peints de manière qu'on les prend pour de vrais livres arrangés sur des tablettes, et que l'œil s'y trompe, ajouter qu'il ne lit jamais, qu'il ne met pas le pied dans cette galerie, qu'il y viendra pour me faire plaisir ; je le remercie de sa complaisance, et ne veux, non plus que lui, voir sa tannerie [1], qu'il appelle bibliothèque. (ÉD. 6.)

Quelques-uns par une intempérance de savoir, et par ne pouvoir se résoudre à renoncer à aucune sorte de connoissance, les embrassent toutes et n'en possèdent aucune : ils aiment mieux savoir beaucoup que de savoir bien, et être foibles et superficiels dans diverses sciences que d'être sûrs et profonds dans une seule. Ils trouvent en toutes rencontres celui qui est leur maître et qui les redresse ; ils sont les dupes de leur vaine curiosité, et ne peuvent au plus, par de longs et pénibles efforts, que se tirer d'une ignorance crasse. (ÉD. 6.)

D'autres ont la clef des sciences, où ils n'entrent jamais : ils passent leur vie à déchiffrer les langues orientales et les langues du nord, celles des deux Indes, celles des deux pôles, et celle qui se parle dans la lune. Les

1. VAR. (édit. 6-8): visiter sa tannerie.

idiomes les plus inutiles, avec les caractères les plus bizarres et les plus magiques, sont précisément ce qui réveille leur passion et qui excite leur travail ; ils plaignent
ceux qui se bornent ingénument à savoir leur langue, ou
tout au plus la grecque et la latine. Ces gens lisent toutes
les histoires et ignorent l'histoire ; ils parcourent tous
les livres, et ne profitent d'aucun ; c'est en eux une sté-
rilité de faits et de principes qui ne peut être plus grande,
mais à la vérité la meilleure récolte et la richesse la plus
abondante de mots et de paroles qui puisse s'imaginer :
ils plient sous le faix ; leur mémoire en est accablée, pendant que leur esprit demeure vide. (ÉD. 6.)

Un bourgeois aime les bâtiments ; il se fait bâtir un
hôtel si beau, si riche et si orné, qu'il est inhabitable. Le
maître, honteux de s'y loger, ne pouvant peut-être se résoudre à le louer à un prince ou à un homme d'affaires,
se retire au galetas, où il achève sa vie, pendant que l'enfilade[1] et les planchers de rapport[2] sont en proie aux Anglois et aux Allemands qui voyagent, et qui viennent là
du Palais-Royal, du palais L.. G...[3] et du Luxembourg.

---

1. « *Enfilade* ne se dit proprement que d'une longue suite de
chambres sur une même ligne. » (*Dictionnaire de l'Académie,* 1694.)

2. Les planchers en marqueterie.

3. Suivant les plus anciennes clefs, c'est l'hôtel Langlée que la
Bruyère veut désigner ici, et cette interprétation nous semble plus
juste que celle des commentateurs qui ont vu dans les initiales L. G.
une allusion à l'hôtel Lesdiguières. La Bruyère a déjà pris à partie
le parvenu Langlée et sa « superbe » demeure[*] ; de plus le nombre
de points qui dans les éditions 6 et 7 suivent les deux initiales répondent exactement au nom de Langlée : « L.. G... ; » or c'est dans
ces deux éditions qu'il faut chercher l'indication de la pensée de la
Bruyère, et non dans les suivantes, où la distraction des imprimeurs
a introduit un point de plus (L... G...). L'hôtel Langlée, construit
par Gérard Huet dans la rue Neuve-des-Petits-Champs, était « d'une

---

[*] Voyez tome II, p. 163 et 164, n° 21 ; p. 214, n° 18 ; p. 398 et
399, note xiv ; et p. 433 et suivantes, note iii.

On heurte sans fin à cette belle porte ; tous demandent à voir la maison, et personne à voir Monsieur. (ÉD. 6.)

On en sait d'autres qui ont des filles devant leurs yeux, à qui ils ne peuvent pas donner une dot, que dis-je ? elles ne sont pas vêtues, à peine nourries ; qui se refusent un tour de lit et du linge blanc ; qui sont pauvres ; et la source de leur misère n'est pas fort loin : c'est un garde-meuble chargé et embarrassé de bustes rares, déjà poudreux et couverts d'ordures, dont la vente les mettroit au large, mais qu'ils ne peuvent se résoudre à mettre en vente. (ÉD. 6.)

Diphile commence par un oiseau et finit par mille : sa maison n'en est pas égayée, mais empestée. La cour, la salle, l'escalier, le vestibule, les chambres, le cabinet, tout est volière ; ce n'est plus un ramage, c'est un vacarme : les vents d'automne et les eaux dans leurs plus grandes crues ne font pas un bruit si perçant et si aigu ; on ne s'entend non plus parler les uns les autres que dans ces chambres où il faut attendre, pour faire le compliment d'entrée, que les petits chiens aient aboyé. Ce n'est plus pour Diphile un agréable amusement, c'est une affaire laborieuse, et à laquelle à peine il peut suffire. Il passe les jours, ces jours qui échappent et qui ne reviennent plus, à verser du grain et à nettoyer des ordures. Il donne pension à un homme qui n'a point d'autre ministère que de siffler des serins au flageolet et de faire couver des *Canaries*[1]. Il est vrai que ce qu'il dé-

---

grande et belle apparence, » dit G. Brice (*Description nouvelle de Paris*, tome I, p. 284, édition de 1713), « les appartements d'en haut et d'en bas, » ajoute-t-il, avaient « tout ce que l'on peut desirer. » Voyez aussi Piganiol de la Force (*Description de Paris*, tome II, p. 465, édition de 1742).

1. Ce mot est ainsi imprimé dans les cinq premières éditions (et de même dans le *Dictionnaire* de Richelet, 1680), comme le nom même des îles d'où viennent ces serins.

pense d'un côté, il l'épargne de l'autre, car ses enfants
sont sans maîtres et sans éducation. Il se renferme le
soir, fatigué de son propre plaisir, sans pouvoir jouir du
moindre repos que ses oiseaux ne reposent, et que ce
petit peuple, qu'il n'aime que parce qu'il chante, ne cesse
de chanter. Il retrouve ses oiseaux dans son sommeil :
lui-même il est oiseau, il est huppé, il gazouille, il per-
che ; il rêve la nuit qu'il mue ou qu'il couve. (ÉD. 6.)

Qui pourroit épuiser tous les différents genres de curieux ? Devineriez-vous, à entendre parler celui-ci de
son *léopard*, de sa *plume*, de sa *musique*[1], les vanter
comme ce qu'il y a sur la terre de plus singulier et de
plus merveilleux, qu'il veut vendre ses coquilles ? Pourquoi non, s'il les achète au poids de l'or ? (ÉD. 6.)

Cet autre aime les insectes ; il en fait tous les jours de
nouvelles emplettes : c'est surtout le premier homme de
l'Europe pour les papillons ; il en a de toutes les tailles et
de toutes les couleurs. Quel temps prenez-vous pour lui
rendre visite ? il est plongé dans une amère douleur ; il a
l'humeur noire, chagrine, et dont toute la famille souffre :
aussi a-t-il fait une perte irréparable. Approchez, re-
gardez ce qu'il vous montre sur son doigt, qui n'a plus
de vie et qui vient d'expirer : c'est une chenille, et quelle
chenille ! (ÉD. 6.)

3.   Le duel est le triomphe de la mode, et l'endroit où
elle a exercé sa tyrannie avec plus d'éclat. Cet usage n'a
pas laissé au poltron la liberté de vivre ; il l'a mené se
faire tuer par un plus brave que soi, et l'a confondu avec
un homme de cœur ; il a attaché de l'honneur et de la
gloire à une action folle et extravagante ; il a été ap-

---

1. Noms de coquillage. (*Note de la Bruyère.*) — *Coquillage* est au
singulier, avec un sens collectif dans les éditions 7-10. La 6e a le pluriel *coquillages*.

prouvé par la présence des rois ; il y a eu quelquefois
une espèce de religion à le pratiquer ; il a décidé de
l'innocence des hommes[1], des accusations fausses ou
véritables sur des crimes capitaux ; il s'étoit enfin si
profondément enraciné dans l'opinion des peuples, et
s'étoit si fort saisi de leur cœur et de leur esprit, qu'un
des plus beaux endroits de la vie d'un très grand roi[2] a
été de les guérir de cette folie.

Tel a été à la mode, ou pour le commandement des   4.
armées et la négociation[3] ou pour l'éloquence de la chaire,
ou pour les vers, qui n'y est plus. Y a-t-il des hommes
qui dégénèrent de ce qu'ils furent autrefois ? Est-ce leur
mérite qui est usé[4], ou le goût que l'on avoit pour eux ?

Un homme à la mode dure peu, car les modes pas-   5.
sent : s'il est par hasard homme de mérite, il n'est pas
anéanti, et il subsiste encore par quelque endroit : également estimable, il est seulement moins estimé. (ÉD. 4.)

La vertu a cela d'heureux, qu'elle se suffit à elle-
même, et qu'elle sait se passer d'admirateurs, de partisans et de protecteurs ; le manque d'appui et d'approbation non seulement ne lui nuit pas, mais il la conserve,
l'épure et la rend parfaite ; qu'elle soit à la mode, qu'elle
n'y soit plus, elle demeure vertu. (ÉD. 6.)

Si vous dites aux hommes, et surtout aux grands,   6.
qu'un tel a de la vertu, ils vous disent : « Qu'il la garde ; »

1. Allusion au duel judiciaire. L'un des derniers duels judiciaires
est celui qui eut lieu, le 10 juillet 1547, sous les yeux de Henri II
et de sa cour, entre Jarnac et la Châtaigneraye.

2. Louis XIV, qui a rendu plusieurs ordonnances contre le duel.

3. La diplomatie.

4. VAR. (édit. 1 et 2ᴬ) : qui soit usé.

qu'il a bien de l'esprit, de celui surtout qui plaît et qui
amuse, ils vous répondent : « Tant mieux pour lui ; »
qu'il a l'esprit fort cultivé, qu'il sait beaucoup, ils vous
demandent quelle heure il est ou quel temps il fait. Mais
si vous leur apprenez qu'il y a un *Tigillin*[1] qui *souffle*
ou qui *jette en sable*[2] un verre d'eau-de-vie, et chose
merveilleuse! qui y revient à plusieurs fois en un repas,
alors ils disent : « Où est-il? amenez-le-moi demain, ce
soir; me l'amènerez-vous? » On le leur amène ; et cet
homme, propre à parer les avenues d'une foire et à être
montré en chambre pour de l'argent, ils l'admettent
dans leur familiarité. (ÉD. 6.)

7.   Il n'y a rien qui mette plus subitement un homme à
la mode et qui le soulève davantage que le grand jeu :
cela va du pair avec la crapule. Je voudrois bien voir un
homme poli, enjoué, spirituel, fût-il un CATULLE ou son
disciple, faire quelque comparaison avec celui qui vient
de perdre huit cents pistoles en une séance. (ÉD. 6.)

8.   Une personne à la mode ressemble à une *fleur bleue*
qui croît de soi-même dans les sillons, où elle étouffe
les épis[3], diminue la moisson, et tient la place de quelque
chose de meilleur ; qui n'a de prix et de beauté que ce
qu'elle emprunte d'un caprice léger qui naît et qui tombe
presque dans le même instant : aujourd'hui elle est cou-

---

1. Le nom de Tigillin rappelle ici le souvenir du préfet des co-
hortes prétoriennes Tigillin ou Tigellin, ministre et favori de Néron,
et fameux par ses débauches.

2. « Jeter en sable » signifie, « en termes de débauche, dit le
Dictionnaire de l'Académie (1694), avaler tout d'un coup et sans
prendre haleine. » Le mot *souffler*, pris ici dans le même sens, ne se
trouve dans aucun des dictionnaires du temps, et l'Académie ne l'a
admis dans aucune de ses éditions (1694-1835).

3. *Epies* dans les anciennes éditions.

rue, les femmes s'en parent; demain elle est négligée, et rendue au peuple[1]. (ÉD. 6.)

Une personne de mérite, au contraire, est une fleur qu'on ne désigne pas par sa couleur, mais que l'on nomme par son nom, que l'on cultive pour sa beauté ou pour son odeur[2]; l'une des grâces de la nature, l'une de ces choses qui embellissent le monde; qui est de tous les temps et d'une vogue ancienne et populaire; que nos pères ont estimée, et que nous estimons après nos pères; à qui le dégoût ou l'antipathie de quelques-uns ne sauroient[3] nuire : un lis, une rose. (ÉD. 6.)

L'on voit *Eustrate* assis dans sa nacelle, où il jouit   9. d'un air pur et d'un ciel serein : il avance d'un bon vent et qui a toutes les apparences de devoir durer; mais il tombe tout d'un coup, le ciel se couvre, l'orage se déclare, un tourbillon enveloppe la nacelle, elle est submergée : on voit Eustrate revenir sur l'eau et faire quelques efforts; on espère qu'il pourra du moins se sauver et venir à bord; mais une vague l'enfonce, on le tient perdu; il paroît une seconde fois, et les espérances se réveillent, lorsqu'un flot survient et l'abîme : on ne le revoit plus, il est noyé. (ÉD. 6.)

Voiture et Sarrazin étoient nés pour leur siècle, et ils   10. ont paru dans un temps où il semble qu'ils étoient atten-

---

1. « Ces barbeaux [ou bleuets] qui croissent parmi les blés et le seigle furent un été à la mode dans Paris. Les dames en mettoient pour bouquet. » (*Clefs.*)

2. La leçon que nous avons adoptée : « pour sa beauté ou pour son odeur, » est celle de l'édition où cette réflexion fut publiée pour la première fois, c'est-à-dire de la 6e. Toutes les éditions suivantes, sans doute par suite d'une faute d'impression, portent : *par sa beauté ou par son odeur.*

3. Var. (édit. 6-8) : ne sauroit.

dus[1]. S'ils s'étoient moins pressés de venir, ils arrivoient
trop tard ; et j'ose douter qu'ils fussent tels aujourd'hui
qu'ils ont été alors. Les conversations légères, les cercles,
la fine plaisanterie, les lettres enjouées et familières, les
petites parties où l'on étoit admis seulement avec de
l'esprit, tout a disparu. Et qu'on ne dise point qu'ils les
feroient revivre : ce que je puis faire en faveur de leur
esprit est de convenir que peut-être ils excelleroient dans
un autre genre ; mais les femmes sont de nos jours ou
dévotes, ou coquettes, ou joueuses, ou ambitieuses, quelques-unes même tout cela à la fois ; le goût de la faveur,
le jeu, les galants, les directeurs ont pris la place, et la
défendent contre les gens d'esprit[2]. (ÉD. 4.)

11.   Un homme fat et ridicule porte un long chapeau, un
pourpoint à ailerons[3], des chausses à aiguillettes[4] et des
bottines ; il rêve la veille par où et comment il pourra se
faire remarquer le jour qui suit. Un philosophe se laisse
habiller par son tailleur : il y a autant de foiblesse à fuir
la mode qu'à l'affecter[5].

1. Voiture, que la Bruyère a déjà nommé ailleurs (tome II, p. 40,
n° 37), est mort en 1648 ; Sarrasin, qui eut le même genre d'esprit
et de badinerie, et aussi les mêmes succès, a vécu jusqu'en 1654.

2. VAR. (édit. 4 et 5) : mais les femmes sont de nos jours ou dévotes ou coquettes ; les galants ou les directeurs ont pris la place, et
la défendent contre les beaux esprits.

3. Les ailerons sont de petits bords d'étoffe qui couvraient les
coutures du haut des manches d'un pourpoint.

4. C'est-à-dire des chausses au bas desquelles sont attachées, pour
ornements, des touffes de rubans ou de cordons ferrés. « En 1687,
date de la 1re édition, on ne portait plus, depuis des années, dit
avec raison Édouard Fournier, de chausses à aiguillettes et de
pourpoint à ailerons. » (La Comédie de J. de la Bruyère, p. 44.) Il
est donc vraisemblable que la Bruyère avait déjà écrit depuis plusieurs années cette remarque, lorsqu'il la publia.

5. Toujours au plus grand nombre on doit s'accommoder,

L'on blâme une mode qui divisant la taille des hommes   12.
en deux parties égales, en prend une tout entière[1] pour le
buste, et laisse l'autre pour le reste du corps ; l'on condamne celle qui fait de la tête des femmes la base d'un
édifice à plusieurs étages[2] dont l'ordre et la structure
change[3] selon leurs caprices, qui éloigne les cheveux du
visage, bien qu'ils ne croissent que pour l'accompagner,
qui les relève et les hérisse à la manière des bacchantes,
et semble avoir pourvu à ce que les femmes changent
leur physionomie douce et modeste en une autre qui soit

> Et jamais il ne faut se faire regarder.
> L'un et l'autre excès choque, et tout homme bien sage
> Doit faire des habits ainsi que du langage,
> N'y rien trop affecter, et sans empressement
> Suivre ce que l'usage y fait de changement.
> Mon sentiment n'est pas qu'on prenne la méthode
> De ceux qu'on voit toujours renchérir sur la mode,
> Et qui dans ces excès dont ils sont amoureux,
> Seroient fâchés qu'un autre eût été plus loin qu'eux ;
> Mais je tiens qu'il est mal, sur quoi que l'on se fonde,
> De fuir obstinément ce que suit tout le monde,
> Et qu'il vaut mieux souffrir d'être au nombre des fous
> Que du sage parti se voir seul contre tous.
>   (Molière, *l'École des Maris*, acte I, scène 1, vers 41-54.)

« A quoi, dit Malebranche en parlant de Tertullien, sert par
exemple à cet auteur, qui veut se justifier d'avoir pris le manteau de
philosophe au lieu de la robe ordinaire, de dire que ce manteau
avoit autrefois été en usage dans la ville de Carthage ? Est-il permis
présentement de prendre la toque et la fraise, à cause que nos pères
s'en sont servis ? Et les femmes peuvent-elles porter des vertugadins,
et des chaperons, et des escoëffions, si ce n'est au carnaval, lorsqu'elles veulent se déguiser pour aller en masque ? » (*De la Recherche
de la vérité,* livre II, 3e partie, chapitre III, tome I, p. 302, édition
de 1675.) — La Bruyère a reproduit ce dernier trait à la fin de la
remarque suivante, n° 12.

1. « Toute entière, » dans les éditions du dix-septième siècle.

2.   Et qu'une main savante, avec tant d'artifice,
      Bâtit de ses cheveux le galant édifice.
                 (Boileau, *satire* X, vers 193 et 194.)

3. *Changent,* au pluriel, dans les éditions 7 et 8.

fière et audacieuse ; on se récrie enfin contre une telle ou
une telle mode, qui cependant, toute bizarre qu'elle est,
pare et embellit pendant qu'elle dure, et dont l'on tire
tout l'avantage qu'on en peut espérer, qui est de plaire.
Il me paroît[1] qu'on devroit seulement admirer l'inconstance et la légèreté des hommes, qui attachent successivement les agréments et la bienséance à des choses tout
opposées, qui emploient pour le comique et pour la mas-
carade ce qui leur a servi de parure grave et d'ornements
les plus sérieux ; et que si peu de temps en fasse la différence[2]. (ÉD. 4.)

13.   N... est riche, elle mange bien, elle dort bien ; mais
les coiffures changent, et lorsqu'elle y pense le moins,
et qu'elle se croit heureuse, la sienne est hors de mode.
(ÉD. 6.)

14.   *Iphis* voit à l'église un soulier d'une nouvelle mode ; il
regarde le sien et en rougit ; il ne se croit plus habillé. Il
étoit venu à la messe pour s'y montrer, et il se cache ; le
voilà retenu par le pied dans sa chambre tout le reste du
jour. Il a la main douce, et il l'entretient avec une pâte de

---

1. VAR. (édit. 4) : Il me semble.

2. « .... Ie me plains de sa particuliere indiscretion (*celle de* « *nostre
peuple* »), de se laisser si fort piper et aueugler à l'auctorité de
l'usage present, qu'il soit capable de changer d'opinion et d'aduis
touts les mois, s'il plaist à la coustume, et qu'il iuge si diuersement
de soy mesme. Quand il portoit le busc de son pourpoinct entre les
mammelles, il maintenoit par vifues raisons qu'il estoit en son vray
lieu : quelques annees aprez, le voyla aualé iusques entre les cuisses ;
il se mocque de son aultre usage, le treuue inepte et insupportable.
La façon de se vestir presente luy faict incontinent condamner l'ancienne, d'une resolution si grande et d'un consentement si uniuersel,
que vous diriez que c'est quelque espece de manie qui lui tourne-
boule ainsi l'entendement. » (Montaigne, livre I, chapitre XLIX, tome I,
p. 448.)

senteur ; il a soin de rire pour montrer ses dents ; il fait
la petite bouche, et il n'y a guère de moments où il
ne veuille sourire ; il regarde ses jambes, il se voit au
miroir : l'on ne peut être plus content de personne qu'il
l'est de lui-même ; il s'est acquis une voix claire et délicate, et heureusement il parle gras ; il a un mouvement
de tête, et je ne sais quel adoucissement dans les yeux,
dont il n'oublie pas de s'embellir[1] ; il a une démarche
molle et le plus joli maintien qu'il est capable de se procurer ; il met du rouge, mais rarement, il n'en fait pas
habitude. Il est vrai aussi qu'il porte des chausses et
un chapeau, et qu'il n'a ni boucles d'oreilles ni collier
de perles ; aussi ne l'ai-je pas mis dans le chapitre des
femmes. (ÉD. 6.)

Ces mêmes modes que les hommes suivent si volon-   15.
tiers pour leurs personnes, ils affectent de les négliger
dans leurs portraits, comme s'ils sentoient ou qu'ils pré-
vissent l'indécence et le ridicule où elles peuvent tomber
dès qu'elles auront perdu ce qu'on appelle la fleur ou
l'agrément de la nouveauté ; ils leur préfèrent une parure arbitraire, une draperie indifférente, fantaisies du
peintre qui ne sont prises ni sur l'air ni sur le visage,
qui ne rappellent ni les mœurs ni la personne. Ils aiment
des attitudes forcées ou immodestes, une manière dure,
sauvage, étrangère, qui font un capitan d'un jeune abbé,
et un matamore d'un homme de robe ; une Diane d'une
femme de ville ; comme d'une femme simple et timide

---

1. C'est ainsi que l'on voit, dans la VIIIe *satire* de Regnier (vers 44 et
46), le jeune fat

    Rire hors de propos, montrer ses belles dents,
    . . . .
    Et s'adoucir les yeux ainsi qu'une poupée.

une amazone ou une Pallas ; une Laïs d'une honnête fille ; un Scythe, un Attila[1], d'un prince qui est bon et magnanime. (ÉD. 6.)

Une mode a à peine détruit une autre mode, qu'elle est abolie par une plus nouvelle, qui cède elle-même à celle qui la suit, et qui ne sera pas la dernière : telle est notre légèreté. Pendant ces révolutions, un siècle s'est écoulé, qui a mis toutes ces parures au rang des choses passées et qui ne sont plus. La mode alors la plus curieuse et qui fait plus de plaisir à voir, c'est la plus ancienne : aidée du temps et des années, elle a le même agrément dans les portraits qu'a la saye[2] ou l'habit romain sur les théâtres, qu'ont la mante, le voile et la tiare[3] dans nos tapisseries et dans nos peintures. (ÉD. 6.)

Nos pères nous ont transmis, avec la connoissance de leurs personnes, celle de leurs habits, de leurs coiffures, de leurs armes[4], et des autres ornements qu'ils ont aimés pendant leur vie. Nous ne saurions bien reconnoître cette sorte de bienfait qu'en traitant de même nos descendants. (ÉD. 6.)

16.   Le courtisan autrefois avoit ses cheveux, étoit en chausses et en pourpoint, portoit de larges canons, et il étoit libertin[5]. Cela ne sied plus : il porte une perruque, l'habit serré, le bas uni, et il est dévot : tout se règle par la mode.

---

1. Il y a *Capitan, Matamor* (sic), *Diane, Pallas, laïs,* et *Attila,* en italique, dans la 6e édition ; « une *laïs* » y est écrit sans majuscule.

2. VAR. (édit. 6) : le saye. Voyez le *Lexique.*

3. Habits des Orientaux. (*Note de la Bruyère,* qui s'applique aux trois mots *mante, voile* et *tiare.*) — Au dix-septième siècle, le mot *mante* désignait un grand voile noir, traînant jusqu'à terre, que les dames portaient dans les cérémonies et surtout dans le deuil.

4. Offensives et défensives. (*Note de la Bruyère.*)

5. C'est-à-dire irréligieux.

Celui qui depuis quelque temps à la cour étoit dévot, 17.
et par là, contre toute raison, peu éloigné du ridicule,
pouvoit-il espérer de devenir à la mode?

De quoi n'est point capable un courtisan dans la vue de 18.
sa fortune, si pour ne la pas manquer il devient dévot?

Les couleurs sont préparées, et la toile est toute prête ; 19.
mais comment le fixer, cet homme inquiet, léger, incon-
stant, qui change de mille et mille figures? Je le peins
dévot, et je crois l'avoir attrapé ; mais il m'échappe, et
déjà il est libertin. Qu'il demeure du moins dans cette
mauvaise situation, et je saurai le prendre dans un point
de déréglement de cœur et d'esprit où il sera reconnois-
sable ; mais la mode presse, il est dévot. (ÉD. 4.)

Celui qui a pénétré la cour connoît ce que c'est que 20.
vertu et ce que c'est que dévotion[1] : il ne peut plus s'y
tromper. (ÉD. 6.)

Négliger vêpres comme une chose antique et hors de 21.
mode, garder sa place soi-même pour le salut, savoir les
êtres de la chapelle[2], connoître le flanc[3], savoir où l'on
est vu et où l'on n'est pas vu ; rêver dans l'église à Dieu
et à ses affaires, y recevoir des visites, y donner des
ordres et des commissions, y attendre les réponses ;

1. Fausse dévotion. (*Note de la Bruyère.*)
2. Il s'agit de la chapelle du château de Versailles. La grande
affaire au salut était de se placer de manière à être vu, et particulièrement à être vu du Roi. Saint-Simon a raconté comment il arriva
que Louis XIV trouva la chapelle déserte, un jour qu'un officier
des gardes, pour jouer un tour aux dames qui avaient pris leur place
avant l'heure, annonça tout haut que le Roi ne viendrait pas au
salut : voyez ses *Mémoires*, édition Boislisle, t. XV, p. 449.
3. C'est-à-dire, comme l'expliquent les mots suivants, la partie
que *flanque,* que voit la tribune royale.

avoir un directeur mieux écouté que l'Évangile ; tirer
toute sa sainteté et tout son relief de la réputation de
son directeur, dédaigner ceux dont le directeur a moins
de vogue, et convenir à peine de leur salut ; n'aimer de
la parole de Dieu que ce qui s'en prêche chez soi ou par
son directeur, préférer sa messe aux autres messes, et
les sacrements donnés de sa main à ceux qui ont moins
de cette circonstance ; ne se repaître que de livres de
spiritualité, comme s'il n'y avoit ni Évangiles, ni Épîtres
des Apôtres, ni morale des Pères ; lire ou parler un jargon inconnu aux premiers siècles ; circonstancier à confesse les défauts d'autrui, y pallier les siens ; s'accuser
de ses souffrances, de sa patience ; dire comme un péché
son peu de progrès dans l'héroïsme ; être en liaison secrète avec de certaines gens contre certains autres ;
n'estimer que soi et sa cabale, avoir pour suspecte la
vertu même ; goûter, savourer la prospérité et la faveur,
n'en vouloir que pour soi, ne point aider au mérite, faire
servir la piété à son ambition, aller à son salut par le
chemin de la fortune et des dignités[1] : c'est du moins
jusqu'à ce jour le plus bel effort de la dévotion du
temps. (ÉD. 8.)

Un dévot[2] est celui qui sous un roi athée seroit
athée[3]. (ÉD. 7.)

22.   Les dévots[4] ne connoissent de crimes que l'inconti-

---

1. La Bruyère s'est peut-être souvenu d'un vers de *Tartuffe* :

   Ces gens, dis-je, qu'on voit d'une ardeur non commune
   Par le chemin du ciel courir à leur fortune....

   (Acte I, scène v, vers 369 et 370.)

2. **Faux dévot.** (*Note de la Bruyère.*)

3. *Seroit dévot,* dans la 9ᵉ édition : la note de la Bruyère que nous
venons de reproduire, et qui a été conservée dans la 9ᵉ édition, montre que cette variante n'est qu'une faute d'impression.

4. **Faux dévot.** (*Note de la Bruyère.*)

nence, parlons plus précisément, que le bruit ou les
dehors de l'incontinence. Si *Phérécide* passe pour être
guéri des femmes, ou *Phérénice* pour être fidèle à son
mari, ce leur est assez : laissez-les jouer un jeu ruineux,
faire perdre leurs créanciers, se réjouir du malheur d'autrui et en profiter, idolâtrer les grands, mépriser les
petits, s'enivrer de leur propre mérite, sécher d'envie,
mentir, médire, cabaler, nuire, c'est leur état. Voulez-
vous qu'ils empiètent sur celui des gens de bien, qui
avec les vices cachés fuient encore l'orgueil et l'injustice ? (ÉD. 7.)

Quand un courtisan[1] sera humble, guéri du faste et   23.
de l'ambition ; qu'il n'établira point sa fortune sur la
ruine de ses concurrents ; qu'il sera équitable, soulagera
ses vassaux, payera ses créanciers ; qu'il ne sera ni fourbe
ni médisant ; qu'il renoncera aux grands repas et aux
amours illégitimes ; qu'il priera autrement que des lèvres,
et même hors de la présence du Prince[2] ; quand d'ailleurs il ne sera point d'un abord farouche et difficile ;
qu'il n'aura point le visage austère et la mine triste ;
qu'il ne sera point paressseux et contemplatif ; qu'il saura
rendre par une scrupuleuse attention divers emplois
très compatibles ; qu'il pourra et qu'il voudra même
tourner son esprit et ses soins aux grandes et laborieuses
affaires, à celles surtout d'une suite la plus étendue pour
les peuples et pour tout l'État ; quand son caractère me
fera craindre de le nommer en cet endroit, et que sa
modestie l'empêchera, si je ne le nomme pas, de s'y re-

1. VAR. (édit. 1-4) : Quand le courtisan.
2. Après ces mots : « et même hors de la présence du Prince. »
l'alinéa se terminait ainsi dans les éditions 1-4 : « alors il me persuadera qu'il est dévot. » — Ce qui suit a été ajouté dans la 5e édition.

connoître : alors je dirai de ce personnage : « Il est dévot ; » ou plutôt : « C'est un homme donné à son siècle
pour le modèle d'une vertu sincère et pour le discernement de l'hypocrite[1]. » (ÉD. 1 et 5.)

24.   *Onuphre*[2] n'a pour tout lit qu'une housse de serge
grise, mais il couche sur le coton et sur le duvet ; de
même il est habillé simplement, mais commodément, je
veux dire d'une étoffe fort légère en été, et d'une autre
fort moelleuse pendant l'hiver ; il porte des chemises
très déliées[3], qu'il a un très grand soin de bien cacher.
Il ne dit point : *Ma haire et ma discipline*[4], au contraire ; il passeroit pour ce qu'il est, pour un hypocrite,
et il veut passer pour ce qu'il n'est pas, pour un homme

    1. Après ce caractère dans les 4ᵉ et 5ᵉ éditions, et un peu plus
loin dans la 6ᵉ (après le caractère d'*Onuphre*, nᵒ 24, et un alinéa qui
dans les éditions suivantes a fait partie du chapitre *des Femmes* : voyez
tome II, p 95, nᵒ 43), venait le caractère du vrai dévot :
    « Un homme dévot entre dans un lieu saint, perce modestement
la foule, choisit un coin pour se recueillir, et où personne ne voit
qu'il s'humilie ; s'il entend des courtisans qui parlent, qui rient, et
qui sont à la chapelle avec moins de silence que dans l'antichambre *,
quelque comparaison qu'il fasse de ces personnes avec lui-même, il
ne les méprise pas, il ne s'en plaint pas : il prie pour eux. »
(ÉD. 4.)
    Dans la 7ᵉ édition, la Bruyère a supprimé l'alinéa que nous ve-
nons de citer, et s'en est servi pour ajouter un trait au caractère
d'*Onuphre* : voyez ci-après, p. 156, note 1.
    2. *Onuphre* est le personnage de Tartuffe, tel que le comprend la
Bruyère. Le *Tartuffe* de Molière, qu'il faut avoir toujours présent à
l'esprit en lisant le caractère d'*Onuphre*, avait été représenté en 1667.
    3. C'est-à-dire très fines.
    4. Allusion à la première parole de Tartuffe entrant en scène :

    Laurent, serrez ma haire, avec ma discipline.
              (*Tartuffe*, acte III, scène 11, vers 853.)

    * Il s'agit de la chapelle du palais de Versailles et de l'antichambre
de l'appartement du Roi.

dévot : il est vrai qu'il fait en sorte que l'on croit, sans qu'il le dise, qu'il porte une haire et qu'il se donne la discipline. Il y a quelques livres répandus dans sa chambre indifféremment ; ouvrez-les : c'est *le Combat spirituel, le Chrétien intérieur,* et *l'Année sainte ;* d'autres livres sont sous la clef. S'il marche par la ville, et qu'il découvre de loin un homme devant qui il est nécessaire qu'il soit dévot, les yeux baissés, la démarche lente et modeste, l'air recueilli lui sont familiers : il joue son rôle. S'il entre dans une église, il observe d'abord de qui il peut être vu ; et selon la découverte qu'il vient de faire, il se met à genoux et prie, ou il ne songe ni à se mettre à genoux ni à prier. Arrive-t-il vers lui un homme de bien et d'autorité qui le verra et qui peut l'entendre, non seulement il prie, mais il médite, il pousse des élans et des soupirs[1] ; si l'homme de bien se retire, celui-ci, qui le voit partir, s'apaise et ne souffle pas. Il entre une autre fois dans un lieu saint, perce la foule, choisit un endroit pour se recueillir, et où tout le monde voit qu'il s'humilie : s'il entend des courtisans qui parlent, qui rient, et qui sont à la chapelle avec moins de silence que dans

---

1. ORGON.

> Ha ! si vous aviez vu comme j'en fis rencontre,
> Vous auriez pris pour lui l'amitié que je montre :
> Chaque jour à l'église il venoit, d'un air doux,
> Tout vis-à-vis de moi se mettre à deux genoux.
> Il attiroit les yeux de l'assemblée entière
> Par l'ardeur dont au ciel il poussoit sa prière ;
> Il faisoit des soupirs, de grands élancements,
> Et baisoit humblement la terre à tous moments....
>
> *(Tartuffe,* acte I, scène v, vers 281-288.)

— Cléante, frère d'Orgon, revient sur ce trait lorsqu'il peint les hypocrites,

> Ces gens qui, par une âme à l'intérêt soumise,
> .... veulent acheter crédit et dignités
> A prix de faux clins d'yeux et d'élans affectés.
>
> **(Ibidem,** vers 365-368.)

l'antichambre, il fait plus de bruit qu'eux pour les faire
taire ; il reprend sa méditation, qui est toujours la comparaison qu'il fait de ces personnes avec lui-même, et où
il trouve son compte[1]. Il évite une église déserte et solitaire, où il pourroit entendre deux messes de suite, le
sermon, vêpres et complies, tout cela entre Dieu et lui,
et sans que personne lui en sût gré : il aime la paroisse,
il fréquente les temples où se fait un grand concours ;
on n'y manque point son coup, on y est vu. Il choisit
deux ou trois jours dans toute l'année, où à propos de
rien il jeûne ou fait abstinence; mais à la fin de l'hiver
il tousse, il a une mauvaise poitrine, il a des vapeurs, il a
eu la fièvre : il se fait prier, presser, quereller pour
rompre le carême dès son commencement, et il en vient
là par complaisance. Si Onuphre est nommé arbitre dans
une querelle de parents ou dans un procès de famille, il
est pour les plus forts, je veux dire pour les plus riches,
et il ne se persuade point que celui ou celle qui a beaucoup de bien puisse avoir tort[2]. S'il se trouve bien d'un
homme opulent, à qui il a su imposer, dont il est le pa-
rasite, et dont il peut tirer de grands secours, il ne cajole
point sa femme, il ne lui fait du moins ni avance[3] ni déclaration; il s'enfuira, il lui laissera son manteau, s'il n'est
aussi sûr d'elle que de lui-même. Il est encore plus éloigné d'employer pour la flatter et pour la séduire le jargon de la dévotion[4]; ce n'est point par habitude qu'il

1. Toute cette phrase, depuis les mots : « Il entre une autre fois
dans un lieu saint, » a été ajoutée dans la 7e édition. La Bruyère y
a placé un trait emprunté au caractère du vrai dévot, caractère qu'il
avait inséré dans les éditions 4, 5 et 6, et qu'il a supprimé dans la
7e : voyez ci-dessus, p. 154, note 1.

2. Cette phrase, depuis les mots : « Si Onuphre est nommé arbitre, » a été ajoutée dans la 7e édition.

3. *Avances*, au pluriel, dans la 6e édition.

4. Fausse dévotion. (*Note de la Bruyère.*)

le parle, mais avec dessein, et selon qu'il lui est utile, et
jamais quand il ne serviroit qu'à le rendre très ridicule.
Il sait[1] où se trouvent des femmes plus sociables et plus
dociles que celle de son ami; il ne les abandonne pas
pour longtemps, quand ce ne seroit que pour faire dire
de soi dans le public qu'il fait des retraites : qui en
effet pourroit en douter, quand on le revoit paroître
avec un visage exténué et d'un homme qui ne se ménage
point? Les femmes d'ailleurs qui fleurissent et qui prospèrent à l'ombre de la dévotion[2] lui conviennent, seulement avec cette petite différence qu'il néglige celles qui
ont vieilli, et qu'il cultive les jeunes, et entre celles-ci
les plus belles et les mieux faites, c'est son attrait : elles
vont, et il va; elles reviennent, et il revient; elles demeurent, et il demeure; c'est en tous lieux et à toutes
les heures qu'il a la consolation de les voir : qui pourroit
n'en être pas édifié? elles sont dévotes et il est dévot.
Il n'oublie pas de tirer avantage de l'aveuglement de
son ami, et de la prévention où il l'a jeté en sa faveur;
tantôt il lui emprunte de l'argent, tantôt il fait si bien
que cet ami lui en offre : il se fait reprocher de n'avoir
pas recours à ses amis dans ses besoins; quelquefois il
ne veut pas recevoir une obole sans donner un billet,
qu'il est bien sûr de ne jamais retirer; il dit une autre
fois, et d'une certaine manière, que rien ne lui manque,
et c'est lorsqu'il ne lui faut qu'une petite somme; il
vante quelque autre fois publiquement la générosité de
cet homme, pour le piquer d'honneur et le conduire à
lui faire une grande largesse. Il ne pense point à profiter
de toute sa succession, ni à s'attirer une donation générale de tous ses biens, s'il s'agit surtout de les enlever à

1. Cette phrase et la suivante, jusqu'aux mots : « elles sont dévotes et il est dévot, » inclusivement, ont été ajoutées dans la 7ᵉ édition.
2. Fausse dévotion. (*Note de la Bruyère.*)

un fils, le légitime héritier : un homme dévot[1] n'est ni
avare, ni violent, ni injuste, ni même intéressé ; Onuphre
n'est pas dévot, mais il veut être cru tel, et par une parfaite, quoique fausse imitation de la piété, ménager sour-
dement ses intérêts : aussi ne se joue-t-il pas à la ligne
directe, et il ne s'insinue jamais dans une famille où se
trouvent tout à la fois une fille à pourvoir et un fils à
établir ; il y a là des droits trop forts et trop inviolables :
on ne les traverse point sans faire de l'éclat (et il l'appréhende), sans qu'une pareille entreprise vienne aux oreilles
du Prince, à qui il dérobe sa marche, par la crainte qu'il
a d'être découvert et de paroître ce qu'il est[2]. Il en veut
à la ligne collatérale : on l'attaque plus impunément ; il
est la terreur des cousins et des cousines, du neveu et
de la nièce, le flatteur et l'ami déclaré de tous les oncles
qui ont fait fortune ; il se donne pour l'héritier légitime
de tout vieillard qui meurt riche et sans enfants, et il
faut que celui-ci le déshérite, s'il veut que ses parents
recueillent sa succession ; si Onuphre ne trouve pas jour
à les en frustrer à fond, il leur en ôte du moins une
bonne partie[3] : une petite calomnie, moins que cela,
une légère médisance lui suffit pour ce pieux dessein, et
c'est le talent qu'il possède à un plus haut degré de per-

---

1. Il est presque superflu de dire qu'il s'agit cette fois du vrai
dévot.

2.   L'EXEMPT, à *Orgon.*
Remettez-vous, Monsieur, d'une alarme si chaude :
Nous vivons sous un prince ennemi de la fraude,
Un prince dont les yeux se font jour dans les cœurs,
Et que ne peut tromper tout l'art des imposteurs....
Celui-ci n'étoit pas pour le pouvoir surprendre,
Et de piéges plus fins on le voit se défendre....
          (*Tartuffe*, acte V, scène VII, vers 1905-1918.)

3. VAR. (édit. 6) : Il en veut à la ligne collatérale : on l'attaque
plus impunément, et s'il ne peut la frustrer à fond de l'hérédité où
elle aspire, il lui en ôte du moins une bonne partie.

fection; il se fait même souvent un point de conduite de
ne le pas laisser inutile : il y a des gens, selon lui, qu'on
est obligé en conscience de décrier[1], et ces gens sont
ceux qu'il n'aime point, à qui il veut nuire, et dont il
desire la dépouille. Il vient à ses fins sans se donner
même la peine d'ouvrir la bouche : on lui parle d'*Eu-
doxe,* il sourit ou il soupire; on l'interroge, on insiste, il
ne répond rien; et il a raison : il en a assez dit. (ÉD. 6.)

 Riez, *Zélie,* soyez badine et folâtre à votre ordinaire; 25.
qu'est devenue votre joie? « Je suis riche, dites-vous,
me voilà au large, et je commence à respirer. » Riez
plus haut, Zélie, éclatez : que sert une meilleure fortune, si elle amène avec soi le sérieux et la tristesse?
Imitez les grands qui sont nés dans le sein de l'opulence :
ils rient quelquefois, ils cèdent à leur tempérament,
suivez le vôtre; ne faites pas dire de vous qu'une nouvelle place ou que quelques mille livres de rente de plus
ou de moins vous font passer d'une extrémité à l'autre.
« Je tiens, dites-vous, à la faveur par un endroit. » Je
m'en doutois, Zélie; mais croyez-moi, ne laissez pas de
rire, et même de me sourire en passant, comme autrefois : ne craignez rien, je n'en serai ni plus libre ni plus
familier[2] avec vous; je n'aurai pas une moindre opinion
de vous et de votre poste; je croirai également que vous
êtes riche et en faveur. « Je suis dévote, » ajoutez-vous.
C'est assez, Zélie, et je dois me souvenir que ce n'est
plus la sérénité et la joie que le sentiment d'une bonne
conscience étale sur le visage; les passions tristes et austères ont pris le dessus et se répandent sur les dehors :
elles mènent plus loin, et l'on ne s'étonne plus de voir

1. VAR. (édit. 6) : qu'on est obligé de décrier.
2. VAR. (édit. 7 et 8) : ni plus familière.

que la dévotion [1] sache encore mieux que la beauté et la
jeunesse rendre une femme fière et dédaigneuse. (ÉD. 7.)

26.   L'on a été loin depuis un siècle dans les arts, et dans
les sciences, qui toutes ont été poussées à un grand point
de raffinement, jusques à celle du salut, que l'on a ré-
duite en règle et en méthode, et augmentée de tout ce
que l'esprit des hommes pouvoit inventer de plus beau
et de plus sublime. La dévotion [2] et la géométrie ont
leurs façons de parler, ou ce qu'on appelle les termes de
l'art : celui qui ne les sait pas n'est ni dévot ni géomètre.
Les premiers dévots, ceux mêmes qui ont été dirigés par
les Apôtres, ignoroient ces termes, simples gens qui
n'avoient que la foi et les œuvres, et qui se réduisoient à
croire et à bien vivre. (ÉD. 4.)

27.   C'est une chose délicate à un prince religieux de ré-
former la cour et de la rendre pieuse [3] : instruit jusques
où le courtisan veut lui plaire, et aux dépens de quoi il
feroit sa fortune, il le ménage avec prudence, il tolère, il
dissimule, de peur de le jeter dans l'hypocrisie ou le sacrilège; il attend plus de Dieu et du temps que de son
zèle et de son industrie.

28.   C'est une pratique ancienne dans les cours de donner
des pensions et de distribuer des grâces à un musicien,
à un maître de danse, à un farceur, à un joueur de flûte,
à un flatteur, à un complaisant : ils ont un mérite fixe et
des talents sûrs et connus qui amusent les grands et qui
les délassent de leur grandeur; on sait que Favier est

1. Fausse dévotion. (*Note de la Bruyère.*)
2. Fausse dévotion. (*Note de la Bruyère.*)
3. Var. (édit. 1) : et la rendre pieuse.

beau danseur, et que Lorenzani fait de beaux motets[1].
Qui sait au contraire si l'homme dévot a de la vertu? Il
n'y a rien pour lui sur la cassette ni à l'épargne[2], et avec
raison : c'est un métier aisé à contrefaire, qui, s'il étoit
récompensé, exposeroit le Prince à mettre en honneur la
dissimulation et la fourberie, et à payer pension à l'hypocrite. (ÉD. 8.)

L'on espère que la dévotion de la cour ne laissera pas 29.
d'inspirer la résidence[3].

Je ne doute point que la vraie dévotion ne soit la 30.
source du repos ; elle fait supporter la vie et rend la mort
douce : on n'en tire pas tant de l'hypocrisie. (ÉD. 4.)

Chaque heure en soi comme à notre égard est 31.
unique : est-elle écoulée une fois, elle a péri entièrement, les millions de siècles ne la ramèneront pas. Les
jours, les mois, les années s'enfoncent et se perdent
sans retour dans l'abîme des temps ; le temps même sera
détruit[4] : ce n'est qu'un point dans les espaces immenses
de l'éternité, et il sera effacé. Il y a de légères et frivoles
circonstances du temps qui ne sont point stables, qui
passent, et que j'appelle des modes, la grandeur, la

1. Favier, danseur de l'Opéra, qui avait donné des leçons de danse
au duc de Bourbon, l'élève de la Bruyère. — Paolo Lorenzani, ancien maître de musique d'Anne d'Autriche, et compositeur de musique religieuse.
2. C'est-à-dire : il n'y a pour lui aucune pension sur la cassette
du Roi ni sur le trésor public.
3. VAR. (édit. 1-7) : L'on croit que la dévotion de la cour in-
spirera enfin la résidence. — Il s'agit de la résidence des évêques
dans leurs diocèses.
4. C'est, du moins, au sens où on le prend souvent, ce mot de
l'Apocalypse (chapitre x, verset 6) : Tempus non erit amplius, « il
n'y aura plus de temps. »

faveur, les richesses, la puissance, l'autorité, l'indépendance, le plaisir, les joies, la superfluité. Que devien-
dront ces modes quand le temps même aura disparu ?
La vertu seule, si peu à la mode, va au delà des temps.
(ÉD. 5.)

———

DE QUELQUES USAGES.

Il y a des gens qui n'ont pas le moyen d'être nobles[1].

Il y en a de tels que s'ils eussent obtenu six mois de délai de leurs créanciers, ils étoient nobles[2].

Quelques autres se couchent roturiers, et se lèvent nobles[3].

Combien de nobles dont le père et les aînés sont roturiers !

Tel abandonne son père, qui est connu et dont l'on cite le greffe ou la boutique[4], pour se retrancher sur son aïeul, qui, mort depuis longtemps, est inconnu et hors

---

1. Secrétaires du Roi. (*Note de la Bruyère,* qui n'a été insérée que dans les éditions 1-4.) — Les offices de secrétaire du Roi n'étant point les seuls qui rendissent nobles ceux qui les achetaient, nous ne nous étonnons pas que la Bruyère ait effacé la note. Lui-même prit le titre d'écuyer dès qu'il eut acheté une charge de trésorier des finances.

2. Vétérans. (*Note de la Bruyère.*) — On nommait *vétérans* les secrétaires du Roi, et les conseillers de diverses cours souveraines (tels que ceux du Parlement, de la Chambre des comptes, de la Cour des aides de Paris), qui s'étant défaits de leurs charges après vingt ans d'exercice, conservaient les honneurs et privilèges attachés à leurs offices, et de plus étaient investis du droit de transmettre la noblesse à leurs enfants. Les officiers dont veut parler la Bruyère, poursuivis par des créanciers, et obligés par l'effet des poursuites de se démettre de leur charge avant la fin de leur vingtième année, ne peuvent atteindre la noblesse au premier degré, que devaient leur conférer les *lettres de vétéran.* Pendant l'exercice de leur charge, ils ont joui personnellement des privilèges de la noblesse ; mais ils perdent ces privilèges avec la charge.

3. Vétérans. (*Note de la Bruyère.*)

4. Var. (édit. 4-6) : et dont l'on cite ou le greffe ou la boutique.

de prise ; il montre ensuite un gros revenu, une grande
charge, de belles alliances, et pour être noble, il ne lui
manque que des titres. (ÉD. 4.)

3.   *Réhabilitations,* mot en usage dans les tribunaux,
qui a fait vieillir et rendu gothique celui de *lettres de
noblesse* [1], autrefois si françois et si usité ; se faire réha-
biliter suppose qu'un homme devenu riche, originairement est noble, qu'il est d'une nécessité plus que morale
qu'il le soit ; qu'à la vérité son père a pu déroger ou
par la charrue, ou par la houe, ou par la malle [2], ou par
les livrées ; mais qu'il ne s'agit pour lui que de rentrer
dans les premiers droits de ses ancêtres, et de continuer
les armes de sa maison, les mêmes pourtant qu'il a fa-
briquées, et tout autres que celles de sa vaisselle d'étain [3];
qu'en un mot les lettres de noblesse ne lui conviennent
plus ; qu'elles n'honorent que le roturier, c'est-à-dire celui qui cherche encore le secret de devenir riche. (ÉD. 6.)

4.   Un homme du peuple, à force d'assurer qu'il a vu un
prodige, se persuade faussement qu'il a vu un prodige.
Celui qui continue de cacher son âge pense enfin lui-
même être aussi jeune qu'il veut le faire croire aux
autres. De même le roturier qui dit par habitude qu'il

1. Le mot de *réhabilitation* n'était d'un usage légitime que dans
les cas où une famille noble, après dérogeance, était rétablie dans
sa noblesse, et c'est par des *lettres de noblesse* que devaient être anoblis les roturiers. Les roturiers devenus riches demandaient néanmoins des *lettres de réhabilitation,* et les obtenaient très souvent.

2. *Malle,* panier dans lequel les merciers de campagne transportent
leurs marchandises. On dérogeait par le commerce en détail, c'est là
ce que rappelle ce mot, et par l'exploitation d'une ferme, ce que
rappellent les expressions *par la charrue ou par la houe.*

3. C'est-à-dire tout autres que celles qui ont servi à marquer sa
vaisselle d'étain, **avant qu'il devînt riche.**

tire son origine de quelque ancien baron ou de quelque
châtelain [1], dont il est vrai qu'il ne descend pas, a le
plaisir de croire qu'il en descend. (ÉD. 4.)

Quelle est la roture un peu heureuse et établie à qui il   5.
manque des armes, et dans ces armes une pièce honorable [2], des suppôts, un cimier, une devise, et peut-être le
cri de guerre [3] ? Qu'est devenue la distinction des casques
et des *heaumes* [4] ? Le nom et l'usage en sont abolis ; il ne
s'agit plus de les porter de front ou de côté, ouverts ou
fermés, et ceux-ci de tant ou de tant de grilles : on
n'aime pas les minuties, on passe droit aux couronnes,
cela est plus simple ; on s'en croit digne, on se les ad-
juge. Il reste encore aux meilleurs bourgeois une certaine pudeur qui les empêche de se parer d'une couronne
de marquis, trop satisfaits de la comtale ; quelques-uns

1. Ce mot est en italique dans les éditions 4-6.
2. Les figures héraldiques se divisent en pièces honorables ou de
premier ordre, et en pièces moins honorables ou de second ordre.
3. Le cri de guerre ou cri d'armes, encore plus que les suppôts, le
cimier, etc., était l'indice d'une vieille noblesse.
4. Cette phrase ne signifie point que l'on ait jamais, en blason,
établi une distinction entre les heaumes et les casques : *heaume* est
le mot que l'on trouve dans les anciens auteurs ; *casque,* le synonyme
qui a pris peu à peu sa place dans la langue héraldique. C'est dans
la forme et dans la situation des casques que résidait la distinction
dont parle la Bruyère, ainsi qu'il l'explique deux lignes plus bas.
Selon que l'on était d'une plus ou moins haute naissance, le casque
que l'on figurait au-dessus de son écu avait la visière ouverte ou
fermée, et il était placé de front ou de profil. Le casque qui se pré-
sentait de front et ouvert indiquait une grande naissance, et le
nombre des *grilles,* c'est-à-dire des barreaux qui étaient placés dans
la visière du casque et en fermaient l'ouverture, servait à marquer
le degré de la noblesse. Les nouveaux anoblis devaient au contraire figurer le casque de profil, avec la visière close et abattue.
Ces règles arbitraires ne furent observées que pendant fort peu de
temps, si jamais elles le furent.

même ne vont pas la chercher fort loin, et la font passer[1] de leur enseigne à leur carosse. (ÉD. 4.)

6.   Il suffit de n'être point né dans une ville, mais sous une chaumière répandue dans la campagne, ou sous une ruine qui trempe dans un marécage et qu'on appelle château, pour être cru noble sur sa parole[2].

7.   Un bon gentilhomme veut passer pour un petit seigneur, et il y parvient. Un grand seigneur affecte la principauté, et il use de tant de précautions, qu'à force de beaux noms, de disputes sur le rang et les préséances, de nouvelles armes, et d'une généalogie que D'HOZIER[3] ne lui a pas faite, il devient enfin un petit prince[4]. (ÉD. 4.)

8.   Les grands en toutes choses se forment et se moulent sur de plus grands, qui de leur part, pour n'avoir rien

---

1. VAR. (édit. 4) : quelques-uns même ne l'empruntent de personne, et la font passer, etc. — « Les armoiries des nouvelles maisons sont pour la plus grande partie les enseignes de leurs anciennes boutiques. » (*Menagiana*, tome III, p. 350.)

2.   Qui diable vous a fait aussi vous aviser
       A quarante-deux ans de vous débaptiser,
       Et d'un vieux tronc pourri de votre métairie
       Vous faire dans le monde un nom de seigneurie ?...
       Je sais un paysan qu'on appeloit Gros Pierre,
       Qui n'ayant pour tout bien qu'un seul quartier de terre,
       Y fit tout à l'entour faire un fossé bourbeux,
       Et de monsieur de l'Isle en prit le nom pompeux.

(Molière, *l'École des Femmes*, acte I, scène 1, vers 169-172 et 179-182.)

3. D'Hozier, nom d'une famille célèbre de généalogistes. La Bruyère écrit *d'Hosier*, mais la vraie forme est *d'Hozier*. Voyez tome IV, p. 158.

4.   Tout bourgeois veut bâtir comme les grands seigneurs,
           Tout petit prince a des ambassadeurs,
             Tout marquis veut avoir des pages.

(La Fontaine, *Fables*, livre I, fable III, *la Grenouille et le Bœuf*, vers 12-14.)

de commun avec leurs inférieurs, renoncent volontiers
à toutes les rubriques d'honneurs et de distinctions dont
leur condition se trouve chargée, et préfèrent à cette
servitude une vie plus libre et plus commode. Ceux qui
suivent leur piste observent déjà par émulation cette simplicité et cette modestie : tous ainsi se réduiront par
hauteur à vivre naturellement et comme le peuple. Horrible inconvénient ! (ÉD. 8.)

Certaines gens portent trois noms, de peur d'en man-   9.
quer : ils en ont pour la campagne et pour la ville, pour
les lieux de leur service ou de leur emploi. D'autres ont
un seul nom dissyllabe, qu'ils anoblissent par des par-
ticules dès que leur fortune devient meilleure. Celui-ci
par la suppression d'une syllabe[1] fait de son nom obscur
un nom illustre ; celui-là par le changement d'une lettre
en une autre se travestit[2], et de *Syrus*[3] devient *Cyrus*.
Plusieurs suppriment leurs noms, qu'ils pourroient conserver sans honte, pour en adopter de plus beaux, où ils
n'ont qu'à perdre par la comparaison que l'on fait toujours d'eux qui les portent, avec les grands hommes qui
les ont portés. Il s'en trouve enfin qui, nés à l'ombre des
clochers de Paris, veulent être Flamands ou Italiens,
comme si la roture n'étoit pas de tout pays, allongent
leurs noms françois d'une terminaison étrangère, et
croient que venir de bon lieu c'est venir de loin. (ÉD. 4.)

Le besoin d'argent a réconcilié la noblesse avec la   10.

---

1. Dans les éditions 5 et 6 : « par la supposition d'une syllabe. »
2. Dans les éditions 4-6 : « par le changement d'une lettre en un
autre se travestit. »
3. Nom d'esclave dans plusieurs comédies de Plaute et de Térence.
Judæis et Syris, dit Cicéron (*des Provinces consulaires*, chapitre v),
nationibus natis servituti.

roture, et a fait évanouir la preuve des quatre quartiers[1].

11.   A combien d'enfants seroit utile la loi qui décideroit
que c'est le ventre qui anoblit ! mais à combien d'autres
seroit-elle contraire ! (ÉD. 4.)

12.   Il y a peu de familles dans le monde qui ne touchent
aux plus grands princes par une extrémité, et par l'autre
au simple peuple[2]. (ÉD. 4.)

13.   Il n'y a rien à perdre à être noble : franchises, immunités, exemptions, privilèges, que manque-t-il à ceux
qui ont un titre? Croyez-vous que ce soit pour la noblesse
que des solitaires[3] se sont faits nobles? ils ne sont pas

1.   Alors le noble altier, pressé de l'indigence,
     Humblement du faquin rechercha l'alliance,
     Avec lui trafiquant d'un nom si précieux,
     Par un lâche contrat vendit tous ses aïeux.
                              (Boileau, *satire* V, vers 121-124.)

2. Sénèque, citant Platon, a exprimé la même pensée au commencement de son *épître* XLIV.

3. Maison religieuse, secrétaire du Roi. (*Note de la Bruyère,*
ajoutée à la 7ᵉ édition.) — La maison religieuse dont il s'agit est le
couvent des Célestins, qui avait en effet un office de secrétaire du
Roi, en touchait les revenus, sans qu'aucun religieux en remplît les
fonctions, jouissait, par suite, des franchises et priviléges attachés
à la noblesse, et s'empressait de revendiquer judiciairement l'exercice
de chacun de ses droits toutes les fois qu'il lui était contesté. La
Bruyère semble attribuer à l'acquisition d'un office la singularité qu'il
signale ; mais les Célestins n'avaient point acheté de titre : le revenu
et les priviléges d'un office de secrétaire du Roi leur avaient été con-
cédés par munificence royale au quatorzième siècle. Voyez dans
l'*Histoire chronologique de la grande chancellerie de France,* par A. Tes-
sereau, le texte des lettres patentes de 1358 et de 1368 (tome I,
p. 20 et suivantes), ainsi que les édits, arrêts, sentences, etc., qui
confirment les « franchises, immunités, exemptions, priviléges, »
dont parle la Bruyère.

si vains : c'est pour le profit qu'ils en reçoivent. Cela ne
leur sied-il pas mieux que d'entrer dans les gabelles[1] ?
je ne dis pas à chacun en particulier, leurs vœux s'y
opposent, je dis même à la communauté. (ÉD. 5.)

Je le déclare nettement, afin que l'on s'y prépare et 14.
que personne un jour n'en soit surpris : s'il arrive jamais
que quelque grand me trouve digne de ses soins, si je
fais enfin une belle fortune, il y a un Geoffroy de la
Bruyère, que toutes les chroniques[2] rangent au nombre
des plus grands seigneurs de France qui suivirent GODE-
FROY DE BOUILLON à la conquête de la Terre-Sainte : voilà
alors de qui je descends en ligne directe[3]. (ÉD. 5.)

Si la noblesse est vertu, elle se perd par tout ce qui 15.
n'est pas vertueux ; et si elle n'est pas vertu, c'est peu de
chose.

Il y a des choses qui, ramenées à leurs principes et à 16.
leur première institution, sont étonnantes et incompré-

1. Ce mot est en italique dans les éditions 5 et 6. — Des clefs
imprimées nomment en regard de ce caractère les Jésuites, à côté des
Célestins ; une clef manuscrite place, on ne sait pourquoi, leur nom
en face du mot *gabelle*.

2. VAR. (édit. 5) : Je le déclare nettement, dit ***, afin que l'on
s'y prépare, et que personne un jour n'en soit surpris. Si je fais
jamais une belle fortune, il y a un Geoffroy D*** que toutes les
chroniques, etc.

3. Ce Geoffroy de la Bruyère n'est pas de l'invention de notre
auteur. Un Geoffroy de la Bruyère (*Gaufridus de la Bruiere*) prit part
à la troisième croisade, et mourut au siége de Saint-Jean d'Acre en
1191, où périt également Guillaume de la Rochefoucauld, vicomte de
Châtelleraut : en le mettant à la suite de Godefroy de Bouillon, la
Bruyère l'a donc fait vivre près d'un siècle trop tôt (*Chronica Rogeri de
Hovedene*, édit. Stubbs, tome III, Londres, 1870, in-8°, p. 89 et *Gesta
regis Henrici secundi Benedicti abbatis*, édit. Stubbs, tome II, Londres,
1867, in-8°, p. 149, ou *Recueil des Historiens des Gaules*, tome
XVII, p. 512.

hensibles. Qui peut concevoir en effet que certains abbés, à qui il ne manque rien de l'ajustement, de la
mollesse et de la vanité des sexes et des conditions, qui
entrent auprès des femmes en concurrence avec le marquis et le financier, et qui l'emportent sur tous les deux,
qu'eux-mêmes soient originairement et dans l'étymologie de leur nom[1] les pères et les chefs de saints moines et d'humbles solitaires, et qu'ils en devroient être
l'exemple? Quelle force, quel empire, quelle tyrannie
de l'usage! Et sans parler de plus grands désordres, ne
doit-on pas craindre de voir un jour un jeune abbé[2] en
velours gris et à ramages comme une éminence, ou avec
des mouches et du rouge comme une femme? (ÉD. 4.)

17.   Que les saletés des Dieux, la Vénus, le Ganymède et
les autres nudités du Carrache aient été faites pour des
princes de l'Église, et qui se disent successeurs des Apôtres, le palais Farnèse[3] en est la preuve[4].

1. Étymologie : « du latin *abbas, abbatem* venu par le grec du
syriaque *abba*, père ». (Hatzfeld et Darmesteter, *Dictionnaire général
de la langue française*.)

2. VAR. (édit. 4-8) : un simple abbé.

3. VAR. (édit. 1 et 2ᴬ) : pour les princes de l'Église et les successeurs des Apôtres, le palais Farnèse en est la preuve ; — (édit. 2ᴮ-4) :
pour des princes de l'Église, le palais Farnèse en est la preuve.

4. Le palais Farnèse, que fit construire Alexandre Farnèse, et qui,
commencé alors qu'Alexandre Farnèse n'était que cardinal, ne fut
achevé qu'après son avènement au siége pontifical sous le nom de
Paul III, contient une galerie dont le plafond a été peint par Annibal
Carrache, aidé de son frère Augustin, du Dominiquin et de quelques
autres de ses élèves. Au milieu de la voûte est représenté le triomphe
de Bacchus et d'Ariane, dont les chars sont précédés de faunes, de
satyres et de bacchantes. Autour de cette composition, l'Aurore en-
levant Céphale ; Galatée plusieurs fois reproduite, ici parcourant la
mer et entourée de nymphes et d'Amours, là écoutant Polyphème,
ailleurs fuyant avec Acis ; puis Jupiter recevant Junon dans son lit
nuptial ; Diane caressant Endymion ; Hercule et Iole ; Anchise et Vé-

Les belles choses le sont moins hors de leur place; les 18.
bienséances mettent la perfection, et la raison met les
bienséances. Ainsi l'on n'entend point une gigue[1] à la
chapelle, ni dans un sermon des tons de théâtre ; l'on
ne voit point d'images profanes[2] dans les temples, un
CHRIST par exemple et le Jugement de Pâris dans le
même sanctuaire[3], ni à des personnes consacrées à
l'Église le train et l'équipage d'un cavalier.

Déclarerai-je donc ce que je pense de ce qu'on appelle 19.
dans le monde un beau salut, la décoration souvent profane, les places retenues et payées, des livres distribués
comme au théâtre[4], les entrevues et les rendez-vous

---

nus ; Ganymède enlevé par Jupiter, etc. — Voyez le *Guide en Italie*
de M. P. Joanne, p. 35o.

1. Ce mot est en italique dans les éditions 5 et 6. — La *chapelle*
est la chapelle du Roi.

2. Tapisseries. (*Note de la Bruyère.* — « Des tapisseries, » dans les
éditions 2-4.)

3. « Un Christ par exemple.... dans le même sanctuaire, » membre de phrase ajouté dans la 5e édition. — Les mots « Jugement de
Pâris » sont en italique dans les éditions 5 et 6.

4. Le motet traduit en vers françois par L. L**. (*Note de la
Bruyère.*) — « Ces initiales désignent Lorenzani, cité en toutes lettres
au chapitre *de la Mode* » (voyez ci-dessus, p. 161, n° 28) : telle est
l'interprétation qu'ont acceptée tous les éditeurs modernes, induits en
erreur par le souvenir de cette phrase de la Bruyère : « Lorenzani
fait de beaux motets, » et de plus par l'annotation des *Clefs* que
nous reproduisons dans la note 1 de la page 172. Le nom de Lorenzani cependant, qui ne contient qu'une syllabe commençant par L,
ne peut répondre aux initiales L. L. Supposera-t-on que la première
initiale soit celle d'un prénom, contrairement aux habitudes de la
Bruyère, qui emprunte toujours aux syllabes d'un même nom les
initiales qu'il imprime ? Il faudrait encore écarter Lorenzani, car
son prénom était *Paolo :* voyez le *Mercure galant* de mai 1679, p. 268.
Si les deux initiales indiquaient le nom d'un compositeur de musique,
ce pourrait être celui de Lalande, qui composa les plus célèbres
motets de cette époque ; mais il s'agit ici d'un littérateur et non d'un

fréquents, le murmure et les causeries étourdissantes, quelqu'un monté sur une tribune qui y parle familièrement, sèchement, et sans autre zèle que de rassembler le peuple, l'amuser, jusqu'à ce qu'un orchestre, le dirai-je? et des voix qui concertent depuis longtemps se fassent entendre? Est-ce à moi à m'écrier que le zèle de la maison du Seigneur me consume, et à tirer le voile léger qui couvre les mystères, témoins d'une telle indécence? Quoi? parce qu'on ne danse pas encore aux TT**, me forcera-t-on d'appeler tout ce spectacle office d'Église[1]? (ÉD. 8.)

20.   L'on ne voit point faire de vœux ni de pélerinages pour obtenir d'un saint d'avoir l'esprit plus doux[2], l'âme plus reconnoissante, d'être plus équitable et moins malfaisant, d'être guéri de la vanité, de l'inquiétude[3] et de la mauvaise raillerie.

21.   Quelle idée plus bizarre que de se représenter une

musicien. Le poëte L. L** était au surplus un personnage bien peu connu de ses contemporains, car son nom a échappé aux auteurs des annotations manuscrites que nous avons vues sur les exemplaires du dix-septième siècle, aussi bien qu'aux auteurs des clefs imprimées.

1. « Allusion aux saluts des PP. Théatins, composés par Lorenzani, Italien, qui a été depuis maître de musique du pape Innocent XII. » (*Clefs diverses.*) — La Bruyère a décrit fidèlement les saluts que les Théatins donnèrent au cours de l'automne 1685 et qui depuis longtemps, sur les remontrances de Seignelay, avaient pris fin lorsque fut publiée la réflexion 19, ainsi qu'on peut le voir ci-après dans l'*Appendice*, p. 382. Ces sortes de représentations théâtrales étaient annoncées à l'avance par des affiches, et l'on y payait sa chaise dix sous. Quant à la distribution de livrets, faite à l'imitation de la distribution ou plutôt de la vente des livrets de ballets et de tragédie dans les théâtres, la Bruyère seul l'a notée.

2. VAR. (édit. 1 et 2ᴬ) : d'avoir l'esprit plus juste.

3. VAR. (édit. 1 et 2ᴬ) : de l'inquiétude d'esprit.

foule de chrétiens de l'un et de l'autre sexe, qui se ras-
semblent à certains jours dans une salle pour y applaudir à une troupe d'excommuniés, qui ne le sont que
par le plaisir qu'ils leur donnent, et qui est déjà payé
d'avance[1]? Il me semble qu'il faudroit ou fermer les
théâtres, ou prononcer moins sévèrement sur l'état des
comédiens.

Dans ces jours qu'on appelle saints le moine confesse,   22.
pendant que le curé tonne en chaire contre le moine et
ses adhérents[2]; telle femme pieuse sort de l'autel, qui
entend au prône[3] qu'elle vient de faire un sacrilège. N'y
a-t-il point dans l'Église une puissance à qui il appar-
tienne ou de faire taire le pasteur, ou de suspendre pour
un temps le pouvoir du *barnabite?*

Il y a plus de rétribution dans les paroisses pour un   23.
mariage que pour un baptême, et plus pour un baptême
que pour la confession : l'on diroit que ce soit un taux
sur les sacrements, qui semblent par là être appréciés.
Ce n'est rien au fond que cet usage ; et ceux qui reçoivent pour les choses saintes ne croient point les
vendre, comme ceux qui donnent ne pensent point à les
acheter : ce sont peut-être des apparences qu'on pourroit
épargner aux simples et aux indévots[4].

Un pasteur frais et en parfaite santé, en linge fin et en   24.

1. Var. (édit. 1 et 2ᴬ) : et dont ils sont déjà payés d'avance.
2. Dans les éditions anciennes le mot est écrit comme un participe : *adhérans.*
3. Var. (édit. 1-3) : qui apprend au prône.
4. Var. (édit. 1-3) : ce sont peut-être de mauvaises apparences,
et qui choquent quelques esprits.

point de Venise, a sa place dans l'œuvre auprès les[1] pour-
pres et les fourrures[2] ; il y achève sa digestion, pendant
que le Feuillant ou le Récollet quitte sa cellule et son
désert, où il est lié par ses vœux et par la bienséance,
pour venir le prêcher, lui et ses ouailles, et en recevoir
le salaire, comme d'une pièce d'étoffe. Vous m'interrom-
pez, et vous dites : « Quelle censure ! et combien elle est
nouvelle et peu attendue ! Ne voudriez-vous point inter-
dire à ce pasteur et à son troupeau la parole divine et le
pain de l'Évangile ? » — Au contraire, je voudrois qu'il
le distribuât lui-même le matin, le soir, dans les temples,
dans les maisons, dans les places, sur les toits, et que
nul ne prétendît à un emploi si grand, si laborieux,
qu'avec des intentions, des talents et des poumons capables de lui mériter les belles offrandes et les riches rétributions qui y sont attachées[3]. Je suis forcé, il est vrai,
d'excuser un curé sur cette conduite par un usage reçu,
qu'il trouve établi, et qu'il laissera à son successeur ;
mais c'est cet usage bizarre et dénué de fondement[4] et
d'apparence que je ne puis approuver, et que je goûte

1. *Auprès les* est le texte de toutes les anciennes éditions. Voyez
le *Lexique*.

2. C'est-à-dire : a sa place dans le banc-d'œuvre auprès des car-
dinaux et des docteurs. — Voyez ci-dessus, p. 62, note 1, la définition du mot *fourrure*.

3. Fénelon a exprimé la même pensée dans ses *Dialogues sur
l'Éloquence de la chaire*, publiés en 1712 (tome XXI des *OEuvres*,
p. 98 et 99) : « Il seroit à souhaiter, écrit-il dans le IIIe *dialogue*,
qu'il n'y eût communément que les pasteurs qui donnassent la pâture
aux troupeaux, selon leurs besoins. Pour cela, il ne faudroit d'ordinaire choisir pour pasteurs que des prêtres qui eussent le don de la
parole. Il arrive au contraire deux maux : l'un, que les pasteurs
muets, ou qui parlent sans talent, sont peu estimés ; l'autre, que la
fonction de prédicateur volontaire attire dans cet emploi je ne sais
combien d'esprits vains et ambitieux. »

4. Var. (édit. 6) : mais c'est cet usage bizarre, dénué de fondement, etc.

encore moins que celui de se faire payer quatre fois des
mêmes obsèques, pour soi, pour ses droits, pour sa présence, pour son assistance. (ÉD. 6.)

Tite, par vingt années de service dans une seconde 25.
place, n'est pas encore digne de la première, qui est vacante : ni ses talents, ni sa doctrine, ni une vie exemplaire, ni les vœux des paroissiens ne sauroient l'y faire
asseoir. Il naît de dessous terre un autre clerc[1] pour la
remplir. Tite est reculé ou congédié : il ne se plaint pas ;
c'est l'usage. (ÉD. 4.)

« Moi, dit cheffecier[2], je suis maître du chœur ; qui 26

1. Ecclésiastique. (*Note de la Bruyère.*) — C'était l'acception la
plus ancienne et la plus ordinaire du mot *clerc,* et d'ailleurs les mots :
« le vœu des paroissiens, » indiquaient déjà qu'il s'agissait d'un
membre du clergé.

2. Le *Dictionnaire* de Furetière (1690) et le *Dictionnaire de l'Académie* (1694) donnent à ce mot sa forme moderne, *chevecier ;* mais
Richelet (1680) écrit *chefecier,* et c'est sous cette forme (avec *f* re-
doublé, *cheffecier*) que le mot se présente dans toutes les éditions des
Caractères, du dix-septième siècle. Les fonctions du chevecier ont
été diversement définies : les uns en font le premier du chapitre
dans quelques églises collégiales, c'est-à-dire celui qu'on nomme
ailleurs le prévôt ; d'autres le trésorier du chapitre, c'est-à-dire le
chanoine qui a la garde des reliques ; d'autres enfin une sorte de
sacristain chargé du soin des ornements et du luminaire. Le chevecier de la Bruyère n'est ni le prévôt ni le trésorier, que l'un et
l'autre il nomme plus loin, ni un simple sacristain, car il est chanoine, comme tous les personnages de cette scène ; le chevecier, dit
la Bruyère, est le « maître du chœur : » est-ce à dire que le chevecier dont il s'agit a le soin des objets placés dans le chœur, comme à
l'origine il avait celui de tout ce qui était au chevet de l'église ? ce
serait détourner de son sens habituel l'expression : *maître du chœur.*
Si la Bruyère lui conserve la signification qu'elle avait d'ordinaire,
le chevecier est ici le dignitaire qui partout ailleurs est appelé le
chantre, et dont le *Dictionnaire de Trévoux* donne la définition suivante : « Il porte la chape et le bâton dans les fêtes solennelles,

me forcera d'aller à matines? mon prédécesseur n'y alloit point: suis-je de pire condition? dois-je laisser avilir
ma dignité entre mes mains, ou la laisser telle que je l'ai
reçue? » — « Ce n'est point, dit l'écolâtre[1], mon intérêt
qui me mène, mais celui de la prébende: il seroit bien
dur qu'un grand chanoine fût sujet au chœur, pendant
que le trésorier, l'archidiacre, le pénitencier et le grand
vicaire[2] s'en croient exempts. » — « Je suis bien fondé,
dit le prévôt, à demander la rétribution sans me trouver à l'office: il y a vingt années entières que je suis en
possession de dormir les nuits; je veux finir comme j'ai
commencé, et l'on ne me verra point déroger à mon
titre: que me serviroit d'être à la tête d'un chapitre?
mon exemple ne tire point à conséquence. » Enfin c'est
entre eux tous à qui ne louera point Dieu, à qui fera

et donne le ton aux autres en commençant les psaumes et les an-
tiennes. Le chantre porte dans ses armoiries un bâton de chœur
derrière l'écu, pour marque de sa dignité. »

1. L'écolâtre jouissait d'une prébende qui avait été originairement
affectée au salaire d'un chanoine chargé d'un enseignement public
et gratuit; mais il n'avait plus d'autres fonctions, au dix-septième
siècle, que de surveiller les écoles.

2. On confond souvent aujourd'hui les titres d'*archidiacre* et de
grand vicaire; mais leurs fonctions étaient distinctes jadis, et celles du
grand vicaire plus étendues que celles de l'archidiacre, qui se renfer-
maient dans les limites de l'un des archidiaconats de l'évêché. L'archidiacre, est-il dit dans le *Dictionnaire de Trévoux* à la fin de l'énumération des pouvoirs qu'avait eus ce dignitaire au moyen âge et
qu'il avait perdus, « faisoit la visite dans les paroisses du diocèse où
l'évêque l'envoyoit; et c'est maintenant la seule fonction qui lui
reste. Il n'a qu'une juridiction momentanée et passagère, et un droit
de correction légère en faisant sa visite. On a transporté à l'official
toute la juridiction contentieuse. » Il y avait plusieurs archidiacres
dans le chapitre d'une église cathédrale; l'évêque n'y nommait d'ordinaire que deux grands vicaires, qui étaient chargés de l'assister
dans ses visites, et de l'aider dans le règlement des affaires du diocèse. — Quant au pénitencier, il avait la mission d'entendre les con-
fessions et le pouvoir d'absoudre dans les cas réservés à l'évêque.

voir par un long usage qu'il n'est point obligé de le
faire[1] : l'émulation de ne se point rendre aux offices di-
vins ne sauroit être plus vive ni plus ardente[2]. Les clo-
ches sonnent dans une nuit tranquille ; et leur mélodie,
qui réveille les chantres et les enfants de chœur, endort
les chanoines, les plonge dans un sommeil doux et facile,
et qui ne leur procure que de beaux songes : ils se lèvent
tard, et vont à l'église se faire payer d'avoir dormi[3].
(ÉD. 5.)

1. Var. (édit. 5) : qu'il n'y est pas obligé.

2. Parmi les doux plaisirs d'une paix fraternelle,
   Paris voyoit fleurir son antique chapelle :
   Ses chanoines vermeils et brillants de santé
   S'engraissoient d'une longue et sainte oisiveté.
   Sans sortir de leurs lits, plus doux que leurs hermines,
   Ces pieux fainéants faisoient chanter matines,
   Veilloient à bien dîner, et laissoient en leur lieu
   A des chantres gagés le soin de louer Dieu.
                    (Boileau, le Lutrin, chant I, vers 17-24.)

Et encore « le vigilant Girot, » dans le chant IV, s'adressant au
chantre (vers 11-14) :

   Quel chagrin, lui dit-il, trouble votre sommeil ?
   Quoi ? voulez-vous au chœur prévenir le soleil ?
   Ah ! dormez ; et laissez à des chantres vulgaires
   Le soin d'aller sitôt mériter leurs salaires.

3. La justesse de ces derniers mots a été contestée à bon droit
par l'avocat Brillon dans les Sentimens critiques sur les Caractères
(p. 467 et 468) : « Les chanoines, dit-il, auroient trop d'avantage,
si avec celui de ne point aller à matines, ils étoient encore payés
d'avoir dormi. On sait qu'il y a deux choses dans les fruits d'un
bénéfice, le gros et les distributions manuelles : le gros est une certaine somme accordée au titulaire indépendamment de ses assis-
tances ; les distributions manuelles sont, pour ainsi parler, le droit
de présence à l'église. Or un chanoine qui ne va pas à matines n'a
pas l'honoraire dû à ceux qui y assistent ; il n'est donc pas payé
d'avoir dormi ; au contraire, son sommeil lui coûte, et il achète la
liberté de son repos pendant la nuit. » Reprenant pour son compte,
dans son Théophraste moderne (p. 312), la pensée de la Bruyère, et
la renfermant dans ses justes limites, Brillon l'a exprimée ainsi qu'il
suit : « Heure pénible que celle des matines ! Il ne tient pas aux

27.   Qui pourroit s'imaginer, si l'expérience ne nous le
mettoit devant les yeux, quelle peine ont les hommes à
se résoudre d'eux-mêmes à leur propre félicité, et qu'on
ait besoin de gens d'un certain habit, qui par un discours préparé, tendre et pathétique, par de certaines
inflexions de voix, par des larmes, par des mouvements
qui les mettent en sueur et qui les jettent dans l'épuise-
ment, fassent enfin consentir un homme chrétien et raisonnable, dont la maladie est sans ressource, à ne se
point perdre et à faire son salut? (ÉD. 4.)

28.   La fille d'*Aristippe* est malade et en péril; elle envoie
vers son père, veut se réconcilier avec lui et mourir dans
ses bonnes grâces. Cet homme si sage, le conseil de toute
une ville, fera-t-il de lui-même cette démarche si raisonnable? y entraînera-t-il sa femme? ne faudra-t-il point
pour les remuer tous deux la machine du directeur?
(ÉD. 4.)

29.   Une mère, je ne dis pas qui cède et qui se rend à la

> chanoines que l'usage n'en soit réformé. Les chantres y vont, et
> les chanoines gagnent en dormant le gros du bénéfice. » — Ce ca-
> ractère, suivant Walckenaer (p. 740) et d'autres annotateurs de la
> Bruyère, est évidemment dirigé contre des chanoines de la Sainte-
> Chapelle. Cette interprétation, inspirée par le souvenir du *Lutrin*
> de Boileau, est trop restreinte : la critique est générale et s'adresse à
> la plupart des chapitres de chanoines, ainsi que le montre bien l'en-
> semble du morceau. Il n'y a d'ailleurs de grand vicaire, d'archi-
> diacre et de pénitencier que dans un chapitre de cathédrale ; or le
> chapitre de la Sainte-Chapelle n'était pas le chapitre épiscopal de
> Paris. De plus, le trésorier, qui est ici un dignitaire du second ordre,
> inférieur à l'écolâtre, était le personnage le plus important de la
> Sainte-Chapelle : « Le trésorier, dit Boileau dans l'argument qu'il a
> mis en tête du chant I du *Lutrin*, remplit la première dignité du
> chapitre dont il est ici parlé, et il officie avec toutes les marques
> de l'épiscopat. »

vocation de sa fille, mais qui la fait religieuse, se charge
d'une âme avec la sienne, en répond à Dieu même, en est
la caution. Afin qu'une telle mère ne se perde pas, il faut
que sa fille se sauve. (ÉD. 5.)

Un homme joue et se ruine : il marie néanmoins l'aî- 30.
née de ses deux filles de ce qu'il a pu sauver des mains
d'un *Ambreville*[1] ; la cadette est sur le point de faire ses
vœux, qui n'a point d'autre vocation que le jeu de son
père. (ÉD. 6.)

Il s'est trouvé des filles qui avoient de la vertu, de 31.
la santé, de la ferveur et une bonne vocation, mais qui
n'étoient pas assez riches pour faire dans une riche abbaye vœu de pauvreté[2]. (ÉD. 4.)

Celle qui délibère sur le choix d'une abbaye ou d'un 32.

1. L'expression *un Ambreville* signifie sans doute un fripon. —
Ambreville, dont le nom est écrit *Ambleville* dans la 6ᵉ édition et
dans le *Journal* de Dangeau (tome I, p. 362), était un célèbre chef
de « bohémiens, » c'est-à-dire de vagabonds et d'aventuriers, qui,
gracié « pour plusieurs crimes, » fut brûlé en 1686 « pour avoir
dit des impiétés abominables, » écrit Dangeau.

2. On lit dans le *Menagiana* (tome I, p. 182), au sujet de Camus,
évêque de Belley : « Ce fut lui qui prêchant un jour à Notre-Dame,
dit avant que de commencer son sermon : « Messieurs, on recom-
« mande à vos charités une jeune demoiselle qui n'a pas assez de
« bien pour faire vœu de pauvreté. » — « Cela est très spirituelle-
ment dit, ajoute la Monnoie dans ses annotations du *Menagiana* ;
mais qui l'a dit le premier ? Je croirois que ce seroit Mateo Aleman,
auteur de *Gusman d'Alfarache*, imprimé pour la première fois en 1600
(*lisez* : 1599). Le comédien Poisson a employé la même pensée en vers
dans la 4ᵉ stance de sa *Quête pour faire ses quatre filles religieuses :*

> .... Voyons donc ce que j'en dois faire.
> Guimpons-les, c'est le mieux, elles le veulent bien.
> Mais on ne fait pas vœu de pauvreté pour rien.
> Hé bien ! quêtons. La cour nous tirera d'affaire. »

simple monastère pour s'y enfermer[1] agite l'ancienne
question de l'état populaire et du despotique[2]. (ÉD. 4.)

33.   Faire une folie et se marier *par amourette,* c'est épouser *Mélite,* qui est jeune, belle, sage, économe, qui plaît,
qui vous aime, qui a moins de bien qu'*Ægine* qu'on vous
propose, et qui avec une riche dot apporte de riches dispositions à la consumer, et tout votre fonds[3] avec sa dot.
(ÉD. 4.)

34.   Il étoit délicat autrefois de se marier ; c'étoit un long
établissement, une affaire sérieuse, et qui méritoit qu'on
y pensât ; l'on étoit pendant toute sa vie le mari de sa
femme, bonne ou mauvaise : même table, même demeure, même lit ; l'on n'en étoit point quitte pour une
pension ; avec des enfants et un ménage complet, l'on
n'avoit pas les apparences et les délices du célibat.

35.   Qu'on évite d'être vu seul avec une femme qui n'est
point la sienne, voilà une pudeur qui est bien placée :
qu'on sente quelque peine à se trouver dans le monde
avec des personnes dont la réputation est attaquée, cela
n'est pas incompréhensible. Mais quelle mauvaise honte
fait rougir un homme de sa propre femme, et l'empêche
de paroître dans le public avec celle qu'il s'est choisie
pour sa compagne inséparable, qui doit faire sa joie, ses

1. VAR. (édit. 4-8) : pour s'y renfermer.
2. Aux abbayes où les abbesses étaient à la nomination du Roi
(et il y en avait environ deux cents) la Bruyère oppose les « simples » couvents où les religieuses élisaient leurs supérieures : telle
nous paraît être du moins sa pensée ; mais la distinction qu'il établit
entre les *abbayes* et les *simples monastères* nous semble manquer de
précision.
3. Ce mot est imprimé *fond* dans les éditions du dix-septième
siècle.

délices et toute sa société ; avec celle qu'il aime et qu'il
estime, qui est son ornement, dont l'esprit, le mérite, la
vertu, l'alliance lui font honneur ? Que ne commence-t-il
par rougir de son mariage ? (ÉD. 5.)

Je connois la force de la coutume, et jusqu'où elle
maîtrise les esprits et contraint les mœurs, dans les choses même les plus dénuées de raison et de fondement ;
je sens néanmoins que j'aurois l'impudence de me promener au Cours, et d'y passer en revue avec une personne qui seroit ma femme. (ÉD. 5.)

Ce n'est pas une honte ni une faute à un jeune homme 36.
que d'épouser une femme avancée en âge ; c'est quelquefois prudence, c'est précaution. L'infamie est de se jouer
de sa bienfactrice [1] par des traitements indignes, et qui
lui découvrent qu'elle est la dupe d'un hypocrite et d'un
ingrat. Si la fiction est excusable, c'est où il faut feindre
de l'amitié ; s'il est permis de tromper, c'est dans une
occasion où il y auroit de la dureté à être sincère. — Mais
elle vit longtemps. — Aviez-vous stipulé qu'elle mourût
après avoir signé votre fortune et l'acquit de toutes vos
dettes ? N'a-t-elle plus après ce grand ouvrage qu'à retenir son haleine, qu'à prendre de l'opium ou de la ci-
guë ? A-t-elle tort de vivre ? Si même vous mourez avant
celle dont vous aviez déjà réglé les funérailles, à qui
vous destiniez la grosse sonnerie et les beaux ornements,
en est-elle responsable ? (ÉD. 5.)

Il y a depuis longtemps dans le monde une manière 37.
de faire valoir son bien [2], qui continue toujours d'être

---

1. Voyez au tome II, p. 92, note 5.
2. Billets et obligations. (*Note de la Bruyère.*) — Au moyen âge,
le droit ecclésiastique et le droit civil défendaient le prêt à intérêt.
Cette interdiction, chaque jour violée, n'avait qu'en partie disparu

pratiquée par d'honnêtes gens, et d'être condamnée par
d'habiles docteurs.

38.   On a toujours vu dans la république de certaines charges qui semblent n'avoir été imaginées la première fois
que pour enrichir un seul aux dépens de plusieurs ; les
fonds ou l'argent des particuliers y coule[1] sans fin et sans
interruption[2]. Dirai-je qu'il n'en revient plus, ou qu'il
n'en revient que tard ? C'est un gouffre, c'est une mer
qui reçoit les eaux des fleuves, et qui ne les rend pas ;
ou si elle les rend, c'est par des conduits secrets et sou-
terrains, sans qu'il y paroisse, ou qu'elle en soit moins
grosse et moins enflée ; ce n'est qu'après en avoir joui
longtemps, et qu'elle ne peut plus les retenir. (ÉD. 4.)

39.   Le fonds perdu, autrefois si sûr, si religieux et si in-
violable, est devenu avec le temps, et par les soins de

du temps de la Bruyère. Il n'était pas permis, quoiqu'on le fît à
chaque instant, de tirer intérêt d'une somme prêtée sur *billet* ou sur
obligation[*] ; l'intérêt n'était licite que dans les cas où, par un contrat de constitution de rente, on abandonnait le capital à l'emprun-
teur jusqu'à ce qu'il lui plût de le rendre.

1. *Coule* est au singulier dans toutes les anciennes éditions.

2. Greffe, consignation. (*Note de la Bruyère.*) — Cette annotation, qui ne parut que dans la 9e édition, était devenue nécessaire
pour remettre sur la voie les commentateurs qui avaient fait fausse
route. Le passage contenait une allusion, prétendaient-ils, soit au
surintendant des finances, soit au receveur des confiscations. Mais
pourquoi la Bruyère eût-il parlé de la surintendance des finances ?
Il n'y avait plus de surintendant depuis la chute de Foucquet. D'un
autre côté, comment cette réflexion eût-elle pu s'appliquer aux rece-
veurs des confiscations ? ne refusaient-ils pas à bon droit de rendre
aux particuliers l'argent qu'ils avaient légalement confisqué ? Vis-à-
vis des greffiers, qui ne devaient retenir les sommes provisoirement
déposées entre leurs mains que jusqu'à la solution d'un procès, la
plainte de la Bruyère était au contraire fort légitime.

* Le *billet* est un acte d'écriture privé ; l'*obligation* un acte public.

ceux qui en étoient chargés, un bien perdu[1]. Quel autre
secret de doubler mes revenus et de thésauriser ? Entre-
rai-je dans le huitième denier, ou dans les aides[2] ? Serai-je avare, partisan, ou administrateur[3] ? (ÉD. 6.)

Vous avez une pièce d'argent, ou même une pièce 40.
d'or ; ce n'est pas assez, c'est le nombre qui opère :
faites-en, si vous pouvez, un amas considérable et qui
s'élève en pyramide, et je me charge du reste. Vous
n'avez ni naissance, ni esprit, ni talents, ni expérience,
qu'importe ? ne diminuez rien de votre monceau, et je
vous placerai si haut que vous vous couvrirez devant
votre maître, si vous en avez ; il sera même fort éminent, si avec votre métal, qui de jour à autre se multiplie, je ne fais en sorte qu'il se découvre devant vous[4].
(ÉD. 7.)

Orante plaide depuis dix ans entiers en règlement de 41.
juges pour une affaire juste, capitale, et où il y va de
toute sa fortune : elle saura peut-être dans cinq années
quels seront ses juges, et dans quel tribunal elle doit
plaider le reste de sa vie. (ÉD. 4.)

1. « Allusion à la banqueroute faite par les hôpitaux de Paris et les
Incurables, en 1689. Elle a fait perdre aux particuliers qui avoient
des deniers à fonds perdu sur les hôpitaux la plus grande partie de
leurs biens : ce qui arriva par la friponnerie de quelques administrateurs que l'on chassa. » (*Clefs.*) — Le fonds perdu est une somme
d'argent dont on abandonne le capital, moyennant une rente viagère.

2. C'est-à-dire, dans la ferme du *huitième denier* ou dans celle des
aides : sur le *huitième denier*, voyez tome II, p. 162, note 1. Les *aides*
étaient des impôts indirects qui portaient principalement sur les
boissons.

3. C'est-à-dire administrateur d'un hôpital.

4. Boileau exprime la même pensée dans la *satire* VIII, vers 179-
210.

42.   L'on applaudit à la coutume qui s'est introduite dans
les tribunaux d'interrompre les avocats au milieu de leur
action, de les empêcher d'être éloquents et d'avoir de
l'esprit, de les ramener au fait et aux preuves toutes
sèches qui établissent leurs causes et le droit de leurs
parties[1]; et cette pratique si sévère, qui laisse aux orateurs le regret de n'avoir pas prononcé les plus beaux
traits de leurs discours, qui bannit l'éloquence du seul

---

1. Cette coutume s'introduisit, suivant les *Clefs,* sous le premier
président de Novion. Nicolas Potier de Novion, nommé premier
président du Parlement en 1677, fut obligé de se démettre de ses fonctions, par suite d'abus d'autorité et de malversations, au mois de septembre 1689, c'est-à-dire plusieurs mois après la publication de la
4ᵉ édition, la première qui contienne cet alinéa. Le passage suivant
du *Théophraste moderne,* où l'avocat Brillon a paraphrasé la remarque
de la Bruyère, montre que la retraite du premier président de Novion n'avait pas mis fin à la « coutume » qu'il avait introduite, et
qu'elle subsistait encore en 1700, bien que menacée de disparaître :

« L'éloquence fastueuse est enfin bannie du barreau ; elle est ren-
trée dans la chaire où elle n'auroit jamais dû se produire.

« Les choses extraordinaires arrivées dans ce siècle rappelleront,
comme on le craint, cette éloquence autrefois signalée dans les moindres occasions. La curiosité publique force les avocats de s'attacher
aux beaux discours. Un homme qu'on croit assassiné se représente et
confond les imposteurs, qui s'acharnent à lui persuader que lui-
même en est un ; trois femmes réclament un même mari ; deux
familles s'empressent à reconnoître le cadavre d'un homme que de
part et d'autre l'on souhaite mort : ces questions n'admettent point
la simplicité des causes ordinaires ; chacun s'attend à de grands et
magnifiques récits ; le barreau devient un auditoire célèbre, où les
chaises se donnent à l'argent, et les places à la recommandation. Ce
concours impose la nécessité de se montrer orateur. Quatre audiences
termineroient une affaire importante ; les juges seroient instruits, les
clients satisfaits : pour donner quelque chose à l'admiration, le détail est prolongé. Donc, donc, je le repète, on ne fera jamais mieux
que de supprimer, en faveur de l'expédition, ces lourds plaidoyers
qui la retardent.

« Pour l'intérêt des clients, le patron (*l'avocat*) devroit renoncer à
sa propre gloire ; mais il se rachètera toujours des courts plaidoyers
par de longues écritures. » (*Théophraste moderne,* p. 411 et 412.)

endroit où elle est en sa place, et va faire du Parlement une muette juridiction, on l'autorise par une raison solide et sans réplique, qui est celle de l'expédition : il est seulement à desirer qu'elle fût moins oubliée en toute autre rencontre, qu'elle réglât au contraire les bureaux comme les audiences, et qu'on cherchât une fin aux écritures [1], comme on a fait aux plaidoyers. (ÉD. 4.)

Le devoir des juges est de rendre la justice ; leur métier, de la différer. Quelques-uns savent leur devoir, et font leur métier. 43.

Celui qui sollicite son juge ne lui fait pas honneur ; car ou il se défie de ses lumières et même de sa probité, ou il cherche à le prévenir, ou il lui demande une injustice [2]. 44.

Il se trouve des juges auprès de qui la faveur, l'autorité, les droits de l'amitié et de l'alliance nuisent à une bonne cause, et qu'une trop grande affectation de passer pour incorruptibles expose à être injustes [3]. (ÉD. 4.) 45.

1. Procès par écrit. (*Note de la Bruyère*.)
2.   PHILINTE.
   Mais qui voulez-vous donc qui pour vous sollicite ?
                          ALCESTE.
   Qui je veux ? La raison, mon bon droit, l'équité.
       (Molière, *le Misanthrope*, acte I, scène 1, vers 186 et 187.)
3. « J'ai vu de ces faux justes deçà et delà les monts. J'en ai vu qui pour faire admirer leur intégrité, et pour obliger le monde de dire que la faveur ne peut rien sur eux, prenoient l'intérêt d'un étranger contre celui d'un parent ou d'un ami, encore que la raison fût du côté du parent ou de l'ami. Ils étoient ravis de faire perdre la cause qui leur avoit été recommandée par leur neveu ou par leur cousin germain, et le plus mauvais office qui se pouvoit rendre à une bonne affaire étoit une semblable recommandation. » (Balzac, *Aristippe, ou de la Cour*, vie discours, tome II des Œuvres, p. 177, Paris, 1665.)
— « Notre propre intérêt est encore un merveilleux instrument pour

46.   Le magistrat coquet ou galant est pire dans les conséquences que le dissolu : celui-ci cache son commerce et
ses liaisons, et l'on ne sait souvent par où aller jusqu'à
lui ; celui-là est ouvert par mille foibles qui sont connus,
et l'on y arrive par toutes les femmes à qui il veut plaire.
(ÉD. 4.)

47.   Il s'en faut peu que la religion et la justice n'aillent de
pair dans la république, et que la magistrature ne consacre les hommes comme la prêtrise. L'homme de robe
ne sauroit guère danser au bal, paroître aux théâtres,
renoncer aux habits simples et modestes, sans consentir
à son propre avilissement ; et il est étrange qu'il ait fallu
une loi pour régler son extérieur, et le contraindre ainsi
à être grave et plus respecté[1]. (ÉD. 4.)

48.   Il n'y a aucun métier qui n'ait son apprentissage, et
en montant des moindres conditions jusques aux plus
grandes, on remarque dans toutes un temps de pratique
et d'exercice qui prépare aux emplois, où les fautes sont
sans conséquence, et mènent au contraire à la perfection. La guerre même, qui ne semble naître et durer que
par la confusion et le désordre, a ses préceptes ; on ne se
massacre pas par pelotons et par troupes en rase cam-

---

nous crever les yeux agréablement. Il n'est pas permis au plus équitable homme du monde d'être juge en sa cause : j'en sais qui pour
ne pas tomber dans cet amour-propre, ont été les plus injustes du
monde à contre-biais. Le moyen sûr de perdre une affaire toute
juste étoit de la leur faire recommander par leurs proches parents. »
(Pascal, *Pensées*, article III, 3.)

    1. « Il y a un arrêt du Conseil qui oblige les conseillers à être
en rabat. Avant ce temps-là ils étoient presque toujours en cravate.
Cet arrêt fut rendu à la requête de M. du Harlay, alors procureur
général. » (*Clefs.*) — Cette note fait allusion à un édit de 1684 dont
nous avons déjà parlé au tome II, p. 89, note 2.

pagne sans l'avoir appris, et l'on s'y tue méthodique-
ment. Il y a l'école de la guerre : où est l'école du magistrat ? Il y a un usage, des lois, des coutumes : où est le
temps, et le temps assez long que l'on emploie à les digérer et à s'en instruire ? L'essai et l'apprentissage d'un
jeune adolescent qui passe de la férule à la pourpre,
et dont la consignation a fait un juge, est de décider
souverainement des vies et des fortunes des hommes[1].
(ÉD. 4.)

La principale partie de l'orateur, c'est la probité : sans 49.
elle il dégénère en déclamateur, il déguise ou il exagère les faits, il cite faux, il calomnie, il épouse la passion et les haines de ceux pour qui il parle ; et il est de la
classe de ces avocats dont le proverbe dit qu'ils sont
payés pour dire des injures. (ÉD. 4.)

« Il est vrai, dit-on, cette somme lui est due, et ce droit 50.
lui est acquis. Mais je l'attends à cette petite formalité ;
s'il l'oublie, il n'y revient plus, et *conséquemment* il perd
sa somme, ou il est *incontestablement* déchu de son

---

1. « Il faut que je vous conte ce que c'est que ce premier président ;
vous croyez que c'est une barbe sale et un vieux fleuve comme votre
Ragusse ; point du tout : c'est un jeune homme de vingt-sept ans,
neveu de M. d'Harouys ; un petit de la Brunelaye fort joli, qui a été
élevé avec le petit de la Silleraye, que j'ai vu mille fois sans jamais
imaginer que ce pût être un magistrat ; cependant il l'est devenu par
son crédit, et moyennant quarante mille francs, il a acheté toute l'expérience nécessaire pour être à la tête d'une compagnie souveraine,
qui est la Chambre des comptes de Nantes ; il a de plus épousé une
fille que je connois fort, que j'ai vue cinq semaines tous les jours
aux États de Vitré ; de sorte que ce premier président et cette première présidente sont pour moi un petit jeune garçon que je ne
puis respecter, et une jeune petite demoiselle que je ne puis ho-
norer. » (*Mme de Sévigné*, lettre du 27 mai 1680, tome VI, p. 423
et 424.)

droit ; or il oubliera cette formalité. » Voilà ce que j'appelle une conscience de praticien. (ÉD. 5.)

Une belle maxime pour le palais, utile au public, remplie de raison, de sagesse et d'équité, ce seroit précisément la contradictoire de celle qui dit que la forme emporte le fond.

5i.   La question est une invention merveilleuse et tout à
fait sûre pour perdre un innocent qui a la complexion
foible, et sauver un coupable qui est né robuste [1]. (ÉD. 4.)

> 1. « C'est une dangereuse inuention que celle des gehennes, et
> semble que ce soit plustost un essay de patience que de verité. Et
> celuy qui les peult souffrir cache la vérité, et celuy qui ne les peult
> souffrir ; car pourquoy la douleur me fera elle plustost confesser ce
> qui en est, qu'elle ne me forcera de dire ce qui n'est pas ? Et au
> rebours, si celuy qui n'a pas fait ce de quoy on l'accuse, est assez
> patient pour supporter ces tormens, pourquoy ne le sera celuy qui
> l'a fait, un si beau guerdon que de la vie luy estant proposé ? Ie
> pense que le fondement de cette inuention vient de la considera-
> tion de l'effort de la conscience : car au coupable, il semble qu'elle
> ayde à la torture pour luy faire confesser sa faulte, et qu'elle l'affoi-
> blisse ; et de l'aultre part, qu'elle fortifie l'innocent contre la torture.
> Pour dire vray, c'est un moyen plein d'incertitude et de dangier
> que ne diroit on, que ne feroit on pour fuir à si griefues douleurs.
>
> *Etiam innocentes cogit mentiri dolor* * :
>
> d'où ils aduient que celuy que le iuge a gehenné, pour ne le faire
> mourir innocent, il le face mourir et innocent et gehenné. Mille et
> mille en ont chargé leur teste de fausses confessions.... Mais tant y a
> que c'est, dict on, le moins mal que l'humaine foiblesse aye peu
> inuenter : bien inhumainement pourtant, et bien inutilement, à mon
> aduis. » (*Montaigne,* livre II, chapitre v, tome II, p. 53 et 54.) —
> On retrouve la même condamnation de la torture dans *Don Quichotte*
> (voyez le chapitre xxii de la 1re partie). — Ménage, pour terminer
> par une citation empruntée à un contemporain de la Bruyère,
> s'exprimait dans les termes suivants sur la torture, si l'on en croit
> le *Menagiana* (tome II, p. 240) : « La question n'est pas un moyen

* *Sentences* de Publius Syrus.

Un coupable puni est un exemple pour la canaille ; un 52.
innocent condamné est l'affaire de tous les honnêtes
gens. (ÉD. 6.)

Je dirai presque de moi : « Je ne serai pas voleur ou
meurtrier. » — « Je ne serai pas un jour puni comme
tel, » c'est parler bien hardiment. (ÉD. 6.)

Une condition lamentable est celle d'un homme innocent à qui la précipitation et la procédure ont trouvé un
crime ; celle même de son juge peut-elle l'être davantage ? (ÉD. 6.)

Si l'on me racontoit qu'il s'est trouvé autrefois un pré- 53.
vôt, ou l'un de ces magistrats créés pour poursuivre les
voleurs et les exterminer, qui les connoissoit tous depuis
longtemps de nom et de visage, savoit leurs vols, j'entends l'espèce, le nombre et la quantité, pénétroit si
avant dans toutes ces profondeurs, et étoit si initié dans
tous ces affreux mystères qu'il sut[1] rendre à un homme
de crédit un bijou qu'on lui avoit pris dans la foule au
sortir d'une assemblée, et dont il étoit sur le point de
faire de l'éclat, que le Parlement intervint dans cette affaire, et fit le procès à cet officier : je regarderois cet

---

fort sûr pour tirer la vérité de la bouche des criminels. Ceux qui la
peuvent supporter, et ceux qni n'ont pas assez de force pour la
souffrir mentent également : *mentietur in tormentis qui ferre poterit,
mentietur qui ferre non poterit.* Cependant le coupable se sauve, et
l'innocent est condamné à mort. Cela est d'autant plus terrible, que
l'innocent passe pour un coupable dans le monde, parce que c'est
une maxime dans le cours de la justice, que ce qui est jugé passe
pour une vérité : *Res judicata pro veritate habetur.* »

1. Il y a *sût* (*sçût*), au subjonctif, dans toutes les anciennes éditions ; mais nous pensons que c'est une faute et que l'indicatif est ici
beaucoup mieux à sa place. D'ailleurs les verbes suivants : *intervint*
et *fit,* qui dépendent beaucoup plus naturellement de *si initiés,* que de
racontoit, sont sans accent, c'est-à-dire à l'indicatif, dans les impressions originales.

événement comme l'une de ces choses dont l'histoire se
charge, et à qui le temps ôte la croyance : comment donc
pourrois-je croire qu'on doive présumer par des faits
récents, connus et circonstanciés, qu'une connivence si
pernicieuse dure encore, qu'elle ait même tourné en jeu
et passé en coutume? (ÉD. 6.)

54. Combien d'hommes qui sont forts contre les foibles,
fermes et inflexibles aux sollicitations du simple peuple,
sans nuls égards pour les petits, rigides et sévères dans
les minuties, qui refusent les petits présents, qui n'écoutent ni leurs parents ni leurs amis, et que les femmes
seules peuvent corrompre! (ÉD. 4.)

55. Il n'est pas absolument impossible qu'une personne
qui se trouve dans une grande faveur perde un procès.

56. Les mourants qui parlent dans leurs testaments peuvent s'attendre à être écoutés comme des oracles ; chacun les tire de son côté et les interprète à sa manière, je
veux dire selon ses desirs ou ses intérêts. (ÉD. 5.)

57. Il est vrai qu'il y a des hommes dont on peut dire que
la mort fixe moins la dernière volonté qu'elle ne leur ôte
avec la vie l'irrésolution et l'inquiétude. Un dépit, pendant qu'ils vivent, les fait tester ; ils s'apaisent et déchirent leur minute, la voilà en cendre. Ils n'ont pas moins
de testaments dans leur cassette que d'almanachs sur
leur table ; ils les comptent par les années. Un second se
trouve détruit par un troisième, qui est anéanti lui-même
par un autre mieux digéré, et celui-ci encore par un cinquième *olographe*. Mais si le moment, ou la malice, ou
l'autorité manque à celui qui a intérêt de le supprimer, il
faut qu'il en essuie les clauses et les conditions ; car *ap-*

pert-il mieux des [1] dispositions des hommes les plus in-
constants que par un dernier acte, signé de leur main,
et après lequel ils n'ont pas du moins eu le loisir de vouloir tout le contraire ? (ÉD. 5.)

S'il n'y avoit point de testaments [2] pour régler le droit 58.
des héritiers, je ne sais si l'on auroit besoin de tribunaux
pour régler les différends des hommes : les juges seroient
presque réduits à la triste fonction d'envoyer au gibet
les voleurs et les incendiaires. Qui voit-on dans les lanternes des chambres [3], au parquet, à la porte ou dans la
salle du magistrat ? des héritiers *ab intestat* ? Non, les lois
ont pourvu à leurs partages. On y voit les testamentaires
qui plaident en explication d'une clause ou d'un article,
les personnes exhérédées, ceux qui se plaignent d'un testament fait avec loisir, avec maturité, par un homme
grave, habile, consciencieux, et qui a été aidé [4] d'un bon
conseil : d'un acte où le praticien n'a rien *obmis* [5] de son

1. *Il appert de,* Il y a manifestation de, preuve de..., infinitif *ap-
paroir,* être constaté ; terme de palais.

2. *Testament,* au singulier, dans la 5e édition. C'est bien probablement une faute.

3. Les lanternes des chambres du Parlement étaient des tribunes
où quelques personnes pouvaient assister aux séances sans être vues.
— Les mots *lanternes* et *parquet* sont en italique dans les éditions
5 et 6.

4. VAR. (édit. 5) : consciencieux, qui a été aidé.

5. « Quelques-uns disent *obmettre,* mais ceux qui parlent le mieux
prononcent *omettre,* et même ils l'écrivent, et c'est en effet comme
il faut parler et comme il faut écrire. » (*Dictionnaire de Richelet,*
1680.) — Est-ce particulièrement au Palais que ce mot, si souvent
employé par les praticiens, était prononcé *obmettre ?* — Ménage veut,
comme Richelet, que l'on écrive *omis, omettre* (*Observations sur la
langue françoise,* chapitre CXLV, p. 287, édition de 1675); mais l'Académie française (1694 et 1718) imprime *obmis, obmettre, obmission,*
bien qu'elle avertisse (dès 1694) qu'il faut prononcer *omission,* et
(en 1718) que « quelques-uns prononcent *omettre.* »

jargon et de ses finesses ordinaires ; il est signé du testa-
teur et des témoins publics, il est parafé ; et c'est en cet
état qu'il est cassé et déclaré nul. (ÉD. 5.)

59.   *Titius* [1] assiste à la lecture d'un testament avec des yeux
rouges et humides, et le cœur serré de la perte de celui
dont il espère recueillir la succession. Un article lui donne
la charge, un autre les rentes de la ville, un troisième le
rend maître d'une terre à la campagne ; il y a une clause
qui, bien entendue, lui accorde une maison située au
milieu de Paris, comme elle se trouve, et avec les meubles : son affliction augmente, les larmes lui coulent des
yeux. Le moyen de les contenir ? il se voit officier [2], logé
aux champs et à la ville, meublé de même ; il se voit une
bonne table et un carrosse : *Y avoit-il au monde un
plus honnête homme que le défunt, un meilleur homme ?*
Il y a un codicille, il faut le lire : il fait *Mævius* légataire
universel, et il renvoie Titius dans son faubourg, sans
rentes, sans titre, et le met à pied. Il essuie ses larmes :
c'est à Mævius à s'affliger. (ÉD. 5.)

60.   La loi qui défend de tuer un homme n'embrasse-t-elle
pas dans cette défense le fer, le poison, le feu, l'eau, les
embûches, la force ouverte, tous les moyens enfin qui
peuvent servir à l'homicide ? La loi qui ôte aux maris et
aux femmes le pouvoir de se donner réciproquement,
n'a-t-elle connu que les voies directes et immédiates de
donner [3] ? a-t-elle manqué de prévoir les indirectes ? a-

1. *Titius* et plus loin *Mævius* sont deux noms empruntés aux
exemples que contiennent les textes de droit romain.

2. C'est-à-dire, pourvu d'un office.

3. « Le mari et la femme ne peuvent s'avantager l'un l'autre soit
par donation entre-vifs ou par testament, directement ou indirecte-
ment. » (*Coutume de Paris,* article 282). — Il y a dans *le Malade*

t-elle introduit les fidéicommis, ou si même elle les to-

imaginaire une scène qui est le meilleur commentaire de cette remarque :

« Argan. Approchez, Monsieur de Bonnefoi, approchez.... Ma
femme m'a dit, Monsieur, que vous étiez fort honnête homme, et
tout à fait de ses amis ; et je l'ai chargée de vous parler pour un
testament que je veux faire. . . . .

Le Notaire. Elle m'a, Monsieur, expliqué vos intentions, et le
dessein où vous êtes pour elle ; et j'ai à vous dire là-dessus que vous
ne sauriez rien donner à votre femme par votre testament.

Argan. Mais pourquoi ?

Le Notaire. La coutume y résiste. Si vous étiez en pays de droit
écrit, cela se pourroit faire ; mais à Paris, et dans les pays coutu-
miers, au moins dans la plupart, c'est ce qui ne se peut ; et la disposition seroit nulle. Tout l'avantage qu'homme et femme conjoints
par mariage se peuvent faire l'un à l'autre, c'est un don mutuel
entre-vifs : encore faut-il qu'il n'y ait enfants soit des deux conjoints,
ou de l'un d'eux, lors du décès du premier mourant *.

Argan. Voilà une coutume bien impertinente, qu'un mari ne
puisse rien laisser à une femme dont il est aimé tendrement, et qui
prend de lui tant de soin ! J'aurois envie de consulter mon avocat,
pour voir comment je pourrois faire.

Le Notaire. Ce n'est point à des avocats qu'il faut aller, car ils
sont d'ordinaire sévères là-dessus, et s'imaginent que c'est un grand
crime que de disposer en fraude de la loi : ce sont gens de difficultés, et qui sont ignorants des détours de la conscience. Il y a
d'autres personnes à consulter, qui sont bien plus accommodantes,
qui ont des expédients pour passer doucement par-dessus la loi et
rendre juste ce qui n'est pas permis ; qui savent aplanir les difficultés
d'une affaire, et trouver des moyens d'éluder la coutume par quelque
avantage indirect. Sans cela, où en serions-nous tous les jours ? Il
faut de la facilité dans les choses ; autrement nous ne ferions rien,
et je ne donnerois pas un sou de notre métier.

Argan. Ma femme m'avoit bien dit, Monsieur, que vous étiez fort
habile et fort honnête homme. Comment puis-je faire, s'il vous plaît,
pour lui donner mon bien et en frustrer mes enfants ?

Le Notaire. Comment vous pouvez faire ? Vous pouvez choisir
doucement un ami intime de votre femme, auquel vous donnerez
en bonne forme, par votre testament, tout ce que vous pouvez ; et
cet ami ensuite lui rendra tout.... » (Molière, *le Malade imaginaire*,
acte I, scène vii.)

* Voyez l'article 280 de la *Coutume de Paris*.

lère? Avec une femme qui nous est chère et qui nous
survit, lègue-t-on son bien à un ami fidèle par un sentiment de reconnoissance pour lui, ou plutôt par une
extrême confiance, et par la certitude qu'on a du bon
usage qu'il saura faire de ce qu'on lui lègue? Donne-t-on
à celui que l'on peut soupçonner de ne devoir pas rendre
à la personne à qui en effet l'on veut donner? Faut-il se
parler, faut-il s'écrire, est-il besoin de pacte ou de serments pour former cette collusion? Les hommes ne
sentent-ils pas en ce rencontre[1] ce qu'ils peuvent espérer les uns des autres? Et si au contraire la propriété
d'un tel bien est dévolue au fidéicommissaire, pourquoi
perd-il sa réputation à le retenir? Sur quoi fonde-t-on
la satire et les vaudevilles? Voudroit-on le comparer au
dépositaire qui trahit le dépôt, à un domestique qui vole
l'argent que son maître lui envoie porter[2]? On auroit
tort : y a-t-il de l'infamie à ne pas faire une libéralité, et
à conserver pour soi ce qui est à soi? Étrange embarras,
horrible poids que le fidéicommis! Si par la révérence
des lois on se l'approprie, il ne faut plus passer pour
homme de bien; si par le respect d'un ami mort l'on
sait ses intentions en le rendant à sa veuve, on est con-
fidentiaire, on blesse la loi. — Elle cadre donc bien mal
avec l'opinion des hommes? — Cela peut être; et il ne

1 Les éditeurs modernes ont imprimé à tort : « cette rencontre. » Très souvent du masculin dans le cours du dix-septième
siècle quand il avait le sens d'*occasion*, ce mot n'était plus guère,
vers la fin du siècle, employé dans ses divers sens qu'au féminin :
voyez les *Observations de M. Ménage sur la langue françoise*, chapitre LXXIV, p. 162 ; le *Dictionnaire de l'Académie* (1694), et les
Observations de l'Académie sur les Remarques de *Vaugelas*, p. 21.
C'était un archaïsme, condamné par Vaugelas, qu'imprimait ici la
Bruyère.

2. VAR. (édit. 5 et 6) : que son maître lui envoie porter à un
créancier ?

me convient pas de dire ici : « La loi pêche, » ni : « Les
hommes se trompent. » (ÉD. 5.)

J'entends dire de quelques particuliers ou de quel-   61.
ques compagnies : « Tel et tel corps se contestent l'un à
l'autre la préséance ; le mortier et la pairie se disputent
le pas. » Il me paroît que celui des deux qui évite de se
rencontrer aux assemblées est celui qui cède, et qui sen-
tant son foible, juge lui-même en faveur de son concur-
rent. (ÉD. 8.)

Typhon fournit un grand de chiens et de chevaux ;   62.
que ne lui fournit-il point ? Sa protection le rend audacieux ; il est impunément dans sa province tout ce qui
lui plaît d'être[1], assassin, parjure ; il brûle ses voisins,
et il n'a pas besoin d'asile. Il faut enfin que le Prince se
mêle lui-même de sa punition. (ÉD. 4.)

Ragoûts, liqueurs, entrées, entremets[2], tous mots qui   63.
devroient être barbares et inintelligibles en notre langue ;
et s'il est vrai qu'ils ne devroient pas être d'usage en
pleine paix, où ils ne servent qu'à entretenir le luxe et la
gourmandise, comment peuvent-ils être entendus dans
le temps de la guerre et d'une misère publique, à la vue
de l'ennemi, à la veille d'un combat, pendant un siége ?
Où est-il parlé de la table de *Scipion* ou de celle de
Marius ? Ai-je lu quelque part que *Miltiade,* qu'*Épami-
nondas,* qu'*Agésilas* aient fait une chère délicate ? Je
voudrois qu'on ne fît mention de la délicatesse, de la

1. VAR. (édit. 4-7) : tout ce qu'il lui plaît d'être.
2. Ces mots n'ont été imprimés en italique que dans la 6ᵉ édition,
la première qui contienne cet alinéa. — Il en est de même des mots
que nous réimprimons en italique (*ses petites commodités*), au commencement de la remarque suivante, nᵒ 64.

propreté et de la somptuosité des généraux, qu'après
n'avoir plus rien à dire sur leur sujet, et s'être épuisé
sur les circonstances d'une bataille gagnée et d'une
ville prise ; j'aimerois même qu'ils voulussent se priver
de cet éloge[1]. (ÉD. 6.)

64.   *Hermippe* est l'esclave de ce qu'il appelle *ses petites
commodités* ; il leur sacrifie l'usage reçu, la coutume, les
modes, la bienséance. Il les cherche en toutes choses, il
quitte une moindre pour une plus grande, il ne néglige
aucune de celles qui sont praticables, il s'en fait une
étude, et il ne se passe aucun jour qu'il ne fasse en ce

---

1. Gourville, dans ses *Mémoires* (collection Petitot, tome LII,
p. 287 et 288), et Voltaire, dans le *Siècle de Louis XIV*, ont attribué
au maréchal d'Humières l'introduction de ce luxe dans les armées ;
mais la responsabilité en doit peut-être remonter plus justement encore à Louis XIV. « Cette campagne, dit Voltaire en parlant de la
conquête de la Flandre en 1667, faite au milieu de la plus grande
abondance, parmi des succès si faciles, parut le voyage d'une cour.
La bonne chère, le luxe et les plaisirs s'introduisirent alors dans les
armées dans le temps même que la discipline s'affermissait. Les officiers faisaient leur devoir beaucoup plus exactement, mais avec des
commodités plus recherchées. Le maréchal de Turenne n'avait eu
longtemps que des assiettes en fer en campagne. Le marquis d'Humières fut le premier, au siège d'Arras en 1657, qui se fit servir en
vaisselle d'argent à la tranchée, et qui fit manger des ragoûts et des
entremets. Mais dans cette campagne de 1667, où un jeune roi,
aimant la magnificence, étalait celle de sa cour dans les fatigues de la
guerre, tout le monde se piqua de somptuosité et de goût dans la
bonne chère, dans les habits, dans les équipages. Ce luxe.... était
cependant très peu de chose auprès de celui qu'on a vu depuis. »
(*Siècle de Louis XIV*, chapitre VIII.) — Il se fit en 1672 une ordonnance pour la modération des tables des officiers généraux ; mais elle
demeura impuissante. « Le luxe et la bonne chère, dit Saint-Simon
en notant la lenteur d'un mouvement militaire en 1708 (édition Boislisle, tome XVI, p. 360), avoient corrompu nos armées, surtout en
Flandre ; des haltes froides n'y étoient plus que pour des drilles ; on
y étoit servi avec la même délicatesse et le même appareil que dans
les villes et aux meilleures tables. »

genre une découverte. Il laisse aux autres hommes le
dîner et le souper, à peine en admet-il les termes ; il
mange quand il a faim, et les mets seulement où son appétit le porte. Il voit faire son lit : quelle main assez
adroite ou assez heureuse pourroit le faire dormir comme
il veut dormir? Il sort rarement de chez soi ; il aime la
chambre, où il n'est ni oisif ni laborieux, où il n'agit
point, où il *tracasse,* et dans l'équipage d'un homme qui
a pris médecine. On dépend servilement d'un serrurier
et d'un menuisier, selon ses besoins : pour lui, s'il faut
limer, il a une lime ; une scie, s'il faut scier, et des te-
nailles, s'il faut arracher. Imaginez, s'il est possible,
quelques outils qu'il n'ait pas, et meilleurs et plus commodes à son gré que ceux mêmes dont les ouvriers se
servent : il en a de nouveaux et d'inconnus, qui n'ont
point de nom, productions de son esprit, et dont il a
presque oublié l'usage. Nul ne se peut comparer à lui
pour faire en peu de temps et sans peine un travail fort
inutile. Il faisoit dix pas pour aller de son lit dans sa
garde-robe, il n'en fait plus que neuf par la manière
dont il a su tourner sa chambre : combien de pas épar-
gnés dans le cours d'une vie ! Ailleurs l'on tourne la clef,
l'on pousse contre, ou l'on tire à soi, et une porte s'ouvre : quelle fatigue ! voilà un mouvement de trop, qu'il
sait s'épargner, et comment? c'est un mystère qu'il ne
révèle point. Il est, à la vérité, un grand maître pour le
ressort et pour la mécanique, pour celle du moins dont
tout le monde se passe. Hermippe tire le jour de son appartement d'ailleurs que de la fenêtre ; il a trouvé le
secret de monter et de descendre autrement que par
l'escalier, et il cherche celui d'entrer et de sortir plus
commodément que par la porte. (ÉD. 6.)

Il y a déjà longtemps que l'on improuve les médecins, 65.

et que l'on s'en sert; le théâtre et la satire ne touchent
point à leurs pensions; ils dotent leurs filles, placent
leurs fils aux parlements et dans la prélature, et les railleurs eux-mêmes fournissent l'argent. Ceux qui se portent bien deviennent malades; il leur faut des gens dont
le métier soit de les assurer qu'ils ne mourront point.
Tant que les hommes pourront mourir, et qu'ils aime-
ront à vivre, le médecin sera raillé, et bien payé.

66.   Un bon médecin est celui qui a des remèdes spécifi-
ques, ou s'il en manque, qui permet à ceux qui les ont
de guérir son malade. (ÉD. 4.)

67.   La témérité des charlatans, et leurs tristes succès, qui
en sont les suites, font valoir la médecine et les médecins : si ceux-ci laissent mourir, les autres tuent. (ÉD. 4.)

68.   *Carro Carri*[1] débarque avec une recette qu'il appelle
un prompt remède, et qui quelquefois est un poison lent;
c'est un bien de famille, mais amélioré en ses mains : de
spécifique qu'il étoit contre la colique, il guérit de la
fièvre quarte, de la pleurésie, de l'hydropisie, de l'apo-
plexie, de l'épilepsie. Forcez un peu votre mémoire,
nommez une maladie, la première qui vous viendra en
l'esprit : l'hémorragie, dites-vous? il la guérit. Il ne res-
suscite personne, il est vrai; il ne rend pas la vie aux
hommes; mais il les conduit nécessairement jusqu'à la
décrépitude, et ce n'est que par hasard que son père et
son aïeul, qui avoient ce secret, sont morts fort jeunes.
Les médecins reçoivent pour leurs visites ce qu'on leur
donne; quelques-uns se contentent d'un remercîment :
Carro Carri est si sûr de son remède, et de l'effet qui en

---

1. Voyez l'*Appendice* du tome II, p. 432 et 433.

doit suivre, qu'il n'hésite pas de s'en faire payer d'a-
vance, et de recevoir avant que de donner. Si le mal est
incurable, tant mieux, il n'en est que plus digne de son
application et de son remède. Commencez par lui livrer
quelques sacs de mille francs, passez-lui un contrat de
constitution[1], donnez-lui une de vos terres, la plus petite, et ne soyez pas ensuite plus inquiet que lui de votre
guérison. L'émulation de cet homme a peuplé le monde
de noms en O et en I, noms vénérables, qui imposent
aux malades et aux maladies. Vos médecins, Fagon[2], et
de toutes les facultés, avouez-le, ne guérissent pas toujours, ni sûrement ; ceux au contraire qui ont hérité
de leurs pères la médecine pratique, et à qui l'expérience
est échue par succession, promettent toujours, et avec
serments, qu'on guérira. Qu'il est doux aux hommes de
tout espérer d'une maladie mortelle, et de se porter encore passablement bien à l'agonie ! La mort surprend

1. C'est-à-dire : constituez-lui une rente.
2. Gui Crescent Fagon, qui de 1680 à 1693 fut successivement
médecin de la Dauphine, de la Reine et des enfants du Roi, avait
tout récemment succédé (le 2 novembre 1693) à Daquin dans la
charge de premier médecin du Roi. « Fagon, dit Saint-Simon
(édition Boislisle, tome I, p. 288), étoit un des beaux et des bons
esprits de l'Europe, curieux de tout ce qui avoit trait à son métier ;
grand botaniste, bon chimiste, habile connoisseur en chirurgie, excellent médecin et grand praticien... Il étoit l'ennemi le plus implacable
de ce qu'il appeloit charlatans, c'est-à-dire des gens qui prétendoient
avoir des secrets et donner des remèdes, et sa prévention l'emporta
beaucoup trop loin de ce côté. Il aimoit sa faculté de Montpellier,
et en tout la médecine, jusqu'au culte. A son avis il n'étoit permis
de guérir que par la voie commune des médecins reçus dans les
facultés, dont les lois et l'ordre lui étoient sacrés.... » Il avait la
surintendance des eaux minérales de France, et celle « des démonstrations des plantes, de la chimie et de la chirurgie au Jardin des
plantes, » à laquelle était attachée la nomination des trois professeurs
démonstrateurs. (*État de la France*, tome I, p. 240 et 241, édition
de 1712.)

agréablement et sans s'être fait craindre ; on la sent plus
tôt[1] qu'on n'a songé à s'y préparer et à s'y résoudre. O
Fagon Esculape ! faites régner sur toute la terre le quinquina et l'émétique[2] ; conduisez à sa perfection la science
des simples, qui sont donnés aux hommes pour prolonger leur vie[3] ; observez dans les cures, avec plus de pré-

1. Les éditeurs modernes ont imprimé *plutôt*, suivant l'orthographe des anciennes éditions ; mais la distinction que les grammai-
riens ont arbitrairement établie entre les formes *plutôt* et *plus tôt*
n'existait pas encore, et nous sommes libres de donner ici à *plutôt*,
quelle que soit son orthographe, le sens qui nous paraît le plus conforme à la pensée de l'auteur.

2. Fagon était l'un des défenseurs du quinquina, qui, importé
en France vers le milieu du dix-septième siècle, avait été l'objet de
discussions très vives : il est superflu de rappeler la guerre que lui
avait faite Gui Patin*, en même temps qu'à l'antimoine, métal d'où
l'on tire l'émétique. En achetant du chevalier Talbot le secret du
remède anglois (1679), Louis XIV avait mis à la mode le quinquina,
qui était le principal des médicaments dont se composait ce remède ; divers traités sur la guérison des fièvres, de F. de Monginot,
de Blegny et d'autres, l'avaient aussitôt rendu populaire, et la Fontaine en célébrait les mérites en 1682 :

> Tout mal a son remède au sein de la nature.
> Nous n'avons qu'à chercher : de là nous sont venus
> L'antimoine avec le mercure,
> Trésors autrefois inconnus.
> Le quin règne aujourd'hui : nos habiles s'en servent.
> Quelques-uns encore conservent
> Comme un point de religion
> L'intérêt de l'école et leur opinion.
> Ceux-là même y viendront....

(La Fontaine, *le Quinquina*, chant II, vers 71-79.)

3. Dans sa jeunesse, Fagon avait fait, au profit du Jardin royal,
divers voyages pour recueillir des plantes ; ces voyages lui avaient
valu les places de professeur de botanique et de chimie au Jardin
du Roi. Il collabora au catalogue des plantes de ce jardin, publié
en 1665 sous le titre d'*Hortus regius*, et reçut la surintendance des
enseignements qui s'y donnaient, lorsqu'il cessa d'être professeur :
voyez ci-dessus, p. 199, la note 2.

* Mort en 1672.

cision et de sagesse que personne n'a encore fait, le
climat, les temps, les symptômes et les complexions ;
guérissez de la manière seule qu'il convient à chacun
d'être guéri ; chassez des corps, où rien ne vous est ca-
ché de leur économie, les maladies les plus obscures et
les plus invétérées ; n'attentez pas sur celles de l'esprit,
elles sont incurables ; laissez à *Corinne*, à *Lesbie*, à *Ca-
nidie*, à *Trimalcion* et à *Carpus* la passion ou la fureur
des charlatans. (ÉD. 8.)

L'on souffre dans la république les chiromanciens et 69.
les devins, ceux qui font l'horoscope et qui tirent la figure, ceux qui connoissent le passé par le mouvement du
sas[1], ceux qui font voir dans un miroir ou dans un vase
d'eau la claire vérité ; et ces gens sont en effet de quelque usage : ils prédisent aux hommes qu'ils feront fortune, aux filles qu'elles épouseront leurs amants, consolent les enfants dont les pères ne meurent point, et
charment l'inquiétude des jeunes femmes qui ont de
vieux maris, ils trompent enfin à très vil prix ceux qui
cherchent à être trompés. (ÉD. 4.)

Que penser de la magie et du sortilége ? La théorie 70.
en est obscure, les principes vagues, incertains, et qui
approchent du visionnaire ; mais il y a des faits embarrassants, affirmés par des hommes graves qui les ont
vus, ou qui les ont appris de personnes qui leur ressemblent : les admettre tous ou les nier tous paroît un égal
inconvénient ; et j'ose dire qu'en cela, comme dans toutes
les choses extraordinaires et qui sortent des communes

1. « *Faire tourner le sas*, termes de magiciens, qui lorsque les
bonnes gens les vont consulter sur quelque chose de perdu, font
tourner le sas jusques à ce qu'il s'arrête en nommant le nom de la
personne qui a pris la chose perdue. » (*Dictionnaire de Richelet*.)

règles, il y a un parti à trouver entre les âmes crédules
et les esprits forts. (ÉD. 4.)

71.   L'on ne peut guère charger l'enfance de la connoissance de trop de langues, et il me semble que l'on devroit
mettre toute son application à l'en instruire ; elles sont
utiles à toutes les conditions des hommes, et elles leur
ouvrent également l'entrée ou à une profonde ou à une
facile et agréable érudition. Si l'on remet cette étude[1] si
pénible à un âge un peu plus avancé, et qu'on appelle la
jeunesse, ou l'on n'a pas la force de l'embrasser par
choix, ou l'on n'a pas celle d'y persévérer ; et si l'on y
persévère, c'est consumer à la recherche des langues le
même temps qui est consacré à l'usage que l'on en doit
faire ; c'est borner à la science des mots un âge qui veut
déjà aller plus loin, et qui demande des choses ; c'est au
moins avoir perdu les premières et les plus belles années
de sa vie. Un si grand fonds ne se peut bien faire que
lorsque tout s'imprime dans l'âme naturellement et profondément ; que la mémoire est neuve, prompte et fidèle ;
que l'esprit et le cœur sont encore vides de passions, de
soins et de desirs, et que l'on est déterminé à de longs
travaux par ceux de qui l'on dépend[2]. Je suis persuadé

1. *Cet étude* dans les éditions 1-5.
2. Ainsi que l'a rappelé M. Damien dans son *Étude sur la Bruyère
et Malebranche* (p. 7-12), Malebranche avait exprimé un avis tout
contraire dans son *Traité de morale* ; peut-être cette remarque de
la Bruyère est-elle une objection qu'il présente au système d'éducation exposé par Malebranche : « .... Il faut étudier les sciences
dans leur rang, avait dit ce dernier. On peut étudier l'histoire lorsqu'on se connoît soi-même, sa religion, ses devoirs, lorsqu'on a l'esprit formé, et que par là on est en état de discerner, du moins en
partie, la vérité de l'histoire des imaginations de l'historien. Il faut
étudier les langues, ajoutait-il, mais c'est lorsqu'on est assez philosophe pour savoir ce que c'est qu'une langue, lorsqu'on sait bien
celle de son pays, lorsque le desir de savoir les sentiments des an-

que le petit nombre d'habiles, ou le grand nombre[1] de
gens superficiels, vient de l'oubli de cette pratique.

L'étude des textes ne peut jamais être assez recom-   72.
mandée; c'est le chemin le plus court, le plus sûr et
le plus agréable pour tout genre d'érudition. Ayez les
choses de la première main ; puisez à la source ; maniez,
remaniez le texte; apprenez-le de mémoire; citez-le dans
les occasions ; songez surtout à en pénétrer le sens dans
toute son étendue et dans ses circonstances; conciliez un
auteur original, ajustez ses principes, tirez vous-même
les conclusions[2]. Les premiers commentateurs se sont
trouvés dans le cas où je desire que vous soyez : n'em-
pruntez leurs lumières et ne suivez leurs vues qu'où les
vôtres seroient trop courtes ; leurs explications ne sont
pas à vous, et peuvent aisément vous échapper; vos observations au contraire naissent de votre esprit et y demeurent : vous les retrouvez plus ordinairement dans la
conversation, dans la consultation et dans la dispute.
Ayez le plaisir de voir que vous n'êtes arrêté dans la lecture que par les difficultés qui sont invincibles, où les
commentateurs et les scoliastes eux-mêmes demeurent
court, si fertiles d'ailleurs, si abondants et si chargés
d'une vaine et fastueuse érudition dans les endroits
clairs, et qui ne font de peine ni à eux ni aux autres.
Achevez ainsi de vous convaincre par cette méthode d'é-
tudier, que c'est la paresse des hommes qui a encouragé
le pédantisme à grossir plutôt qu'à enrichir les biblio-

ciens nous inspire celui de savoir leur langage, parce qu'alors on apprend en un an ce qu'on ne peut sans ce desir apprendre en dix. Il
faut être homme, chrétien, françois, avant que d'être grammairien,
poëte, historien, étranger. » (*Traité de morale*, 2ᵉ partie, chapitre xxiii, § xiv, p. 147.)

1. VAR. (édit. 1-4) : et le grand nombre.
2. VAR. (édit. 6 et 7) : tirez vous-même les conséquences.

thèques, à faire périr le texte sous le poids des commentaires ; et qu'elle a en cela agi contre soi-même et contre
ses plus chers intérêts, en multipliant les lectures, les recherches et le travail, qu'elle cherchoit à éviter. (ÉD. 6.)

73.   Qui règle les hommes dans leur manière de vivre et
d'user des aliments ? La santé et le régime ? Cela est douteux. Une nation entière mange les viandes après les
fruits, une autre fait tout le contraire ; quelques-uns
commencent leurs repas par de certains fruits, et les finissent par d'autres : est-ce raison ? est-ce usage ? Est-ce
par un soin de leur santé que les hommes s'habillent jusqu'au menton, portent des fraises et des collets[1], eux qui
ont eu si longtemps la poitrine découverte[2] ? Est-ce par
bienséance, surtout dans un temps où ils avaient trouvé
le secret de paroître nus tout habillés[3] ? Et d'ailleurs les
femmes, qui montrent leur gorge et leurs épaules, sont-
elles d'une complexion moins délicate que les hommes,
ou moins sujettes qu'eux aux bienséances[4] ? Quelle est la

1. Allusion aux costumes du seizième siècle. Les *collets* dont il
s'agit ici ne sont pas les rabats que l'on portait du temps de la Bruyère,
mais les *collets montés*, c'est-à-dire les collets soutenus par des morceaux de carton ou des fils de fer. La mode des collets montés et
des fraises avait commencé sous Henri II ; elle était depuis longtemps
abandonnée.

2. Sous François Ier par exemple.

3. Alors qu'ils montraient leurs jambes, simplement couvertes de
bas de soie.

4. « Si l'on ne souffre pas tant de douleur à tenir son sein découvert pendant les rudes gelées de l'hiver », dit Malebranche à la suite
de réflexions que nous avons citées plus haut, p. 89, note 5, « et à
se serrer le corps durant les chaleurs excessives de l'été, qu'à se crever
un œil ou à se couper un bras (*ainsi que le faisaient, suivant Diodore
de Sicile, les gens de cour en Éthiopie pour se rendre semblables à leur
prince*), on devroit souffrir davantage de confusion…. Que peut dire
une dame qui fait parade de ce que la nature, ou plutôt la religion
qu'elle a promis de suivre l'oblige de cacher ? Que c'est la mode et

pudeur qui engage celles-ci à couvrir leurs jambes et
presque leurs pieds, et qui leur permet d'avoir les bras
nus au-dessus du coude? Qui avoit mis autrefois dans
l'esprit des hommes qu'on étoit à la guerre ou pour se
défendre ou pour attaquer, et qui leur avoit insinué
l'usage des armes offensives et des défensives? Qui les
oblige aujourd'hui de renoncer à celles-ci, et pendant
qu'ils se bottent pour aller au bal, de soutenir sans armes
et en pourpoint des travailleurs exposés à tout le feu
d'une contrescarpe? Nos pères, qui ne jugeoient pas une
telle conduite utile au Prince et à la patrie, étoient-ils
sages ou insensés? Et nous-mêmes, quels héros célébrons-
nous dans notre histoire? Un Guesclin[1], un Clisson, un
Foix, un Boucicaut[2], qui tous ont porté l'armet et en-
dossé une cuirasse. (ÉD. 7.)

Qui pourroit[3] rendre raison de la fortune de certains
mots et de la proscription de quelques autres? *Ains* a
péri: la voyelle qui le commence, et si propre pour
l'élision, n'a pu le sauver; il a cédé à un autre mono-
syllabe[4], et qui n'est au plus que son anagramme.

rien davantage. Mais cette mode est bizarre, incommode, malhonnête, indigne en toutes manières.... N'importe, c'est la mode.... »
(*De la Recherche de la vérité*, livre II, 3e partie, chapitre II, tome I,
p. 297 et 298.)

1. « Un Guesclin, » dans la 7e édition.

2. Bertrand du Guesclin (1320-1380), connétable de France sous
Charles V. — Olivier de Clisson (1332-1407), connétable de France
sous Charles VI. — Gaston de Foix, surnommé *Phœbus*, vicomte
de Béarn (1331-1391). — Jean le Maingre de Boucicaut (1364-1421),
maréchal de France.

3. Dans les trois éditions qui contiennent la réflexion 73, le second
alinéa commence par les mots : *Ains a péri*. L'édition Belin-Leprieur
de 1845, précédée d'une notice de Sainte-Beuve, a détaché du premier
alinéa la phrase : *qui pourroit....* et l'a placée en tête du second ;
nous suivons cet exemple. Les éditions Chassang et Pellissier ont fait
de la même phrase un alinéa distinct.

4. *Mais.* (*Note de la Bruyère*, édit. 8 et 9.) — *Mais* n'est point

Certes[1] est beau dans sa vieillesse, et a encore de la force sur son déclin : la poésie le réclame, et notre langue doit beaucoup aux écrivains qui le disent en prose, et qui se commettent pour lui dans leurs ouvrages. *Maint* est un mot qu'on ne devoit jamais abandonner, et par la facilité qu'il y avoit à le couler dans le style, et par son origine, qui est françoise[2]. *Moult,* quoique

l'anagramme d'*ains,* et la Bruyère le savait bien, puisqu'il accompagne cette singulière remarque d'une réserve : *au plus.* — *Ains,* et beaucoup d'anciens mots avec lui, étaient depuis longtemps regrettés : voyez les *Considérations sur l'éloquence françoise,* de la Mothe le Vayer, 1638 ; la *Défense de la Poésie,* et la dissertation intitulée : *De la façon d'écrire de MM. du Perron et Bertaut,* dans *les Aduis ou les presents de la Demoiselle de Gournay,* 1641 ; la *Comedie des Academistes,* de Saint-Évremond (1643) ; le *Rôle des presentations faites aux grands jours de l'Academie françoise sur la reformation de notre langue,* attribué à Charles Sorel, sans date, réimprimé à la suite de la 1re édition de la *Comedie des Academistes,* et à la fin du second volume de l'*Histoire de l'Académie,* par Pellisson et d'Olivet, édition Livet ; la *Requeste des dictionnaires* de Ménage, réimprimée dans ses *Miscellanea* (1652), dans le *Menagiana,* tome III, p. 258, édition de 1729, et dans l'*Histoire de l'Academie,* tome II, p. 476, édition Livet ; les *Nouvelles Remarques de M. de Vaugelas sur la langue françoise, avec des Observations de M.* ***** *(Alemand), avocat au Parlement,* 1690, p. 284 et 285, etc.

1. « *Certes* est un mot usité dans les provinces. » (Marguerite Buffet, *Nouvelles Observations sur la langue françoise,* 1668, p. 37.) — « *Certes,*... ce mot commence à vieillir.... En sa place on dit : *en vérité, assurément, à n'en point mentir.* » (*Dictionnaire de Richelet,* 1680.) — « Ce mot, écrit Bouhours, ne se dit plus dans la conversation que par les Gascons ; mais il se dit encore dans les histoires, dans les cours d'éloquence, dans tous les ouvrages dogmatiques ; et il a quelque chose d'énergique qui soutient et qui anime les endroits passionnés ou raisonnés. » Cependant, et bien que Patru et Vaugelas s'en soient servis, Bouhours préfère au mot *certes* le mot *certainement ;* voyez la *Suite des Remarques nouvelles sur la langue françoise,* 1692, p. 83-86.

2. Les étymologistes ne sont point d'accord sur l'origine de cet adjectif. Ce mot, dont Ménage, Vaugelas, Alemand et l'Académie de 1694 ne permettent l'emploi que dans la poésie, était alors tombé

latin[1], étoit dans son temps d'un même mérite, et je
ne vois pas par où *beaucoup* l'emporte sur lui. Quelle
persécution le *car* n'a-t-il par essuyée ! et s'il n'eût
trouvé de la protection parmi les gens polis, n'étoit-il
pas banni honteusement d'une langue à qui il a rendu
de si longs services, sans qu'on sût quel mot lui substituer[2]? *Cil*[3] a été dans ses beaux jours le plus joli mot
de la langue françoise ; il est douloureux pour les poëtes
qu'il ait vieilli. *Douloureux* ne vient pas plus naturellement de *douleur*, que de *chaleur* vient *chaleureux*[4] ou

dans un tel discrédit que Richelet (1680) le donne comme un « vieux
mot burlesque. »

1. *Moult*, du latin *multum*.

2. Quelques « délicats, » suivant l'expression d'Alemand, avaient
voulu proscrire l'usage de cette conjonction, et l'on accusait (très
injustement, à ce qu'il paraît) l'Académie de partager leur sentiment ;
Gomberville se faisait gloire d'avoir composé son roman de *Polexandre*
(1632 et années suivantes), sans y avoir admis un seul *car*, et Coëffe-
teau tenta également, dit-on, mais sans longue persévérance, de ne
s'en point servir. La *question* « car, » pour parler comme Alemand,
suscita de longues discussions ; Voiture prit la défense de *car* dans une
lettre dont s'emparèrent aussitôt les partisans du mot, et qui depuis
a été très souvent citée ; *car* triompha enfin des attaques de ses adversaires, qui se réduisirent à en blâmer l'usage dans la poésie ou
même dans les romans, et ailleurs l'emploi trop fréquent. Voyez
la LIIIe lettre de Voiture, adressée à Mlle de Rambouillet ; l'*Histoire de
l'Académie françoise*, par Pellisson et d'Olivet (tome II, p. 52, édition Livet) ; les *Aduis de la Demoiselle de Gournay*, 1641, p. 743 ;
la *Requeste des dictionnaires* de Ménage ; les *Nouvelles Observations ou
Guerre civile des François sur la langue* (par Alemand, 1688), p. 299-
305 ; les *Nouvelles Remarques de M. de Vaugelas*, etc., p. 446-453, etc.

3. *Cil*, nominatif singulier masculin de l'ancien pronom démon-
stratif *cil* (ou *cel*), *cele*, *celui*, etc., a disparu au commencement du
dix-septième siècle, laissant sa place à *celui*, qui jadis n'était employé
qu'au cas oblique.

4. La plupart des mots que la Bruyère croyait sur le point de
disparaître ont repris faveur. Peut-être ce passage a-t-il été utile
pour la conservation de quelques-uns de ceux qui semblaient tomber
en désuétude, et particulièrement de *chaleureux*. Richelet (1680) ne

chaloureux[1] : celui-ci se passe, bien que ce fût une richesse pour la langue, et qu'il se dise fort juste où *chaud* ne s'emploie qu'improprement. *Valeur* devoit aussi nous conserver *valeureux*[2] ; *haine, haineux*[3] ; *peine, peineux*[4] ; *fruit, fructueux*[5]; *pitié, piteux*[6]; *joie, jovial*[7] ; *foi, féal*[8] ;

l'avait point mentionné, et Furetière (1690) l'avait ainsi annoté : « Il ne se dit guère qu'en cette phrase : *Les vieillards ne sont guère chaleureux*. » Quand l'Académie enregistra dans son *Dictionnaire* (1694) la double forme *chaleureux ou chaloureux,* sans autre commentaire que celui-ci : « Ne se dit proprement que des personnes, » ne tenait-elle pas compte de la requête de la Bruyère ?

1. Littré note cette forme comme genevoise.

2. « Le mot *valeureux* est plus de la poésie que de la prose. » (*Dictionnaire de Richelet*, 1680.) — Furetière enregistre le mot sans commentaire ; mais l'Académie note, comme Richelet, qu'il « n'a plus guère d'usage qu'en poésie. »

3. *Haineux,* omis par Richelet, et présenté par Furetière comme un « vieux mot qui signifioit autrefois *ennemi,* » est accepté sans réserve par l'Académie.

4. *Peineux,* omis par Richelet, rejeté par Furetière (hormis l'expression *semaine peneuse,* semaine sainte, où il écrit ainsi le mot sans *i*), est accompagné de la remarque suivante dans la 1re édition de l'Académie : « Il n'a guère d'usage qu'en cette phrase : *la semaine peineuse....* Il vieillit. »

5. *Fructueux,* dans le *Dictionnaire* de Richelet, est marqué du signe réservé aux mots qui ne se prennent qu'au figuré. Furetière donne un exemple du sens propre, mais en faisant observer que cet adjectif ne s'emploie guère qu'au figuré. L'Académie (1694) ne donne que des exemples du sens figuré.

6. *Piteux,* accueilli comme expression du style simple ou comique par Richelet, est accepté sans réserve par Furetière et par l'Académie.

7. *Jovial* a été omis par Richelet, mais accueilli par Furetière et par l'Académie (p. 609, col. 2).

8. *Féal* est simplement présenté comme « terme de chancellerie » par Furetière. « Ce mot s'emploie en burlesque quelquefois, » dit Richelet, après l'avoir également noté comme terme de chancellerie. L'Académie, qui, dès 1694, avait l'intention de définir *féal,* puisqu'il se trouve dans la 1re édition du *Dictionnaire,* avec un renvoi à *Foy,* l'a oublié au mot *Foy;* mais cet oubli est réparé dans la 2e édition (1718). En outre, *Féal* a déjà un article dans le 1er volume du *Dictionnaire des arts et des sciences,* appendice publié en 1694, et com-

cour, courtois[1] ; *gîte, gisant*[2] ; *haleine, halené*[3] ; *vante-
rie, vantard*[4] ; *mensonge, mensonger*[5] ; *coutume, cou-*

posé de deux parties qui portent au titre : *tome III* et *tome IV* du
Dictionnaire de l'Académie.

1. Condamné par Marguerite Buffet (*Nouvelles observations sur la
langue,* 1668, p. 29 et 30) comme « provincial » et comme « du
vieux style, » par Bouhours (*Remarques nouvelles sur la langue,* 1675,
p. 51) comme n'étant plus « du bel usage, » *courtois* n'a guère été
défendu que par Alemand (*Nouvelles Observations ou Guerre civile des
François sur la langue,* 1688, p. 464-468), qui tout en convenant que
depuis le milieu du siècle « on dit plus ordinairement *civil, honnête,* »
combat le P. Bouhours et lui oppose le silence de Vaugelas, un
passage de Ménage, et le sens particulier qui s'attache à *courtois.*
« Quoiqu'on le trouve dans de bons auteurs, dit Richelet (1680)
en parlant de ce mot, on ne s'en sert plus guère. » Furetière et
l'Académie, il est vrai, enregistrent *courtois* sans réserve. Mais de
Callières, l'un des derniers qui se soient prononcés en cette affaire,
déclare que *courtois* n'est « plus guère dans le commerce des gens du
monde, » et que « *civil* a pris *sa* place ». (*Du bon et du mauvais Usage
dans les manières de s'exprimer,* 1693, p. 173.)

2. *Gisant,* omis par Richelet, est accepté par Furetière et par
l'Académie.

3. « *Haleiner, halener...,* pressentir ; avoir vent d'une chose ; savoir, découvrir une chose. » (*Dictionnaire* de Richelet, où ce verbe est
distingué par les marques réservées aux mots employés au figuré et
seulement usités dans le style simple ou comique). — « *Halener...,*
terme de vénerie, sentir le gibier.... On le dit figurément des hommes : « Dès qu'un filou a *halené* un provincial riche et qui joue, il ne
« le quitte point qu'il ne l'ait entièrement plumé. » (*Furetière.*) —
L'Académie fait largement droit au désir de la Bruyère : « *Halener,*
verbe actif,.... sentir l'haleine de quelqu'un : « Je ne l'eus pas
« plus tôt *halené,* que je vis bien qu'il avoit pris du vin avec excès. »
Il signifie aussi infecter de ses maximes, corrompre l'esprit : « Dès
« que ces fripons eurent *halené* ce jeune homme, ils le rendirent
« fripon et débauché. » Il se dit aussi des chiens de chasse, qui
prennent l'odeur, le sentiment d'une bête : « Dès que ses chiens
« eurent *halené* la bête. » On dit figurément : *halener quelqu'un,* pour
dire découvrir ce qu'il a dans l'âme, reconnoître son foible. »

4. *Vantard* n'est admis ni par Richelet, ni par Furetière, ni par
l'Académie, qui n'accueillent que *vanteur.*

5. *Mensonger,* admis par Richelet, est présenté par Furetière

tumier[1] : comme *part* maintient *partial; point, pointu*
et *pointilleux; ton, tonnant; son, sonore; frein, effré-*
né; front, effronté; ris, ridicule; loi, loyal; cœur, cor-
dial; bien, benin; mal, malicieux. Heur se plaçoit où
bonheur ne sauroit entrer[2]; il a fait *heureux*, qui est
si françois, et il a cessé de l'être : si quelques poëtes
s'en sont servis, c'est moins par choix que par la con-
trainte de la mesure, *Issue* prospère, et vient d'*issir*,
qui est aboli[3]. *Fin* subsiste sans conséquence pour
finer[4], qui vient de lui, pendant que *cesse* et *cesser*
règnent également. *Verd* ne fait plus *verdoyer*[5], ni *fête,*
fétoyer[6], ni *larme, larmoyer*[7], ni *deuil, se douloir, se*

---

comme un « vieux mot » hors d'usage, et par l'Académie comme une
expression qui est plus employée en poésie qu'en prose.

1. *Coutumier* n'est admis par Richelet que comme terme de palais
(pays coutumier, droit coutumier, etc.). L'Académie le définit ainsi
qu'il suit, en dehors de l'acception donnée par Richelet : « *Coutumier,*
.... qui a accoutumé de faire, etc : *Il est coutumier de mentir.* Il est
vieux et bas. Il signifie aussi : ordinaire, accoutumé. Il est plus en
usage, en poésie, au féminin : *Sa Clarté coutumière, sa beauté coutu-*
mière. » — Furetière qui indique les mêmes sens, ne fait aucune
réserve sur le bon usage du mot.

2. « *Heur....* Ce mot signifie *bon-heur*, mais il est bas, est peu
usité.... » (*Richelet.*) — Furetière et l'Académie l'admettent sans
réserve,

3. « *Issir.* Ce mot signifie *sortir*, mais il est hors d'usage à son
infinitif, et n'est usité qu'à son prétérit, *je suis issu*, c'est-à-dire : je
tire mon origine.... » (*Richelet.*) — Furetière et l'Académie déclarent
de même qu'*issir* n'est plus en usage, et qu'il ne reste de ce verbe que
le participe *issu.*

4. Ce mot ne se trouve dans aucun des dictionnaires cités dans
les notes précédentes.

5. Omis par Richelet, *verdoyer* est annoté comme « vieux » par
l'Académie.

6. Omis par Richelet, *festoyer* a trouvé place dans le *Dictionnaire*
de Furetière et dans celui de l'Académie.

7. *Larmoyer*, qui manque dans Richelet, est donné par Furetière
comme ayant « peu d'usage. » — « Il vieillit, » dit l'Académie.

condouloir[1], ni *joie, s'éjouir*[2], bien qu'il fasse toujours
se réjouir, se conjouir, ainsi qu'*orgueil, s'enorgueillir*[3].
On a dit *gent,* le corps *gent :* ce mot si facile non-seu-
lement est tombé, l'on voit même qu'il a entraîné *gentil* dans sa chute[4]. On dit *diffamé,* qui dérive de *fame,*
qui ne s'entend plus[5]. On dit *curieux,* dérivé de *cure,*

---

1. *Douloir,* qui manque dans Richelet, est noté comme « vieux
mot » par Furetière, et comme n'ayant « presque plus d'usage » par
l'Académie. « *Se condouloir avec quelqu'un de la mort d'une personne ou
de quelque autre malheur, est fort bien dit,* » écrivait Vaugelas dans
ses *Remarques* (1647, p. 333). *Condouloir* cependant faillit disparaître,
et déjà Vaugelas lui-même l'abandonnait dans une addition faite à
sa préface, ainsi que le notent Bouhours (*Remarques nouvelles,* etc.,
p. 592) et Alemand (*Nouvelles Observations,* etc., 1688, p. 401-404),
qui l'un et l'autre considèrent ce mot comme perdu. L'usage de
l'infinitif s'est du moins conservé : voyez Furetière, le *Dictionnaire
de l'Académie* (1694), et celui de Littré.

2. *S'éjouir* ne se trouve dans aucun des trois dictionnaires. Toutefois la Fontaine s'en est servi au vers 36 de la *fable* XXI du livre IV.

3. VAR. (édit. 7) : ni *deuil, se douloir,* bien qu'*orgueil fasse* tou
jours *s'enorgueillir.*

4. « *Gentil* étoit autrefois un mot élégant, et nos anciens auteurs
s'en servent beaucoup. Tout est *gentil* parmi eux : *le gentil rossignol,
le gentil printemps, un gentil exercice, une gentille entreprise.* Mais
maintenant on n'en use point dans les livres : on ne le dit que dans
la conversation ; encore ne le dit-on pas trop sérieusement. Une
femme dira en parlant d'elle : *Je ne suis ni jeune ni gentille.* On dit à
demi en riant : *C'est un gentil esprit, c'est un gentil cavalier ; vous êtes
gentil,* pour dire *vous êtes plaisant.* » (*Remarques nouvelles,* etc., par
le P. Bouhours, 2e édition, 1676, p. 21 et 22.) — « *Gent,* adjectif,
mot vieux et burlesque pour dire *propre....* — *Gentil....* est burlesque,
et en sa place, lorsqu'on parle sérieusement, on dit *joli.* » (*Richelet.*)
— « *Gent,* vieux mot qui signifioit autrefois *gentil,* » dit Furetière.
Comme l'Académie, Furetière admet *gentil* avec ses acceptions ha-
bituelles. Voyez de plus les *Observations de l'Académie françoise sur
les* Remarques *de M. de Vaugelas,* p. 440, édition in-4°, 1704.

5. « *Fame...,* renommée, réputation. Il n'est en usage qu'en cette
phrase de pratique : *Rétabli en sa bonne fame et renommée,* » dit
l'Académie, reproduisant Furetière.

qui est hors d'usage[1]. Il y avoit à gagner de dire *si que*
pour *de sorte que* ou *de manière que*[2], *de moi*[3] au lieu
de *pour moi* ou de *quant à moi*[4], de dire *je sais que
c'est qu'un mal*[5], plutôt que *je sais ce que c'est qu'un
mal,* soit par l'analogie latine, soit par l'avantage qu'il
y a souvent à avoir un mot de moins à placer dans
l'oraison. L'usage a préféré *par conséquent* à *par consé-*

1. « *Cure...*, vieux mot qui signifioit soin. Il n'a plus d'usage
qu'en cette phrase proverbiale : *On a beau prêcher à qui n'a cure de
bien faire.* » (*Furetière.*) — « *Cure...*, soin, souci. En ce sens, il est
vieux et n'a guère d'usage qu'en ce proverbe : *On a beau prêcher,* etc. »
(*Dictionnaire de l'Académie.*) — Cette signification du mot *cure* n'est
pas indiquée par Richelet.

2. *Si que* avait été condamné par Vaugelas (*Remarques,* p. 435)
comme « tout à fait barbare ; » *de façon que, de manière que,* comme
locutions « si peu élégantes qu'il n'y *avoit* pas un bon auteur qui s'en
servît. » — « Elles sont aujourd'hui dans la bouche de plusieurs personnes, écrit Bouhours en parlant de ces deux dernières tournures
(*Remarques nouvelles,* 1676, p. 595), et quelques-uns de nos bons
auteurs les emploient. » Elles sont approuvées sans réserve dans les
Observations de l'Académie françoise sur les Remarques *de Vaugelas,*
p. 428.

3. « *De moi* est fort bon et fort élégant, mais j'éviterois de le
mettre souvent en prose, et me contenterois de l'avoir employé une
fois ou deux dans un juste volume. Mon usage ordinaire seroit *pour
moi,* comme c'est celui de tout le monde, soit en parlant ou en
écrivant. *De moi* semble être consacré à la poésie, et *pour moi* à la
prose.... » (Vaugelas, *Remarques,* p. 193.) — « .... *De moi* est incomparablement meilleur en vers que *pour moi....* Mais comme il
faut toujours dire *de moi* en vers quand on le peut, il ne le faut jamais dire en prose.... » (*Observations de M. Ménage,* etc., 1675,
p. 427.) — Voyez le *Lexique de Malherbe,* au mot DE.

4. *Quant à moi,* condamné par Vaugelas (*Remarques,* p. 193),
Bouhours (*Remarques nouvelles,* 1676, p. 586) et Ménage (*Observations,* etc., p. 426), n'a point tardé à reprendre faveur : voyez les *Observations de l'Académie françoise sur les* Remarques *de Vaugelas,* p. 63.

5. Malherbe est sans doute l'un des derniers qui ait usé fréquemment de ce tour : voyez le *Lexique de Malherbe,* au mot QUE, et les
Observations sur l'Académie françoise sur les Remarques *de Vaugelas,*
p. 196.

quence, et *en conséquence* à *en conséquent, façons de
faire* à *manières de faire,* et *manières d'agir* à *façons
d'agir…;* dans les verbes, *travailler* à *ouvrer*[1], *être
accoutumé* à *souloir*[2], *convenir* à *duire*[3], *faire du bruit*
à *bruire*[4], *injurier* à *vilainer*[5], *piquer* à *poindre*[6], *faire
ressouvenir* à *ramentevoir*[7]…; et dans les noms, *pensées* à *pensers*[8], un si beau mot, et dont le vers se trouvoit si bien· *grandes actions* à *prouesses*[9], *louanges* à

---

1. « *Ouvrer*…. n'est guère en usage qu'en cette phrase : « Il est
défendu par les règlements de police d'*ouvrer* les fêtes et les dimanches. » (*Furetière.*) — Richelet et l'Académie (1694) ne donnent que
la forme *ouvré*, « participe passé du verbe *ouvrer*, qui n'est plus en
usage, » ajoute le *Dictionnaire de l'Académie.*

2. « *Souloir*,… ce verbe est vieux et hors d'usage. » (*Richelet.*) —
« Vieux mot…. On le dit encore en pratique : Il *souloit* y avoir là
« une perte…, Le temps a bien changé ; il n'est plus comme il *sou-
« loit* être. » (*Furetière.*) — « Il ne s'est guère dit qu'à l'imparfait. Il
est vieux. » (*Dictionnaire de l'Académie,* 1694.)

3. Accueilli sans commentaire par Furetière, *duire,* en tant que
verbe neutre et signifiant *convenir,* est noté comme burlesque par Richelet (1680), et comme « bas » par l'Académie (1694).

4. Furetière seul restreint à un petit nombre de phrases l'usage
de ce mot, enregistré sans observation par Richelet et par l'Académie
de 1694. « On entendoit *bruire* le vent, le tonnerre dans cette tempête, » ajoute Furetière comme exemple.

5. *Vilainer* ne se trouve dans aucun des trois dictionnaires.

6. *Poindre,* verbe actif, piquer, disent à peu près dans les mêmes
termes Furetière et l'Académie de 1694, n'a guère d'usage qu'en
cette phrase proverbiale : « *Oignez* vilain, il vous poindra ; poignez
vilain, il vous *oindra.* » — Richelet ne l'a noté qu'au sens figuré :
« ce mot, pour dire *offenser,* est françois, mais peu usité. »

7. Ce mot ne se trouve que dans Furetière, qui le note comme
« vieux. »

8. Furetière accueille sans réserve le substantif *penser;* Richelet
et l'Académie de 1694 ne l'admettent qu'en poésie.

9. « *Prouesse.* Les délicats du temps ne veulent plus qu'on use de
ce mot et disent qu'il est vieux », écrit Furetière. Ces délicats sont
Vaugelas, Marguerite Buffet, Richelet et d'autres, qui n'admettent
prouesse que dans le discours familier et comme un mot plaisant. —

loz[1], *méchanceté* à *mauvaistié*, *porte* à *huis*, *navire* à
nef, *armée* à *ost*, *monastère* à *monstier*, *prairies* à
prées[2]..., tous mots qui pouvoient durer ensemble
d'une égale beauté, et rendre une langue plus abondante. L'usage a par l'addition, la suppression, le changement ou le dérangement de quelques lettres, fait
frelater de *fralater*[3], *prouver* de *preuver*[4], *profit* de
proufit, *froment* de *froument*[5], *profil* de *pourfil*, *provi-*
sion de *pourveoir*, *promener* de *pourmener*, et *prome-*
nade de *pourmenade*[6]. Le même usage fait, selon l'occasion, d'*habile*, d'*utile*, de *facile*, de *docile*[7], de *mobile*
et de *fertile*, sans y rien changer, des genres différents :

« *Il se vante de ses prouesses* est du vieil style, écrit Marguerite Buffet (p. 74) ; on ne se sert plus de ces mots dans le bel usage. »

1. Bien que Richelet et l'Académie de 1694 n'en admettent l'usage
que dans le burlesque, *los* est encore employée par la Fontaine et par
Saint-Simon ; Voyez le *Dictionnaire* de Littré.

2. *Mauvaistié* est dans Furetière. *Prées* ne se trouve plus dans les
dictionnaires du temps ; *huis* y est représenté comme un mot qui
vieillit, et même qui est tombé en désuétude hors du Palais ; *nef*, au
sens de *navire*, comme un mot de la langue poétique et du style burlesque, ou encore comme un vieux mot conservé dans les enseignes ;
monstier (que l'on prononçait en général *moutier*) et *ost*, comme des
termes déjà inusités en dehors de quelques expressions proverbiales.

3. *Fralater* est la forme habituelle au seizième siècle, et se retrouve
même au commencement du dix-septième ; ce mot vient, d'après
M. Diez, du flamand *verlaten*, transvaser.

4. Richelet note encore *preuver :* « Quelques-uns disent *preuver*,
mais ordinairement on dit et on écrit *prouver*. »

5. VAR. (édit. 7 et 8) : *fourment.* — *Fourment* n'est pas une faute
d'impression, car cette forme a été employée, ainsi qu'on peut le
voir dans le *Dictionnaire* de Littré ; mais *froment* était plus usité.

6. La remarque de la Bruyère sur les mots *pourfil, pourveoir*, etc.
est juste en ce sens que dans la formation du français populaire le
pro du latin est habituellement devenu *pour*, et que c'est par l'influence des savants que généralement dans ces composés on est revenu à la forme *pro*.

7. Le mot *docile* a été ajouté dans la 8ᵉ édition.

au contraire de *vil, vile, subtil, subtile,* selon leur terminaison masculins ou féminins [1]. Il a altéré les termi-
naisons anciennes : de *scel* il a fait *sceau ;* de *mantel,
manteau ;* de *capel, chapeau ;* de *coutel, couteau ;* de *ha-
mel, hameau ;* de *damoisel, damoiseau ;* de *jouvencel, jou-
venceau* [2] ; et cela sans que l'on voie guère ce que la langue
françoise gagne à ces différences et à ces changements.
Est-ce donc faire pour le progrès d'une langue, que de
déférer à l'usage ? Seroit-il mieux de secouer le joug de
son empire si despotique ? Faudroit-il, dans une langue
vivante, écouter la seule raison qui prévient les équi-
voques, suit la racine des mots et le rapport qu'ils ont
avec les langues originaires dont ils sont sortis, si la raison d'ailleurs veut qu'on suive l'usage [3] ? (ÉD. 7.)

Si nos ancêtres ont mieux écrit que nous, ou si nous
l'emportons sur eux par le choix des mots, par le tour et

1. Il faut remarquer que les adjectifs en *il* que cite la Bruyère
viennent des mots latins qui ont un *i* long et portant l'accent ; tandis
que les adjectifs en *ile* (pour les deux genres) ont en latin un *i* bref
et atone. Ces derniers sont, comme dit Littré, des mots entrés
secondairement dans la langue française ; la forme ancienne tirée de
mobilis était *meuble ;* de *facilis,* la langue ancienne eût dérivé *fele.*
Voyez le *Dictionnaire* de Littré, et son *Histoire de la langue française,* tome I, p. 242 et 243. Ronsard écrit *fertil, util,* sans *e.*

2. Ces mots au moyen âge se terminaient au cas sujet singulier et
au cas régime pluriel en *els* ou en *aus, iaus ;* au cas régime singulier
et au cas sujet pluriel en *el.* C'est la forme *aus* qui, perdant son *s,* a
fini par prévaloir dans les noms que cite ici notre auteur. Il n'est
donc pas d'une exactitude rigoureuse de dire que l'on fait *sceau*
de *scel, manteau* de *mantel,* etc.

3. Cette question, agitée par tous les auteurs de *Remarques* et
d'*Observations* sur la langue depuis Vaugelas, était toujours résolue
dans le même sens. L'usage est le maître des langues vivantes, et
l'emporte sur la grammaire et la raison : telle est la décision où tous
se sont rencontrés, répétant avec Horace (*Art poétique,* vers 71 et 72) :

.... *Si volet usus,*
Quem penes arbitrium est et jus et norma loquendi.

l'expression, par la clarté et la brièveté du discours, c'est
une question souvent agitée, toujours indécise. On ne la
terminera point en comparant, comme l'on fait quelquefois, un froid écrivain de l'autre siècle aux plus célèbres
de celui-ci, ou les vers de Laurent[1], payé pour ne plus
écrire, à ceux de MAROT et de DESPORTES. Il faudroit,
pour prononcer juste sur cette matière, opposer siècle à
siècle, et excellent ouvrage à excellent ouvrage, par
exemple les meilleurs rondeaux de BENSERADE ou de
VOITURE à ces deux-ci, qu'une tradition nous a conservés, sans nous en marquer le temps ni l'auteur[2] :

> Bien à propos s'en vint Ogier en France
> Pour le païs de mescreans monder :

1. **Laurent** a publié divers opuscules en vers, dont voici les titres :
*Relation du carrousel Dauphin, et courses de festes faites à Versailles le
4 mars* 1685 ; *la Magnifique adresse des chevaliers Maures au grand
carrousel Dauphin à Versailles le 1 et 2 juin* 1685 ; *Lettre en vers à Leurs
Altesses Royales* MONSIEUR *et* MADAME, *ou Relation de ce qui s'est passé
à la feste Dauphine de Chantilly depuis le 22 aoust jusqu'au 30 du
mesme mois ; Elegie sur la mort de la reine d'Espagne arrivée en* 1689.
La plate relation de la fête de Chantilly dont il a été question au
tome II, p. 46, 47 et 335, avait peut-être valu à son auteur quelque
gratification de Monsieur le Prince : est-ce là ce que la Bruyère veut
rappeler en écrivant ces mots : « payé pour ne plus écrire » ? Suivant Édouard Fournier (*la Comédie de J. de la Bruyère*, p. 369),
auquel nous devons l'indication de la dernière pièce (la seule qu'ait
omis de mentionner le P. Lelong), Laurent ne serait autre que Ro-
binet, le versificateur qui continua jusqu'en 1670 la *Gazette rimée*
de Loret, sous le pseudonyme de du Lorens.

2. Ces deux rondeaux étaient jadis célèbres. Ils font partie des
quatre « Rondeaux antiques » qui sont en tête du *Recueil de divers
rondeaux*, imprimé en 1639 et publié en 1640 chez Aug. Courbé
(p. 1 et 5), et qui portent les titres suivants : *Pour Richard sans
Peur, Pour Pierre de Provence, Pour Galien restauré, Pour Ogier le
Danois*. C'est le premier et le dernier que reproduit ici la Bruyère ;
nous les retrouvons dans le *Menagiana* (tome II, p. 280, et tome IV,
p. 151), et avec les deux autres dans le recueil des *Pièces intéressantes et peu connues*, publié par la Place (tome III, p. 341), ainsi

Ja n'est besoin de conter sa vaillance,
Puisqu'ennemis n'osoient le regarder.

Or quand il eut[1] tout mis en assurance,
De voyager il voulut s'enharder[2],
En Paradis trouva l'eau de jouvance,
Dont il se sceut de vieillesse engarder
          Bien à propos.

que dans un recueil manuscrit de vers composés ou copiés, dans la première partie du dix-septième siècle, pour Mme de Villarceaux*. Suivant Édouard Fournier (*la Comédie de J. de la Bruyère*, p. 69), c'est de ce manuscrit (p. 50 et 52, cotées 7 et 9) que l'auteur des *Caractères* a tiré des rondeaux *Pour Richard* et *Pour Ogier;* mais l'omission des titres, et surtout les variantes que présente le texte donné par la Bruyère, démontrent qu'il ne les a empruntés ni au cahier de vers de Mme de Villarceaux, ni au recueil de Courbé. — La Monnoie est d'avis que ces rondeaux sont du dix-septième siècle (voyez ci-après, p. 218 note 3); suivant Paulin Paris (voyez l'édition de Walckenaer, *Remarques et Éclaircissements*, p. 747), l'absence de tout hiatus ne permettrait point d'admettre qu'ils aient été composés avant la fin du seizième siècle, ou même peut-être avant le règne de Louis XIII. On ne peut douter en effet que la Bruyère ne se soit trompé en les prenant pour anciens. Ce pastiche a été fait par un évêque de Rieux, si l'on en croit le *Menagiana* et une note du recueil des *Pièces intéressantes :* le *Menagiana* ne lui attribue que l'un d'eux ; mais les quatre sont du même auteur suivant le recueil de la Place. — Nous conservons par exception, dans le texte de ces rondeaux, l'orthographe et l'accentuation que donnent les éditions originales des *Caractères*, et particulièrement la neuvième.

1. Manuscrit de la collection Gaignières : « Après qu'il eut. » Nous ne mêlerons aux variantes des éditions de la Bruyère que celles que présentent ce manuscrit et le *Recueil de divers rondeaux*, laissant de côté le *Menagiana* et le recueil des *Pièces intéressantes*, l'un et l'autre postérieurs à la publication des *Caractères*.

2. Ce mot est l'un de ceux qui ont rendu suspecte à Paulin Paris l'antiquité de ces rondeaux. Il ne se trouve ni dans le manuscrit ni dans le *Recueil de divers rondeaux*, qui donnent :

          De voyager se voulut hasarder.

* Ce manuscrit est conservé à la Bibliothèque nationale, fonds Gaignières, n° 2872. Lud. Lalanne en a publié des extraits dans la *Correspondance littéraire* du 10 novembre 1860, p. 7.

Puis par cette eau son corps tout decrepite
Transmué fut[1] par maniere subite
En jeune gars, frais, gracieux et droit.

Grand dommage est que cecy soit sornettes ;
Filles connoy[2] qui ne sont pas jeunettes,
A qui cette eau de jouvance viendroit
   Bien à propos[3].

———————

De cettuy preux[4] maints grands clercs ont écrit
Qu'oncques dangier[5] n'étonna son courage :
Abusé fut par le malin esprit[6],
Qu'il épousa sous feminin visage.

1. Manuscrit Gaignières et *Recueil de divers rondeaux* :

  Car par cette eau son corps si decrepite
  Fut transmué, etc.

2. Var. (édit. 7 et 8) : Filles connois.

3. « De tous les rondeaux celui-ci me plaît le plus, et je l'appelle le roi des rondeaux. Il est d'un évêque de Rieux en Languedoc :

  Bien à propos, etc. » (*Menagiana*, tome II, p. 280.)

« La Bruyère, ajoute l'éditeur du *Menagiana* (la Monnoie), paroît avoir fort estimé ce rondeau, sur lequel il n'y a pas, ce me semble, de quoi tant se récrier. Il n'est nullement dans les règles ; et quand il y seroit, il suffiroit de l'appeler joli. Une preuve indubitable qu'il est moderne, c'est que dans tous les anciens rondeaux, le vers qui précède la chute a toujours un sens fini qui ne laisse pas de se joindre agréablement à celui de la chute sans qu'il en dépende nécessairement ; et c'est ce que l'auteur n'a point observé dans ce vers :

  A qui cette eau de Jouvence viendroit,

où l'on voit que le sens est suspendu, et se trouve nécessairement engagé avec celui de la chute. La plupart des modernes ou n'ont point su, ou ont négligé cette finesse, qui rend le rondeau véritablement plus difficile, mais aussi plus beau quand elle est bien observée. Les anciens appeloient cela *clore et ouvrir.* »

4. Var. (édit. 7) : D'iceluy preux.

5. *Recueil* : « Qu'oncques danger. »

6. Manuscrit et *Recueil* : « par un malin esprit. »

Si piteux cas à la fin découvrit
Sans un seul brin de peur ny de dommage,
Dont grand renom par tout le monde acquit,
Si qu'on tenoit tres honneste langage [1]
     De cettuy preux [2].

Bien-tost après fille de Roy s'éprit
De son amour, qui voulentiers [3] s'offrit
Au bon Richard en second mariage [4].

Donc s'il vaut mieux [5] de diable ou femme avoir [6],
Et qui des deux bruit plus en ménage [7],
Ceulx qui voudront, si le pourront sçavoir
     De cettuy preux [8]. (ÉD. 7.)

1. Manuscrit et *Recueil :* « fort honnête langage. »
2. VAR. (édit. 7) : D'iceluy preux.
3. VAR. (édit. 7) : volontiers.
4. Manuscrit et *Recueil :*

     Bientost après de son amour s'éprit
     Fille de roy, qui volontiers s'offrit
     Au bon Richard par second mariage.

5. Manuscrit : Donc s'il vaut bien.
6. VAR. (édit. 7 et 8) : ou diable ou femme avoir. — C'est aussi la leçon du manuscrit et celle du *Recueil.*
7. Manuscrit et *Recueil :*

     Et quel des deux bruit plus dans un ménage.

8. VAR. (édit. 7) : D'iceluy preux. — « Je voudrois bien savoir qui a fait le rondeau de Richard sans Peur. Il n'est pas moins beau que celui d'Ogier. » (*Menagiana,* tome IV, p. 151.) — « Ce rondeau, reprend la Monnoie (p. 152), n'est ni plus laid, ni plus beau que celui d'Ogier. Qui a fait l'un a fait l'autre. Ils ont tout deux les mêmes défauts. Le sens en est naïf. C'est tout ce que la Bruyère en devoit louer. »

DE LA CHAIRE.

1. Le discours chrétien est devenu un spectacle. Cette tristesse évangélique qui en est l'âme ne s'y remarque plus : elle est suppléée par les avantages de la mine[1], par les inflexions de la voix, par la régularité du geste, par le choix des mots, et par les longues énumérations. On n'écoute plus sérieusement la parole sainte : c'est une sorte d'amusement entre mille autres ; c'est un jeu où il y a de l'émulation et des parieurs.

2. L'éloquence profane est transposée pour ainsi dire du barreau, où LE MAÎTRE, PUCELLE et FOURCROY[2] l'ont fait régner, et où elle n'est plus d'usage, à la chaire, où elle ne doit pas être. (ÉD. 4.)

L'on fait assaut d'éloquence jusqu'au pied de l'autel et en la présence des mystères[3]. Celui qui écoute s'établit juge de celui qui prêche, pour condamner ou pour applaudir, et n'est pas plus converti par le discours qu'il favorise que par celui auquel[4] il est contraire. L'orateur plaît aux uns, déplaît aux autres, et convient avec tous

1. VAR. (édit. 1-3) : par l'avantage de la mine.

2. Antoine Lemaistre, célèbre avocat au Parlement, est mort en 1658 à Port-Royal. — L'avocat Claude Pucelle, mort à quarante et un ans, vers la même époque, est aujourd'hui moins connu que son fils René Pucelle, conseiller clerc au Parlement, auquel ses discours et son zèle contre la bulle *Unigenitus* ont valu quelque célébrité. — Bonaventure Fourcroy, poëte et jurisconsulte, mort en 1691, était l'ami de Molière et de Boileau.

3. VAR. (édit. 1-3) : jusques au pied de l'autel et dans la chaire de la vérité.

4. VAR. (édit. 1, première rédaction): par celui à qui, etc.

en une chose[1], que comme il ne cherche point à les rendre meilleurs, ils ne pensent pas aussi à le devenir.

Un apprentif[2] est docile, il écoute son maître, il profite de ses leçons, et il devient maître. L'homme indocile critique le discours du prédicateur, comme le livre du philosophe, et il ne devient ni chrétien ni raisonnable. (ÉD. 4.)

3.

Jusqu'à ce qu'il revienne un homme qui, avec un style nourri des saintes Écritures, explique au peuple la parole divine uniment et familièrement[3], les orateurs et les déclamateurs seront suivis.

4.

Les citations profanes, les froides allusions, le mauvais pathétique, les antithèses, les figures outrées ont fini : les portraits finiront[4], et feront place à une simple explication de l'Évangile, jointe aux mouvements qui inspirent la conversion.

5.

Cet homme que je souhaitois impatiemment, et que je ne daignois pas espérer de notre siècle[5], est enfin venu. Les courtisans, à force de goût et de connoître les bienséances, lui ont applaudi ; ils ont, chose incroyable ! abandonné la chapelle du Roi, pour venir entendre avec le peuple la parole de Dieu annoncée par cet homme apostolique[6]. La ville n'a pas été de l'avis de la cour :

1. C'est-à-dire : et s'accorde avec tous en une chose.

2. Telle était à cette époque l'orthographe de ce mot.

3. Allusion, suivant les *Clefs,* à l'abbé le Tourneux, mort en 1686. Voyez ci-après l'*Appendice,* p. 415.

4. La Bruyère a déjà noté dans son *Discours sur Théophraste* (tome I, p. 10) l'habitude qu'avaient prise les prédicateurs d'insérer des portraits dans leurs sermons.

5. Voyez ci-dessus la réflexion 3.

6. Le P. Seraph. cap. (*Note de la Bruyère.*) — Lisez : « le P. Sé-

où il a prêché, les paroissiens ont déserté, jusqu'aux
marguilliers ont disparu ; les pasteurs ont tenu ferme,
mais les ouailles se sont dispersées, et les orateurs voisins en ont grossi leur auditoire. Je devois le prévoir,
et ne pas dire qu'un tel homme n'avoit qu'à se montrer
pour être suivi, et qu'à parler pour être écouté : ne
savois-je pas quelle est dans les hommes, et en toutes
choses, la force indomptable de l'habitude ? Depuis trente
années on prête l'oreille aux rhéteurs, aux déclamateurs,
aux *énumérateurs ;* on court ceux qui peignent en grand
ou en miniature[1]. Il n'y a pas longtemps qu'ils avoient
des chutes ou des transitions ingénieuses, quelquefois
même si vives et si aiguës qu'elles pouvoient passer pour
épigrammes : ils les ont adoucies, je l'avoue, et ce ne
sont plus que des madrigaux. Ils ont toujours, d'une
nécessité indispensable et géométrique, trois sujets ad-
mirables de vos attentions : ils prouveront une telle
chose dans la première partie de leur discours, cette autre
dans la seconde partie, et cette autre encore dans la
troisième. Ainsi vous serez convaincu d'abord d'une
certaine vérité, et c'est leur premier point ; d'une autre
vérité, et c'est leur second point ; et puis d'une troisième
vérité, et c'est leur troisième point : de sorte que la première réflexion vous instruira d'un principe des plus
fondamentaux de votre religion ; la seconde, d'un autre
principe qui ne l'est pas moins ; et la dernière réflexion,
d'un troisième et dernier principe, le plus important de
tous, qui est remis pourtant, faute de loisir, à une autre
fois. Enfin, pour reprendre et abréger cette division et
former un plan.... — Encore, dites-vous, et quelles

raphin, capucin. » — A l'époque où parut cet éloge, le P. Séraphin
n'avait pas encore prêché à la cour. Voyez l'*Appendice,* p. 416-420.

   1. Dans les éditions originales : « mignature. »

préparations pour un discours de trois quarts d'heure qui leur reste à faire ! Plus ils cherchent à le digérer et à l'éclaircir, plus ils m'embrouillent. — Je vous crois sans peine, et c'est l'effet le plus naturel de tout cet amas d'idées qui reviennent à la même, dont ils chargent sans pitié la mémoire de leurs auditeurs. Il semble, à les voir s'opiniâtrer à cet usage, que la grâce de la conversion soit attachée à ces énormes partitions[1]. Comment néanmoins seroit-on converti par de tels apôtres, si l'on ne peut qu'à peine les entendre articuler, les suivre et ne les pas perdre de vue ? Je leur demanderois volontiers qu'au milieu de leur course impétueuse, ils voulussent plusieurs fois reprendre haleine, souffler un peu, et laisser souffler leurs auditeurs. Vains discours, paroles perdues ! Le temps des homélies n'est plus ; les Basiles, les Chrysostomes ne le ramèneroient pas ; on passeroit en d'autres diocèses pour être hors de la portée de leur voix et de leurs familières instructions. Le commun des hommes aime les phrases et les périodes, admire ce qu'il n'entend pas[2], se suppose instruit, content de décider entre un premier et un second point, ou entre le dernier sermon et le pénultième. (ÉD. 8.)

Il y a moins d'un siècle qu'un livre françois étoit un   6.
certain nombre de pages latines, où l'on découvroit

---

1. Quelques-unes des remarques de la Bruyère sur l'éloquence de la chaire ont été plus tard développées par Fénelon dans ses *Dialogues sur l'éloquence* et dans la *Lettre sur les occupations de l'Académie*. Voyez par exemple sur l'abus des divisions le second *dialogue* ; sur le « style fleuri » (ci-après, p. 225, n° 8), la *Lettre sur les occupations de l'Académie* (*Projet de rhétorique*) ; enfin sur la convenance qu'il y aurait pour les prédicateurs à expliquer la religion, même e catéchisme, et à parler d'abondance après une certaine préparation (ci-après, p. 235, n° 29), le troisième *dialogue*.

2 La Bruyère l'avait déjà dit : voyez tome II, p. 27, n° 8.

quelques lignes ou quelques mots en notre langue. Les
passages, les traits et les citations n'en étoient pas de-
meurés[1] là : Ovide et Catulle achevoient de décider des
mariages et des testaments, et venoient avec les *Pan-
dectes* au secours de la veuve et des pupilles[2]. Le sacré
et le profane ne se quittoient point ; ils s'étoient glissés
ensemble jusque dans la chaire : saint Cyrille, Horace,
saint Cyprien, Lucrèce, parloient alternativement ; les
poëtes étoient de l'avis de saint Augustin et de tous les
Pères ; on parloit latin, et longtemps, devant des femmes
et des marguilliers ; on a parlé grec. Il falloit savoir
prodigieusement pour prêcher si mal. Autre temps, autre
usage : le texte est encore latin, tout le discours est françois, et d'un beau françois ; l'Évangile même n'est pas
cité. Il faut savoir aujourd'hui très peu de chose pour
bien prêcher[3]. (ÉD. 5.)

7.   L'on a enfin banni la scolastique de toutes les chaires

1. *Demeuré,* sans accord, dans les éditions du dix-septième siècle.

2. VAR. (édit. 5) : ou des pupilles. — Sur l'abus des citations, si
longtemps à la mode au barreau, voyez le commentaire que Louis
Racine a donné du discours de l'Intimé des *Plaideurs* (acte III
scène III), dans ses *Remarques sur les tragédies de J. Racine* (tome I
p. 233 et suivantes).

3. « Les femmes, qui murmuroient de ce qu'un discours étoit une
harangue latine, s'étonnent à présent qu'un sermon ne soit que françois. Elles savent bon gré aux prédicateurs de la complaisance qu'ils
ont de parler une langue familière à tout le monde.

« Citer, la mode n'en est plus. A la faveur de cet usage, le jeune
orateur se dispense de lire saint Augustin ; l'ancien prédicateur
rougit presque de l'avoir lu ; il glisse furtivement les pensées des
Pères dans un discours qui a besoin de leur témoignage. Le discours
paroît solide et éloquent ; mais celui qui le prononce n'a pas le courage d'en rendre grâce en public aux saints docteurs.

« L'exil des citations n'a alarmé que les savants. Le monde
poli, qui craint toutes les manières d'être ennuyé, n'a garde d'en
souhaiter le rappel. » (Brillon, *Théophraste moderne,* p. 358 et 359.)

des grandes villes, et on l'a reléguée dans les bourgs et
dans les villages pour l'instruction et pour le salut du la-
boureur ou du vigneron. (ÉD. 4.)

C'est avoir de l'esprit que de plaire au peuple dans un   8.
sermon par un style fleuri, une morale enjouée, des
figures réitérées, des traits brillants et de vives descrip-
tions ; mais ce n'est point en avoir assez. Un meilleur
esprit néglige ces ornements étrangers[1], indignes de servir à l'Évangile : il prêche simplement, fortement, chré-
tiennement.

L'orateur fait de si belles images de certains désordres,   9.
y fait entrer des circonstances si délicates, met tant d'esprit, de tour et de raffinement dans celui qui pèche, que
si je n'ai pas de pente à vouloir ressembler à ses portraits,
j'ai besoin du moins que quelque apôtre, avec un style
plus chrétien, me dégoûte des vices dont l'on m'avoit
fait une peinture si agréable.

Un beau sermon est un discours oratoire qui est dans   10.
toutes ses règles, purgé de tous ses défauts, conforme
aux préceptes de l'éloquence humaine, et paré de tous
les ornements de la rhétorique. Ceux qui entendent finement n'en perdent pas le moindre trait ni une seule
pensée ; ils suivent sans peine l'orateur dans toutes les
énumérations où il se promène, comme dans toutes les
élévations où il se jette : ce n'est une énigme que pour
le peuple. (ÉD. 4.)

Le solide et l'admirable discours que celui qu'on vient   11.

---

1. VAR. (édit. 1-3) : Un meilleur esprit condamne dans les autres,
et néglige pour soi ces ornements étrangers.

d'entendre! Les points de religion les plus essentiels,
comme les plus pressants motifs de conversion, y ont été
traités : quel grand effet n'a-t-il pas dû faire sur l'esprit
et dans l'âme de tous les auditeurs! Les voilà rendus :
ils en sont émus et touchés au point de résoudre dans
leur cœur, sur ce sermon de *Théodore,* qu'il est encore
plus beau que le dernier qu'il a prêché. (ÉD. 4.)

12.   La morale douce et relâchée tombe avec celui qui la
prêche ; elle n'a rien qui réveille et qui pique la curiosité
d'un homme du monde, qui craint moins qu'on ne pense
une doctrine sévère, et qui l'aime même dans celui qui
fait son devoir en l'annonçant. Il semble donc qu'il y ait
dans l'Église comme deux états qui doivent la partager :
celui de dire la vérité dans toute son étendue, sans égards,
sans déguisement ; celui de l'écouter avidement, avec
goût, avec admiration, avec éloges, et de n'en faire cependant ni pis ni mieux.

13.   L'on peut faire ce reproche à l'héroïque vertu des
grands hommes, qu'elle a corrompu l'éloquence, ou du
moins amolli le style de la plupart des prédicateurs. Au
lieu de s'unir seulement avec les peuples pour bénir le
Ciel de si rares présents qui en sont venus, ils ont entré
en société avec les auteurs et les poëtes ; et devenus
comme eux panégyristes, ils ont enchéri sur les épîtres
dédicatoires, sur les stances et sur les prologues ; ils ont
changé la parole sainte en un tissu de louanges, justes à
la vérité, mais mal placées, intéressées, que personne
n'exige d'eux, et qui ne conviennent point à leur caractère. On est heureux si à l'occasion du héros qu'ils célèbrent jusque dans le sanctuaire, ils disent un mot de
Dieu et du mystère qu'ils devoient prêcher. Il s'en est
trouvé quelques-uns qui ayant assujetti le saint Évangile,

qui doit être commun à tous, à la présence d'un seul auditeur, se sont vus déconcertés par des hasards qui le
retenoient ailleurs, n'ont pu prononcer devant des chrétiens un discours chrétien qui n'étoit pas fait pour eux,
et ont été suppléés par d'autres orateurs, qui n'ont eu
le temps que de louer Dieu dans un sermon précipité.
(ÉD. 4.)

Théodule a moins réussi que quelques-uns de ses au- 14.
diteurs ne l'appréhendoient : ils sont contents de lui et
de son discours ; il a mieux fait[1] à leur gré que de
charmer l'esprit et les oreilles, qui est de flatter leur
jalousie[2].

Le métier de la parole ressemble en une chose à celui 15.
de la guerre : il y a plus de risque qu'ailleurs, mais la fortune y est plus rapide.

Si vous êtes d'une certaine qualité, et que vous ne vous 16.
sentiez point d'autre talent[3] que celui de faire de froids
discours, prêchez, faites de froids discours[4] : il n'y a rien
de pire pour sa fortune que d'être entièrement ignoré.
Théodat[5] a été payé de ses mauvaises phrases et de son
ennuyeuse monotonie.

L'on a eu de grands évêchés par un mérite de chaire 17.
qui présentement ne vaudroit pas à son homme une simple prébende.

1. VAR. (édit. 1-7) : et il a mieux fait.
2. Dans la 4e édition, cet alinéa n'est pas séparé du précédent.
3. Il y a « d'autres talents, » au pluriel, dans les éditions 1-4.
4. Les mots : « faites de froids discours, » ont été ajoutés dans
a 7e édition.
5. VAR. (édit. 1) : *Théodore.*

18.   Le nom de ce panégyriste [1] semble gémir sous le poid
des titres dont il est accablé ; leur grand nombre rempli
de vastes affiches qui sont distribuées dans les maisons
ou que l'on lit par les rues en caractères monstrueux, e
qu'on ne peut non plus ignorer que la place publique
Quand sur une si belle montre, l'on a seulement essay
du personnage, et qu'on l'a un peu écouté, l'on recon
noît qu'il manque au dénombrement de ses qualités cell
de mauvais prédicateur.

19.   L'oisiveté des femmes, et l'habitude qu'ont les hom
mes de les courir partout où elles s'assemblent, donnen
du nom à de froids orateurs, et soutiennent quelqu
temps ceux qui ont décliné. (ÉD. 7.)

20.   Devroit-il suffire d'avoir été grand et puissant dans l
monde pour être louable ou non, et devant le saint au
tel et dans la chaire de la vérité, loué et célébré à se
funérailles? N'y a-t-il point d'autre grandeur que cell
qui vient de l'autorité et de la naissance? Pourquoi n'est
il pas établi de faire publiquement le panégyrique d'u
homme qui a excellé pendant sa vie dans la bonté, dan
l'équité, dans la douceur, dans la fidélité, dans la piété
Ce qu'on appelle une oraison funèbre n'est aujourd'hu
bien reçue du plus grand nombre des auditeurs, qu'à m
sure qu'elle s'éloigne davantage du discours chrétien, o
si vous l'aimez mieux ainsi, qu'elle approche de plus prè
d'un éloge profane. (ÉD. 6.)

21.   L'orateur cherche par ses discours un évêché ; l'apôtr
fait des conversions : il mérite de trouver ce que l'autr
cherche.

1. « Le nom de panégyriste, » par faute d'impression, dans l
9e édition.

L'on voit des clercs[1] revenir de quelques provinces 22.
où ils n'ont pas fait un long séjour, vains des conversions qu'ils ont trouvées toutes faites, comme de celles
qu'ils n'ont pu faire, se comparer déjà aux Vincents et
aux Xaviers[2], et se croire des hommes apostoliques : de
si grands travaux et de si heureuses missions ne seroient
pas à leur gré payées d'une abbaye.

Tel tout d'un coup, et sans y avoir pensé la veille, 23.
prend du papier, une plume, dit en soi-même : « Je vais
faire un livre, » sans autre talent pour écrire que le besoin qu'il a de cinquante pistoles. Je lui crie inutilement :
« Prenez une scie, *Dioscore,* sciez, ou bien tournez, ou
faites une jante de roue ; vous aurez votre salaire[3]. » Il
n'a point fait l'apprentissage de tous ces métiers. « Co-
piez donc, transcrivez, soyez au plus correcteur d'imprimerie, n'écrivez point. » Il veut écrire et faire imprimer ; et parce qu'on n'envoie pas à l'imprimeur un cahier
blanc, il le barbouille de ce qui lui plaît : il écriroit volontiers que la Seine coule à Paris, qu'il y a sept jours
dans la semaine, ou que le temps est à la pluie ; et comme
ce discours n'est ni contre la religion ni contre l'État, et
qu'il ne fera point d'autre désordre dans le public que

1. Ecclésiastiques. (*Note de la Bruyère,* supprimée dès la 4ᵉ édition.) — Il s'agit d'ecclésiastiques chargés de la conversion des
protestants.

2. Saint Vincent de Paul (1576-1660) fit de nombreuses conversions, et saint François Xavier (1506-1552) en fit dans les Indes
d'éclatantes, qui lui valurent le surnom d'Apôtre des Indes.

3.   Soyez plutôt maçon, si c'est votre talent,
      Ouvrier estimé dans un art nécessaire,
      Qu'écrivain du commun et poëte vulgaire.
            (Boileau, *Art poétique,* chant IV, vers 26-28.)

— On peut rapprocher de cet alinéa la remarque 3 du chapitre *des
Ouvrages de l'esprit,* tome II, p. 25.

de lui gâter le goût et l'accoutumer aux choses fades et
insipides, il passe à l'examen[1], il est imprimé, et à la
honte du siècle, comme pour l'humiliation des bons auteurs, réimprimé[2]. De même un homme dit en son cœur
« Je prêcherai, » et il prêche ; le voilà en chaire, sans
autre talent ni vocation que le besoin d'un bénéfice.
(ÉD. 7.)

24.   Un clerc mondain ou irréligieux, s'il monte en chaire,
est déclamateur.

Il y a au contraire des hommes saints, et dont le seul
caractère est efficace pour la persuasion : ils paroissent,
et tout un peuple qui doit les écouter est déjà ému et
comme persuadé par leur présence ; le discours qu'ils vont
prononcer fera le reste.

25.   L'. DE MEAUX,[3] et le P. BOURDALOUE me rappellent
DÉMOSTHÈNE et CICÉRON. Tous deux, maîtres dans l'éloquence de la chaire, ont eu le destin des grands mo-
dèles : l'un a fait de mauvais censeurs, l'autre de mauvais copistes. (ÉD. 4.)

26.   L'éloquence de la chaire, en ce qui y entre d'humain
et du talent de l'orateur, est cachée, connue de peu de
personnes et d'une difficile exécution : quel art en ce

---

1. C'est-à-dire à l'examen des censeurs.

2. « Mais quoique ce soit une faute plus grande qu'on ne s'imagine, que de composer un méchant livre, ou simplement un livre
inutile, c'est une faute dont on est plutôt récompensé qu'on n'en est
puni. Car il y a des crimes que les hommes ne punissent pas, soit parce
qu'ils sont à la mode, soit parce qu'on n'a pas d'ordinaire une raison
assez ferme pour condamner des criminels qu'on estime plus habiles
que soi. » (Malebranche, *de la Recherche de la vérité,* livre IV, chapitre VIII, tome II, p. 64.)

3. Lisez : « L'évêque de Meaux, » c'est-à-dire Bossuet.

genre pour plaire en persuadant! Il faut marcher par des chemins battus, dire ce qui a été dit, et ce que l'on prévoit que vous allez dire. Les matières sont grandes, mais usées et triviales ; les principes sûrs, mais dont les auditeurs pénètrent les conclusions d'une seule vue. Il y entre des sujets qui sont sublimes ; mais qui peut traiter le sublime? Il y a des mystères que l'on doit expliquer, et qui s'expliquent mieux par une leçon de l'école que par un discours oratoire. La morale même de la chaire, qui comprend une matière aussi vaste et aussi diversifiée que le sont les mœurs des hommes, roule sur les mêmes pivots, retrace les mêmes images, et se prescrit des bornes bien plus étroites que la satire : après l'invective commune contre les honneurs, les richesses et le plaisir, il ne reste plus à l'orateur qu'à courir à la fin de son discours et à congédier l'assemblée [1]. Si quelquefois on pleure, si on est ému, après avoir fait attention au génie et au caractère de ceux qui font pleurer, peut-être conviendra-t-on que c'est la matière qui se prêche elle-même, et notre intérêt le plus capital qui se fait sentir ; que c'est moins une véritable éloquence que la ferme poitrine du missionnaire qui nous ébranle et qui cause en nous ces mouvements. Enfin le prédicateur n'est point soutenu, comme l'avocat, par des faits toujours nouveaux, par de différents événements, par des aventures inouïes ; il ne s'exerce point sur les questions douteuses, il ne fait point valoir les violentes conjectures et les présomptions, toutes choses néanmoins qui élèvent le génie, lui donnent de la force et de l'étendue, et qui contraignent bien moins l'éloquence qu'elles ne la fixent et ne la dirigent. Il doit au contraire tirer son discours d'une source commune, et où tout le monde puise ; et s'il s'écarte de ces

1. Var. (édit. 5) : et congédier l'assemblée.

lieux communs, il n'est plus populaire, il est abstrait ou
déclamateur, il ne prêche plus l'Évangile. Il n'a besoin
que d'une noble simplicité, mais il faut l'atteindre, talent
rare, et qui passe les forces du commun des hommes :
ce qu'ils ont de génie, d'imagination, d'érudition et de
mémoire, ne leur sert souvent qu'à s'en éloigner. (ÉD. 5.)

La fonction de l'avocat est pénible, laborieuse, et suppose, dans celui qui l'exerce, un riche fonds et de grandes ressources. Il n'est pas seulement chargé, comme le
prédicateur, d'un certain nombre d'oraisons composées
avec loisir, récitées de mémoire, avec autorité, sans con-
tradicteurs, et qui, avec de médiocres changements, lui
font honneur plus d'une fois ; il prononce de graves plaidoyers devant des juges qui peuvent lui imposer silence,
et contre des adversaires qui l'interrompent ; il doit être
prêt sur la réplique ; il parle en un même jour, dans divers tribunaux, de différentes affaires. Sa maison n'est
pas pour lui un lieu de repos et de retraite, ni un asile
contre les plaideurs ; elle est ouverte à tous ceux qui
viennent l'accabler de leurs questions et de leurs doutes.
Il ne se met pas au lit, on ne l'essuie point, on ne lui prépare point des rafraîchissements ; il ne se fait point dans
sa chambre un concours de monde de tous les états et de
tous les sexes, pour le féliciter sur l'agrément et sur la
politesse de son langage, lui remettre l'esprit[1] sur un endroit où il a couru risque de demeurer court, ou sur un
scrupule qu'il a sur le chevet d'avoir plaidé moins vivement qu'à l'ordinaire. Il se délasse d'un long discours
par de plus longs écrits, il ne fait que changer de travaux
et de fatigues : j'ose dire qu'il est dans son genre ce
qu'étoient dans le leur les premiers hommes apostoliques.
(ÉD. 5.)

---

1. VAR. (édit. 5) : pour lui remettre l'espr t.

Quand on a ainsi distingué l'éloquence du barreau de
la fonction de l'avocat, et l'éloquence de la chaire du
ministère du prédicateur, on croit voir qu'il est plus aisé
de prêcher que de plaider, et plus difficile de bien prêcher que de bien plaider [1]. (ÉD. 5.)

Quel avantage n'a pas un discours prononcé sur un   **27.**
ouvrage qui est écrit ! Les hommes sont les dupes de l'action et de la parole, comme de tout l'appareil de l'auditoire. Pour peu de prévention qu'ils aient en faveur de
celui qui parle, ils l'admirent, et cherchent ensuite à le
comprendre : avant qu'il ait commencé, ils s'écrient qu'il
va bien faire ; ils s'endorment bientôt, et le discours fini,
ils se réveillent pour dire qu'il a bien fait. On se pas-
sionne moins pour un auteur : son ouvrage est lu dans le
loisir de la campagne, ou dans le silence du cabinet ; il
n'y a point de rendez-vous publics pour lui applaudir,
encore moins de cabale pour lui sacrifier tous ses rivaux,

---

1. « .... Si i'auois à conseiller de mesme en ces deux diuers ad-
uantages de l'eloquence, de laquelle il semble en nostre siecle que
les prescheurs et les aduocats facent principale profession, le tardif
seroit mieulx prescheur, ce me semble, et l'aultre mieux aduocat :
parce que la charge de cettuy là luy donne autant qu'il luy plaist de
loisir pour se preparer ; et puis sa carriere se passe d'un fil et d'une
suitte sans interruption : là où les commoditez de l'aduocat le pres-
sent à toute heure de se mettre en lice ; et les responses improu-
ueues de sa partie aduerse le reiectent de son bransle, où il luy
fault sur le champ prendre nouueau party.... La part de l'aduocat est plus difficile que celle du prescheur ; et nous trouuons
pourtant, ce m'est aduis, plus de passables aduocats que de prescheurs, au moins en France. » (Montaigne, *Essais*, livre I, chapitre x,
tome I, p. 54.) — Le parallèle du prédicateur et de l'avocat avait
été fait souvent : « M. du Vair et M. Pasquier ont cru que le parfait
avocat étoit plus difficile à rencontrer que le parfait prédicateur, »
écrivait en 1666 l'avocat G. Guéret, dans un livre consacré tout
entier à ce même parallèle : *Entretiens sur l'éloquence de la chaire et
du barreau*, p. 87.

et pour l'élever à la prélature. On lit son livre, quelque excellent qu'il soit, dans l'esprit de le trouver médiocre ; on le feuillette, on le discute, on le confronte ; ce ne sont pas des sons qui se perdent en l'air et qui s'oublient ; ce qui est imprimé demeure imprimé. On l'attend quelquefois plusieurs jours avant l'impression pour le décrier, et le plaisir le plus délicat que l'on en tire vient de la critique qu'on en fait ; on est piqué d'y trouver à chaque page des traits qui doivent plaire, on va même souvent jusqu'à appréhender d'en être diverti, et on ne quitte ce livre que parce qu'il est bon. Tout le monde ne se donne pas pour orateur : les phrases, les figures, le don de la mémoire, la robe ou l'engagement de celui qui prêche, ne sont pas des choses qu'on ose ou qu'on veuille toujours s'approprier[1]. Chacun au contraire croit penser bien, et écrire encore mieux ce qu'il a pensé ; il en est moins favorable à celui qui pense et qui écrit aussi bien que lui. En un mot le *sermonneur* est plus tôt évêque que le plus solide écrivain n'est revêtu d'un prieuré simple ; et dans la distribution des grâces, de nouvelles sont accordées à celui-là, pendant que l'auteur grave se tient heureux d'avoir ses restes. (ÉD. 7.)

28.　S'il arrive que les méchants vous haïssent et vous persécutent, les gens de bien vous conseillent de vous humilier devant Dieu, pour vous mettre en garde contre la vanité qui pourroit vous venir de déplaire à des gens de ce caractère ; de même si certains hommes, sujets à se récrier sur le médiocre, désapprouvent un ouvrage que vous aurez écrit, ou un discours que vous venez de prononcer en public, soit au barreau, soit dans la chaire,

---

1. VAR. (édit. 7) : qu'on veuille ou qu'on ose toujours s'approprier.

ou ailleurs, humiliez-vous : on ne peut guère être exposé
à une tentation d'orgueil plus délicate et plus prochaine.
(ÉD. 8.)

Il me semble qu'un prédicateur devroit faire choix 29.
dans chaque discours d'une vérité unique, mais capitale,
terrible ou instructive, la manier à fond et l'épuiser ;
abandonner toutes ces divisions si recherchées, si retour-
nées, si remaniées[1] et si différenciées ; ne point supposer
ce qui est faux, je veux dire que le grand ou le beau
monde sait sa religion et ses devoirs ; et ne pas appréhender de faire, ou à ces bonnes têtes ou à ces esprits
si raffinés, des catéchismes ; ce temps si long que l'on
use à composer un long ouvrage, l'employer à se rendre
si maître de sa matière, que le tour et les expressions
naissent dans l'action, et coulent de source ; se livrer,
après une certaine préparation, à son génie et au mouvement[2] qu'un grand sujet peut inspirer : qu'il pourroit
enfin s'épargner ces prodigieux efforts de mémoire qui
ressemblent mieux à une gageure qu'à une affaire sérieuse, qui corrompent le geste et défigurent le visage ;
jeter au contraire, par un bel enthousiasme, la persuasion dans les esprits et l'alarme dans le cœur, et toucher
ses auditeurs d'une toute[3] autre crainte que de celle de
le voir demeurer court. (ÉD. 4.)

Que celui qui n'est pas encore assez parfait pour s'ou- 30.
blier soi-même dans le ministère de la parole sainte ne
se décourage point par les règles austères qu'on lui prescrit, comme si elles lui ôtoient les moyens de faire montre

1. « Si remaniées, » mots ajoutés dans la 8e édition.
2. VAR. (édit. 4-8) : aux mouvements.
3. Il y a ainsi *toute*, au féminin, dans toutes les éditions du dix-
septième siècle.

de son esprit, et de monter aux dignités où il aspire :
quel plus beau talent que celui de prêcher apostolique-
ment? et quel autre mérite mieux un évêché[1]? Fénelon
en étoit-il indigne? auroit-il pu échapper au choix du
Prince que par un autre choix? (ÉD. 4.)

1. VAR. (édit. 4) : est plus digne d'un évêché. — La suite de
l'alinéa a été ajoutée dans la 5ᵉ édition. Peu de temps après la publication de la 4ᵉ édition, au mois d'août 1689, Fénelon avait été
nommé précepteur du duc de Bourgogne.

DES ESPRITS FORTS.

LES esprits forts savent-ils qu'on les appelle ainsi par **1.**
ironie ? Quelle plus grande foiblesse que d'être incertains
quel est le principe de son être, de sa vie, de ses sens, de
ses connoissances, et quelle en doit être la fin ? Quel dé-
couragement plus grand que de douter si son âme n'est
point matière comme la pierre et le reptile, et si elle n'est
point corruptible comme ces viles créatures ? N'y a-t-il
pas plus de force et de grandeur[1] à recevoir dans notre
esprit l'idée d'un être supérieur à tous les êtres, qui les a
tous faits, et à qui tous se doivent rapporter; d'un être
souverainement parfait, qui est pur, qui n'a point commencé et qui ne peut finir, dont notre âme est l'image, et
si j'ose dire, une portion[2], comme esprit et comme immortelle ?

Le docile et le foible sont susceptibles d'impressions : **2.**
l'un en reçoit de bonnes, l'autre de mauvaises; c'est-à-
dire que le premier est persuadé et fidèle, et que le second est entêté et corrompu. Ainsi l'esprit docile admet
la vraie religion; et l'esprit foible, ou n'en admet aucune,
ou en admet une fausse. Or l'esprit fort ou n'a point de

---

1. VAR. (édit. 1-4) : et plus de grandeur.
2. VAR. (édit. 1-3) : dont notre âme est l'image, et même une
portion. — L'idée de *portion* rappelle le mot d'Horace (livre II, *satire* II, vers 79) :

.... *divinæ particulam auræ,*

et ce que Cicéron dit d'après Pythagore : *ex universa mente divina
delibatos animos* (*de la Vieillesse,* chapitre XXI).

religion, ou 'se fait une religion; donc l'esprit fort, c'est l'esprit foible [1]. (ÉD. 6.)

3.　　J'appelle mondains, terrestres ou grossiers ceux dont l'esprit et le cœur sont attachés à une petite portion de ce monde qu'ils habitent, qui est la terre; qui n'estiment rien, qui n'aiment rien au delà : gens aussi limités que ce qu'ils appellent leurs possessions ou leur domaine, que l'on mesure, dont on compte les arpents, et dont on montre les bornes. Je ne m'étonne pas que des hommes qui s'appuient sur un atome chancellent dans les moindres efforts qu'ils font pour sonder la vérité, si avec des vues si courtes ils ne percent point à travers le ciel et les astres, jusques à Dieu même; si ne s'apercevant point ou de l'excellence de ce qui est esprit, ou de la dignité de l'âme, ils ressentent encore moins combien elle est difficile à assouvir, combien la terre entière est au-dessous d'elle, de quelle nécessité lui devient un être souverainement parfait, qui est Dieu, et quel besoin indispensable elle a d'une religion qui le lui indique, et qui lui en est une caution sûre. Je comprends au contraire fort aisément qu'il est naturel à de tels esprits de tomber dans l'incrédulité ou l'indifférence, et de faire servir Dieu et la religion à la politique, c'est-à-dire à l'ordre et à la décoration de ce monde, la seule chose selon eux qui mérite qu'on y pense. (ÉD. 5.)

4.　　Quelques-uns achèvent de se corrompre par de longs-voyages, et perdent le peu de religion qui leur restoit. Ils voient de jour à autre un nouveau culte, diverses

---

1. « Rien n'accuse davantage une extrême foiblesse d'esprit que de ne pas connoître quel est le malheur d'un homme sans Dieu;... rien n'est plus lâche que de faire le brave contre Dieu. » (Pascal, *Pensées,* article IX, 1.)

mœurs, diverses cérémonies; ils ressemblent à ceux qui
entrent dans les magasins, indéterminés sur le choix des
étoffes qu'ils veulent acheter : le grand nombre de celles
qu'on leur montre les rend plus indifférents; elles ont
chacune leur agrément[1] et leur bienséance : ils ne se
fixent point, ils sortent sans emplette. (ÉD. 5.)

Il y a des hommes qui attendent à être dévots et reli-   5.
gieux que tout le monde se déclare impie et libertin : ce
sera alors le parti du vulgaire, ils sauront s'en dégager.
La singularité leur plaît dans une matière si sérieuse et si
profonde; ils ne suivent la mode[2] et le train commun
que dans les choses de rien et de nulle suite. Qui sait
même s'ils n'ont pas déjà mis une sorte de bravoure et
d'intrépidité à courir tout le risque de l'avenir ? Il ne
faut pas d'ailleurs que dans une certaine condition, avec
une certaine étendue d'esprit et de certaines vues, l'on
songe à croire comme les savants et le peuple. (ÉD. 5.)

L'on doute de Dieu dans une pleine santé, comme l'on   6.
doute que ce soit pécher que d'avoir un commerce avec
une personne libre[3]. Quand l'on devient malade, et que
l'hydropisie est formée, l'on quitte sa concubine, et l'on
croit en Dieu[4].

1. VAR. (édit. 5-7) : leurs agréments.
2. VAR. (édit. 5 et 6) : et ils ne suivent la mode.
3. Une fille. (*Note de la Bruyère.*)
4. M. Destailleur compare à ce passage la *lettre* xxvi du VIIe livre
de Pline. L'extrait qui suit présente en effet un rapport assez frap-
pant : *Quem.... infirmum aut avaritia aut libido sollicitat ? Non amori-
bus servit, non appetit honores, opes negligit.... Tunc deos ; tunc homi-
nem esse se meminit.* « Qui, durant la maladie, est tourmenté par
l'avarice ou par la passion des plaisirs ? On n'est point alors esclave
de l'amour, on ne recherche pas les honneurs, on néglige les richesses. On se souvient qu'il y a des dieux, qu'on est homme. »

7.   Il faudroit s'éprouver et s'examiner très sérieusement, avant que de se déclarer esprit fort ou libertin, afin au moins, et selon ses principes, de finir comme l'on a vécu; ou si l'on ne se sent pas la force d'aller si loin, se résoudre de vivre comme l'on veut mourir.

8.   Toute plaisanterie dans un homme mourant est hors de sa place : si elle roule sur de certains chapitres, elle est funeste. C'est une extrême misère que de donner[1] à ses dépens à ceux que l'on laisse le plaisir d'un bon mot[2].

Dans quelque prévention où l'on puisse être sur ce qui doit suivre la mort, c'est une chose bien sérieuse que de mourir : ce n'est point alors le badinage qui sied bien, mais la constance. (ÉD. 6.)

9.   Il y a eu de tout temps de ces gens d'un bel esprit et d'une agréable littérature, esclaves des grands, dont ils ont épousé le libertinage et porté le joug toute leur vie, contre leurs propres lumières et contre leur conscience. Ces hommes n'ont jamais vécu que pour d'autres hommes, et ils semblent les avoir regardés comme leur der-

---

1. VAR. (édit. 5) : que donner.

2. « Et de ces viles ames de bouffons, dit Montaigne (qui appuie cette réflexion de nombreux exemples), il s'en est trouvé qui n'ont voulu abandonner leur gaudisserie en la mort mesme. » (*Essais*, livre I, chapitre xL, tome I, p. 364.) — « .... Ne trouvez-vous pas, écrit Bussy à Mme de Sévigné, après avoir conté une plaisanterie du maréchal de Gramont au lit de mort de sa fille Mme de Monaco, ne trouvez-vous pas, Madame, que les plaisanteries en ces rencontres-là sont bien à contre-temps ? Pour moi, je ne les saurois souffrir, et quand je les passerois à ces gens qui disent en mourant : « Tirez le « rideau, la farce est jouée, » et autres semblables forfanteries, toujours trouverois-je sot et cruel à une personne qui se porte bien, de plaisanter avec une personne mourante.... » (*Lettres de Mme de Sévigné*, tome V, p. 448 et 449.)

nière fin[1]. Ils ont eu honte de se sauver à leurs yeux, de
paroître tels qu'ils étoient peut-être dans le cœur, et ils
se sont perdus par déférence ou par foiblesse[2]. Y a-t-il
donc sur la terre de grands assez grands, et des puissants assez puissants, pour mériter de nous que nous
croyions et que nous vivions à leur gré, selon leur goût
et leurs caprices, et que nous poussions la complaisance
plus loin, en mourant non de la manière qui est la plus
sûre pour nous, mais de celle qui leur plaît davantage?

J'exigerois de ceux qui vont contre le train commun et   10.
les grandes règles qu'ils sussent plus que les autres, qu'ils
eussent des raisons claires, et de ces arguments qui emportent conviction.

Je voudrois voir un homme sobre, modéré, chaste,   11.
équitable, prononcer qu'il n'y a point de Dieu : il parleroit du moins sans intérêt ; mais cet homme ne se trouve
point.

J'aurois une extrême curiosité de voir celui qui seroit   12.
persuadé que Dieu n'est point : il me diroit du moins la
raison invincible qui a su le convaincre.

L'impossibilité où je suis de prouver que Dieu n'est   13.
pas me découvre son existence.

Dieu condamne et punit ceux qui l'offensent, seul   14.

1. VAR. (édit. 1-4) : comme leur Dieu et leur dernière fin.
2.   Vois-tu ce libertin, en public intrépide,
        Qui prêche contre un Dieu que dans son âme il croit ?
        Il iroit embrasser la vérité qu'il voit ;
        Mais de ses faux amis il craint la raillerie,
        Et ne brave ainsi Dieu que par poltronnerie.
                                    (Boileau, épître III, vers 22-26.)

juge en sa propre cause : ce qui répugne, s'il n'est lui-
même la justice et la vérité, c'est-à-dire s'il n'est Dieu.
(ÉD. 4.)

15.   Je sens qu'il y a un Dieu, et je ne sens pas qu'il n'y en
ait point ; cela me suffit, tout le raisonnement du monde
m'est inutile[1] : je conclus que Dieu existe. Cette conclusion est dans ma nature ; j'en ai reçu les principes trop
aisément dans mon enfance, et je les ai conservés depuis
trop naturellement dans un âge plus avancé, pour les
soupçonner de fausseté. — Mais il y a des esprits qui se
défont de ces principes. — C'est une grande question s'il
s'en trouve de tels ; et quand il seroit ainsi, cela prouve
seulement qu'il y a des monstres.

16.   L'athéisme n'est point. Les grands, qui en sont le plus
soupçonnés, sont trop paresseux pour décider en leur esprit que Dieu n'est pas ; leur indolence va jusqu'à les
rendre froids et indifférents sur cet article si capital,
comme sur la nature de leur âme, et sur les conséquences
d'une vraie religion ; ils ne nient ces choses ni ne les accordent : ils n'y pensent point.

17.   Nous n'avons pas trop de toute notre santé, de toutes
nos forces et de tout notre esprit pour penser aux hommes ou au plus petit intérêt : il semble au contraire que
la bienséance et la coutume exigent de nous que nous ne

---

1. « Le cœur a ses raisons, que la raison ne connoît point.... C'est
le cœur qui sent Dieu, et non la raison. Voilà ce que c'est que la
foi : Dieu sensible au cœur, non à la raison. » (Pascal, *Pensées*, article XXIV, 5.) — .... « Il faut nécessairement conclure que de cela
seul que j'existe et que l'idée d'un Être souverainement parfait,
c'est-à-dire de Dieu, est en moi, l'existence de Dieu est très évidemment démontrée. » (Descartes. *méditation* IIIe.)

pensions à Dieu[1] que dans un état où il ne reste en nous
qu'autant de raison qu'il faut pour ne pas dire qu'il n'y
en a plus. (ÉD. 8.)

Un grand croit s'évanouir, et il meurt; un autre grand 18.
périt insensiblement, et perd chaque jour quelque chose
de soi-même avant qu'il soit éteint : formidables leçons[2],
mais inutiles ! Des circonstances si marquées et si sensi-
blement opposées ne se relèvent point et ne touchent
personne : les hommes n'y ont pas plus d'attention qu'à
une fleur qui se fane ou à une feuille qui tombe ; ils en-
vient les places qui demeurent vacantes, ou ils s'infor-
ment si elles sont remplies, et par qui. (ÉD. 7.)

Les hommes sont-ils assez bons, assez fidèles, assez 19.
équitables, pour mériter toute notre confiance, et ne
nous pas faire desirer du moins[3] que Dieu existât, à qui
nous pussions appeler de leurs jugements et avoir recours
quand nous en sommes persécutés ou trahis ?

Si c'est le grand et le sublime de la religion qui éblouit 20.
ou qui confond les esprits forts, ils ne sont plus des esprits forts, mais de foibles génies et de petits esprits ; et
si c'est au contraire ce qu'il y a d'humble et de simple qui

1. Dans la 9ᵉ édition : « pensions à nous, » faute corrigée dans
la 10ᵉ.

2. « Considérez, Messieurs, ces grandes puissances, que nous re-
gardons de si bas. Pendant que nous tremblons sous leur main, Dieu
les frappe pour nous avertir. Leur élévation en est la cause, et il les
épargne si peu, qu'il ne craint pas de les sacrifier à l'instruction du
reste des hommes. » (Bossuet, *Oraison funèbre d'Henriette d'Angleterre,* 1ʳᵉ partie, édition de Versailles, tome XVII, p. 348.)

3. VAR. (édit. 1 et 2ᴬ) : pour devoir y mettre toute notre confiance,
et ne pas desirer du moins que Dieu existât ; — (édit. 2ᴮ-6) : pour
mériter toute notre confiance, et ne pas faire desirer du moins que
Dieu existât.

les rebute, ils sont à la vérité des esprits forts, et plus
forts que tant de grands hommes si éclairés, si élevés, et
néanmoins si fidèles, que les Léons, les Basiles, les Jé-
rômes, les Augustins. (éd. 4.)

21.   « Un Père de l'Église, un docteur de l'Église, quels
noms ! quelle tristesse dans leurs écrits ! quelle sécheresse, quelle froide dévotion, et peut-être quelle scolastique ! » disent ceux qui ne les ont jamais lus. Mais
plutôt quel étonnement pour tous ceux qui se sont fait
une idée des Pères si éloignée de la vérité, s'ils voyoient
dans leurs ouvrages plus de tour et de délicatesse, plus de
politesse et d'esprit, plus de richesse d'expression et plus
de force de raisonnement, des traits plus vifs et des grâces plus naturelles que l'on n'en remarque dans la plupart
des livres de ce temps qui sont lus avec goût, qui donnent du nom et de la vanité à leurs auteurs ! Quel plaisir
d'aimer la religion, et de la voir crue, soutenue, expliquée
par de si beaux génies et par de si solides esprits ! surtout lorsque l'on vient à connoître que pour l'étendue
de connoissance, pour la profondeur et la pénétration,
pour les principes de la pure philosophie, pour leur application et leur développement, pour la justesse des conclusions, pour la dignité du discours, pour la beauté de
la morale et des sentiments, il n'y a rien par exemple
que l'on puisse comparer à S. Augustin, que Platon et
que Cicéron. (éd. 4.)

22.   L'homme est né menteur : la vérité est simple et in-
génue, et il veut du spécieux et de l'ornement. Elle n'est
pas à lui, elle vient du ciel toute faite, pour ainsi dire,
et dans toute sa perfection ; et l'homme n'aime que son
propre ouvrage, la fiction et la fable. Voyez le peuple :
il controuve, il augmente, il charge par grossièreté et

par sottise ; demandez même au plus honnête homme
s'il est toujours vrai dans ses discours, s'il ne se surprend
pas quelquefois dans des déguisements où engagent nécessairement la vanité et la légèreté, si pour faire un
meilleur conte, il ne lui échappe pas souvent d'ajouter à
un fait qu'il récite une circonstance qui y manque. Une
chose arrive aujourd'hui, et presque sous nos yeux : cent
personnes qui l'ont vue la racontent en cent façons différentes ; celui-ci, s'il est écouté, la dira encore d'une manière qui n'a pas été dite. Quelle créance donc pourrois-
je donner à des faits qui sont anciens et éloignés de nous
par plusieurs siècles ? quel fondement dois-je faire sur
les plus graves historiens ? que devient l'histoire ? César
a-t-il été massacré au milieu du sénat ? y a-t-il eu un
César ? « Quelle conséquence ! me dites-vous ; quels
doutes ! quelle demande ! » Vous riez, vous ne me jugez
pas digne d'aucune réponse ; et je crois même que vous
avez raison. Je suppose néanmoins que le livre qui fait
mention de César ne soit pas un livre profane, écrit de
la main des hommes, qui sont menteurs, trouvé par hasard dans les bibliothèques parmi d'autres manuscrits qui
contiennent des histoires vraies ou apocryphes ; qu'au
contraire il soit inspiré, saint, divin ; qu'il porte en soi
ces caractères ; qu'il se trouve depuis près de deux mille
ans dans une société nombreuse qui n'a pas permis qu'on
y ait fait pendant tout ce temps la moindre altération,
et qui s'est fait une religion de le conserver dans toute
son intégrité ; qu'il y ait même un engagement religieux
et indispensable d'avoir de la foi pour tous les faits con-
tenus dans ce volume où il est parlé de César et de sa
dictature : avouez-le, *Lucile*, vous douterez alors qu'il y
ait eu un César. (ÉD. 7.)

Toute musique n'est pas propre à louer Dieu et à être **23.**

entendue dans le sanctuaire ; toute philosophie ne parle
pas dignement de Dieu, de sa puissance, des principes
de ses opérations et de ses mystères : plus cette philosophie est subtile et idéale, plus elle est vaine et inutile
pour expliquer des choses qui ne demandent des hommes
qu'un sens droit pour être connues jusques à un certain
point, et qui au delà sont inexplicables. Vouloir rendre
raison de Dieu, de ses perfections, et si j'ose ainsi parler,
de ses actions, c'est aller plus loin que les anciens philosophes, que les Apôtres, que les premiers docteurs ; mais
ce n'est pas rencontrer si juste ; c'est creuser longtemps
et profondément, sans trouver les sources de la vérité.
Dès qu'on a abandonné les termes de bonté, de miséricorde, de justice et de toute-puissance, qui donnent de
Dieu de si hautes et de si aimables idées, quelque grand
effort d'imagination qu'on puisse faire, il faut recevoir
les expressions sèches, stériles, vides de sens ; admettre
les pensées creuses, écartées des notions communes, ou
tout au plus les subtiles et les ingénieuses ; et à mesure
que l'on acquiert d'ouverture dans une nouvelle méta-
physique, perdre un peu de sa religion. (ÉD. 4.)

24.   Jusques où les hommes ne se portent-ils point par
l'intérêt de la religion, dont ils sont si peu persuadés, et
qu'ils pratiquent si mal ! (ÉD. 4.)

25.   Cette même religion que les hommes défendent avec
chaleur et avec zèle contre ceux qui en ont une toute
contraire, ils l'altèrent eux-mêmes dans leur esprit par
des sentiments particuliers : ils y ajoutent et ils en retran-
chent mille choses souvent essentielles, selon ce qui leur
convient, et ils demeurent fermes et inébranlables dans
cette forme qu'ils lui ont donnée. Ainsi, à parler popu-
lairement, on peut dire d'une seule nation qu'elle vit sous

un même culte, et qu'elle n'a qu'une seule religion ; mais
à parler exactement, il est vrai qu'elle en a plusieurs, et
que chacun presque y a la sienne. (ÉD. 4.)

Deux sortes de gens fleurissent dans les cours, et y do- 26.
minent dans divers temps, les libertins et les hypocrites :
ceux-là gaiement, ouvertement, sans art et sans dissimulation ; ceux-ci finement, par des artifices, par la cabale.
Cent fois plus épris de la fortune que les premiers, ils en
sont jaloux jusqu'à l'excès ; ils veulent la gouverner, la
posséder seuls, la partager entre eux et en exclure tout
autre ; dignités, charges, postes, bénéfices, pensions, honneurs, tout leur convient et ne convient qu'à eux ; le
reste des hommes en est indigne ; ils ne comprennent
point que sans leur attache on ait l'impudence de les espérer. Une troupe de masques entre dans un bal : ont-ils
la main, ils dansent, ils se font danser les uns les autres,
ils dansent encore, ils dansent toujours ; ils ne rendent
la main à personne de l'assemblée, quelque digne qu'elle
soit de leur attention : on languit, on sèche de les voir
danser et de ne danser point : quelques-uns murmurent ;
les plus sages prennent leur parti et s'en vont[1]. (ÉD. 8.)

Il y a deux espèces de libertins : les libertins, ceux du 27.
moins qui croient l'être, et les hypocrites ou faux dévots,
c'est-à-dire ceux qui ne veulent pas être crus libertins :
les derniers dans ce genre-là sont les meilleurs. (ÉD. 8.)
Le faux dévot ou ne croit pas en Dieu, ou se moque

1. Il arrivait quelquefois, en dehors même du cas que suppose
la Bruyère (celui d'une troupe de masques inconnus survenant dans
un bal), qu'une bande de danseurs empêchât quelque temps une
autre de prendre part à la danse : il suffisait que les danseurs qui
« avaient la main » ne fissent jamais choix que de l'un ou de l'une
des leurs pour remplacer le danseur ou la danseuse qui se retirait.
Voyez l'*Appendice*, p. 428.

de Dieu ; parlons de lui obligeamment : il ne croit pas en Dieu. (ÉD. 8.)

28.   Si toute religion est une crainte respectueuse de la Divinité, que penser de ceux qui osent la blesser dans sa plus vive image, qui est le Prince? (ÉD. 4.)

29.   Si l'on nous assuroit que le motif secret de l'ambassade des Siamois[1] a été d'exciter le Roi Très-Chrétien à renoncer au christianisme, à permettre l'entrée de son royaume aux *Talapoins*[2], qui eussent pénétré dans nos maisons pour persuader leur religion à nos femmes, à nos enfants et à nous-mêmes par leurs livres et par leurs entretiens, qui eussent élevé des *pagodes* au milieu des villes, où ils eussent placé des figures de métal pour être adorées[3], avec quelles risées et quel étrange mépris n'entendrions-nous pas des choses si extravagantes! Nous faisons cependant six mille lieues de mer pour la conversion des Indes, des royaumes de Siam, de la Chine et du Japon, c'est-à-dire pour faire très sérieusement à tous ces peuples des propositions qui doivent leur paroître très folles[4] et très ridicules. Ils supportent néanmoins nos religieux et nos prêtres ; ils les écoutent quelquefois, leur laissent bâtir leurs églises et faire leurs missions. Qui fait cela en eux et en nous ? ne seroit-ce point la force de la vérité?

30.   Il ne convient pas à toute sorte de personnes de le-

---

1. Voyez ci-dessus, p. 88, note 5.

2. On nommait ainsi les prêtres siamois. — Le mot *Talapoins* et plus loin le mot *pagodes* n'étaient pas imprimés en italique dans les éditions 1-4.

3. VAR. (édit. 1-5) : pour y être adorées.

4. Dans la 6ᵉ édition : « très-fortes, » faute évidente.

ver l'étendard d'aumônier, et d'avoir tous les pauvres
d'une ville assemblés à sa porte, qui y reçoivent leurs
portions. Qui ne sait pas au contraire des misères plus
secrètes qu'il peut entreprendre de soulager, ou immédiatement et par ses secours, ou du moins par sa médiation! De même il n'est pas donné à tous de monter en
chaire et d'y distribuer, en missionnaire ou en catéchiste,
la parole sainte; mais qui n'a pas quelquefois sous sa
main un libertin à réduire, et à ramener par de douces
et insinuantes conversations à la docilité? Quand on ne
seroit pendant sa vie que l'apôtre d'un seul homme, ce
ne seroit pas être en vain sur la terre, ni lui être un
fardeau inutile. (ÉD. 5.)

Il y a deux mondes : l'un où l'on séjourne peu, et 31.
dont l'on doit sortir pour n'y plus rentrer; l'autre où
l'on doit bientôt entrer pour n'en jamais sortir. La faveur, l'autorité, les amis, la haute réputation, les grands
biens servent pour le premier monde; le mépris de
toutes ces choses sert pour le second. Il s'agit de
choisir.

Qui a vécu un seul jour a vécu un siècle : même 32.
soleil, même terre, même monde, mêmes sensations;
rien ne ressemble mieux à aujourd'hui que demain[1].
Il y auroit quelque curiosité à mourir, c'est-à-dire à
n'être plus un corps, mais à être seulement esprit :
l'homme cependant, impatient de la nouveauté, n'est
point curieux sur ce seul article ; né inquiet et qui s'en-

---

1. « Et si vous auez vescu un iour, vous auez tout veu : un iour
est egal à touts iours. Il n'y a point d'aultre lumiere ny d'aultre
nuict : ce soleil, cette lune, ces estoiles, cette disposition, c'est celle
mesme que vos ayeuls ont iouye, et qui entretiendra vos arriere
nepueux. » (Montaigne, *Essais*, livre I, chapitre xix, tome I, p. 106.)

nuie de tout, il ne s'ennuie point de vivre; il consen-
tiroit peut-être à vivre toujours. Ce qu'il voit de la mort
le frappe plus violemment que ce qu'il en sait : la maladie,
la douleur, le cadavre le dégoûtent de la connoissance
d'un autre monde. Il faut tout le sérieux de la religion
pour le réduire.

33.   Si Dieu avoit donné le choix ou de mourir ou de
toujours vivre, après avoir médité profondément ce que
c'est que de ne voir nulle fin à la pauvreté, à la dépendance, à l'ennui, à la maladie, ou de n'essayer des richesses, de la grandeur, des plaisirs et de la santé, que
pour les voir changer inviolablement et par la révolution des temps en leurs contraires, et être ainsi le jouet
des biens et des maux, l'on ne sauroit guère à quoi se
résoudre. La nature nous fixe et nous ôte l'embarras de
choisir ; et la mort qu'elle nous rend nécessaire est encore adoucie par la religion[1].

34.   Si ma religion étoit fausse, je l'avoue, voilà le piége le
mieux dressé qu'il soit possible d'imaginer : il étoit inévitable de ne pas donner tout au travers, et de n'y être
pas pris. Quelle majesté, quel éclat des mystères ! quelle
suite et quel enchaînement de toute la doctrine ! quelle
raison éminente ! quelle candeur, quelle innocence de
mœurs[2] ! quelle force invincible et accablante des témoi-

---

1. « Mais nature nous y force. « Sortez, dict elle, de ce monde,
« comme vous y estes entrez…. Chiron refusa l'immortalité, informé
« des conditions d'icelle par le dieu mesme du temps et de la durée,
« Saturne son pere. Imaginez, de vray, combien seroit une vie per-
« durable moins supportable à l'homme et plus penible que n'est la
« vie que ie luy ay donnee. Si vous n'auiez la mort, vous me maul-
« diriez sans cesse de vous en auoir priué…. » (Montaigne, *Essais*,
livre I, chapitre xix, tome I, p. 104 et p. 109.)

2. Dans la 9ᵉ édition : « quelle innocence de vertus ! » Il nous

gnages rendus successivement et pendant trois siècles
entiers par des millions de personnes les plus sages, les
plus modérés[1] qui fussent alors sur la terre, et que le
sentiment d'une même vérité soutient dans l'exil, dans
les fers, contre la vue de la mort et du dernier supplice !
Prenez l'histoire, ouvrez, remontez jusques au commencement du monde, jusques à la veille de sa naissance : y
a-t-il eu rien de semblable dans tous les temps ? Dieu
même pouvoit-il jamais mieux rencontrer pour me séduire ? Par où échapper ? où aller, où me jeter, je ne dis
pas pour trouver rien de meilleur, mais quelque chose
qui en approche ? S'il faut périr, c'est par là que je veux
périr : il m'est plus doux de nier Dieu que de l'accorder avec une tromperie si spécieuse et si entière. Mais
je l'ai approfondi, je ne puis être athée ; je suis donc
ramené et entraîné dans ma religion ; c'en est fait.
(ÉD. 5.)

La religion est vraie, ou elle est fausse : si elle n'est 35
qu'une vaine fiction, voilà, si l'on veut, soixante années
perdues pour l'homme de bien, pour le chartreux ou le
solitaire[2] : ils ne courent pas un autre risque. Mais si
elle est fondée sur la vérité même, c'est alors un épou-
vantable malheur pour l'homme vicieux : l'idée seule des
maux qu'il se prépare me trouble l'imagination ; la pensée est trop foible pour les concevoir, et les paroles trop
vaines pour les exprimer. Certes, en supposant même
dans le monde moins de certitude qu'il ne s'en trouve en

paraît bien probable que cette leçon, conservée par Walckenaer, est
une faute d'impression.

1. Il y a *modérés,* au masculin, dans toutes nos anciennes éditions.

2. Var. (édit. 1-5) : pour l'homme de bien, le chartreux ou le
solitaire.

effet sur la vérité de la religion, il n'y a point pour l'homme un meilleur parti que la vertu [1].

36. Je ne sais si ceux qui osent nier Dieu méritent qu'on s'efforce de le leur prouver, et qu'on les traite plus sérieusement que l'on n'a fait [2] dans ce chapitre : l'ignorance, qui est leur caractère, les rend incapables des principes les plus clairs et des raisonnements les mieux suivis. Je consens néanmoins qu'ils lisent celui que je vais faire, pourvu qu'ils ne se persuadent pas que c'est tout ce que l'on pouvoit dire sur une vérité si éclatante.

Il y a quarante ans que je n'étois point [3], et qu'il n'étoit pas en moi [4] de pouvoir jamais être, comme il ne dépend pas de moi, qui suis une fois, de n'être plus ; j'ai donc commencé, et je continue d'être par quelque chose qui est hors de moi, qui durera après moi, qui est meilleur

---

1. Pascal a fait le même raisonnement : « .... Pesons le gain et la perte, en prenant croix, que Dieu est. Estimons ces deux cas : si vous gagnez, vous gagnez tout ; si vous perdez, vous ne perdez rien. Gagez donc qu'il est, sans hésiter.... Il y a ici une infinité de vie infiniment heureuse à gagner, autant de hasard de gain que de perte, et ce que vous jouez est si peu de chose et de si peu de durée qu'il y a de la folie à le ménager en cette occasion *.... Or quel mal vous arrivera-t-il en prenant ce parti ? Vous serez fidèle, honnête, humble, reconnoissant, bienfaisant, sincère, ami véritable.... Je vous dis que vous y gagnerez en cette vie, et qu'à chaque pas que vous ferez dans ce chemin, vous verrez tant de certitude du gain, et tant de néant de ce que vous hasardez, que vous connoîtrez à la fin que vous avez parié pour une chose certaine, infinie, pour laquelle vous n'avez rien donné. » (*Pensées,* article X, 1.)

2. VAR. (édit. 1-8) : que l'on a fait.

3. La Bruyère avait eu quarante ans au mois d'août 1685. Ce passage a été imprimé en 1687.

4. VAR. (édit. 1-5) : et qu'il n'étoit point en moi.

* Pour le texte de cette phrase, voyez l'édition de Port-Royal, et dans le tome I de l'édition Havet la note 1 de la page 151.

et plus puissant que moi : si ce quelque chose n'est pas Dieu, qu'on me dise ce que c'est[1].

Peut-être que moi qui existe n'existe ainsi que par la force d'une nature universelle, qui a toujours été telle que nous la voyons, en remontant jusques à l'infinité des temps[2]. Mais cette nature, ou elle est seulement esprit, et c'est Dieu ; ou elle est matière, et ne peut par conséquent avoir créé mon esprit ; ou elle est un composé de matière et d'esprit, et alors ce qui est esprit dans la nature, je l'appelle Dieu.

Peut-être aussi que ce que j'appelle mon esprit n'est qu'une portion de matière qui existe par la force d'une nature universelle qui est aussi matière, qui a toujours été, et qui sera toujours telle que nous la voyons, et qui n'est point Dieu[3]. Mais du moins faut-il m'accorder que ce que j'appelle mon esprit, quelque chose que ce puisse être, est une chose qui pense, et que s'il est matière, il est nécessairement une matière qui pense ; car l'on ne me persuadera point qu'il n'y ait pas en moi quelque chose qui pense pendant que je fais ce raisonnement. Or ce quelque chose qui est en moi et qui pense, s'il doit son être et sa conservation à une nature universelle qui a toujours été et qui sera toujours, laquelle il reconnoisse comme sa cause, il faut indispensablement que ce soit à une nature universelle ou qui pense, ou qui soit plus noble et plus parfaite que ce qui pense ; et si cette na-

1. Saint Augustin a présenté cet argument dans le chapitre VIII des *Soliloques ;* et Fénelon le donne également, ainsi que bien d'autres réflexions de ce chapitre, dans le *Traité de l'Existence de Dieu,* publié en 1712.

2. Objection ou système des libertins. (*Note de la Bruyère,* ajoutée à la 4e édition.)

3. Instance des libertins. (*Note de la Bruyère,* ajoutée aussi à la 4e édition.)

ture ainsi faite est matière, l'on doit encore conclure que c'est une matière universelle qui pense, ou qui est plus noble et plus parfaite que ce qui pense.

Je continue et je dis : Cette matière telle qu'elle vient d'être supposée, si elle n'est pas un être chimérique, mais réel, n'est pas aussi imperceptible à tous les sens ; et si elle ne se découvre pas par elle-même, on la connoît du moins dans le divers arrangement de ses parties qui constitue les corps, et qui en fait la différence : elle est donc elle-même tous ces différents corps ; et comme elle est une matière qui pense selon la supposition, ou qui vaut mieux que ce qui pense, il s'ensuit qu'elle est telle du moins selon quelques-uns de ces corps, et par une suite nécessaire, selon tous ces corps, c'est-à-dire qu'elle pense dans les pierres, dans les métaux, dans les mers, dans la terre, dans moi-même, qui ne suis qu'un corps, comme dans toutes les autres parties qui la composent. C'est donc à l'assemblage de ces parties si terrestres, si grossières, si corporelles, qui toutes ensemble sont la matière universelle ou ce monde visible, que je dois ce quelque chose qui est en moi, qui pense[1], et que j'appelle mon esprit : ce qui est absurde.

Si au contraire cette nature universelle, quelque chose que ce puisse être, ne peut pas être tous ces corps, ni aucun de ces corps, il suit de là qu'elle n'est point matière, ni perceptible par aucun des sens ; si cependant elle pense, ou si elle est plus parfaite que ce qui pense, je conclus encore qu'elle est esprit, ou un être meilleur et plus accompli que ce qui est esprit. Si d'ailleurs il ne reste plus à ce qui pense en moi, et que j'appelle mon esprit, que cette nature universelle à laquelle il puisse re-

---

1. Var. (édit. 1-6) : et qui pense. — Dans le 9ᵉ édition : « ce quelque chose qui est de moi, » faute d'impression.

monter pour rencontrer sa première cause et son unique
origine, parce qu'il ne trouve point son principe en soi,
et qu'il le trouve encore moins dans la matière, ainsi qu'il
a été démontré, alors je ne dispute point des noms ; mais
cette source originaire de tout esprit, qui est esprit elle-
même, et qui est plus excellente que tout esprit, je l'appelle Dieu.

En un mot je pense, donc Dieu existe ; car ce qui
pense en moi, je ne le dois point à moi-même, parce qu'il
n'a pas plus dépendu de moi de me le donner une première fois, qu'il dépend encore de moi de me le conserver un seul instant. Je ne le dois point à un être qui soit
au-dessus de moi, et qui soit matière, puisqu'il est impossible que la matière soit au-dessus de ce qui pense :
je le dois donc à un être qui est au-dessus de moi et qui
n'est point matière ; et c'est Dieu.

37. De ce qu'une nature universelle qui pense exclut de
soi généralement tout ce qui est matière, il suit nécessairement qu'un être particulier qui pense ne peut pas aussi
admettre en soi la moindre matière ; car bien qu'un être
universel qui pense renferme dans son idée infiniment
plus de grandeur, de puissance, d'indépendance et de
capacité, qu'un être particulier qui pense, il ne renferme
pas néanmoins une plus grande exclusion de matière,
puisque cette exclusion dans l'un et l'autre de ces deux
êtres est aussi grande qu'elle peut être et comme infinie,
et qu'il est autant impossible que ce qui pense en moi
soit matière, qu'il est inconcevable que Dieu soit matière : ainsi comme Dieu est esprit, mon âme aussi est
esprit.

38. Je ne sais point si le chien choisit, s'il se ressouvient,
s'il affectionne, s'il craint, s'il imagine, s'il pense : quand

donc l'on me dit que toutes ces choses ne sont en lui ni passions, ni sentiment, mais l'effet naturel et nécessaire de la disposition de sa machine préparée par le divers arrangement des parties de la matière, je puis au moins acquiescer à cette doctrine[1]. Mais je pense, et je suis certain que je pense : or quelle proportion y a-t-il de tel ou de tel arrangement des parties de la matière, c'est-à-dire d'une étendue selon toutes ses dimensions, qui est longue, large et profonde, et qui est divisible dans tous ces sens, avec ce qui pense?

39. Si tout est matière, et si la pensée en moi, comme dans tous les autres hommes, n'est qu'un effet de l'arrangement des parties de la matière, qui a mis dans le monde toute autre idée que celle des choses matérielles? La matière a-t-elle dans son fond une idée aussi pure, aussi simple, aussi immatérielle qu'est celle de l'esprit? Comment peut-elle être le principe de ce qui la nie et l'exclut de son propre être? Comment est-elle dans l'homme ce qui pense, c'est-à-dire ce qui est à l'homme même une conviction qu'il n'est point matière?

40. Il y a des êtres qui durent peu, parce qu'ils sont composés de choses très différentes et qui se nuisent réciproquement. Il y en a d'autres qui durent davantage, parce qu'ils sont plus simples ; mais ils périssent parce qu'ils ne laissent pas d'avoir des parties selon lesquelles ils peuvent être divisés. Ce qui pense en moi doit durer beaucoup, parce que c'est un être pur, exempt de tout mélange et de toute composition ; et il n'y a pas de raison qu'il doive périr, car qui peut corrompre ou séparer un être simple et qui n'a point de parties?

1. Telle est la doctrine de Descartes, à laquelle il a déjà été fait

L'âme voit la couleur par l'organe de l'œil, et entend **41.**
les sons par l'organe de l'oreille; mais elle peut cesser de
voir ou d'entendre, quand ces sens ou ces objets lui manquent, sans que pour cela elle cesse d'être, parce que
l'âme n'est point précisément ce qui voit la couleur, ou
ce qui entend les sons : elle n'est que ce qui pense. Or
comment peut-elle cesser d'être telle? Ce n'est point par
le défaut d'organe [1], puisqu'il est prouvé qu'elle n'est
point matière; ni par le défaut d'objet, tant qu'il y aura
un Dieu et d'éternelles vérités [2]: elle est donc incorrup-
tible.

Je ne conçois point qu'une âme que Dieu a voulu rem- **42.**
plir de l'idée de son être infini, et souverainement parfait,
doive être anéantie.

Voyez, *Lucile,* ce morceau de terre, plus propre et **43.**
plus orné que les autres terres qui lui sont contiguës : ici
ce sont des compartiments mêlés d'eaux plates et d'eaux
jaillissantes ; là des allées en palissade qui n'ont pas de
fin, et qui vous couvrent des vents du nord; d'un côté
c'est un bois épais qui défend de tous les soleils, et d'un
autre un beau point de vue. Plus bas, une Yvette ou un
Lignon, qui couloit obscurément entre les saules et les
peupliers, est devenu un canal qui est revêtu ; ailleurs
de longues et fraîches avenues se perdent dans la campagne, et annoncent la maison, qui est entourée d'eau [3].

allusion ci-dessus, p. 66, nº 142 : voyez le *Discours de la Méthode,*
vᵉ partie.
   1. Var. (édit. 1-6) : par le défaut de l'organe.
   2. Var. (édit. 1 et 2ᴬ) : et des éternelles vérités.
   3. La Bruyère semble faire la description du parc de Chantilly.
Les eaux de la Nonette et de la Thève, jusque-là perdues dans les

Vous récrierez-vous : « Quel jeu du hasard ! combien de
belles choses se sont rencontrées ensemble inopinément ! » Non sans doute ; vous direz au contraire :
« Cela est bien imaginé et bien ordonné ; il règne ici un
bon goût et beaucoup d'intelligence. » Je parlerai comme
vous, et j'ajouterai que ce doit être la demeure de quelqu'un de ces gens chez qui un NAUTRE[1] va tracer et prendre des alignements dès le jour même qu'ils sont en place.
Qu'est-ce pourtant que cette pièce de terre ainsi disposée,
et où tout l'art d'un ouvrier habile a été employé pour
l'embellir, si même toute la terre n'est qu'un atome suspendu en l'air, et si vous écoutez ce que je vais dire ?
(ÉD. 7.)

Vous êtes placé, ô Lucile, quelque part sur cet atome :
il faut donc que vous soyez bien petit, car vous n'y oc-
cupez pas une grande place ; cependant vous avez des
yeux, qui sont deux points imperceptibles ; ne laissez pas
de les ouvrir vers le ciel : qu'y apercevez-vous quelquefois ? La lune dans son plein ? Elle est belle alors et fort
lumineuse, quoique sa lumière ne soit que la réflexion de

marécages, avaient été, par l'ordre de Condé, enfermées dans un canal et transformées en cascades et en « jets d'eau qui ne se taisoient
ni jour ni nuit, » selon l'expression de Bossuet (*Oraison funèbre du
prince de Condé*). L'Yvette, l'une des rivières que la Bruyère nomme
à la place de la Nonette et de la Thève, naît aux environs de Rambouillet, et passe à Chevreuse, Orsay, Lonjumeau, etc., c'est-à-dire
tout près de Saulx-les-Chartreux, où la Bruyère possédait une maison, en communauté avec sa sœur et l'un de ses frères. Il y a plusieurs rivières du nom de Lignon ; celle dont il s'agit est sans doute
le Lignon que *l'Astrée* a rendu célèbre, et qui, prenant sa source
dans les montagnes du Forez, se jette dans la Loire.

1. André le Nostre, le célèbre dessinateur de jardins, mort en
1700. — Ces mots : « la demeure de quelqu'un de ces gens chez
qui un NAUTRE va tracer, etc., dès.... qu'ils sont en place, » sont-ils
un trait jeté ici en passant pour dépayser les lecteurs qui seraient
tentés d'affirmer que la scène est à Chantilly, et que l'interlocuteur
de la Bruyère est un Condé ?

celle du soleil ; elle paroît grande comme le soleil, plus grande que les autres planètes, et qu'aucune des étoiles ; mais ne vous laissez pas tromper par les dehors. Il n'y a rien au ciel de si petit que la lune : sa superficie est treize fois plus petite que celle de la terre, sa solidité quarante-huit fois, et son diamètre, de sept cent cinquante lieues, n'est que le quart de celui de la terre : aussi est-il vrai qu'il n'y a que son voisinage qui lui donne une si grande apparence, puisqu'elle n'est guère plus éloignée de nous que de trente fois le diamètre de la terre, ou que sa distance n'est que de cent mille lieues[1]. Elle n'a presque pas même de chemin à faire en comparaison du vaste tour que le soleil fait dans les espaces du ciel[2] ; car il est certain qu'elle n'achève par jour que cinq cent quarante mille lieues[3] : ce n'est par heure que vingt-deux mille cinq cents lieues, et trois cent soixante et quinze lieues dans une minute. Il faut néanmoins, pour accomplir cette course, qu'elle aille cinq mille six cents fois plus vite qu'un cheval de poste qui feroit quatre lieues par heure, qu'elle vole quatre-vingts fois plus légèrement que le son, que le bruit par exemple du canon et du tonnerre,

1. Les chiffres que donne la Bruyère dans cette argumentation ne sont pas tous rigoureusement exacts. Ainsi le volume ou la solidité de la lune est quarante-neuf fois moindre que le volume ou la solidité de la terre ; son diamètre est de sept cent quatre-vingt-dix-sept lieues ; elle est à moins de quatre-vingt-seize mille lieues de la terre, etc.

2. La Bruyère parle d'après les apparences et comme si, faisant tourner le soleil autour de la terre, il n'adoptait pas le système de Copernic, que Galilée n'avait pu faire triompher, et que Descartes n'avait osé professer publiquement. Il y fera toutefois allusion un peu plus loin : voyez ci-après p. 265.

3. Il faut en compter plus de six cent mille, si l'on se place, comme la Bruyère, dans le système où l'on suppose que la terre est immobile. En réalité, la lune ne fait guère que vingt mille lieues par jour de vingt-quatre heures.

qui parcourt en une heure deux cent soixante et dix-sept
lieues[1]. (ÉD. 7.)

Mais quelle comparaison de la lune au soleil pour la
grandeur, pour l'éloignement, pour la course Vous verrez
qu'il n'y en a aucune. Souvenez-vous seulement du
diamètre de la terre, il est de trois mille lieues; celui
du soleil est cent fois plus grand[2], il est donc de trois
cent mille lieues. Si c'est là sa largeur[3] en tout sens, quelle
peut être toute sa superficie! quelle sa solidité! Compre-
nez-vous bien cette étendue, et qu'un million de terres
comme la nôtre ne seroient toutes ensemble pas plus
grosses que le soleil[4]? « Quel est donc, direz-vous, son
éloignement, si l'on en juge par son apparence? » Vous
avez raison, il est prodigieux; il est démontré qu'il ne
peut pas y avoir de la terre au soleil moins de dix mille
diamètres de la terre, autrement moins de trente millions de lieues: peut-être y a-t-il quatre fois, six fois,
dix fois plus loin; on n'a aucune méthode pour déterminer cette distance[5]. (ÉD. 7.)

1. Ce chiffre est au-dessous du chiffre exact ; le son parcourt plus
de trois cent lieues en une heure.

2. Le soleil est cent dix fois plus grand.

3. Dans la 9e édition : « la largeur. »

4. Le volume du soleil est quatorze cent mille fois plus gros que
celui de la terre ; sa masse est trois cent cinquante-cinq fois plus
grande que celle de la terre.

5. Cette distance est de trente-huit millions de lieues. Sur les
conjectures faites jusqu'au dix-huitième siècle au sujet de cette
distance, voyez l'*Astronomie populaire* d'Arago, tome III, p. 363.
— « Que l'homme contemple donc la nature entière dans sa haute
et pleine majesté ; qu'il ne s'arrête pas à regarder simplement les
objets bas qui l'environnent ; qu'il regarde cette éclatante lumière
mise comme une lampe éternelle pour éclairer l'univers ; que la terre
lui paroisse comme un point, au prix du vaste tour que cet astre décrit ; et qu'il s'étonne de ce que ce vaste tour lui-même n'est qu'un
point très délicat à l'égard de celui que les astres qui roulent dans
le firmament embrassent. Mais si notre vue s'arrête là, que l'imagina-

Pour aider seulement votre imagination à se la représenter, supposons une meule de moulin qui tombe du
soleil sur la terre ; donnons-lui la plus grande vitesse
qu'elle soit capable d'avoir, celle même que n'ont pas les
corps tombant[1] de fort haut ; supposons encore qu'elle
conserve toujours cette même vitesse, sans en acquérir et
sans en perdre ; qu'elle parcoure quinze toises par chaque seconde de temps, c'est-à-dire la moitié de l'élévation des plus hautes tours, et ainsi neuf cents toises en
une minute ; passons-lui mille toises en une minute[2],
pour une plus grande facilité ; mille toises font une demi-
lieue[3] commune ; ainsi en deux minutes la meule fera une
lieue, et en une heure elle en fera trente, et en un jour
elle fera sept cent vingt lieues : or elle a trente millions
à traverser avant que d'arriver à terre ; il lui faudra donc
quarante-un mille six cent soixante-six jours[4], qui sont
plus de cent quatorze années[5], pour faire ce voyage. Ne
vous effrayez pas, Lucile, écoutez-moi : la distance de
la terre à Saturne est au moins décuple de celle de la
terre au soleil ; c'est vous dire qu'elle ne peut être moindre que de trois cents millions de lieues, et que cette

---

tion passe outre : elle se lassera plutôt de concevoir que la nature de
fournir. Tout ce monde visible n'est qu'un trait imperceptible dans
l'ample sein de la nature. Nulle idée n'en approche. Nous avons beau
enfler nos conceptions : nous n'enfantons que des atomes au prix de
la réalité des choses. » (Pascal, *Pensées*, article I, 1, de l'édition
Havet; nous donnons ce passage d'après le texte de Port-Royal.)

1. *Tombants* (*tombans*) dans toutes les éditions originales.

2. VAR. (édit. 7) : mille toises par minute.

3. Le texte de la Bruyère est *demie lieue*.

4. VAR. (édit. 7 et 8) : quatre mille cent soixante et six jours. —
Cette variante des éditions 7 et 8 (qui a entraîné la variante suivante
et celle de la note 1 de la page 262) semble venir d'une distraction
de la Bruyère : ayant à diviser 30 000 000 par 720, il aura laissé par
mégarde l'opération inachevée.

5. VAR. (édit, 7 et 8) : plus d'onze années.

pierre emploieroit plus d'onze cent quarante ans[1] pour
tomber de Saturne en terre. (ÉD. 7.)

Par cette élévation de Saturne, élevez vous-même, si
vous le pouvez, votre imagination à concevoir quelle doit
être l'immensité du chemin qu'il parcourt chaque jour
au-dessus de nos têtes : le cercle que Saturne décrit a
plus de six cents millions de lieues de diamètre, et par
conséquent plus de dix-huit cents millions de lieues de cir-
conférence[2] ; un cheval anglois qui feroit dix lieues par
heure n'auroit à courir que vingt mille cinq cent quarante-huit ans pour faire ce tour. (ÉD. 7.)

Je n'ai pas tout dit, ô Lucile, sur le miracle de ce
monde visible, ou, comme vous parlez quelquefois, sur
les merveilles du hasard, que vous admettez seul pour
la cause première de toutes choses. Il est encore un ouvrier plus admirable que vous ne pensez : connoissez le
hasard, laissez-vous instruire de toute la puissance de
votre Dieu. Savez-vous que cette distance de trente millions de lieues qu'il y a de la terre au soleil, et celle de
trois cents millions de lieues de la terre à Saturne, sont si
peu de chose, comparées à l'éloignement qu'il y a de la
terre aux étoiles, que ce n'est pas même s'énoncer assez
juste que de se servir, sur le sujet de ces distances, du
terme de comparaison ? Quelle proportion, à la vérité,
de ce qui se mesure, quelque grand qu'il puisse être,
avec ce qui ne se mesure pas ? On ne connoît point la
hauteur d'une étoile ; elle est, si j'ose ainsi parler, *im-*

---

1. Var. (édit. 7 et 8) : plus de cent dix ans.
2. La planète Saturne, qui est huit cent fois plus grosse que la
terre, et qui est neuf fois et demie plus loin qu'elle du soleil, se
meut, à trois cent soixante-six millions de lieues du soleil, dans une
orbite qu'elle décrit en vingt-neuf ans, cinq mois, quatorze jours.
Du temps de la Bruyère, on croyait que Saturne était la grande planète la plus éloignée de notre système planétaire.

mensurable; il n'y a plus ni angles, ni sinus, ni paral-
laxes dont on puisse s'aider[1]. Si un homme observoit
à Paris une étoile fixe, et qu'un autre la regardât du
Japon, les deux lignes qui partiroient de leurs yeux pour
aboutir jusqu'à cet astre ne feroient pas un angle, et se
confondroient en une seule et même ligne, tant la terre
entière n'est pas espace par rapport à cet éloignement.
Mais les étoiles ont cela de commun avec Saturne et
avec le soleil : il faut dire quelque chose de plus. Si deux
observateurs, l'un sur la terre et l'autre dans le soleil,
observoient en même temps une étoile, les deux rayons
visuels de ces deux observateurs ne formeroient point
d'angle sensible. Pour concevoir la chose autrement, si
un homme étoit situé dans une étoile, notre soleil, notre
terre, et les trente millions de lieues qui les séparent,

1. « Une question curieuse que l'on a agitée de tout temps est celle
de la distance des étoiles à la terre. Jusqu'à ces dernières années,
on n'a eu aucun moyen précis de mesure ; on est enfin parvenu
en 1840 à déterminer la distance moyenne de l'une d'elles. Ce qui
s'y était opposé jusqu'alors, c'est que systématiquement on avait toujours choisi pour cela les étoiles les plus brillantes ; par circonstance,
on s'est adressé à une petite étoile (la 61e du Cygne), et le résultat
de l'appréciation de son éloignement a été tel, que la distance de
38 000 000 de lieues qui nous sépare du soleil peut à peine servir
d'unité. Il faut en effet multiplier ce nombre par 600 000, l'on aura
22 800 000 000 000 de lieues, et ce sera la distance de l'étoile la plus
proche que nous connaissions *. » (*Leçons d'astronomie professées à
l'Observatoire par F. Arago*, p. 23, 5e édition, 1849.) Voyez dans
l'*Astronomie populaire* d'Arago, tome I, p. 437 et suivantes, le point
où en étaient les astronomes, du temps de la Bruyère, dans la détermination de la parallaxe annuelle des étoiles, qui est le moyen
de connaître la distance de ces astres à la terre.

* « *Annuaire du Bureau des longitudes pour* 1842, p. 384 et 385.
Notice sur les travaux de sir William Herschel, par F. Arago. —
Ce résultat est dû à M. Bessel, le savant directeur de l'Observatoire
de Kœnigsberg. » (*Note de l'éditeur* des *Leçons d'astronomie*.) —
F. G. Bessel est mort en 1846.

lui paroîtroient un même point : cela est démontré.
(ÉD. 7.)

On ne sait pas aussi la distance d'une étoile d'avec
une autre étoile, quelque [1] voisines qu'elles nous paroissent. Les Pléiades se touchent presque, à en juger par
nos yeux : une étoile paroît assise sur l'une de celles qui
forment la queue de la grande Ourse ; à peine la vue
peut-elle atteindre à discerner la partie du ciel qui les
sépare, c'est comme une étoile qui paroît double. Si
cependant tout l'art des astronomes est inutile pour en
marquer la distance, que doit-on penser de l'éloignement de deux étoiles qui en effet paroissent éloignées
l'une de l'autre, et à plus forte raison des deux polaires?
Quelle est donc l'immensité de la ligne qui passe d'une
polaire [2] à l'autre? et que sera-ce que le cercle dont cette
ligne est le diamètre? Mais n'est-ce pas quelque chose
de plus que de sonder les abîmes, que de vouloir imaginer la solidité du globe, dont ce cercle n'est qu'une
section? Serons-nous encore surpris que ces mêmes
étoiles, si démesurées dans leur grandeur, ne nous paroissent néanmoins que comme des étincelles? N'admi-
rerons-nous pas plutôt que d'une hauteur si prodigieuse
elles puissent conserver une certaine apparence, et qu'on
ne les perde pas toutes de vue? Il n'est pas aussi imagi-
nable combien il nous en échappe. On fixe le nombre
des étoiles : oui, de celles qui sont apparentes ; le moyen
de compter celles qu'on n'aperçoit point, celles par
exemple qui composent la voie de lait, cette trace lumineuse qu'on remarque au ciel dans une nuit sereine,
du nord au midi, et qui par leur extraordinaire éléva-

---

1. *Quelques* dans les anciennes éditions.
2. *D'un polaire* dans la 9ᵉ édition, par faute d'impression sans nul
doute. — La Bruyère admet ici une étoile polaire australe, qui
n'existe point, comme on sait.

tion, ne pouvant percer jusqu'à nos yeux pour être vues
chacune en particulier, ne font au plus que blanchir
cette route des cieux où elles sont placées[1]? (ÉD. 7.)

Me voilà donc sur la terre comme sur un grain de
sable qui ne tient à rien, et qui est suspendu au milieu
des airs : un nombre presque infini de globes de feu,
d'une grandeur inexprimable et qui confond l'imagination, d'une hauteur qui surpasse nos conceptions, tournent, roulent autour de ce grain de sable, et traversent
chaque jour, depuis plus de six mille ans, les vastes et
immenses espaces des cieux. Voulez-vous un autre système, et qui ne diminue rien du merveilleux? La terre
elle-même est emportée avec une rapidité inconcevable
autour du soleil, le centre de l'univers[2]. Je me les représente tous ces globes, ces corps effroyables qui sont
en marche; ils ne s'embarrassent point l'un l'autre, ils
ne se choquent point, ils ne se dérangent point : si le
plus petit d'eux tous venoit à se démentir et à rencontrer la terre, que deviendroit la terre? Tous au contraire
sont en leur place, demeurent dans l'ordre qui leur est
prescrit, suivent la route qui leur est marquée, et si pai-
siblement à notre égard que personne n'a l'oreille assez

1. « On s'est souvent posé cette question capitale : combien y
a-t-il d'étoiles? Le nombre de celles qui sont visibles à l'œil nu est
très petit, il ne s'élève pas à plus de cinq mille d'un pôle à l'autre ;
mais au télescope ce nombre augmente énormément. Il y a donc des
milliards d'étoiles; on n'en a encore catalogué qu'une centaine de
mille, pour servir de repères aux observations des mouvements des
planètes et des comètes. » (Leçons d'astronomie professées à l'Observatoire par F. Arago, p. 22.)

2. Non pas le centre de l'univers, mais le centre de notre système
planétaire : la Bruyère répète à tort l'expression que l'on employait
le plus souvent. Après avoir donné pour point de départ à son argumentation le système qui avait encore le plus grand nombre de
partisans, il en vient à celui qu'avait exposé Fontenelle dans ses
Entretiens sur la pluralité des mondes, publiés en 1686.

fine pour les entendre marcher, et que le vulgaire ne
sait pas s'ils sont au monde. O économie merveilleuse
du hasard ! l'intelligence même pourroit-elle mieux
réussir ? Une seule chose, Lucile, me fait de la peine :
ces grands corps sont si précis et si constants dans leur
marche, dans leurs révolutions et dans tous leurs rapports, qu'un petit animal relégué en un coin de cet espace immense qu'on appelle le monde, après les avoir
observés, s'est fait une méthode infaillible de prédire à
quel point de leur course tous ces astres se trouveront
d'aujourd'hui en deux, en quatre, en vingt mille ans.
Voilà mon scrupule, Lucile ; si c'est par hasard qu'ils
observent des règles si invariables, qu'est-ce [1] l'ordre ?
qu'est-ce que la règle ? (ÉD. 7.)

Je vous demanderai même ce que c'est que le hasard :
est-il corps ? est-il esprit ? est-ce un être distingué des
autres êtres, qui ait son existence particulière, qui soit
quelque part ? ou plutôt n'est-ce pas un mode, ou une façon d'être ? Quand une boule rencontre une pierre, l'on
dit : « c'est un hasard ; » mais est-ce autre chose que ces
deux corps qui se choquent fortuitement ? Si par ce hasard ou cette rencontre la boule ne va plus droit, mais
obliquement ; si son mouvement n'est plus direct, mais
réfléchi ; si elle ne roule plus sur son axe, mais qu'elle
tournoie et qu'elle pirouette, conclurai-je que c'est par ce
même hasard qu'en général la boule est en mouvement ?
ne soupçonnerai-je pas plus volontiers qu'elle se meut
ou de soi-même, ou par l'impulsion du bras qui l'a jetée ?
Et parce que les roues d'une pendule sont déterminées
l'une par l'autre à un mouvement circulaire d'une telle
ou telle vitesse, examiné-je [2] moins curieusement quelle

---

1. « Qu'est-ce, » sans *que*, est le texte de toutes les anciennes éditions.
2. Les éditions originales portent : *examinai-je;* c'est une orthographe qu'on rencontre fréquemment dans les impressions du dix-

peut être la cause de tous ces mouvements, s'ils se font d'eux-mêmes ou par la force mouvante d'un poids qui les emporte? Mais ni ces roues, ni cette boule n'ont pu se donner le mouvement d'eux-mêmes, ou ne l'ont point par leur nature, s'ils peuvent le perdre sans changer de nature : il y a donc apparence qu'ils sont mus d'ailleurs, et par une puissance qui leur est étrangère. Et les corps célestes, s'ils venoient à perdre leur mouvement, changeroient-ils de nature? seroient-ils moins des corps? Je ne me l'imagine pas ainsi ; ils se meuvent cependant, et ce n'est point d'eux-mêmes et par leur nature. Il faudroit donc chercher, ô Lucile, s'il n'y a point hors d'eux un principe qui les fait mouvoir ; qui que vous trouviez, je l'appelle Dieu. (ÉD. 7.)

Si nous supposions que ces grands corps sont sans mouvement, on ne demanderoit plus, à la vérité, qui les met en mouvement, mais on seroit toujours reçu à demander qui a fait ces corps, comme on peut s'informer qui a fait ces roues ou cette boule ; et quand chacun de ces grands corps scroit supposé un amas fortuit d'atomes qui se sont liés et enchaînés ensemble par la figure et la conformation de leurs parties, je prendrois un de ces atomes et je dirois : Qui a créé cet atome? Est-il matière? est-il intelligence? A-t-il eu quelque idée de soi-même, avant que de se faire soi-même? Il étoit donc un moment avant que d'être ; il étoit et il n'étoit pas tout à la fois ; et s'il est auteur de son être et de sa manière d'être, pourquoi s'est-il fait corps plutôt qu'esprit? Bien plus, cet atome n'a-t-il point commencé? est-il éter-

septième siècle pour ces formes verbales terminées par *e* (changé en *é* devant *je*): voyez le *Lexique de Corneille,* tome I, p. LXXXVII. C'est probablement faute de connaître cette particularité d'orthographe que la plupart des éditeurs modernes ont supposé qu'il y avait ici une faute typographique et ont mis le verbe au futur, *examinerai-je.*

nel? est-il infini? Ferez-vous un Dieu de cet atome [1]?
(ÉD. 7.)

44.   Le ciron [2] a des yeux, il se détourne à la rencontre
des objets qui lui pourroient nuire; quand on le met sur
de l'ébène pour le mieux remarquer, si, dans le temps
qu'il marche vers un côté, on lui présente le moindre
fétu, il change de route : est-ce un jeu du hasard que
son cristallin, sa rétine et son nerf optique? (ÉD. 7.)

    L'on voit dans une goutte d'eau que le poivre qu'on y
a mis tremper a altérée, un nombre presque innom-
brable de petits animaux, dont le microscope nous fait
apercevoir la figure, et qui se meuvent avec une rapidité
incroyable comme autant de monstres dans une vaste
mer ; chacun de ces animaux est plus petit mille fois qu'un
ciron, et néanmoins c'est un corps qui vit, qui se nourrit,
qui croît, qui doit avoir des muscles, des vaisseaux équi-
valents aux veines, aux nerfs, aux artères, et un cerveau
pour distribuer les esprits animaux [3]. (ÉD. 7.)

    1. Fénelon s'arrêtera plus longuement, dans son *Traité de l'exis-
tence de Dieu*, à la théorie des épicuriens. Après Leucippe, Démocrite
et bien d'autres, ils divisaient les corps en agrégats et en atomes.
Dans leur doctrine, les atomes, corps élémentaires dont se composent
les agrégats, sont éternels en durée, infinis en nombre, et doués, de
toute éternité, du mouvement qui leur permet de se rencontrer et de
se combiner. Ce système a été exposé par Lucrèce dans le *de Natura
rerum*, et par Gassendi dans ses travaux sur Épicure.
    2. Pascal aussi s'est servi du ciron dans son argumentation (*Pen-
sées*, article I, 1), et nous a montré « dans la petitesse de son
corps des parties incomparablement plus petites, des jambes avec
des jointures, des veines dans ces jambes, du sang dans ces veines,
des humeurs dans ce sang, des gouttes dans ces humeurs, etc. »
Malebranche, de son côté, a minutieusement décrit le ciron dans un
chapitre sur les « erreurs de la vue » : voyez *de la Recherche de la
vérité*, livre I, chapitre VI, tome I, p. 42 et 43.
    3. Les esprits animaux, dont il est si souvent question dans les
traités philosophiques ou moraux de cette époque, ont été définis

Une tache de moisissure de la grandeur d'un grain de
sable [1] paroît dans le microscope comme un amas de plusieurs plantes très distinctes, dont les unes ont des fleurs,
les autres des fruits ; il y en a qui n'ont que des boutons
à demi ouverts ; il y en a quelques-unes qui sont fanées :
de quelle étrange petitesse doivent être les racines et les
filtres qui séparent les aliments de ces petites plantes !
Et si l'on vient à considérer que ces plantes ont leurs
graines, ainsi que les chênes et les pins, et que ces petits
animaux dont je viens de parler se multiplient par voie
de génération, comme les éléphants et les baleines, où
cela ne mène-t-il point ? Qui a su travailler à des ouvrages si délicats, si fins, qui échappent à la vue des hommes, et qui tiennent de l'infini comme les cieux, bien
que dans l'autre extrémité ? Ne seroit-ce point celui qui
a fait les cieux, les astres, ces masses énormes, épouvan-
tables par leur grandeur, par leur élévation, par la rapidité et l'étendue de leur course, et qui se joue de les faire
mouvoir ? (ÉD. 7.)

Il est de fait que l'homme jouit du soleil, des astres, 45.
des cieux et de leurs influences, comme il jouit de l'air
qu'il respire, et de la terre sur laquelle il marche et qui
le soutient ; et s'il falloit ajouter à la certitude d'un fait la
convenance ou la vraisemblance, elle y est toute [2] entière,
puisque les cieux et tout ce qu'ils contiennent ne peuvent

---

par Descartes de la manière suivante : Les « esprits animaux.... sont
comme un vent très subtil, ou plutôt comme une flamme très pure
et très vive, qui montant continuellement en grande abondance du
cœur dans le cerveau, se va rendre de là par les nerfs dans les muscles, et donne le mouvement à tous les membres.... » (*Discours de la
Méthode*, v[e] partie.)

1. VAR. (édit. 7) : de la grosseur d'un grain de sable.
2. Ici encore nous reproduisons le texte des éditions originales.

pas entrer en comparaison, pour la noblesse et la dignité, avec le moindre des hommes qui sont sur la terre, et que la proportion qui se trouve entre eux et lui est celle de la matière incapable de sentiment, qui est seulement une étendue selon trois dimensions, à ce qui est esprit, raison, ou intelligence [1]. Si l'on dit que l'homme auroit pu se passer à moins pour sa conservation, je réponds que Dieu ne pouvoit moins faire pour étaler son pouvoir, sa bonté et sa magnificence, puisque, quelque chose que nous voyions qu'il ait fait [2], il pouvoit faire infiniment davantage. (ÉD. 7.)

Le monde entier, s'il est fait pour l'homme, est littéralement la moindre chose que Dieu ait fait pour l'homme : la preuve s'en tire du fond de la religion. Ce n'est donc ni vanité ni présomption à l'homme de se rendre sur ses avantages à la force de la vérité ; ce seroit en lui stupidité et aveuglement de ne pas se laisser convaincre par l'enchaînement des preuves dont la religion se sert pour lui faire connoître ses priviléges, ses ressources, ses espérances, pour lui apprendre ce qu'il est et ce qu'il peut devenir. — Mais la lune est habitée ; il n'est pas du

---

1. « L'homme n'est qu'un roseau, le plus foible de la nature, mais c'est un roseau pensant. Il ne faut pas que l'univers entier s'arme pour l'écraser. Une vapeur, une goutte d'eau suffit pour le tuer. Mais quand l'univers l'écraseroit, l'homme seroit encore plus noble que ce qui le tue, parce qu'il sait qu'il meurt, et l'avantage que l'univers a sur lui. L'univers n'en sait rien*. Toute notre dignité consiste donc en la pensée. C'est de là qu'il faut nous relever, non de l'espace et de la durée, que nous ne saurions remplir. » (Pascal, *Pensées*, article I, 6.)

2. Les éditeurs modernes ont imprimé à tort : *qu'il ait faite*, et trois lignes plus loin : *que Dieu ait faite* : voyez le *Lexique*, à l'article QUELQUE CHOSE.

*Telle est, dit M. Havet, la ponctuation du manuscrit autographe. Dans le texte de Port-Royal, il y a une virgule après *lui*, et « l'univers n'en sait rien » continue et termine la phrase.

moins impossible qu'elle le soit[1]. — Que parlez-vous,
Lucile, de la lune, et à quel propos? En supposant Dieu,
quelle est en effet la chose impossible? Vous demandez
peut-être si nous sommes les seuls dans l'univers que
Dieu ait si bien traités ; s'il n'y a point dans la lune ou
d'autres hommes, ou d'autres créatures que Dieu ait
aussi favorisées? Vaine curiosité! frivole demande! La
terre, Lucile, est habitée ; nous l'habitons, et nous savons que nous l'habitons ; nous avons nos preuves, notre
évidence, nos convictions sur tout ce que nous devons
penser de Dieu et de nous-mêmes : que ceux qui peuplent les globes célestes, quels qu'ils puissent être, s'in-
quiètent pour eux-mêmes ; ils ont leurs soins, et nous les
nôtres. Vous avez, Lucile, observé la lune ; vous avez reconnu ses taches, ses abîmes, ses inégalités, sa hauteur,
son étendue, son cours, ses éclipses : tous les astronomes
n'ont pas été plus loin. Imaginez de nouveaux instruments, observez-la avec plus d'exactitude[2] : voyez-vous
qu'elle soit peuplée, et de quels animaux? ressemblent-
ils aux hommes? sont-ce des hommes? Laissez-moi voir
après vous ; et si nous sommes convaincus l'un et l'autre
que des hommes habitent la lune, examinons alors s'ils
sont chrétiens, et si Dieu a partagé ses faveurs entre eux
et nous. (ÉD. 7.)

Tout est grand et admirable dans la nature; il ne s'y   46.
voit rien qui ne soit marqué au coin de l'ouvrier ; ce qui
s'y voit quelquefois d'irrégulier et d'imparfait suppose

---

1. Voyez dans les *Entretiens sur la pluralité des mondes,* les ingénieux chapitres que Fontenelle a consacrés à l'hypothèse qui de la
lune et des planètes fait des terres habitées.

2. VAR. (édit. 7) : Imaginez de nouveaux instruments avec plus
d'exactitude, observez-la. — Cette variante vient sans doute d'une
omission fautive, mal réparée.

règle et perfection. Homme vain et présomptueux ! faites un vermisseau que vous foulez aux pieds, que vous méprisez ; vous avez horreur du crapaud, faites un crapaud, s'il est possible. Quel excellent maître que celui qui fait des ouvrages, je ne dis pas que les hommes admirent, mais qu'ils craignent ! Je ne vous demande pas de vous mettre à votre atelier pour faire un homme d'esprit, un homme bien fait, une belle femme : l'entreprise est forte et au-dessus de vous ; essayez seulement de faire un bossu, un fou, un monstre, je suis content. (ÉD. 8.)

Rois, Monarques, Potentats, sacrées Majestés ! vous ai-je nommés par tous vos superbes noms ? Grands de la terre, très hauts, très puissants, et peut-être bientôt *tout-puissants Seigneurs !* nous autres hommes nous avons besoin pour nos moissons d'un peu de pluie, de quelque chose de moins, d'un peu de rosée : faites de la rosée, envoyez sur la terre une goutte d'eau. (ÉD. 8.)

L'ordre, la décoration, les effets de la nature sont populaires ; les causes, les principes ne le sont point. Demandez à une femme comment un bel œil n'a qu'à s'ouvrir pour voir, demandez-le à un homme docte. (ÉD. 8.)

47. Plusieurs millions d'années, plusieurs centaines de millions d'années, en un mot tous les temps ne sont qu'un instant, comparés à la durée de Dieu, qui est éternelle : tous les espaces du monde entier ne sont qu'un point, qu'un léger atome, comparés à son immensité. S'il est ainsi, comme je l'avance, car quelle proportion du fini à l'infini ? je demande : Qu'est-ce que le cours de la vie d'un homme ? qu'est-ce qu'un grain de poussière qu'on appelle la terre ? qu'est-ce qu'une petite portion de cette terre que l'homme possède et qu'il habite ? — Les méchants prospèrent pendant qu'ils vivent. — Quelques méchants, je

l'avoue. — La vertu est opprimée, et le crime impuni sur
la terre. — Quelquefois, j'en conviens. — C'est une injustice. — Point du tout : il faudroit, pour tirer cette conclusion, avoir prouvé qu'absolument les méchants sont
heureux, que la vertu ne l'est pas, et que le crime demeure impuni ; il faudroit du moins que ce peu de temps
où les bons souffrent et où les méchants prospèrent eût
une durée, et que ce que nous appelons prospérité et fortune ne fût pas une apparence fausse et une ombre vaine
qui s'évanouit ; que cette terre, cet atome, où il paroît
que la vertu et le crime rencontrent si rarement ce qui
leur est dû, fût le seul endroit de la scène où se doivent
passer la punition et les récompenses[1]. (ÉD. 7.)

---

[1] « Que s'il vous paroît quelque désordre, s'il vous semble que
la récompense court trop lentement à la vertu, et que la peine ne
poursuit pas d'assez près le vice, songez à l'éternité de ce premier
être : ses desseins, conçus dans le sein immense de cette immua-
ble éternité, ne dépendent ni des années ni des siècles, qu'il voit
passer devant lui comme des moments ; et il faut la durée entière du
monde pour développer tout à fait les ordres d'une sagesse si profonde. Et nous, mortels misérables, nous voudrions, en nos jours
qui passent si vite, voir toutes les œuvres de Dieu accomplies ! Parce
que nous et nos conseils sommes limités dans un temps si court,
nous voudrions que l'infini se renfermât aussi dans les mêmes bornes,
et qu'il déployât en si peu d'espace tout ce que sa miséricorde prépare aux bons, et tout ce que sa justice destine aux méchants. *At-
tendis dies tuos paucos, et diebus tuis paucis vis impleri omnia, ut
damnentur omnes impii, et coronentur omnes boni**. Il ne seroit pas raisonnable : laissons agir l'Éternel suivant les lois de son éternité, et
bien loin de la réduire à notre mesure, tâchons d'entrer plutôt dans
son étendue. » (Bossuet, *Sermon sur la Providence*, prêché au Louvre
en 1662, édition Gandar, p. 142 et 143.) — La Bruyère n'a pu
lire les sermons de Bossuet, qui n'ont été imprimés que longtemps
après la mort de l'un et de l'autre, et selon toute vraisemblance il n'a
pas entendu ceux dont quelques extraits sont cités dans nos notes ;
mais le souvenir de l'amitié qui lia Bossuet et la Bruyère rend intéressant tout rapprochement entre eux.

* Saint Augustin, *sur le Psaume* CXI, n° 8.

De ce que je pense, je n'infère pas plus clairement que je suis esprit, que je conclus de ce que je fais, ou ne fais point selon qu'il me plaît, que je suis libre : or liberté, c'est choix, autrement une détermination volontaire au bien ou au mal, et ainsi une action bonne ou mauvaise, et ce qu'on appelle vertu ou crime. Que le crime absolument soit impuni, il est vrai, c'est injustice ; qu'il le soit sur la terre, c'est un mystère. Supposons pourtant avec l'athée que c'est injustice : toute injustice est une négation ou une privation de justice ; donc toute injustice suppose justice. Toute justice est une conformité à une souveraine raison : je demande en effet, quand il n'a pas été raisonnable que le crime soit puni, à moins qu'on ne dise que c'est quand le triangle avoit moins de trois angles ; or toute conformité à la raison est une vérité ; cette conformité, comme il vient d'être dit, a toujours été ; elle est donc de celles que l'on appelle des éternelles vérités. Cette vérité, d'ailleurs, ou n'est point et ne peut être, ou elle est l'objet d'une connoissance ; elle est donc éternelle, cette connoissance, et c'est Dieu. (ÉD. 7.)

Les dénouements qui découvrent les crimes les plus cachés, et où la précaution des coupables pour les dérober aux yeux des hommes a été plus grande, paroissent si simples et si faciles qu'il semble qu'il n'y ait que Dieu seul qui puisse en être l'auteur ; et les faits d'ailleurs que l'on en rapporte sont en si grand nombre, que s'il plaît à quelques-uns de les attribuer à de purs hasards, il faut donc qu'ils soutiennent que le hasard, de tout temps, a passé en coutume. (ÉD. 7.)

48.   Si vous faites cette supposition, que tous les hommes qui peuplent la terre sans exception soient chacun dans l'abondance, et que rien ne leur manque, j'infère de là que nul homme qui est sur la terre n'est dans l'abon-

dance, et que tout lui manque. Il n'y a que deux sortes
de richesses, et auxquelles les autres[1] se réduisent, l'argent et les terres : si tous sont riches, qui cultivera les
terres, et qui fouillera les mines ? Ceux qui sont éloignés
des mines ne les fouilleront pas, ni ceux qui habitent des
terres incultes et minérales ne pourront pas en tirer des
fruits. On aura recours au commerce, et on le suppose ;
mais si les hommes abondent de biens, et que nul de
soit dans le cas de vivre par son travail, qui transportera
d'une région à une autre les lingots ou les choses échan-
gées ? qui mettra des vaisseaux en mer ? qui se chargera
de les conduire ? qui entreprendra des caravanes ? On
manquera alors du nécessaire et des choses utiles. S'il
n'y a plus de besoins, il n'y a plus d'arts, plus de sciences, plus d'invention, plus de mécanique. D'ailleurs cette
égalité de possessions et de richesses en établit une autre
dans les conditions, bannit toute subordination, réduit
les hommes à se servir eux-mêmes, et à ne pouvoir être
secourus les uns des autres, rend les lois frivoles et inutiles, entraîne une anarchie universelle, attire la violence, les injures, les massacres, l'impunité[2]. (ÉD. 7.)

1. Les trois éditions où cette remarque a été imprimée du vivant
de la Bruyère répètent *deux* et donnent ici : « les deux autres. »
Quoique les éditions se soient accordées à reproduire cette leçon, nous
pensons avec M. Destailleur que cette seconde insertion de *deux* est
une faute d'impression.

2. « Le docte et éloquent saint Jean Chrysostome nous propose
une belle idée pour connoître les avantages de la pauvreté sur les
richesses. Il nous représente deux villes, dont l'une ne soit composée
que de riches, l'autre n'ait que des pauvres dans son enceinte ; et
il examine ensuite laquelle des deux est la plus puissante.... Le grand
saint Chrysostome conclut pour les pauvres. » (Bossuet, *Sermon sur
l'éminente dignité des pauvres dans l'Église,* prononcé en 1659 au
couvent des Filles de la Providence, à Paris, édition Gandar, p. 165.)
— M. Destailleur a rapproché d'une partie de cet alinéa un passage
du *Plutus* d'Aristophane (vers 510-515), ainsi traduit par M. Filon

Si vous supposez au contraire que tous les hommes sont pauvres, en vain le soleil se lève pour eux sur l'horizon, en vain il échauffe la terre et la rend féconde, en vain le ciel verse sur elle ses influences, les fleuves en vain l'arrosent et répandent dans les diverses contrées la fertilité et l'abondance ; inutilement aussi la mer laisse sonder ses abîmes profonds, les rochers et les montagnes s'ouvrent pour laisser fouiller dans leur sein et en tirer tous les trésors qu'ils y renferment. Mais si vous établissez que de tous les hommes répandus dans le monde, les uns soient riches et les autres pauvres et indigents, vous faites alors que le besoin rapproche mutuellement les hommes, les lie, les réconcilie : ceux-ci servent, obéissent, inventent, travaillent, cultivent, perfectionnent ; ceux-là jouissent, nourrissent, secourent, protègent, gouvernent : tout ordre est rétabli, et Dieu se découvre. (ÉD. 7.)

49.   Mettez l'autorité, les plaisirs et l'oisiveté d'un côté, la dépendance, les soins et la misère de l'autre : ou ces choses sont déplacées par la malice des hommes, ou Dieu n'est pas Dieu. (ÉD. 7.)

Une certaine inégalité dans les conditions, qui entretient l'ordre et la subordination, est l'ouvrage de Dieu, ou suppose une loi divine : une trop grande disproportion, et telle qu'elle se remarque parmi les hommes, est leur ouvrage, ou la loi des plus forts. (ÉD. 7.)

---

dans son *Histoire de la démocratie athénienne*, p. 262 : « Que Plutus, dit la Pauvreté, recouvre la vue et se donne à tous également, personne ne voudra plus faire aucun métier, ni apprendre aucun art. Si chacun peut vivre oisif et consommer sans produire, qui voudra forger le fer, construire des vaisseaux, fabriquer des roues, faire de la brique, corroyer, ou sillonner la terre pour en tirer les dons de Cérès ? »

Les extrémités sont vicieuses, et partent de l'homme :
toute compensation est juste, et vient de Dieu. (ÉD. 7.)

———————

Si on ne goûte point ces *Caractères*[1], je m'en étonne ;
et si on les goûte, je m'en étonne de même.

1. VAR. (édit. 1-3) : Si l'on ne goûte point ces remarques que
j'ai écrites.

FIN DES CARACTÈRES.

APPENDICE

CARACTÈRES OU MŒURS DE CE SIÈCLE

———

CLEFS ET COMMENTAIRES

DE L'HOMME.

I

Pages 3 et 4, n° 3. — *Le stoïcisme est un jeu d'esprit.... L'homme qui est en effet.... étincelle des yeux, et perd la respiration pour un chien perdu ou pour une porcelaine qui est en pièces.* (1691.)

La Bruyère put être souvent le témoin de pareils transports de colère : on en avait fréquemment le spectacle à l'hôtel Condé. Mais puisque nous avons déjà rappelé ci-dessus quelques réflexions de Malebranche que la Bruyère semble s'être appropriées en les transformant, peut-être convient-il de noter encore que Malebranche avait cité l'attachement que peut inspirer un chien parmi les objections qu'il présente à l'encontre de l'insensibilité stoïque : « .... Il n'y a personne présentement, dit-il, qui ne soit uni et assujetti tout ensemble à son corps, et par son corps à ses parents, à ses amis, à sa ville, à son prince, à sa patrie, à son habit, à sa maison, à sa terre, à son cheval, à son chien, etc. »

Tel est du moins le texte de la seconde édition de *la Recherche de la Vérité* (1675, tome II, p. 129 et 130). S'il était certain que la phrase de Malebranche eût fourni ce trait à la Bruyère : « pour un chien perdu, » il le serait également que la Bruyère a lu *la Recherche de la Vérité* dans un exemplaire de la seconde édition ou d'une des éditions suivantes, car il n'est pas question du « chien » dans le texte de la première. Mais, hors cette phrase où l'on peut saisir, entre les *Caractères* et *la Recherche de la Vérité*, un fugitif rapprochement, qui peut-être n'est dû qu'au hasard, nous ne trouvons dans la Bruyère aucun souvenir des additions que Malebranche a faites à son ouvrage après la publication de la première édition, imprimée en 1674 et en 1675.

II

Pages 6-15, n° 7. — *Ménalque descend son escalier....* (1691.)

Suivant tous les commentateurs, le caractère de *Ménalque* est le

portrait du comte de Brancas[1], le plus célèbre et le moins « vraisemblable[2] » des distraits du dix-septième siècle. Un grand nombre des
aventures que rapporte la Bruyère sont tirées de celles que l'on prêtait à Brancas, et l'on ne s'étonnera pas, quand nous aurons passé
en revue les distractions communes à Ménalque et à Brancas, que
le public ait attribué à la Bruyère la pensée de peindre ici ce dernier.

« L'on conte de lui différentes sortes d'absences d'esprit, lit-on
dans les clefs. L'aventure de la perruque, dont il est parlé ici, lui
arriva chez la Reine. L'on veut qu'il oublia le jour de ses noces
qu'il étoit marié avec Mlle Garnier, fille du partisan ; et que le soir,
retournant chez lui à son ordinaire, il fut surpris de n'y point
trouver ses valets de chambre, qu'il apprit être allés mettre la toi-
lette chez sa nouvelle femme, ce qui le fit ressouvenir de la cérémonie du matin. »

*Lui-même se marie le matin, l'oublie le soir, et découche la nuit de
ses noces*, avait dit la Bruyère (p. 8). — Tallemant des Réaux a
conté cette même anecdote dans les termes suivants (tome II, p. 368) :
« On luy veut faire accroire que le jour de ses nopces il alla en
passant dire aux baigneurs qu'ils lui tinssent un lict prest, qu'il cou-
cheroit chez eux. « Vous ! luy dirent-ils, vous n'y songez pas ! —
« Sy fait, j'y viendrai asseurement. — Je pense que vous resvez,
« reprirent ces gens-là, vous vous estes marié ce matin. — Ah ! ma
« foi, dit-il, je n'y songeois pas. » L'historiette fut souvent répétée,
et la duchesse d'Orléans lui donna place en 1719 dans sa *Correspondance*[3].

1. Charles, comte de Brancas, marquis de Maubec et d'Apilli, chevalier
d'honneur d'Anne d'Autriche, mort en 1681, était frère puîné du duc de
Brancas Villars. « Il étoit bâtard, » est-il dit de lui dans la clef marginale d'un
exemplaire des *Caractères*. Nous ne savons rien qui justifie cette annotation,
qui est placée, on ne sait trop pourquoi, en regard de cette phrase :
« De même il a dessein d'élever auprès de soi un fils naturel, » etc. (voyez
p. 14, lignes 12 et 13).

2. « Il y a trois mois, écrit Mme de Sévigné en parlant de Brancas, que
je n'ai appris de ses nouvelles : cela n'est pas vraisemblable ; mais lui, il n'est
pas vraisemblable aussi. » (*Lettre* du 8 juillet 1671, tome II, p. 275.)

3. « M. de Brancas, écrit-elle le 8 octobre 1719, étoit très amoureux de
sa fiancée. Le jour où devoit se célébrer la noce, il fut au bain commme à l'ordinaire et se mit au lit. Son valet de chambre lui demanda : « D'où vient,
« Monsieur, que vous couchez encore ici, et que vous n'allez pas coucher avec
« Madame votre femme ? » Il dit : « Je l'avois oublié. » Il se leva, et alla
trouver sa femme, qui l'avoit longtemps attendu au lit. » (*Correspondance de
Madame, duchesse d'Orléans*, née princesse Palatine, mère du Régent, traduite par G. Brunet, tome II, p. 166.)

Page 14. — Il a pris aussi la résolution de marier son fils à la fille
d'un homme d'affaires.

Clef marginale de l'exemplaire de la Bibliothèque nationale déjà
cité (*Réserve*, R, 2810, 7) : « L'auteur déguise ici ce comte (*le comte
de Brancas*), qui n'avoit point de fils mâle, et les deux filles ne se
sont point mésalliées[1] ; mais il l'étoit lui-même, ayant épousé Suzanne Garnier, fille d'un homme d'affaires. »

Brancas était en effet, non pas le beau-père, mais le gendre d'un
homme d'affaires, Mathieu Garnier, trésorier aux parties casuelles,
qui était devenu par la suite conseiller au grand conseil[2]. Avant
d'être comtesse de Brancas, Suzanne Garnier avait été mariée en premières noces à François Brecey, seigneur d'Isigny. Elle fut compromise par les papiers de Foucquet, et diffamée par un libelle en vers
qui se trouve dans un grand nombre d'éditions de l'*Histoire amoureuse
des Gaules : les Amours de Mme de Brancas*. Elle était sœur du
Garnier dont il a été question au tome II, p. 429, n° VIII.

L'auteur de l'annotation que nous venons de citer ne connaissait
sans doute aucun propos de Brancas qui permît de lui attribuer une
distraction sur sa mésalliance ; mais cette mésalliance même aura
suffi pour donner lieu au rapprochement.

Page 15. — Il se trouve avec un magistrat : cet homme,
grave par son caractère....

Suivant une clef qui est écrite en marge d'un exemplaire des
Caractères, Brancas aurait fait au chancelier le Tellier la réponse
par laquelle se termine la phrase.

Telles sont, parmi les distractions de Ménalque, celles que les clefs
imputent à Brancas ; mais il est entre eux d'autres traits de ressemblance. Voici ceux que nous trouvons dans les *Historiettes* de Tallemant des Réaux, dans la *Correspondance de la princesse Palatine*,
et dans les *Lettres de Mme de Sévigné*.

Page 6. — Ménalque descend son escalier, ouvre sa porte pour sortir,
il la referme : il s'aperçoit qu'il est en bonnet de nuit....

Ménalque du moins s'en aperçoit avant de sortir. Brancas était,

1. La fille aînée de Brancas avait épousé Alphonse-Henri-Charles de
Lorraine, prince d'Harcourt ; la seconde, son cousin Louis de Brancas, duc de
Villars, puis duc de Brancas.

2. Sur Mathieu Garnier, voyez les *Historiettes* de Tallemant des Réaux,
tome II, p. 380, note XIII.

à ce qu'il paraît, plus profondément distrait : « On l'a fait aller un jour en compagnie avec son bonnet de nuit, » écrit Tallemant (*Historiettes,* tome II, p. 368, note).

Pages 7 et 8. — *Il* (Ménalque) *descend du Palais, et trouvant au bas du grand degré un carrosse qu'il prend pour le sien, il se met dedans : le cocher touche....*

Encore une mésaventure de Brancas, ainsi racontée par Tallemant (*ibidem*) : « Au sortir des Tuileries, un soir, il se jette dans le premier carrosse ; le cocher touche, il le meine dans une maison. Il monte jusques dans la chambre sans se reconnoistre. Les laquais du maistre du carrosse l'avoient pris pour leur maistre, qui luy ressembloit assez de taille. Ils le laissent là et courent aux Tuileries ; mais par hazard ils rencontrèrent ses gens, et leur dirent où il estoit. »

Pages 8 et 9. — *Il s'avance dans la nef, il croit voir un prié-Dieu, il se jette lourdement dessus....*

La même méprise est attribuée à Brancas : c'est la Reine mère qu'il lui arriva, dit-on, de prendre pour un prie-Dieu.

« Il étoit chevalier d'honneur de la Reine mère, écrit la duchesse d'Orléans dans la lettre précédemment citée. Un jour, lorsqu'elle étoit à l'église, Brancas oublie que c'est la Reine qui est agenouillée. Comme elle avoit le dos voûté lorsqu'elle baissoit la tête, on ne pouvoit guère la reconnoître. Il la prend pour un prie-Dieu, il s'agenouille sur ses talons et appuie ses deux coudes sur les épaules de la Reine. Elle fut très étonnée de voir son chevalier d'honneur se mettre à genoux sur elle, et chacun se mit à rire. » (*Correspondance de Madame, duchesse d'Orléans,* tome II, p. 166.)

Page 10. — *Lui-même écrit une longue lettre ;... il écrit une seconde lettre, et.... il se trompe à l'adresse....*

Brancas également s'était un jour trompé à l'adresse, après avoir cacheté une lettre : « Il écrivoit l'autre jour à Mme de Villars et à moi, dit Mme de Sévigné, et le dessus de la lettre étoit : *à Monsieur de Villars, à Madrid.* Mme de Villars le connoît, elle devina la vérité ; elle ouvre la lettre, et y trouve d'abord : *Mes très chères.* » (*Lettre* du 2 juin 1672, tome III, p. 95.)

Page 15. — *Il revient une fois de la campagne : ses laquais en livrées
entreprennent de le voler....*

L'aventure du même genre que Tallemant prête à Brancas est un
peu moins invraisemblable, comme l'a remarqué M. P. Paris : « Une
fois qu'il se retiroit à cheval, des voleurs l'arrestèrent par la bride.
Il leur disoit : « Laquais, de quoy vous avisez-vous ? Laissez donc
« aller ce cheval, » et ne s'en aperceut que quand il eut le pistolet
à la gorge. » (*Historiettes,* tome II, p. 367.)

La Bruyère n'a pas reproduit toutes les distractions attribuées à
Brancas. La remarque en avait été déjà faite dans le *Menagiana*
(tome IV, p. 220) :

« On veut que *Ménalque,* dans le livre de M. de la Bruyère, soit le
feu comte de Brancas. Il a oublié d'y mettre deux traits, et des plus
extraordinaires de ce comte. Le premier est qu'un jour, le comte de
Brancas marchant dans Saint-Germain l'Auxerrois, M. de la Rochefoucauld se présente pour lui parler. *Dieu vous assiste,* lui dit
M. de Brancas. M. de la Rochefoucauld se mit à rire et en même
temps en devoir de lui parler. « N'est-ce pas assez de vous dire une
« fois : *Dieu vous assiste ?* ajouta M. de Brancas. Sans mentir, on est
« bien importuné de ces coquins-là. » M. de la Rochefoucauld se mit
à rire encore davantage ; et ce ne fut qu'après un peu de temps que
M. de Brancas s'aperçut que M. de la Rochefoucauld n'étoit pas un
mendiant[1]. — Voici le second trait. M. de Brancas lisoit au coin de
son feu ; Dieu sait si c'étoit avec attention ! La gouvernante de sa
fille la lui apporte. Il quitte son livre et prend cette enfant entre ses
bras. Il badinoit avec elle lorsqu'un valet vint annoncer une visite
d'importance. Aussitôt, oubliant qu'il avoit quitté son livre et que
c'étoit sa fille qu'il tenoit, il le jeta sur la table. Par bonheur, sa
gouvernante lui sauva le coup et le reçut entre ses bras. »

Ce n'est point tout, et nous pourrions allonger beaucoup la liste
des distractions imputées à Brancas[2]. Nous nous contenterons d'en
citer encore une que les clefs des *Caractères* reproduisent. On la ra-
contait souvent à la cour, et nous la retrouvons, trente-huit ans après
la mort de Brancas, dans la *Correspondance* de la duchesse d'Orléans :

« La duchesse de Duras, écrit-elle en 1719 dans la lettre déjà ci-

---

1. Brancas, prenant la Rochefoucauld pour un pauvre, semble un souvenir
de Racan donnant « l'aumosne à de ses amys, » qu'il « prenoit pour des
gueux. » (Tallemant, tome II, p. 361, note.)

2. Voyez les *Lettres de Mme de Sévigné,* tome II, p. 161, 195 et 196,
214, 240 ; et tome VII, p 62.

tée, étoit dans la cour de son hôtel ; elle avoit reconduit une dame à
son carrosse ; M. de Brancas entre dans la cour pour rendre visite à
la duchesse, et prend son tablier pour un mur ; .... et il est tout
saisi lorsque la duchesse se mit à crier : « Oh ! fi ! cela ne se fait
« point ! » Il dit : « Je vous demande mille pardons, j'ai pris votre
« tablier pour un mur[1]. »

Ainsi que nous l'avons déjà dit à la suite de la Bruyère (p. 6,
note 1), ce caractère contient *un recueil de faits de distractions* empruntés à divers originaux. Nous pouvons du moins nommer deux
autres de ces distraits. Après Brancas, vint l'abbé de Mauroy.

Page 15. — Il dit Votre Révérence à un prince du sang, et Votre
Altesse à un jésuite.

Ce passage est ainsi annoté dans les clefs :
« L'abbé de Mauroy, abbé de Noirlac, ci-devant aumônier de
feu Mademoiselle de Montpensier, fils de M. de Mauroy, maître des
Comptes, et cousin germain de Mauroy, curé des Invalides[2], sujet à
une infinité d'absences d'esprit, étant allé de la part de Mademoiselle
parler de quelques affaires au P. la Chaise, il le traita d'*Altesse
Royale*, et rendant réponse à Mademoiselle, il la traita de *Révérence*.
Une autre fois, étant habillé pour dire sa messe, il l'auroit com-
mencée si son laquais ne l'eût averti qu'il avoit pris médecine, et
ensuite un bouillon. Il voulut un jour que le prieur de son abbaye,
qui l'étoit venu voir, lui eût dérobé ses lunettes, qu'il cherchoit
pour lire une lettre, et, après les avoir bien cherchées, elles se
trouvèrent sur son nez. Une autre fois, il entonna le commencement
des vêpres par l'*Ite, missa est*. Il donna trois fois la nomination d'un
même bénéfice à trois différentes personnes, et puis voulut s'inscrire
en faux, prétendant ne l'avoir donné qu'une, et il eut de la peine à
le croire, après qu'on lui eut présenté ces trois nominations. »

Page 10. — Il éclate de rire d'y voir son chien....

François-Louis de Bourbon, prince de la Roche-sur-Yon, que la
mort de son frère fit prince de Conti en novembre 1685, a également

---

1. La duchesse de Duras n'est point nommée dans la clef manuscrite de
l'Arsenal, que nous appelons la clef Cochin. Cette distraction, suivant cette
clef, « fit bien rire la Reine et les deux dames qui étoient avec elle. »
2. Voyez ci-après, p. 370 et 371, note XI.

fourni une anecdote au caractère de *Ménalque* : c'est celle du chien
renfermé dans une armoire. Elle est ainsi racontée par Saint-Simon
dans l'une de ses notes sur le *Journal* de Dangeau (tome I, p. 139
et 140) :

« M. le prince de la Roche-sur-Yon, depuis prince de Conti, étoit
fort distrait. Le jour qu'il partit (*pour la Hongrie, le 22 mars* 1685),
il dîna chez Mme la princesse de Conti, sa belle-sœur, puis alla
dans son appartement, où il fut quelque temps seul, et partit de là ;
un bas valet resté dans l'appartement entendit longtemps quelque
chose, qui, le soir fort tard, l'obligea d'ouvrir toutes les portes jusqu'au
cabinet, où il fut bien étonné de trouver sur la table la cassette de
M. le prince de Conti ouverte, et tous ses papiers, partie dedans,
partie dehors, et d'entendre les cris d'une chienne, enfermée dans
une armoire dont la clef ne se trouva point et que M. le prince de
Conti avoit emportée, croyant y avoir remis sa cassette et ses papiers. »

La Bruyère faisait déjà partie, en 1685, de la maison de Condé ;
il ne plaça cependant cette anecdote dans le caractère de *Ménalque*
qu'en 1694.

En résumé, nous voici en présence de trois Ménalques pour un :
Brancas, Mauroy, le prince de Conti. Mais pour tous ceux qui ont
parlé de Ménalque, commentateurs, historiens ou critiques, Ménalque
est Brancas : aussi Édouard Fournier exprime-t-il avec exactitude
le sentiment de tous en écrivant *Ménalque-Brancas*[1]. Mauroy, distrait
obscur que la Bruyère n'a peut-être point connu, n'est qu'incidem-
ment nommé dans les clefs, à propos de l'une des méprises de
Ménalque qui sont communes à tous les rêveurs ; et c'est dans notre
édition que pour la première fois paraît le nom du prince de
Conti.

Mais n'aurait-on pas fait fausse route ? Est-ce bien pour peindre
Brancas que la Bruyère écrivit ce caractère ?

« On est persuadé, dit Brillon au sujet de ce *portrait*, que dans
l'ébauche il représentoit quelqu'un. L'auteur, qui craignoit qu'on ne
reconnût l'original, a grossi les traits, chargé les couleurs, et a si fort
défiguré la copie, qu'elle ne ressemble à personne. » (*Sentimens cri-*

---

1. *La Comédie de J. de la Bruyère,* p. 515 et 594. — « On sait que M. de
Brancas lui servit de type, dit d'ailleurs (p. 42) Éd. Fournier en commen-
tant ce caractère. Il l'a si bien peint qu'il dut certainement faire au moins
son esquisse d'après nature. » — Saint-Simon semble avoir accepté sans
réserve l'interprétation des clefs : « Il est.... célèbre, dit-il de Brancas (édition
Boislisle, tome XI, p. 102), par ses prodigieuses distractions, que la Bruyère
a immortalisées dans ses *Caractères.* »

tiques, p. 367). Un peu plus tard, dans son *Apologie de M. de la Bruyère* (p. 249), le même Brillon a répété la même insinuation : « Ce caractère étoit appliqué à un homme du premier rang ; M. de la Bruyère s'est vu par là obligé de prendre des mesures et de lui donner une certaine étendue qui le mît hors de la ressemblance. »

La conjecture est vraisemblable. Elle explique fort bien ce qu'il y a d'excessif dans ce caractère si longuement développé. Mais quel est le personnage dont le portrait, d'abord fidèlement ébauché, aurait ainsi disparu sous les retouches et les surcharges ? Ou il faut rejeter le témoignage de Brillon, qui nous montre la Bruyère essayant de déjouer la perspicacité du lecteur, ou il faut écarter le nom de Brancas, puisque du premier coup tous les contemporains ont cru le reconnaître. Tel est notre sentiment, mais ce n'est pas, il est vrai, l'avis d'Édouard Fournier, qui n'a rien trouvé d'inconciliable entre l'explication de Brillon et l'interprétation des clefs.

« Quand la 1ʳᵉ édition des *Caractères* parut (dit-il, p. 42), en 1687, il y avait sept ans déjà que Brancas était mort. C'était assez pour qu'il (*la Bruyère*) n'eût pas l'air, en lançant le portrait, d'insulter au deuil d'une famille. Il ne l'osa cependant pas. Onze ans lui semblèrent nécessaires entre la disparition du type et l'apparition du portrait qui devait le ressusciter. Le caractère de *Ménalque* ne parut qu'en 1691, dans la 6ᵉ édition. On s'en amusa, tout en le trouvant trop exagéré. On ne voyait pas que cette exagération même était un ménagement, et que la Bruyère l'avait faite à plaisir, pour mettre le portrait hors de la vraisemblance et empêcher ainsi l'application trop directe. »

Mais la Bruyère avait-il de ces ménagements ? Quelle considération l'eût empêché de faire un portrait ressemblant et reconnaissable de Brancas vivant ou mort ? Brancas n'avait jamais fait mystère de ses distractions, qui d'ailleurs n'étaient pas toutes involontaires, si l'on en croit Bussy, car il l'accuse de s'en être fait un mérite[1]. Elles étaient si connues que nul ne pouvait s'étonner que la Bruyère en eût recueilli le souvenir.

---

1. « Le Roi, écrit Bussy, le 30 avril 1680 (tome V, p. 110), vient de donner cent mille francs à Brancas, pour le récompenser de sa charge de chevalier d'honneur de la Reine mère, qu'il avoit perdue par sa mort, après l'avoir achetée vingt mille écus. Ç'a été une justice que le Roi a faite, et j'aime à lui en voir faire. Ce n'est pas que j'estime Brancas : il a de la qualité et de l'esprit, à ce qu'on dit ; mais il a un air important qui feroit haïr le cavalier du monde le plus accompli. De plus, il est d'ordinaire assez distrait, et comme il a vu que ses rêveries ont fait rire le Roi quelquefois, il les a outrées pour se faire un mérite d'une imperfection qui faisoit parler de lui, n'y pouvant réussir par de meilleures voies. »

Le premier Ménalque, à notre sens, n'était donc pas Brancas. Serait-ce le prince de Conti ? Cette fois la Bruyère eût parfaitement réussi à dissimuler son premier dessein, car c'est une rencontre fortuite qui nous a fait retrouver l'une de ses distractions dans l'historiette du chien enfermé [1]. Mais, tout distrait qu'il pût être, le prince de Conti, en qui Saint-Simon et Lassay nous montrent l'un des plus aimables et des plus séduisants personnages de la cour, était bien différent de Ménalque.

Cherchons ailleurs, et prenons Édouard Fournier lui-même pour guide. « Le distrait, écrit-il (p. 335) en traçant le portrait du duc de Bourbon, existait aussi par un coin chez Monsieur le Prince, dont, Lassay nous le dit encore [2], *les distractions étoient surprenantes*. Quand le Ménalque des *Caractères* le fit rire, c'est donc un peu de lui-même qu'il s'amusa. »

« Un peu, » est-ce assez dire ? Dans l'ébauche, Ménalque n'aurait-il pas été le fils du grand Condé, M. le prince Henri-Jules de Bourbon, dont les colères et les distractions avaient dû si souvent faire souffrir la Bruyère, et dont il avait si grand intérêt à ménager l'amour-propre, étant son gentilhomme ordinaire ? Détachez du caractère les traits outrés et les historiettes recueillies de divers côtés : Ménalque qui crie, gronde, s'emporte, qui parle tout seul, qui a de certaines grimaces, qui n'est ni présent ni attentif à ce qui fait le sujet de la conversation, que l'on prendrait pour un stupide, pour un fou, pour un homme fier et incivil, pour un inconsidéré, etc., ressemble beaucoup au personnage que Saint-Simon nous montre « colère et d'un emportement à se porter aux derniers excès, même sur des bagatelles [3],... plein d'humeur et de caprices..., toujours incertain, » et dont les « distractions étoient surprenantes, » au témoignage de Lassay.

Tout en considérant Monsieur le Prince comme ayant tenu sa place, et une grande place, dans la pensée de la Bruyère écrivant le portrait de Ménalque, nous nous garderons bien de lui attribuer tout ce que nous croyons ne point convenir à Brancas ou à quelque autre distrait célèbre. Ainsi Ménalque élève auprès de soi « un fils naturel, » et malgré son désir de taire le secret de sa naissance, « il lui échappe de l'appeler son fils dix fois le jour » (p. 14). Monsieur le Prince a eu, non pas un fils naturel, mais une fille naturelle, née

---

1. Saint-Simon, qui la raconte, ne s'est pas souvenu que la Bruyère l'avait notée, ou plus vraisemblablement il ne l'a pas su, car elle est l'une des additions insérées après coup dans la 7e édition des *Caractères*.

2. *Recueil de différentes choses*, tome II, p. 141.

3. *Mémoires*, édition Boislisle, tome XVII, p. 232.

d'une liaison avec Mlle de Marans. Assurément il y aurait témérité
à voir dans les distractions de Ménalque, au sujet de ce fils, un souvenir de celles auxquelles Monsieur le Prince aurait pu s'abandonner
à l'égard de sa fille. D'une part, elle a été élevée loin de son père,
et n'a jamais pris place, que nous sachions, parmi les gens de sa
maison ; elle ne faisait même à Chantilly que d'assez courts séjours.
D'autre part, il est douteux que son père ait jamais dissimulé son
existence à sa femme et à ses enfants, car il l'avait fait élever sous
le nom de Mlle de Guenani, anagramme de son nom : *Enghien*
(*Anguien*), et de plus il la reconnut en 1693 sur la demande même
de Madame la Princesse ; elle avait alors vingt-quatre ou vingt-cinq
ans. (Voyez Dangeau, tome IV, p. 307, et tome XIII, p. 120 ;
les *Cours galantes* de M. G. Desnoiresterres, tome II, p. 311 et
suivantes ; et les *Causeries du lundi* de Sainte-Beuve, tome IX,
p. 149.)

Nous écartons donc sur ce point un rapprochement entre Ménalque et Monsieur le Prince ; mais il est un autre endroit où nous
sommes tenté de rechercher quelque allusion aux conversations de
l'hôtel de Condé. Ménalque veut marier son fils à la fille d'un
homme d'affaires. Du côté des Condé, nulle mésalliance de ce
genre. Mais Monsieur le Prince eût-il pu se glorifier sans impru-
dence des alliances de sa famille, lui qui acceptait pour bru l'une
des bâtardes de Louis XIV ? Supposez un instant, quoique rien ne
confirme cette hypothèse, qu'il lui ait échappé devant la Bruyère
quelque parole inconsidérée sur les alliances des Condé au moment
même où se préparait le mariage de son fils : à quel autre tour
que celui qu'il a pris pouvait recourir la Bruyère pour enrichir de
ce trait le caractère de Ménalque ?

Parmi les anecdotes que la Bruyère emprunte aux conversations
que défrayaient les distractions des rêveurs célèbres, il n'en est aucune qui paraisse avoir été fournie par la Fontaine. Il est moins
certain que la Bruyère n'ait rien tiré des distractions de Racan, qui,
lui aussi, comme tous les Ménalques, se heurtait « par la rue, » et
jetait ce qu'il eût dû garder à la main (voyez les *Historiettes*, tome II,
p. 35 et suivantes). Tallemant le montre une fois s'installant chez
M. de Bellegarde comme s'il était chez lui, et prenant la chambre
de Mme de Bellegarde pour la sienne ; une autre fois, ramenant
Chapelain de l'Académie quand il croyait ramener Patru : deux
passages du caractère de Ménalque rappellent ces deux traits ; voyez
p. 8 : *Une autre fois,* etc. ; et p. 10 : *Ménalque descend,* etc.

Il est superflu de le faire remarquer, ce caractère peut servir à
montrer ce qu'il se mêlait de grossièreté aux habitudes de cette société si polie, si raffinée sur certains points : on pouvait cracher sur
le parquet d'une chambre pour peu que l'on fût familier dans la

maison (p. 10, lignes 7-9; conférez tome II, p. 186, ligne 19); à table, on jetait à terre ce que l'on avait de trop dans son verre (p. 12, lignes 13-17; conférez tome II, p. 133, lignes 16-19).

III

Page 18, n° 17. — *Il y a d'étranges pères....* (1687.)

Clefs des éditions Coste imprimées en France : « M. le duc de Gesvres, ou Banse le père. »

Le nom du duc de Gesvres devait tout naturellement prendre place à côté de cette réflexion. « Ce vieux Gesvres [1], dit Saint-Simon (édition Boislisle, tome VI, p. 410-413), étoit le mari le plus cruel d'une femme de beaucoup d'esprit, de vertu et de biens, qui se sépara de lui [2], et le père le plus dénaturé d'enfants très honnêtes gens qui fut jamais. L'abbé de Gesvres [3] étoit depuis quelques années camérier d'honneur d'Innocent XI, et tellement à son gré, qu'il l'alloit faire cardinal, lorsque l'éclat entre lui et le Roi fit appeler tous les François sur le démêlé des franchises : l'abbé de Gesvres y perdit tout, mais revint de bonne grâce. Le Roi, qui en fut touché, lui donna en arrivant, de plein saut, l'archevêché de Bourges, qui venoit de vaquer par la mort du frère de Châteauneuf, secrétaire d'État [4] : le duc de Gesvres, en furie, alla trouver le Roi, lui dit rage de son fils, et fit tout ce qui lui fut possible pour empêcher cette grâce. Le marquis de Gesvres [5], il l'a traité, lui et sa femme, comme des nègres, toute sa vie, au point que le Roi y est souvent entré par bonté.... Quand on lui parloit de ses grands revenus, du mauvais état de ses affaires malgré sa richesse, du désordre de sa maison, et de l'inutilité et de la folie de ses dépenses, il se mettoit à rire, et répondoit qu'il ne les faisoit que pour ruiner ses enfants. Il disoit vrai, et il y réussit complètement.... »

1. Léon Potier, duc de Tresmes, dit duc de Gesvres, pair de France, premier gentilhomme de la chambre du Roi, gouverneur de Paris, etc., mort en 1704.

2. Marie-Françoise-Angélique du Val de Fontenay-Mareuil.

3. Léon Potier de Gesvres, né en 1656, abbé d'Aurillac et de Bernay, protonotaire apostolique, puis archevêque de Bourges (1694), et plus tard cardinal.

4. « En arrivant de plein saut : » Saint-Simon se trompe. Si l'abbé de Gesvres revint en France à la suite du marquis de Lavardin et sous le pontificat d'Innocent XI, ce fut en 1689 : or il n'a été archevêque de Bourges qu'en 1694.

5. François-Bernard Potier, marquis de Gesvres, né en 1655, reçu en survivance de la charge de premier gentilhomme de la chambre en 1670. Il avait épousé Mlle de Boisfranc. Il prit plus tard le titre de duc de Tresmes.

A quatre-vingts ans, le duc de Gesvres épousa, dit encore Saint-Simon (édition Boislisle, tome XI, p. 5), « Mlle de la Chénelaye, du nom de Romillé, belle et bien faite et riche, que l'ambition d'un tabouret y fit consentir. Le Roi l'en détourna tant qu'il put, lorsqu'il lui en vint parler ; mais le bonhomme, ne sachant faire pis à son fils, à qui ce mariage fit grand tort, n'en put être dissuadé. »

Le duc de Gesvres, qui, bien avant la publication des *Caractères,* s'était montré un « étrange père, » se raccommoda plus tard avec son fils aîné, grâce à l'influence de sa seconde femme. Vivant à la cour, la Bruyère ne pouvait ignorer la mésintelligence du père et du fils ; de plus, il est possible qu'il en ait entendu conter les détails dans la famille de Belleforière : la marquise de Gesvres, belle-fille du duc de Gesvres, était belle-sœur de la jeune marquise de Belleforière, amie de l'auteur des *Caractères.*

Nous avons déjà rencontré le nom de Banse le fils à côté de cette phrase : « Celui qui s'empêche de souhaiter que son père y passe bientôt est homme de bien. » Voyez tome II, p. 178 et 179, n° 68, et p. 416, xxxvi. — Peut-être s'agit-il du père de Hugues-Alexandre Bence, nommé conseiller au Châtelet en 1692.

Après les noms du duc de Gesvres et de Banse, les clefs des éditions Coste imprimées en Hollande ajoutent : « Ou M. Talon, ci-devant avocat général, et depuis président à mortier[1], qui a fait enfermer son fils unique à Saint-Lazare en 1695, parce qu'il s'étoit amourahé de la fille d'un chirurgien, bien qu'il fût conseiller à la Cour des aides, et a fait mettre la fille à la Pitié après l'avoir fait raser. Elle est depuis sortie par arrêt du Parlement. »

La clef Cochin, qui laisse de côté le duc de Gesvres et Banse, et ne nomme que Talon, reproduit les détails qui précèdent, et continue ainsi : « Le fils s'est toujours déclaré pour elle, quelque parti qu'on lui ait proposé, et a témoigné qu'il ne vouloit rien être de robe, de sorte que M. Talon a été obligé de le sortir de Saint-Lazare, et de l'envoyer à l'armée de Piémont en 1696, et à servir d'aide de camp à M. de Lanion[2]. Monsieur son père s'est défait de sa charge de président en faveur de M. de Frémont, maître des requêtes[3], fils de M. de Frémont, garde du trésor royal, qui n'en doit jouir qu'après

---

1. Denis Talon avait acheté une charge de président au Parlement en novembre 1690, et avait été reçu en janvier 1691. Il avait été avocat du Roi au Châtelet, puis en 1652 avocat général au Parlement. Il avait épousé la fille de Boulay Favier, intendant d'Alençon.

2. *Larion* dans le manuscrit ; mais il s'agit sans nul doute du comte de Lanion, alors lieutenant général.

3. Nicolas de Frémont, d'abord conseiller au Châtelet, puis au Parlement, maître des requêtes en 1690.

la mort de ce président, [et] qui l'a achetée moyennant six cent mille louis (*lisez* : livres). »

Au dernier mot de cette note il faut, comme nous l'avons fait, substituer sans hésitation le mot *livres* ; mais cette erreur de copiste corrigée, la note contient encore d'autres inexactitudes. Lorsqu'en 1691 le Roi créa dans le Parlement divers offices nouveaux, une charge de président à mortier fut vendue 450 000 francs[1] à Denis Talon, et le prix en fut fixé par faveur royale à 500 000 livres : Talon obtenait ainsi le droit de demander à son successeur 500 000 francs, c'est-à-dire, 50 000 francs de plus qu'il n'avait donné lui-même. Mais aurait-il pu exiger davantage et vendre sa survivance 600 000 francs, ainsi qu'il est dit dans la note citée ci-dessus ? Nous en doutons. Il ne pouvait d'ailleurs la céder sans l'agrément du Roi, et nous ne savons pas qu'il ait jamais été question de M. de Frémont pour sa charge. Lorsque Talon mourut (1698), ce fut l'avocat général Chrétien-François de Lamoignon qui obtint du Roi la permission de traiter de la charge qu'il laissait vacante.

La mésintelligence que signale cette note, entre Denis Talon et son fils Omer Talon, nous place, comme on le voit, à une date postérieure à la publication de la remarque de la Bruyère.

Omer Talon, marquis de Boulay, ne fut pas longtemps magistrat. Il se défit dès 1695 de son titre de conseiller à la Cour des aides, et acheta en 1700, deux ans après la mort de son père, le régiment d'Orléanais. Il en était encore colonel quand il mourut devant Turin, au mois d'août 1706. Il laissait un fils, Louis-Denis Talon, qui devint président à mortier en 1732, et une fille, qui épousa le général Montcalm.

Nous avons reproduit jusqu'ici des noms de pères qui ont rendu leurs fils plus ou moins malheureux : que ces noms aient été bien ou mal choisis, les commentateurs qui les ont écrits sur leurs listes nous semblent avoir bien compris la Bruyère. Le texte même de la phrase et celui des réflexions qui l'avoisinent ne permettent pas, à notre avis, de chercher un autre sens. La remarque a cependant reçu des interprétations différentes : les *étranges pères dont la vie ne semble occupée qu'à préparer à leurs enfants des raisons de se con-*

---

1. Tel est le chiffre qu'écrit Dangeau au moment même où se fait la vente (tome III, p. 248) ; huit ans plus tard (tome VI, p. 309), il écrit 350 000 livres, et ajoute, pour arriver aux 500 000 livres auxquelles le prix de la charge est définitivement fixé, que « le Roi augmenta la fixation de 50 000 écus. » C'est sans nul doute le premier chiffre qui est exact. Quoi qu'il en soit, les charges de président à mortier valaient 500 000 livres, et ne rapportaient que 12 000 livres de rente : voyez Dangeau, tome VI, p. 307.

soler de leur mort, sont dans une clef manuscrite les pères qui « par leur conduite ruinent leur famille, » tels que « le duc de Mazarin [1], » et dans la clef de 1720 ceux qui ont acquis une grande fortune. Voici l'annotation de la clef de 1720 :

« *Il y a d'étranges pères,* etc. Enfants de famille dont les pères ont amassé de grands biens, ou M. de Montagnac. »

Ainsi réuni par la conjonction *ou* à la phrase qui précède, le nom de ce personnage inconnu nous montre que la clef de 1720 a été composée de plusieurs clefs juxtaposées.

IV

Page 23, n° 34. — *Il n'y a rien que les hommes....* (1687.)

« Contre les médecins, » est-il dit à tort dans la clef Cochin et dans la clef de 1720.

V

Pages 23 et 24, n° 35. — *Irène se transporte à grands frais....* (1694.)

Clefs du dix-huitième siècle : « On tint ce discours à Mme de Montespan, aux eaux de Bourbon, où elle alloit souvent pour des maladies imaginaires. » — Mme de Montespan, que la Bruyère nomme *Irène* en souvenir d'une impératrice de Constantinople, « aimoit à voyager par inquiétude et mésaise partout, dit Saint-Simon,.... et alloit aux terres d'Antin, à Fontevrault, à Bourbon, sans besoin des eaux. » (*Journal* de Dangeau, tome XI, p. 381, note de Saint-Simon.) Mme de Montespan allait souvent, en effet, prendre les eaux de Bourbon. On l'y avait vue en 1676 [2], en 1686 et en 1689; elle y était sans doute retournée entre la dernière date et celle où parut le caractère d'*Irène.* Mme de Montespan « s'étoit fait un usage familier de Bourbon depuis un assez grand nombre d'années, et où depuis quelque temps elle n'alloit que de deux ans en deux ans, » dit le *Mercure galant* en annonçant sa mort (juin 1707, p. 238). Elle mourut à Bourbon même, le 27 mai 1707, âgée de soixante-six ans. Cette fois encore elle y était venue « sans besoin, comme elle faisoit souvent, » écrit Saint-Simon (*Mémoires,* édition Boislisle, tome XV, p. 88). A ses derniers moments, « les frayeurs de la mort, qui, toute sa vie, l'avoient si continuellement troublée, se dissipèrent subitement et ne

---

1. Armand-Charles marquis de la Meilleraye, duc de Mazarin, mari d'Hortense Mancini.

2. Sur le séjour qu'elle y fit en 1676, voyez les *Lettres de Mme de Sévigné,* tome IV, p. 398-483 *passim.*

l'inquiétèrent plus. » (*Ibidem,* p. 47.) — « Elle pensoit sans cesse à la mort, » avait déjà dit Saint-Simon dans ses annotations sur Dangeau (tome XI, p. 381), insistant sur les frayeurs terribles qu'elle en avait.

VI

Pages 30 et 31, n° 64. — *Nous faisons par vanité.... Tel vient de mourir....* (1687.)

Clefs du dix-huitième siècle : « Feu M. le prince de Conti. Il mourut de la petite vérole en veillant auprès de la princesse, sa femme, atteinte du même mal, [qu'il n'aimoit pas [1],] et qui en est relevée. » Louis-Armand de Bourbon, prince de Conti, né en 1661, avait épousé en 1680 Mademoiselle de Blois, fille de Louis XIV et de Mme de la Vallière. La princesse de Conti devint malade de la petite vérole le 10 octobre 1685. « M. le prince de Conti, écrit Dangeau, à la date du 12, a pris le parti de s'enfermer avec Madame sa femme, quoiqu'il n'ait jamais eu la petite vérole. » La fièvre le saisit le 1er novembre, et il succomba le 9, emporté par la petite vérole, alors que sa femme était entièrement rétablie. « Tout le monde est dans une extrême affliction de la mort de ce pauvre prince, dit Dangeau, et les circonstances rendent encore la chose plus pitoyable. » (*Journal* de Dangeau, tome I, p. 230 et 249). — Voyez sur cette mort la *lettre* de Mme de Sévigné du 24 novembre 1685, tome VII, p. 477 et 478.

VII

Pages 32-34, n° 67. — *Les hommes parlent.... De même une bonne tête.... Un homme ainsi fait peut dire.... qu'il ne connoît aucun livre....* (1689.)

Clef de 1697 et clefs du dix-huitième siècle : « M. de Louvois ».

VIII

Page 39, n° 83. — *On est prompt à connoître ses plus petits avantages.... On sait à peine que l'on est borgne....* (1689.)

Clefs du dix-huitième siècle : « M. le chevalier de Soissons, qui est borgne [2]. »

---

1. Nous rappelons que nous plaçons entre crochets les passages qui n'ont été imprimés que dans les clefs des éditions Coste publiées en Hollande.

2. Suit dans la clef Cochin et dans la clef de 1725 une note un peu confuse,

Ce « vieux bâtard obscur du dernier comte de Soissons, » dit Saint-Simon (édition Boislisle, tome II, p. 227 et 228), « n'avoit pas le sens commun, n'avoit jamais servi, ni fréquenté, en toute sa vie, un homme qu'on pût nommer. »

Il suffisait que le chevalier de Soissons fût borgne et qu'il eût la réputation de manquer d'esprit pour que l'on écrivît ici son nom ; mais cette annotation, à cette place où il n'en fallait aucune, est l'une des moins heureuses qu'aient faites les commentateurs.

IX

Pages 43 et 44, n° 94. — *Il se trouve des hommes....* (1687.)

La clef de 1697 et les clefs du dix-huitième siècle font à juste titre l'application de cette réflexion au duc de Lauzun. Voyez sur ce personnage le tome II, p. 446-449, note xxvi, et p. 466-469, note iii.

X

Pages 44 et 45, n° 96. — *Il y a des gens qui gagnent à être extraordinaires....* (1692.)

Clef de 1696 : « M. le maréchal de la Feuillade. » — Clefs du

et d'ailleurs assez mal reproduite par les copistes, sur le comte de Soissons et sur l'héritage qu'il fit de « Mme de Nemours, veuve du comte de Nemours (*Henri II de Savoie, dernier duc de Nemours*), ci-devant archevêque de Reims, frère du comte de Nemours tué par M. de Beaufort, et qui prit le titre de comte après sa mort, n'ayant laissé que des filles. », — « Il a épousé, après la mort de ses frères (est-il dit dans cette note au sujet de Henri II duc de Nemours, relevé de ses vœux), Mlle de Longueville, qui depuis (en 1694) a hérité de l'abbé d'Orléans (*Jean-Louis-Charles d'Orléans*) dernier de la race des Dunois, et par conséquent de la principauté de Neufchâtel en Suisse, ce qui a donné lieu à un grand procès avec M. le prince de Conti, qui a prétendu avoir cette principauté en vertu d'une donation de l'abbé d'Orléans. Mme de Nemours a donné depuis ladite principauté de Neufchâtel au chevalier de Soissons, à qui elle a fait beaucoup de bien. Depuis, par arrêt du Parlement du mois de février (*lisez :* janvier) 1696, M. le prince de Conti a été reçu à prouver que l'abbé d'Orléans étoit en démence lorsqu'il avoit fait ledit testament. » — Voyez sur cette affaire Saint-Simon, édition Boislisle, tome II, p. 123 et 124, 227 et 228 ; tome III, p. 5-7 ; tome VI, p. 52 et 53, 105, 205 et 206 ; tome VII, p. 2 et 3 ; tome XII, p. 1-3 ; tome XV, p. 118-145 ; Dangeau, tome IV, p. 446-448 ; tome V, p. 345, etc.

Le chevalier de Soissons, fils naturel du comte de Soissons qui fut tué à la bataille de Sedan en 1641, épousa en 1694 Angélique de Montmorency Luxembourg, et mourut en 1703.

dix-huitième siècle : « Feu le maréchal de la Feuillade, de la maison d'Aubusson[1], gouverneur du Dauphiné, et colonel du régiment des gardes françoises, qui a érigé la statue du Roi à la place des Victoires, qu'il a fait bâtir sur les ruines de l'hôtel de la Ferté [, a fait sa fortune par mille quolibets qu'il disoit au Roi]. Ce fut lui qui conduisit le secours que le Roi envoya à l'Empereur, qui lui fut si utile qu'il défit avec lui les Turcs à la bataille de Saint-Godard (*Saint-Gothard*), en 1664, et les obligea de passer le Raab avec perte de près de dix mille hommes. Cette défaite donna de la jalousie à l'Empereur, qui renvoya au Roi son secours, sans lui accorder presque de route : ce qui ruina beaucoup[2] les troupes. »

« La clef nomme pour ce caractère le duc de la Feuillade, a dit Walckenaer : c'est à tort. Il est encore plus certain que la Bruyère a eu en vue ici le duc de Lauzun que pour le n° 94. » (*Remarques et Éclaircissements*, p. 718.) — Les premiers mots du caractère peuvent rappeler le souvenir de Lauzun, que nomment d'ailleurs quelques clefs manuscrites; mais l'ensemble ne nous paraît applicable qu'au maréchal duc de la Feuillade, qui était mort depuis fort peu de temps lorsque parut cette remarque.

« La Feuillade, dit la Fare (*Mémoires,* collection Petitot, tome LXV, p. 185-187), fou de beaucoup d'esprit, continuellement occupé à faire sa cour,... fit sa fortune par ses extravagances ; et une des choses qui lui a le plus servi, ce fut de se brouiller alternativement avec tous les ministres. » — « Il imagina des choses à quoi tout autre n'eût jamais pensé, » ajoute la Fare, et il conte l'expédition que la Feuillade fit en Candie à ses dépens, à la tête de deux cents gentilshommes volontaires, la provocation qu'il alla porter en Espagne à M. de Saint-Aunay, accusé d'avoir mal parlé du Roi (« cette aventure de don Quichotte ne laissa pas de plaire au Roi, » dit la Fare), et enfin la consécration de la statue qu'il éleva, sur l'emplacement de l'hôtel de la Ferté, au roi Louis XIV.

Le Roi accepta de bonne grâce, comme on sait, le culte qu'affectait de lui rendre la Feuillade.

« Il avoit l'esprit vif, dit de son côté Gourville en parlant de ce dernier (*Mémoires*, collection Petitot, tome LII, p. 488), écrivoit et parloit fort souvent en particulier au Roi ; et je le trouvois instruit des premiers de tout ce qu'il y avoit de nouveau. Les courtisans trouvoient fort à redire à sa conduite; mais avec tout cela il n'y en avoit point qui n'enviât son savoir-faire, et la liberté qu'il s'étoit acquise

---

1. François vicomte d'Aubusson, duc de la Feuillade, pair et maréchal de France en 1675, mort le 18 septembre 1691.

2. Dans la clef de 1725, on a substitué *presque* à *beaucoup*.

avec le Roi. Ils répandoient fort, pour lui faire de la peine, qu'il parloit souvent à Sa Majesté contre les ministres; mais cela ne produisit
d'autres effets que d'engager ces Messieurs à avoir plus d'égards pour
lui. »

Ce « courtisan passant tous les courtisans passés, » comme l'appelle Mme de Sévigné (tome V, p. 551), cet « extravagant qui savoit
faire des romans mieux que personne, » comme le lui disait à lui-même
Bussy (*Mémoires*, édition de Ludovic Lalanne, tome II, p. 219),
ce *Griselidis* des courtisans, comme le nomme encore Choisy
(*Mémoires*, collection Petitot, tome LXIII, p. 304), nous semble bien
être l'un de ces hommes « extraordinaires » dont parle la Bruyère.

Il faut toutefois noter que dans les dernières années de la vie de
la Feuillade, le Roi s'était secrètement refroidi à son égard. « Il est
vrai que cette année me fut heureuse, » dit un jour Louis XIV en
parlant de l'année 1691, s'il faut en croire Choisy (p. 366), « je fus
défait de trois hommes que je ne pouvois plus souffrir : MM. de
Louvois, Seignelay et la Feuillade. »

XI

Page 45, n° 97. — *L'on exigeroit de certains personnages....* (1687.)

Clef de 1696 : « Monsieur le duc d'Orléans. Le roi Jacques. » —
Clefs du dix-huitième siècle : « Jacques II, qui s'étoit rendu illustre
dans le temps qu'il commandoit la flotte d'Angleterre en qualité de
duc d'York, et qui depuis ce temps-là n'a fait aucune action de
vigueur. »

Le duc d'Orléans était brave[1] ; il avait gagné la bataille de Cassel (1677), et l'on savait qu'il aurait pu tenir à la guerre une autre
place que celle où le maintenait la jalousie du Roi.

Quelques annotateurs ont écrit en marge de ces mots : *certains
personnages qui ont une fois été capables d'une action noble.* etc., le
nom de « Boisselot, » et en marge de ceux-ci : *cette conduite sage et
judicieuse qui se remarque même dans les hommes ordinaires*, le nom de
« Montcassel. » Ces deux personnages n'ont eu de célébrité qu'après

---

1. « Il étoit naturellement intrépide, et affable sans bassesse, aimoit l'ordre,
étoit capable d'arrangement et de suivre un bon conseil. Il avoit assez de défauts pour qu'on soit obligé en conscience de rendre justice à ses bonnes
qualités. » (La Fare, *Mémoires*, collection Petitot, tome LXV, p. 229. — Conférez Choisy, *Mémoires*, collection Petitot, tome LXIII, p. 432; Saint-Simon,
Mémoires, édition Boislisle, tome XXVI, p. 266 et suivantes.) — Walckenaer
estime que les clefs désignent le Régent, et non son père : il n'y a cependant
aucune raison de se méprendre.

la publication de la première édition des *Caractères,* où se trouve la réflexion qui leur a été appliquée.

Boisseleau [1] était capitaine aux gardes lorsque Louis XIV, au mois de février 1689, l'envoya en Irlande avec le titre de major général. Après la défaite de la Boyne, ce fut lui qui, au mois d'août 1690, défendit contre Guillaume d'Orange la ville de Limerick, abandonnée par Lauzun et Tyrconnel. La résistance qu'il opposa aux Anglais et qui les força de lever le siége lui fit grand honneur, et Saint-Simon a soin de la rappeler en notant sa mort à l'année 1698 [2]. Louis XIV, à son retour en France, le félicita d'avoir « travaillé » pour la gloire de la nation, et le nomma brigadier. Chargé par la suite de divers commandements, il fut nommé, en 1693, au gouvernement de Charleroy, et devint maréchal de camp en 1696. La défense de Limerick a été l'action la plus éclatante de sa vie militaire. Vers 1696, il se retira dans une de ses terres, et il y mourut en 1698 [3]. Quelle qu'ait été l'obscurité de ses dernières années, rien ne justifie l'application qui lui est malignement faite de cette remarque de la Bruyère, que d'ailleurs il faut réserver pour de plus hauts personnages.

Le nom de Montcassel, placé en regard d'un trait qu'il était superflu d'annoter, désignerait le lieutenant général Macarthy, officier irlandais, qui, après avoir servi en France sous le nom supposé de « Mouskry, » dit Dangeau (tome III, p. 77 et 144 [4]), fut, en 1689, l'un des plus braves généraux de Jacques II, et reçut, en récompense de ses services, le titre de vicomte de Mountcastel. Blessé et fait prisonnier à la bataille de Newton-Butler (août 1689), il dut la liberté, non pas à un échange, comme Dangeau le donne à entendre (tome III, p. 36), mais à l'oubli d'un serment (voyez Macaulay,

---

1. Ce nom est écrit *Boisselot* dans les *Mémoires* de Saint-Simon et dans l'*État de la France ; Boisseleau* dans le *Journal* de Dangeau : cette dernière orthographe est la meilleure, car elle est adoptée par Macaulay (*Story of England,* etc., volume VI, chapitre xvi), qui a cité des extraits de sa correspondance, et par C. Rousset (*Histoire de Louvois,* livre IV, chapitre xii), qui a consulté ses lettres au Dépôt du ministère de la guerre.

2. « Il avoit été capitaine aux gardes, et s'étoit acquis une grande réputation en Irlande par l'admirable et longue défense de Limerick, assiégé par le prince d'Orange en personne, par laquelle il retarda longtemps la conquête de toute cette île. » (*Mémoires* de Saint-Simon, édition Boislisle, tome VI, p. 30.)

3. Saint-Simon le fait mourir lieutenant général ; mais Dangeau, mieux informé sans doute, ne lui donne place que parmi les maréchaux de camp : voyez au tome V du *Journal* de Dangeau, p. 342, la dernière mention qui soit faite d'une nomination qui le concerne, et de plus l'*État de la France* de 1697, tome II, p. 433.

4. Ce nom est imprimé *Monsery* à la page 36 ; mais c'est à la leçon *Mouskry* que s'arrêtent les éditeurs.

Story of England, volume V, chapitre xv). Dès qu'il fut arrivé en
France, Louis XIV le nomma lieutenant général, et le mit à la tête
des quatre régiments irlandais qui faisaient partie de l'armée française. Dangeau nous montre « milord Montcassel » servant en Savoie (1690), où il est blessé ; en Catalogne (1691); en Roussillon
(1692), etc. Il mourut à Barèges en 1694.

Ce nom de Montcassel, selon toute apparence, a été introduit dans
une clef par la méprise d'un copiste, qui aura pris pour un nom
d'homme celui d'une ville. En regard des mots : *une action noble,* etc.,
divers annotateurs ont mentionné la bataille de *Cassel* ou de *Montcassel*[1], rappelant ainsi la bataille gagnée en 1677 contre Guillaume
d'Orange par le duc d'Orléans, auquel, comme nous l'avons dit, ce
passage a été appliqué. De la ville de Cassel on aura fait milord
Montcassel.

Il est encore un nom que donnent ici un assez grand nombre de
clefs manuscrites, celui de « le Peletier, ministre. » Quelle « action
noble, héroïque, » etc., lui a valu son inscription à cette place ? Il
serait difficile de le dire. Sa retraite volontaire est la seule raison
qui ait pu rappeler son souvenir aux annotateurs des *Caractères*[2].

XII

Page 45, n° 98. — *Il coûte moins à certains hommes.... On veut seulement
qu'ils ne soient point amoureux.* (1687.)

Allusion, suivant toutes les clefs, à la conduite de M. de Harlay,
archevêque de Paris, « qui a toujours eu beaucoup d'estime pour les
dames, » ajoute la clef de 1720. La clef Cochin et les clefs de Hollande contiennent cette note : « M. de Harlay, qui a toujours eu

---

1. La ville de Cassel (département du Nord) est située sur une montagne
isolée au milieu d'une plaine.

2. Après avoir été conseiller, puis président au Parlement, prévôt des
marchands et conseiller d'État, Claude le Peletier était devenu contrôleur
général. « Lorsque ce contrôleur général, dit Saint-Simon (édition Boislisle,
tome IV, p. 263-266), vit venir la guerre de 1688, la confiance intime qui
étoit entre M. de Louvois et lui lui en fit prévoir toutes les suites. C'étoit
à lui à en porter tout le poids par les fonds extraordinaires, et ce poids
l'épouvanta tellement, qu'il ne cessa d'importuner le Roi jusqu'à ce qu'il
lui permît de quitter sa place de contrôleur général.... Peletier demeura
simple ministre d'État ; et comme, hors de se trouver au Conseil, il n'avoit
aucune fonction, il demeura peu compté par le courtisan, qui l'appela le
ministre Claude. » Chargé de l'administration des postes à la mort de Louvois (1691), il se retira entièrement du Conseil et de la cour en 1697, et
vécut dans la retraite jusqu'à sa mort (1711).

quelque maîtresse, longtemps Mlle de Varenne, depuis Mme de Bretonvilliers, ensuite Mme la duchesse de Lesdiguières, et enfin la fille
d'un marchand, auprès de laquelle on veut qu'il soit mort subitement à Conflans, le 6 août 1695. »

Ce caractère, publié dès là 1re édition, huit ans avant la mort de
François de Harlay de Chanvallon, archevêque de Paris, put lui
être appliqué avec quelque apparence de raison ; car il était accusé de
galanterie. « Son profond savoir, » dit Saint-Simon, en parlant des
dégoûts qu'il essuya dans les derniers temps de sa vie (édition Boislisle, tome II, p. 348-350), « l'éloquence et la facilité de ses sermons,
l'excellent choix des sujets et l'habile conduite de son diocèse, jusqu'à
sa capacité dans les affaires et l'autorité qu'il y avoit acquise dans le
clergé, tout cela fut mis en opposition de sa conduite particulière, de
ses mœurs galantes, de ses manières de courtisan du grand air.
Quoique toutes ces choses eussent été inséparables de lui depuis son
épiscopat et ne lui eussent jamais nui, elles devinrent des crimes
entre les mains de Mme de Maintenon, quand sa haine, depuis quelques années, lui eut persuadé de le perdre ; et elle ne cessa de lui
procurer des déplaisirs. »

Ce n'est pas seulement dans les clefs des *Caractères* qu'ont été
mentionnés les noms des maîtresses de François de Harlay.

« Mlle de la Varenne, est-il dit dans une note du *Chansonnier
Maurepas* (tome V, p. 69, année 1680), manière de courtisane dont
l'archevêque de Paris étoit amoureux, au vu et au su de tout le
monde. Il alloit publiquement souper chez elle, ou elle venoit souper à l'Archevêché tous les soirs. Ils ne se quittoient que fort tard.
Ils passoient des journées entières dans sa belle maison de Conflans.
Il lui donnoit un argent considérable, jusque-là qu'elle s'étoit fait
douze mille livres de rente, sans compter les meubles, l'argenterie, et
les bijoux dont elle étoit ornée, la charmante maison qu'elle avoit
achetée au faubourg Saint-Germain. Elle jouoit du luth en perfection et savoit fort bien la musique. »

Bussy parle avec quelques détails de l'histoire des amours de
François de Harlay et de Mlle de la Varenne dans une lettre du
15 janvier 1680 (*Correspondance de Bussy,* tome V, p. 39, édition
Lalanne), et l'abbé Blache en raconte longuement les incidents scandaleux dans un passage de ses *Mémoires* (voyez la *Revue rétrospective,*
tome I, p. 165 et suivantes, ou le tome V de la *Correspondance de
Bussy,* p. 612-624).

L'intimité de l'Archevêque et de Mme de Bretonvilliers[1], que

---

1. Claude-Élisabeth Perrot, femme de Bénigne le Ragois, sieur de Bretonvilliers, président à la Chambre des comptes de 1657 à 1671, mort en 1700.

Bussy nomme *la Cathédrale*, a précédé, et non suivi, celle de ce prélat et de Mlle de la Varenne : Bussy et Blache démentent les clefs sur ce point[1].

Les relations de M. de Harlay et de Mme de Lesdiguières[2], qui prêtèrent de même à la médisance, se prolongèrent jusqu'à la mort de l'Archevêque. Aussi bien l'accusation qui termine la note de la clef Cochin et des clefs de Hollande semble-t-elle démentie par le témoignage de Saint-Simon et par celui de Mme de Sévigné : « Il ne se trouva de ressource, » dit Saint-Simon, en parlant de la disgrâce qui atteignit l'archevêque de Paris pendant les dernières années de sa vie, « qu'à se renfermer avec sa bonne amie la duchesse de Lesdiguières, qu'il voyoit tous les jours de sa vie, ou chez elle ou à Conflans, dont il avoit fait un jardin délicieux, et qu'il tenoit si propre, qu'à mesure qu'ils s'y promenoient tous deux, des jardiniers les suivoient à distance pour effacer leurs pas avec des râteaux. Les vapeurs gagnèrent l'Archevêque ; elles s'augmentèrent bientôt, et se tournèrent en légères attaques d'épilepsie. Il le sentit et défendit si étroitement à ses domestiques d'en parler et d'aller chercher du secours quand ils le verroient en cet état, qu'il ne fut que trop bien obéi. Il passa ainsi ses deux ou trois dernières années. Les chagrins de cette dernière assemblée[3] l'achevèrent. Elle finit avec le mois de juillet ; aussitôt après, il s'alla reposer à Conflans. La duchesse de Lesdiguières n'y couchoit jamais, mais elle y alloit toutes les après-dînées, et toujours tous deux tout seuls. Le 6 août, il passa la matinée à son ordinaire jusqu'au dîner. Son maître d'hôtel vint l'avertir qu'il étoit servi. Il le trouva dans son cabinet, assis sur un canapé et renversé ; il étoit mort. Le P. Gaillard fit son oraison funèbre à Notre-Dame ; la matière étoit plus que délicate, et la fin terrible. Le célèbre jésuite prit son parti : il loua tout ce qui méritoit de l'être, puis tourna court sur la morale. Il fit un chef-d'œuvre d'éloquence et de piété[4]. » (*Mémoires*, édition Boislisle, tome II, p. 352 et 353.)

1. Voyez de plus sur François de Harlay et Mme de Bretonvilliers la *lettre* de Mme de Sévigné du 15 juin 1680 (tome VI, p. 459), et les *Lettres historiques et galantes* de Mme du Noyer, tome I, p. 384 et 385, édition de Londres, 1757.

2. Paule-Françoise-Marguerite de Gondi, mariée en 1675 à François-Emmanuel de Bonne de Créquy, qui fut successivement comte, puis duc de Sault, et duc de Lesdiguières.

3. Il s'agit de l'assemblée du clergé de 1695, où il avait eu « infiniment à souffrir, » suivant l'expression de l'abbé le Gendre : voyez ses *Mémoires*, p. 198-200.

4. Tel n'était pas l'avis de l'abbé le Gendre, qui avait conservé pour la mémoire de l'archevêque de Paris, son protecteur, les sentiments de la plus vive gratitude : « Quelque mérite qu'eût M. de Harlay, écrit-il dans ses *Mé-*

« La mort de Monsieur de Paris, ma très belle, écrit de son
côté Mme de Sévigné, vous aura infailliblement surprise : il n'y en
eut jamais de si prompte. Mme de Lesdiguières a été présente à ce
spectacle ; on assure qu'elle est médiocrement affligée. » (*Lettre* du
12 août 1695, tome X, p. 304 et 305.)

Mme de Sévigné était sans doute mal informée sur un point : il est
vraisemblable que Mme de Lesdiguières n'assista pas à la mort du
prélat. Suivant l'abbé le Gendre, dont le récit (voyez ses *Mémoires*,
p. 200) s'accorde avec celui de Saint-Simon, il mourut d'une apo-
plexie, faute d'avoir été secouru. Il avait alors soixante et onze ans.

Plusieurs clefs manuscrites ajoutent au nom de l'archevêque de
Paris (dont quelques-uns ne donnent que les initiales) celui du marquis de Seignelay. Mais la remarque semble particulièrement applicable aux membres du clergé.

XIII

Page 46, n° 99, — *Quelques hommes, dans le cours de leur vie....*
Tels étoient pieux.... (1687.)

Toutes les clefs placent ici le nom du cardinal de Bouillon[1]. En
1671, alors qu'il avait vingt-huit ans et qu'il était cardinal depuis
plus de deux ans, Gui Patin disait de lui qu'il avait « toutes les belles
qualités requises à un honnête homme » (tome III, p. 775, édition
de Réveillé-Parise). A voir la façon dont le Cardinal est traité
dans les mémoires de la fin du dix-septième siècle ou des premières
années du dix-huitième, on peut douter que Gui Patin en eût fait
longtemps cet éloge. « Sa vie en aucun temps n'eut d'ecclésiastique et
de chrétien que ce qui servoit à sa vanité, » dit Saint-Simon (édition
Boislisle, tome XXVI, p. 152), qui ne parle jamais de lui qu'avec une
singulière âpreté. « Son luxe fut continuel et prodigieux en tout ;
son faste le plus recherché et le plus industrieux pour établir et jouir
de toute la grandeur qu'il imaginoit. Ses mœurs étoient infâmes ; il
ne s'en cachoit pas.... Peu d'hommes distingués se sont déshonorés

moires (p. 201), quelque bien qu'il eût fait à une infinité de gens, et que
volontairement il n'eût fait de mal à personne, la cour et la ville ne laissèrent
pas également de se déchaîner contre lui immédiatement après sa mort.... Ce
fut à qui le déchireroit ; il n'y eut pas jusqu'au jésuite qui fit son oraison
funèbre qui ne parlât de lui en des termes à faire croire que le prélat étoit
damné. « Quels talents n'eut-il point ! dit ce pitoyable rhéteur (c'étoit le
P. Gaillard), quel usage en fit-il ? Dieu le sait. »

1. Emmanuel-Théodose de la Tour, cardinal de Bouillon, nommé cardinal
en 1669, à vingt-six ans, grand aumônier de France en 1671. Il mourut à
Rome en 1715.

aussi complètement que celui-là, et sur autant de chapitres les plus importants. »

Au mois de septembre 1685, c'est-à-dire peu de temps avant la publication des *Caractères*, il avait encouru une disgrâce qui ne devait être ni la dernière ni la plus grave : voyez les *Lettres de Mme de Sévigné*, tome VII, p. 444, 445 et 451. « Le cardinal de Bouillon est chassé pour plusieurs raisons trop longues à déduire, écrivait Mme de Maintenon, le 27 septembre 1685 (voyez *ibidem*, p. 445, note 1). Il est peu plaint dans sa disgrâce, parce qu'il est peu estimé. »

L'on en sait d'autres....

Clef de 1697 : « M. l'abbé de la Trappe. » — Clefs du dix-huitième siècle : « M. Boutillier de Rancé, qui a été abbé de la Trappe, où il a mené une vie dure, triste et austère[1] ; ou M. le cardinal le Camus, évêque de Grenoble [qui a été fort débauché et qui a fait de certains *alleluias* de la cour fort impies[2]]. »

On sait la conversion d'Armand-Jean le Boutilhier de Rancé, sa retraite dans l'abbaye de la Trappe et la réforme qu'il y introduisit. Il est douteux que la pensée de la Bruyère se soit portée vers lui lorsqu'il écrivait ce passage : Rancé n'avait connu ni « l'adversité » ni le « loisir d'une mauvaise fortune. » Si son nom vient à cette place, c'est en souvenir de la romanesque explication que le public donnait de sa conversion et de sa retraite à la Trappe[3].

---

1. Clef Cochin : « M. Boutillier de Rancé, à présent abbé de la Trappe, où il mène, etc. ; il a quitté son abbaye depuis le mois de juillet 1696 (*lisez :* 1695) et est maintenant simple religieux. » Assertion exacte, à la date près : voyez le *Journal* de Dangeau, tome V, p. 233 et 386. L'abbé de la Trappe mourut en 1700.

2. Allusion aux chansons que Bussy et quelques amis improvisèrent dans une partie de plaisir qui eut lieu à Roissy pendant une semaine sainte, et à laquelle le Camus prit part. Voyez l'*Histoire amoureuse des Gaules*, tome I, p. 277 et suivantes, édition P. Boiteau ; et les *Cours galantes* de Desnoiresterres, tome II, p. 6 et suivantes.

3. « La princesse de Guéméné, morte duchesse de Montbazon en 1657, mère de M. de Soubise, dit Saint-Simon (édition Boislisle, tome V, p. 293 et 294), étoit cette belle Mme de Montbazon dont on a fait ce conte, qui a trouvé croyance : que l'abbé de Rancé, depuis ce célèbre abbé de la Trappe, en étoit fort amoureux et bien traité ; qu'il la quitta à Paris, se portant fort bien, pour aller faire un tour à la campagne ; que bientôt après, y ayant appris qu'elle étoit tombée malade, il étoit accouru, et qu'étant entré brusquement dans son appartement, le premier objet qui y étoit tombé sous ses yeux avoit été sa tête, que les chirurgiens, en l'ouvrant, avoient séparée ; qu'il n'avoit appris sa mort que par là, et que la surprise et l'horreur de ce

Nous avons déjà parlé, tome II, p. 354, du cardinal le Camus, dont le nom n'est pas mieux trouvé, à notre avis, que celui de l'abbé de la Trappe. Il a « commencé sa vie par les plaisirs ; » dans la suite il est devenu « religieux, sage, tempérant ; » et si l'on ne peut dire qu'il ait connu « l'adversité, » du moins est-il vrai qu'il a connu la « disgrâce. » Mais c'est en 1671 qu'il est devenu « religieux, sage, tempérant, » et en 1686 qu'il encourut le mécontentement de Louis XIV : ce ne sont donc pas les « disgrâces » qui l'ont rendu meilleur.

XIV

Page 47, n° 103. — *Il y a des ouvrages qui commencent par A....* (1690.)

Toutes les clefs imprimées du dix-huitième siècle, et presque toutes les clefs écrites en marge des exemplaires, indiquent le *Dictionnaire de l'Académie :* interprétation que nous croyons avoir réfutée p. 47 et 48, note 2.

XV

Pages 48 et 49, n° 104. — *Il n'y a que nos devoirs qui nous coûtent....* *N*** aime une piété fastueuse....* (1689.)

Clef de 1697 : « M. de Monroy (*lisez :* Mauroy), curé des Invalides. Il est mort depuis peu dans l'abbaye de Sept-Fonds. » — Clefs du dix-huitième siècle : « Lestrot, administrateur et proviseur des prisonniers. — Ou feu M. Pellisson, maître des requêtes, qui avoit l'administration de l'économat des évêchés et abbayes, dont il distribuoit les revenus aux nouveaux convertis [1]. [Il avoit un neveu,

spectacle, joint à la douleur d'un homme passionné et heureux, l'avoit converti, jeté dans la retraite, et de là dans l'ordre de Saint-Bernard et de sa réforme. » Réduisant « cette fiction » à ce qu'il y avait de vérité, Saint-Simon raconte comment la mort si prompte de Mme de Montbazon, dont l'abbé de Rancé était l'ami intime comme celui de tous les personnages de la Fronde, acheva de le déterminer à une retraite qu'il méditait. La fiction que dément Saint-Simon paraît avoir été répandue par la publication d'un livre de Daniel de Larroque, imprimé à Cologne, en 1685, sous ce titre : *Les véritables motifs de la conversion de l'abbé de la Trappe.* Voyez *Paris démoli*, par Édouard Fournier, p. 64 et 65.

1. Ce fut en 1671 que « le Roi le fit économe des revenus des abbayes de Saint-Germain des Prés, de Cluny, de Saint-Denys, et du tiers des économats des bénéfices consistoriaux, pour les employer, selon les ordres du Roi, à donner des pensions aux nouveaux convertis et faire d'autres œuvres de charité. » (*Dictionnaire des bienfaits du Roi.*)

nommé Terrier (*lisez :* Ferriès [1]), qui avoit été huguenot, qui possède
plusieurs bénéfices, qui est fort rempli de lui-même [2].] »

N*** n'est pas un personnage que ses fonctions obligent à s'occu-
per des pauvres ; c'est de son propre mouvement et tout spontané-
ment qu'il se fait l'intendant de leurs besoins. Nous doutons même
que le caractère puisse s'appliquer à un ecclésiastique, archevêque
ou curé [3]. Si N*** cependant était un ecclésiastique, il pourrait fort
bien être l'abbé Mauroy, dont nous parlerons plus loin avec quelque
détail : voyez p. 370 et 371, note XI. Les auteurs des clefs du dix-
huitième siècle et de diverses clefs marginales nous semblent mal
inspirés, lorsqu'ils lui substituent les noms de « Lestrot, administrateur et proviseur des prisonniers, » et celui de Pellisson, maître des
requêtes, qui avait « l'économat des évêchés et abbayes. »

XVI

Page 5o, n° 107. — *Fauste est un dissolu…. qu'Aurèle son oncle….*
(1689.)

Clef manuscrite de l'exemplaire de la bibliothèque Danyau :
« *Fauste* (ou *Aurèle ?*), Boutard le jeune, trésorier à Montpellier ;
Frontin, neveu d'Aurèle, Boutard l'auditeur. »

« Boutard le jeune, trésorier à Montpellier, » est sans doute le
personnage de ce nom, peu aimable et très avare, dont parle Tallemant, dans l'historiette de Gombaud, dans celle de Chapelain
(tome III, p. 248-25o et 264), et dans une historiette consacrée à
Boutard lui-même (tome V, p. 144-146). « Il fut secrétaire de M. de
Fontenay-Mareuil, en l'ambassade d'Angleterre (1629), dit Tallemant (tome V, p. 145). On l'accusoit d'avoir, là et ailleurs, fait
quelques petites gaillardises. Il étoit avare, et dès qu'il vit Paris
bloqué (1648), lui qui est garçon, il se défit d'une partie de ses valets : je trouve cela bien inhumain. Il est aujourd'hui président des
trésoriers de France, à Montpellier : c'est quelque charge nouvelle ;
je pense qu'il y a de la maltote à son affaire. Il demeure, nonobstant
cette charge, à Paris ; je crois qu'il cherche à la vendre. »

1. Voyez l'*Histoire de l'Académie*, par Pellisson et d'Olivet, tome II,
p. 278, édition Livet.

2. Ce qui est ici entre crochets ne se trouve que dans la clef Cochin.

3. Aussi écarterons-nous la mention qu'une clef manuscrite fait ici de « l'archevêque de Paris. » — La même clef cite « le président de Novion. » Mais
Potier de Novion, premier président du Parlement de 1678 à 1689, et que ses
iniquités criantes, dit Saint-Simon, forcèrent de se retirer en 1689 (quatre
ans avant sa mort), fit-il jamais un semblable étalage de charité ? Eut-il jamais
des créanciers ?

Les diverses dates auxquelles nous place l'historiette de Tallemant permettent, ce nous semble, de reconnaître dans Boutard le
jeune l'oncle Aurèle, plutôt que le neveu Fauste.

XVII

Pages 51 et 52, nᵒ 113. — *Ce n'est pas le besoin d'argent....* (1687.)

Clefs du dix-huitième siècle : « Le marquis d'Orfort ou M. de
Marville. »

Quel est ce marquis d'Orford ? Ce ne peut être le comte d'Orford,
c'est-à-dire l'amiral anglais qui jusqu'en 1700 environ porta le
nom de Russel. On a sans doute mal lu le nom que donnait une clef
mal écrite : nous trouvons, au lieu *d'Orford,* sur l'exemplaire de la
Réserve de la Bibliothèque nationale, déjà cité : « le marquis d'Hautefort, premier écuyer de la Reine, chevalier des ordres du Roi. »

Jean-François marquis d'Hautefort était, dit-on, l'original de
l'Avare de Molière. Son nom est donc bien placé ici. Mme de Sévigné
raconte ainsi sa mort, dans la *lettre* du 9 octobre 1680 (tome VII,
p. 103 et 104) : « M. d'Hautefort est mort.... Il n'a jamais voulu
prendre du remède anglois, disant qu'il étoit trop cher ; on lui dit :
« Monsieur, vous n'en donnerez que quarante pistoles ; » il dit en
expirant : « C'est trop. » Il avait alors soixante et onze ans. Dans la
vie de sa sœur Mme d'Hautefort (qui devint la maréchale de Schom-
berg), V. Cousin rappelle que ce personnage, « fameux à la fois
par sa parcimonie pendant sa vie et par ses largesses après sa mort, »
fonda un hôpital dans son marquisat d'Hautefort (*Mme de Hautefort,*
p. 6).

XVIII

Page 54, nᵒ 118. — *Un vieillard qui a vécu à la cour....* (1687.)

Clefs imprimées du dix-huitième siècle : « M. de Villeroy, défunt ; »
c'est à-dire Nicolas Neufville, maréchal de Villeroy, gouverneur de
Louis XIV, mort en 1685.

On citait volontiers les mots de Villeroy. A ceux que nous avons
reproduits plus haut (tome II, p. 443) d'après Saint-Simon, il en faut
ajouter un autre, également noté par Saint-Simon (*Journal* de Dangeau, tome I, p. 203), qui témoigne de l'expérience que le vieux
maréchal avait acquise à la cour. Dans le paquet saisi en 1685, par
ordre du Roi, sur un courrier des princes de Conti, il se trouvait
une lettre du marquis d'Alincourt, petit-fils du maréchal de Villeroy.
Cette lettre, dit Saint-Simon, « étoit fort impie et de beaucoup la

moindre sur ce qui regardoit le Roi : ce qui fit dire au bonhomme maréchal de Villeroy que pour son petit-fils, qui ne s'en étoit pris qu'à Dieu, ce ne seroit rien, et que cela le mettoit bien au large ; mais que pour les deux autres (*il s'agit du duc de la Rocheguyon et du marquis de Liancourt, son frère*), c'étoient de grands impertinents [1]. »

XIX

Page 54, n° 120. — *Phidippe, déjà vieux, raffine sur la propreté et sur la mollesse....* (1689.)

Clefs du dix-huitième siècle : « Feu M. de Mennevillette, père du président de ce nom, ou M. le marquis de Sablé, fils de M. de Servien, secrétaire des finances et secrétaire d'État, à qui appartenoit Meudon, et qui a fait la terrasse. »

Nous avons déjà rencontré une fois (tome II, p. 356) M. de Mennevillette.

Louis-François Servien, marquis de Sablé, mourut à Paris, en 1710. « Une autre mort arrivée en même temps, » dit Saint-Simon (après avoir parlé de la mort de Mme de la Vallière, édition Boislisle, tome XIX, p. 392), « parut moins précieuse devant Dieu, et fit moins de bruit dans le monde. Ce fut celle de Sablé, fils de Servien, surintendant des finances, qui avoit amassé tant de trésors, et qui en avoit tant dépensé à embellir Meudon.... Il avoit marié sa fille au duc de Sully, frère de la duchesse du Lude, et laissé ses deux fils, Sablé et l'abbé Servien, si connus tous deux par leurs étranges débauches, avec beaucoup d'esprit, et fort aimable et orné. Sablé vendit Meudon à M. de Louvois, sur les fins Sablé à M. de Torcy, mangea tout, vécut obscur, et ne fut connu que par des aventures de débauche, et par s'être fait estropier, lui, et rompre le cou à l'arrière-ban d'Anjou, qu'il menoit au maréchal de Créqui. »

Diverses clefs manuscrites (celle de 1693 entre autres) et la clef imprimée de 1697 placent en regard du caractère de *Phidippe* le nom de l'abbé Danse, dont il sera question dans la note suivante. A l'abbé Danse, une clef manuscrite ajoute l'abbé Poncet, qui serait l'abbé

---

1. Walckenaer semble douter que ce caractère ait pu s'appliquer au maréchal de Villeroy. « Celui qui répond parfaitement en tout à ce caractère, dit-il dans la note qu'il lui consacre, est de Senneterre ou Senectaire, dont il est si souvent fait mention dans les *Mémoires* de Mme de Motteville, de Retz, de Tallemant, et aussi dans les *Lettres* de Mme de Sévigné. » — Henri de Saint-Nectaire, Senectaire ou Senneterre, est mort en 1662, bien longtemps avant que la Bruyère connût la cour. Il n'y a donc pas lieu de le nommer ici.

Michel Poncet de la Rivière (fils de Mathias Poncet, dont il a été parlé au tome II, p. 317, et neveu de l'évêque d'Uzès Michel Poncet), né vers 1672, nommé évêque d'Angers en 1706, mort en 1730[1]. Il y a là une méprise. Peut-être le copiste qui a écrit la clef dont il s'agit, après avoir reproduit exactement le nom de l'abbé Danse d'après une liste, a-t-il mal lu le même nom sur une autre liste, et croyant voir deux personnages distincts où il n'y en avait qu'un, a-t-il traduit *Danse* en *Poncet*.

XX

Pages 55 et 56, n° 121. — *Gnathon ne vit que pour soi....* (1689.)

Clef de 1693, clef de 1697, et clefs du dix-huitième siècle : « L'abbé Danse, chanoine de la Sainte-Chapelle [2], frère de Mme Dongeois, dont le mari est greffier du Parlement. »

C'est le même chanoine que l'on a voulu reconnaître dans ces vers du *Lutrin.*

> Le seul chanoine Évrard, d'abstinence incapable,
> Ose encor proposer qu'on apporte la table.
> (Chant IV, vers 165 et 166.)

Plus loin, le *gras Évrard* prononce un discours :

> Pour moi, je lis la *Bible* autant que l'*Alcoran....*
> Vingt muids rangés chez moi font ma bibliothèque....
> (*Ibidem,* vers 195 et 198.)

Louis-Roger Danse est un gourmand célèbre. M. Feuillet de Conches a fait de lui le portrait suivant dans les *Causeries d'un curieux* (tome II, p. 321), d'après des mémoires de Brossette qui lui appartiennent : « Portant jusqu'au ridicule la passion de la propreté, il eût mangé, disait Despréaux, des corneaux à la fourchette. Il avait un surtout qu'il passait par-dessus ses habits quand il se mettait à table, pour les préserver de la graisse et des sauces, et manger plus vite sans avoir de précautions à prendre. Allait-il manger en ville, il se faisait porter cet habit de table et ne le quittait qu'après le repas. Il était ami du comte de Bussy Rabutin et rimait de petits vers entre ses repas. »

Il mourut à Paris en octobre 1696.

1. Prédicateur distingué, il fut élu en 1728 à l'Académie française. Il prêcha pour la première fois devant la cour en 1696.

2. Suivant la clef de 1720, il avait été trésorier de la Sainte-Chapelle. C'est une inexactitude.

Dans les clefs qui nomment l'abbé Danse pour le caractère de *Phidippe*, le marquis de Sablé devient *Gnathon*.

Sur beaucoup de clefs manuscrites, en regard du caractère de *Gnathon* se trouve également inscrit « le gros Givry, » sans doute celui qui était commandant à Metz et mourut en 1697[1] (*Journal* de Dangeau, tome VI, p. 173). — Une clef donne encore le nom de « Lévy Girardin. » Le marquis de Lévy Girardin[2], frère de M. de Girardin, ambassadeur à Constantinople, était maréchal de camp lorsqu'il mourut. En notant sa mort au commencement de décembre 1699 (tome VII, p. 207), Dangeau nous apprend que s'il n'était grand mangeur, il était du moins grand buveur : « C'étoit, dit-il, le plus fameux buveur qu'on ait jamais vu en France, et bon officier avec cela. » — Dans ses *Lettres historiques et galantes* (tome III, p. 39-41) : Mme du Noyer confirme ce témoignage, et raconte comment l'on abusa de ses habitudes d'ivresse pour le marier à son insu. L'un des frères du marquis de Livry, l'abbé de Girardin, dit encore Mme du Noyer, était « un des plus redoutables buveurs qui fût dans l'empire bachique. »

XXI

Pages 56-58, n° 122. — *Cliton n'a jamais eu....* (1690.)

Toutes les clefs : « M. de Broussin, » — « ou le comte d'Olonne, fameux délicats et friands de bons morceaux, » ajoute la clef Cochin.

De ces deux gourmands un seul était mort en 1690 : c'est Louis de la Trémouille, comte d'Olonne, qui reçut les derniers sacrements le 18 janvier 1686, et mourut le 3 février. Il était l'un des gourmets que l'on désignait du nom de *coteaux*[3], et Saint-Évremond lui écrivit, en 1674 ou 1675, alors que des discours trop libres venaient de lui attirer la disgrâce du Roi, une lettre qui ne pouvait être adressée qu'à un *Cliton*. « S'il y a d'honnêtes gens au lieu où vous êtes, lui

---

1. Il avait été successivement nommé maître échevin de Metz (1667), bailli de robe courte de Metz (1674), mestre de camp d'un régiment de cavalerie (1674), qu'il vendit en 1681, lieutenant de roi à Metz (1678), lieutenant de roi à Mouzon, maréchal de camp, commandant à Metz. (*Dictionnaire des bienfaits du Roi.*) — Le marquis de Givry figure parmi les lieutenants généraux d'armée dans l'*État de la France* de 1694, tome II, p. 279.

2. L'*État de la France* de 1692 (tome II, p. 200), et l'*État* de 1694 (tome II, p. 298) le placent parmi les brigadiers de cavalerie nommés en 1688, et rappellent que Jacques II, roi d'Angleterre le fit maréchal de camp de cavalerie « pour aller servir en Irlande, en février 1689. »

3. Sur la signification de ce mot, voyez tome II, p. 258, note 2.

dit-il, leur conversation pourra vous consoler des commerces que vous
avez perdus ; et si vous n'y en trouvez pas, les livres et la bonne chère
vous peuvent être d'un grand secours et d'une assez douce consolation. » Suivent quelques instructions sur le choix des livres, et de
longs et savants conseils sur le choix des vins [1], la condition des
viandes [2], etc. *Cliton* mange beaucoup et bien : Saint-Évremond recommande à d'Olonne la sobriété autant que la délicatesse : « Et que
ne doit-on pas faire pour apprendre à manger délicieusement, aux
heures du repas, ce qui tient l'esprit et le corps dans une bonne disposition pour toutes les autres ? On peut être sobre sans être délicat ;
mais on ne peut jamais être délicat sans être sobre. Heureux qui a
les deux qualités ensemble ! » (*Œuvres de Saint-Évremond*, tome III,
p. 66-75, édition de 1725.)

Quant à M. de Bruslard, comte du Broussain, « fort connu par
le goût qu'il avoit pour la bonne chère, » dit Dangeau (tome IV,
p. 378), il mourut à Paris en octobre 1693. — « Gourmand célèbre, » dit de lui Saint-Simon dans l'une de ses additions au *Journal* de Dangeau (*ibidem*), « frère (*aîné*) de du Rancher, gouverneur
du Quesnoy, qui l'étoit bien aussi. »

XXII

Page 58, n° 123. — *Ruffin commence à grisonner....* (1689.)

Clef de l'exemplaire de la bibliothèque Danyau : « M. de Hautefort. » — Sur ce personnage, voyez ci-dessus, p. 307, note XVII.

XXIII

Pages 58 et 59, n° 124. — *N** est moins affoibli par l'âge....* (1687.)

Clef Drouyn : « Pelisson ; » autre clef manuscrite : « l'abbé de
Moiras. »

1. « N'épargnez aucune dépense pour avoir des vins de Champagne, fussiez-
vous à deux cents lieues de Paris. Ceux de Bourgogne ont perdu leur crédit
avec les gens de bon goût, et à peine conservent-ils un reste de vieille réputation chez les marchands. Il n'y a point de province qui fournisse d'excellents vins pour toutes les saisons que la Champagne. Elle nous fournit le vin
d'Ay, d'Avenet (*Avenay*), d'Auvillé (*Hautvilliers*), jusqu'au printemps ; Tessy
(*Taissy*), Sillery, Versenay (*Verzenay*), pour le reste de l'année.

« Si vous me demandez lequel je préfère de tous les vins, sans me laisser
aller à des modes de goûts qu'introduisent de faux délicats, je vous dirai que
le vin d'Ay est le plus naturel de tous les vins, le plus sain, le plus épuré de
toute senteur de terroir ; d'un agrément le plus exquis par son goût de pêche,
qui lui est particulier, et le premier, à mon avis, de tous les goûts. »

2. Voyez ci-après la citation, p. 354, note 1.

XXIV

Pages 59 et 60, n° 125. — *Antagoras a un visage trivial et populaire....*
(1694.)

Clef du dix-huitième siècle : « M. le comte de Montluc, frère de
M. le marquis d'Alluye [1]. Il a épousé Mlle le Lièvre, fille du président au Grand Conseil, de ce nom. » — « Ou le marquis de Fourille,
aîné de cette maison, » ajoute la clef Cochin.

Henri d'Escoubleau, comte de Monluc, épousa en effet Marguerite le Lièvre, fille de Thomas le Lièvre, marquis de la Grange, président au Grand Conseil, qui mourut en 1669.

Un couplet de Blot, que cite M. Paulin Paris dans son édition de
Tallemant (tome VII, p. 142), nous montre en Monluc un personnage qui ne ressemble guère à *Antagoras* :

> Gloire soit au marquis d'Alluye [2]
> Et au triste Montluc son frere ;
> Ce sont deux grands donneurs d'ennuy,
> Tout ainsy que Monsieur leur pere [3] ;
> Ils le sont et ils le seront
> *Per sæcula sæculorum.*

Le marquis de Fourille [4], capitaine aux gardes de 1677 à 1696,
nommé brigadier d'infanterie en 1693, commandeur de l'ordre de
Saint-Louis, mourut en 1720. « Il étoit aveugle depuis longtemps,
écrit Dangeau, en notant sa mort (tome XVIII, p. 244).... C'étoit un
homme de beaucoup d'esprit et de mérite, qui avoit été capitaine aux
gardes, et toujours fort estimé. » Il eut plusieurs enfants (Dangeau,
tome V, p. 350), et laissa pour le moins un fils, l'abbé de Fourille
(*ibidem*, tome XVII, p. 184, et tome XVIII, p. 244).

1. François d'Escoubleau, comte, puis marquis de Sourdis, longtemps
connu sous le nom de chevalier de Sourdis, gouverneur de l'Orléanais, commandant en Guienne, etc., mort en 1707. Il a porté le titre de marquis
d'Alluye après la mort de son frère aîné, Paul d'Escoubleau, décédé en
1690 : voyez le *Journal* de Dangeau, tome III, p. 84, note 1 ; et les *Mémoires* de Saint-Simon, édition Boislisle, tome X, p. 110.

2. Le marquis d'Alluye est ici Paul d'Escoubleau, lieutenant général des
armées du Roi, gouverneur d'Orléans, etc., mort en 1690.

3. Charles d'Escoubleau, marquis de Sourdis et d'Alluye, mestre de camp
de la cavalerie légère.

4. Son nom de famille était Chaumejan. Il était fils du marquis de Fourille
Montreuil, lieutenant-colonel du régiment des gardes.

XXV

Page 61, n° 128. — *L'on voit certains animaux farouches....* (1689.)

Clefs diverses : « Les moissonneurs. — Les laboureurs et les paysans. »

L'année 1689, où parut cette navrante peinture de la misère des campagnes, n'est pas une de celles que l'histoire a notées comme un temps de disette ; ce n'est pas un état extraordinaire et passager que décrit la Bruyère.

XXVI

Pages 65 et 66, n° 141. — *Télèphe a de l'esprit....* (1690.)

Clef manuscrite : « M. de Tonnerre, évêque de Noyon. »

Voyez sur ce personnage, mentionné à cette place par une seule clef, le tome II, p. 436, note IV.

XXVII

Page 66, n° 142. — *L'homme du meilleur esprit est inégal....* (1690.)

Même clef manuscrite : « Despréaux. »

Annotation qu'il est superflu de discuter : cette remarque est l'une de celles qui ne devaient recevoir aucune application particulière.

XXVIII

Page 68, n° 145. — *Qui oseroit se promettre...? Qu'il ouvre son palais.. que dans des lieux dont la vue seule....* (1689.)

Clefs diverses : « Les appartements de Versailles, où le Roi défraye toute la cour avec une magnificence royale, et où pourtant il y a toujours des mécontents ; Marly, où toutes choses sont en abondance, et qui a cependant ses contrôleurs. »

XXIX

Page 71, n° 155. — *Timon, ou le misanthrope....* (1690.)

Clefs du dix-huitième siècle : « M. le duc de Villeroy. »

Nous avons déjà cité (tome II, p. 362 et 363) le portrait que Saint-

Simon a laissé du maréchal de Villeroy, fils du gouverneur de
Louis XIV. Ses hauteurs, ses manières « insultantes, » sa dureté
pour ceux qui dépendaient de lui, en font un personnage fort différent de *Timon*, qui est civil et cérémonieux. Comment d'ailleurs reconnaître le « magnifique » et « galant » Villeroy dans *Timon?* et
comment confondre les « bassesses » de l'un avec « l'âme austère et
farouche » de l'autre? Pourquoi chercher dans *Timon* un autre personnage qu'un *Alceste* selon la Bruyère?

DES JUGEMENTS.

I

Page 78, n° 13. — *Le phénix de la poésie chantante....* (1689.)

La même remarque se retrouve dans une lettre du marquis de
Termes, ami de la Bruyère : « M. Quinault est mort, » écrit-il à
Bussy le 9 décembre 1688 ; « après s'être moqué de lui pendant sa
vie, on l'a regretté pour les opéras après sa mort. » (*Correspondance
de Bussy*, tome VI, p. 189.)

Édouard Fournier voit dans l'alinéa de la Bruyère une malice contre Fontenelle, dont un opéra, *Thétis et Pélée*, avait été joué en janvier 1689. N'est-ce pas prêter à la Bruyère plus de finesse qu'il n'en
veut avoir? Comme le montre la phrase du marquis de Termes, on
n'avait pas attendu l'opéra de Fontenelle pour regretter Quinault.

II

Page 79, n° 14. — *C. P. étoit fort riche, et C. N. ne l'étoit pas....* (1689.)

La Bruyère, qui dans les éditions 4 et 5 avait écrit les noms en
toutes lettres, les remplaça par ces majuscules dans la 6e : l'énigme
qu'il proposait à la sagacité du lecteur était bien facile à deviner,
puisqu'il laissait le titre du poëme de Chapelain et celui d'une pièce
de Corneille.

Le jugement que Chapelain a porté sur Corneille en 1662 [1] (et

---

1. Voyez ce jugement, souvent reproduit d'ailleurs, dans le *Corneille* de
Marty-Laveaux, tome X, p. 175.

qui lui fait honneur, quelles qu'en soient les restrictions) valut à Corneille une pension de deux mille livres, pension modique, si on la compare à celle de Chapelain lui-même, qui était de trois mille livres. Encore fut-elle supprimée pendant quelques années. Dans le *Dictionnaire critique d'histoire* (p. 428), A. Jal a cité un document qui témoigne que Corneille reçut le 18 juin 1683 un don de deux mille livres tournois, et il a cru y voir la preuve que la pension avait toujours été servie ; mais une lettre de Corneille, écrite en 1678 [1], montre bien qu'il y a eu interruption.

On sait dans quel dénûment mourut Corneille, comment Boileau vint en avertir le Roi et lui offrit l'abandon de sa propre pension au profit du poëte mourant.

« Croyez-moi, écrit Voltaire, qui dans son enfance avait beaucoup entendu parler de Corneille, le pauvre homme était négligé comme tout grand homme doit l'être parmi nous. Il n'avait nulle considération, on se moquait de lui ; il allait à pied, il arrivait crotté de chez son libraire à la comédie ; on siffla ses douze dernières pièces, à peine trouva-t-il des comédiens qui daignassent les jouer. » (Lettre adressée à l'abbé d'Olivet, septembre 1761, *OEuvres de Voltaire,* édition Beuchot, tome LIX, p. 623.)

Le comédien, couché dans son carrosse, jette de la boue au visage de Corneille, qui est à pied, dira un peu plus loin la Bruyère, p. 80, n° 17.

Richelet avait opposé à la pauvreté du grand Corneille la richesse des joueurs de violon. « Le poëte Martial disoit autrefois que pour faire fortune à Rome, il falloit être violon. Quand on diroit aujourd'hui la même chose de Paris, on diroit peut-être assez la vérité. *Le Peintre,* l'un des meilleurs joueurs de violon de Paris, gagne plus que Corneille, l'un des plus excellents et de nos plus fameux poëtes françois. » (*Dictionnaire françois,* 1679, au mot *Violon.*)

III

Pages 79 et 80, n° 16. — *Il suffisoit à Bathylle....* (1689.)

Clefs diverses : « Contre le goût dépravé de certaines gens qui aiment les femmes de théâtre. — *Bathylle,* le Basque ou Pécourt, danseurs de l'Opéra. — *Roscie, Nérine,* la Massé, la Barbereau, la Pesant, de l'Opéra. — *Une comédienne...,* la Dancourt [femme de l'auteur comique]. »

1. *OEuvres de Corneille,* tome X, p. 501.

Clef Cochin : « *Roscie,* la Rochois ; *Nérine,* la Moreau, » toutes deux chanteuses de l'Opéra.

IV

Page 80, nº 17. — *Rien ne découvre mieux.... Le comédien, couché dans son carrosse, jette de la boue au visage de Corneille....* (1687.)

Clefs diverses : « *Le comédien,* Baron ou Champmeslé. »

Baron a joué divers rôles dans les pièces de Corneille. Il ne devait s'éloigner du théâtre [1] que quatre ans plus tard. On faisait grand bruit de son luxe.

Charles Chevillet, sieur de Champmeslé, mari de la célèbre actrice Champmeslé, et auteur de comédies, était lui-même acteur tragique et comique. Il est mort en 1701.

V

Pages 86-88, nº 21. — *Qu'on ne me parle jamais d'encre....* (1690.)

Clefs diverses : « *Antisthène,* M. de la Bruyère, l'auteur des *Caractères,* qui parle de lui-même. »

Bérylle tombe en syncope.....

Clefs diverses : « L'abbé de Rubec (*lisez :* de Drubec), frère de M. de Valençay (*lisez :* Valsemé), a cette foiblesse. »

Il a été question, tome II, p. 381, note x, de l'abbé de Drubec. François Mallet de Graville [2], abbé de Drubec, était frère, non de M. de Valençay, comme le disent toutes les clefs, mais du marquis de Valsemé, capitaine-lieutenant des chevau-légers d'Orléans, nommé brigadier de cavalerie en 1696. L'abbé de Drubec est mort en 1701. (Voyez Dangeau, tome VIII, p. 65.)

Un homme rouge ou feuille morte devient commis....

Clefs du dix-huitième siècle : « M. le Normand ou M. d'Apoigny, deux fermiers généraux. » — Une clef manuscrite ajoute le nom de Delpech.

---

1. Il y rentra en 1720, âgé de soixante-sept ans.
2. Une de nos clefs manuscrites témoigne que « l'abbé de Rubec » est bien le personnage que nous disons : il y est nommé « Mallet de Graville. »

La Bruyère avait d'abord écrit : *Un homme jaune ou feuille morte* (voyez p. 87, note 1). Pour quelle raison a-t-il changé la couleur jaune en couleur rouge ? Est-ce parce que la livrée des Condé était isabelle ? A-t-il craint de blesser quelqu'un par la première épithète ? ou a-t-il voulu, au contraire, atteindre plus sûrement par la seconde un *Sosie* devenu riche ?

Il y avait chez les Condé un ancien laquais qui était devenu tout à la fois leur homme d'affaires et un très important personnage : c'était Gourville. Il n'avait sans doute jamais porté la couleur isabelle ; mais avant d'appartenir au grand Condé, il avait été un *homme rouge,* car il endossait une « casaque rouge avec quelques galons dessus, » quand il était maître d'hôtel chez la Rochefoucauld (voyez les *Mémoires* de Gourville, p. 220). La Bruyère avait-il les yeux sur lui quand il introduisit la variante ?

Nous avons déjà mis en doute que la Bruyère et Gourville se soient jamais aimés. La Bruyère estimait peu les gens d'affaires[1], et Gourville s'était aperçu que les philosophes sont d'ordinaire « chagrins contre les gens d'affaires. » Le passage de ses *Mémoires* qui en témoigne a été cité dans la *Notice biographique,* p. xcvi.

> *B*** s'enrichit à montrer dans un cercle des marionnettes….*

Clef de 1697 : « Benoît, qui fait des portraits en cire, ou Brioché. » Les clefs suivantes n'ont nommé que Benoît, laissant de côté Brioché. Le mot *marionnettes* semble rappeler plus naturellement le souvenir de Brioché ; mais le mot *cercle* rend très vraisemblable une allusion à Benoît, qui est nommé *Benoît du cercle* en quelques clefs manuscrites. Dans son *Histoire des marionnettes en Europe* (p. 143), M. Charles Magnin accepte l'interprétation qui de B*** a fait Benoît ; « cette expression, ajoute-t-il en parlant du mot *marionnettes*

---

1. La Bruyère au surplus n'était pas le seul qui se permît des plaisanteries sur les gens de livrée que les affaires avaient subitement enrichis. Nous avons rappelé, tome II, p. 161, note 3, le mot de Mme Cornuel ; en voici un du premier président de Harlay : « Un autre conseiller, fils d'un homme d'affaires qui avait auparavant porté la livrée, est-il dit dans les *Souvenirs* de Jean Bouhier, président au Parlement de Dijon (p. 27), étant en robe chez le même premier président, lui laissa voir par mégarde sous sa robe une riche veste : ce qui donna occasion à M. de Harlay de lui dire, en présence de tout le monde : « On voit bien, Monsieur, que vous avez peine à quitter les couleurs. » Voyez aussi la *satire* v (vers 132), la *satire* ix (vers 162) de Boileau, et les *Discours moraux et satyriques* de L. Petit, p. 49 et 52.

appliqué aux figures de Benoît, peut faire supposer qu'elles étaient
mobiles. » Ce mot avait un sens moins restreint que ne le pensait M. Magnin, et s'appliquait fort bien à des poupées non mobiles[1].

Le *cercle* était dans la rue des Saints-Pères, vis-à-vis de la rue
Taranne.

Sur Antoine Benoît, peintre du Roi et son unique sculpteur en cire
coloriée, membre de l'Académie de peinture, mort à Paris en 1717,
voyez la *Notice* que lui a consacrée Eud. Soulié (Versailles, 1856),
les *Causeries d'un curieux*, par Feuillet de Conches, tome II,
p. 244-248 ; et le *Dictionnaire critique de biographie et d'histoire*,
par A. Jal, article *Benoît*. — Sur les Brioché, voyez l'*Histoire
des marionnettes en Europe*, de Charles Magnin, p. 134-142 ; la *Correspondance littéraire* du 25 octobre 1862, p. 363, où leur a été
rendu leur nom de famille, et le *Dictionnaire* de Jal, article
Datelin, où sont réunis un grand nombre de renseignements nouveaux.

> *BB**, à vendre en bouteilles l'eau de la rivière....*

Clefs diverses : « Barbereau [2], médecin empirique, s'acquit du
bien et de la réputation par des eaux qu'il ordonnoit et vendoit,
que l'on reconnut à la fin être de l'eau de la Seine. »

> *Un autre charlatan arrive ici de delà les monts....*

Il s'agit du charlatan italien Caretti (voyez tome II, p. 432
et 433, note II ; et ci-après, p. 411 et 412, note xxxvi). Caretti
ne retourna, il nous semble, d'où il arrivait, c'est-à-dire en Italie,
qu'en 1695.

Au lieu de Caretti, que mentionnent presque tous les annotateurs,
la clef de 1697 nomme Amonio, médecin italien dont il est plusieurs
fois question dans les *Lettres de Mme de Sévigné* en 1676 et en 1677.
Son nom se retrouve assez souvent dans les clefs manuscrites, ainsi
que celui du « marquis de Ratinap. »

Domenico Amonio, qui avait reçu du Roi, en 1671, une pension
de deux cents livres, était assez bien en cour, car il y présenta,

---

1. Mme de Sévigné se sert du mot *figures* et *images* quand elle parle des
figures en cire de Benoît (voyez tome II, p. 154, et tome VI, p. 211) ; mais
divers exemples cités par Littré dans son *Dictionnaire de la langue française*,
à l'article *Marionnettes*, montrent que ce mot eût pu tout aussi bien leur être
donné.

2. « Berbereau, » dans quelques clefs.

en 1690, un italien qui avait fait une invention dont parle Dangeau (tome III, p. 80). Sur ce personnage, voyez les *Lettres de
Mme de Sévigné*, tome IV et tome V, *passim ;* le *Dictionnaire des
bienfaits du Roi,* au nom *Amonio ;* le *Dictionnaire de biographie* de
Jal, article *Amonio ;* et les *Cours galantes* de G. Desnoiresterres,
tome III, p. 276-286.

Mercure est Mercure, et rien davantage....

Les clefs des éditions Coste imprimées en Hollande et diverses
clefs manuscrites donnent ici le nom de « Bontems. »

« Bontems, le premier des quatre valets de chambre du Roi, et
gouverneur de Versailles et de Marly, dont il avoit l'entière administration des maisons, des chasses et de quantité de dépenses,
mourut aussi en ce temps-là (1701), » écrit Saint-Simon, qui parle de
Bontems avec la plus grande estime (édition Boislisle, tome VIII,
p. 39-47). « C'étoit de tous les valets intérieurs celui qui avoit la plus
ancienne et la plus entière confiance du Roi pour toutes les choses
intimes et personnelles.... C'étoit l'homme le plus profondément secret, le plus fidèle et le plus attaché au Roi qu'il eût su trouver, et
pour tout dire en un mot, qui avoit disposé la messe nocturne dans
les cabinets du Roi que dit le P. de la Chaise à Versailles, l'hiver de
1683 à 1684, que Bontems servit, et où le Roi épousa Mme de Maintenon en présence de l'archevêque de Paris, Harlay, Montchevreuil
et Louvois.... Bontems étoit rustre et brusque, avec cela respectueux et tout à fait à sa place, qui n'étoit jamais que chez lui ou
chez le Roi, où il entroit partout, à toutes heures et toujours par
les derrières, et qui n'avoit d'esprit que pour bien servir son maître,
à quoi il étoit tout entier, sans jamais sortir de sa sphère. Outre les
fonctions si intimes de ces deux emplois, c'étoit par lui que passoient tous les ordres et messages secrets, les audiences ignorées
qu'il introduisoit chez le Roi, les lettres cachées au Roi et du Roi
et tout ce qui étoit mystère. »

Alexandre Bontems, intendant des châteaux, parcs, domaines et
seigneuries de Versailles, gouverneur de Rennes, avait reçu des lettres de conseiller d'État en 1674, et en 1679 la charge de surintendant de la Dauphine, ou plutôt une partie de cette charge, qu'il avait
vendue trois cent trente mille livres. Il avait été abbé d'Iverneau.
Aux revenus de sa charge de valet de chambre et aux « quelques
profits » qui les augmentaient et que mentionne l'*État de la France,*
il faut ajouter une pension du Roi.

Si la Bruyère, en écrivant ce trait, a particulièrement pensé à tel
ou tel personnage, si *Mercure* est pour lui tel complaisant, et non

les complaisants en général, ce n'est sans doute pas auprès de
Louis XIV lui-même qu'il est allé le chercher, quoi qu'en disent
les clefs : en 1690, le Roi est marié avec Mme de Maintenon ; il
n'y a plus de *Mercure* autour de lui. Il y en avait plus près de la
Bruyère, le marquis de Lassay, par exemple et tout d'abord, que
l'on accusait d'être le *Mercure* de Monsieur le Duc, c'est-à-dire de
l'ancien élève de notre auteur. « Lassay, dit Saint-Simon (édition
Boislisle, tome XX, p. 355 et 356), avoit fait toutes sortes de métiers,
dont Madame la Duchesse a fait une chanson, qui les décrit d'une
manière très plaisante et peu flatteuse. Elle ne se doutoit pas alors de
ce qui lui est arrivé depuis avec son fils [1]. »

Voici cette chanson, recueillie par Mme du Noyer (*Lettres historiques et galantes,* tome I, p. 271) :

> Dévot, impie, guerrier, amant [2],
> Courtisan, héros de province,
> Tu n'es encore à quarante ans [3]
> Que m........ d'un jeune prince [4].
> Le mérite à la cour est mal récompensé,
> N'est-il pas vrai, Lassé [5] ?

C'est en 1692 que Lassay eut quarante ans. Il était de « cette sorte
de gens » qui mettaient « les mœurs » de *Théagène* en danger : voyez
tome II, p. 250, n° 2, et p. 450, note 1. Il « s'attacha à Monsieur
le Duc, dit encore Saint-Simon (*ibidem*), se fourra dans ses parties
obscures, y fut acteur commode, s'intrigua vainement, mais tant
qu'il put. »

Sur Armand Madaillan de Lesparre, marquis de Lassay, auteur
du *Recueil de différentes choses,* voyez Sainte-Beuve, *Causeries du
lundi,* tome IX, p. 129-162 ; Paulin Paris, *l'Hôtel de Lassay* (1848) ;
G. Desnoiresterres, *Cours galantes,* tomes II et III, *passim ;* un article de M. Destouches, dans la *Correspondance littéraire* du 5 août
1859, p. 387, etc.

1. Allusion aux amours du comte de Lassay avec Madame la Duchesse.
Leur liaison commença en 1711.

2. Il y a quelques variantes dans le *Chansonnier Maurepas* (tome VII,
p. 255), qui donne ainsi le premier vers, avec la même faute :

> Impie, dévot, jaloux amant....

3. « A cinquante ans », dans le *Chansonnier ;* mais la chanson y étant donnée
l'année 1692, c'est bien *quarante* qu'il faut lire.

4. « Louis duc de Bourbon, prince du sang, » dit en note le *Chansonnier.*

5. Variante du *Chansonnier :*

> Le mérite à la cour n'est pas récompensé.
> Adieu, mon cher Lassé.

VI

Pages 88 et 89, nº 22. — *Si les ambassadeurs des princes etrangers....* (1687.)

Clefs diverses : « Les Siamois qui vinrent en France en 1686, dont on admiroit les moindres paroles, qu'on a fait imprimer. »

Il y a dans l'Europe un endroit d'une province maritime....

Clefs manuscrites : « Rouen et ses environs. »

Aucune clef imprimée ne dit vers quelle ville de province la Bruyère envoie cette phrase de mauvaise humeur ; mais il s'agit évidemment de la Normandie, et la ville dont les habitants lui ont paru grossiers no peut ôtro quo Rouen ou Caen. La Bruyère ne connaissait vraisemblablement pas d'autre province maritime que la Normandie. Il avait séjourné quelque temps, un mois peut-être, soit à Rouen, soit à Caen : avait-il eu à se plaindre des gens de la Chambre des comptes de Rouen ou de ses collègues de Caen ? (Voyez la *Notice biographique,* p. LXII et LXIII.) — Il est à noter que notre auteur n'opposait d'abord que le magistrat au paysan ; ce n'est qu'à la 4ᵉ édition qu'il cesse de prendre uniquement à partie la magistrature, et qu'il accuse en même temps de grossièreté la bourgeoisie.

VII

Page 90, nº 25. — *Ce prélat se montre peu....* (1687.)

Clefs de 1697 et clefs du dix-huitième siècle : « M. le Camus, évêque de Grenoble, M. de Noailles, évêque de Châlons, ensuite archevêque de Paris. » — La clef de 1700 ne nomme que M. le Camus ; quelques clefs manuscrites ne citent au contraire que M. de Noailles. Comme il a été dit dans la *Notice biographique,* p. CXV le texte de la rédaction définitive de la réflexion 25 ne permet plus, à notre sentiment, que l'on y reconnaisse une allusion au cardinal le Camus[1] ; l'auteur, en modifiant son texte, s'est peut-être simplement proposé d'écrire une phrase où il devînt impossible de voir l'éloge d'une promotion récemment faite à Rome d'un évêque disgracié à Versailles ; mais si sa nouvelle conclusion visait encore un prélat particulièrement, ce serait sans doute, ainsi que l'ont supposé divers annotateurs, M. de Noailles, alors évêque de Châlons.

1. Sur le Camus, évêque de Grenoble, voyez tome II, p. 354, et ci-dessus tome III, p. 304 et 305.

Évêque de Cahors en 1679, M. de Noailles[1] avait été nommé six mois plus tard évêque de Châlons. « Cette translation, dit Saint-Simon, lui donna du scrupule: il la refusa, et ne s'y soumit que par un ordre exprès d'Innocent XI... il y garda une résidence exacte, uniquement appliqué aux visites, au gouvernement de son diocèse et à toutes sortes de bonnes œuvres ». En 1695 M. de Châlons fut nommé à l'archevêché de Paris « à son insu et à l'insu du P. de la Chaise », dit encore Saint-Simon. « Il étoit pourtant si éloigné d'y avoir part que, malgré les mesures qu'il avoit prises pour s'en éloigner, lorsqu'il se vit nommé il ne put se résoudre à accepter, et qu'il ne baissa la tête sous ce qu'il jugeoit être un joug très pesant, qu'à force d'ordres réitérés, auxquels enfin il ne put résister. »

Après l'avoir désigné, les clefs du dix-huitième siècle ajoutent: « Les choses ont bien changé de face. » Cette note porte sans doute sur cette phrase: « Il n'est point homme de cabale, et il n'a point l'esprit d'intrigue. » On sait quelle part le cardinal de Noailles prit aux querelles théologiques. En 1687, il n'avait pas encore eu l'occasion de se prononcer publiquement sur la doctrine du P. Quesnel et sur le jansénisme.

VIII

Pages 91-93, n° 28. — .... *Il disoit que l'esprit dans cette belle personne....*
(1694.)

« La forme singulière que la Bruyère a donnée à ce caractère, qui parut pour la première fois dans la 8ᵉ édition, dit Walckenaer dans ses *Remarques et Éclaircissements* (p. 723), exige que nous entrions dans quelques détails sur celle qui en est l'objet. La clef ne l'a pas indiquée, et M. Aimé-Martin est le premier qui ait fait observer que Chaulieu nous a révélé son nom avec une parfaite certitude. Dans une note annexée à une lettre adressée à *Madame D****, *par M. de la Faye*, Chaulieu a dit : « Cette lettre est adressée à « Mme d'Aligre, femme en premières noces du petit-fils du chance-« lier de ce nom (*Gilles d'Aligre, seigneur de Boislandry, conseiller au*

---

1. Louis-Antoine de Noailles, évêque de Cahors en 1679, évêque de Châlons-sur-Marne en 1680, archevêque de Paris en août 1695, cardinal en 1700.

« *Parlement*), et en secondes noces de M. Chevilly (*Charles-Claude*
« *Hatte de Chevilly*), capitaine aux gardes. Elle étoit fille de M. Saint-
« Clair Turgot, doyen du conseil. M. la Bruyère l'a célébrée dans
« ses *Caractères* sous le nom d'*Arténice*, et c'est pour elle que l'amour
« m'a dicté une infinité de vers que j'ai faits. C'étoit en effet une des
« plus jolies femmes que j'ai connues, qui joignoit à une figure très
« aimable la douceur de l'humeur et tout le brillant de l'esprit. Per-
« sonne n'a jamais écrit mieux qu'elle, et peu aussi bien. » (*OEuvres* de
Chaulieu, 1774, in-8º, tome I, p. 34 et 35.) De cette femme, ajoute
Walckenaer, que deux des plus beaux esprits de France s'accordent à nous
faire considérer comme une des personnes les plus spirituelles de leur
temps, nous ne connaissons pas une seule lettre qui ait été imprimée ;
et sans l'édition des *OEuvres* de Chaulieu donnée sur les manuscrits
autographes, à peine saurions-nous que Catherine Turgot a existé. »

Quelques notes du *Chansonnier Maurepas* [1] ont déjà permis à
MM. Walckenaer, G. Desnoiresterres et Édouard Fournier de raconter les aventures de la jeune femme dont la Bruyère fait un si
charmant portrait, et dont Chaulieu nous a livré le nom. Répétons-en
le récit à notre tour, avec autant de précision qu'il sera possible.

Catherine Turgot avait treize ans [2] lorsqu'elle épousa, le 6 octobre
1686, Gilles d'Aligre de Boislandry, petit-fils et arrière-petit-fils des
chanceliers d'Aligre [3]. Elle lui apportait, si Dangeau a été bien informé, une dot de quatre cent vingt mille livres [4]. Quant à lui, sa fortune était sans doute beaucoup moindre. M. et Mme de Boislandry
s'établirent dans une maison de la rue de la Perle, qui fut payée des
deniers apportés en dot par Catherine Turgot, et M. de Boislandry
acheta un office de conseiller à la première Chambre des enquêtes du
Parlement de Paris [5]. Une fille naquit de leur union le 21 septembre

---

1. Tome VII, p. 429-430.

2. « Elle est fille de M. Turgot Saint-Clair, dit le *Mercure galant* en
annonçant son prochain mariage (août 1686, p. 306), et n'est encore que dans
sa quatorzième année. » — Antoine Turgot, seigneur de Saint-Clair, d'abord
conseiller au Parlement, était devenu maître des requêtes en 1667. Il a composé quelques pièces en vers français et un poëme latin sur les empoisonne-
ments de la Brinvilliers : voyez les *OEuvres de Mme Deshoulières*, tome II,
p. 63, édition de 1754, et les *Causes célèbres* de Gayot de Pitaval, tome I,
p. 463.

3. Gilles d'Aligre, qui avait environ vingt-deux ans, était ou avait été conseiller au Parlement de Metz. Il était frère d'Étienne d'Aligre, président à
mortier au Parlement de Paris de 1701 à 1725, et oncle d'Étienne-Claude
d'Aligre, seigneur de la Rivière et de Boislandry, président à mortier de 1724
à 1752, héritier, comme on le voit, du titre de Boislandry.

4. *Journal* de Dangeau, tome I, p. 368.

5. Il fut reçu le 23 décembre 1686.

1691, et mourut le 2 avril 1692. Pendant les sept premières années du mariage, la chronique scandaleuse se tait sur M. et Mme de Bois-landry [1]. Mais en 1693, une note du *Recueil Maurepas* nous montre Mme de Boislandry « brouillée avec son mari pour ses galanteries, » et son mari l'accusant de compromettre par ses désordres la santé de l'un et de l'autre. Apprenant que son gendre avait le projet de « se faire séparer en justice » de sa femme, et cela « sans rendre la dot, » M. Turgot voulut sauver immédiatement, par une mesure héroïque, la dot et l'honneur de sa fille : il demanda lui-même une enquête judi-ciaire, et M. le Camus, lieutenant civil au Châtelet, chargea de cette enquête deux chirurgiens, Passerat et Bessière ; elle se fit au mois de mai 1693. Écartons les détails que donne l'annotateur du *Chansonnier* ; il suffit de dire que les craintes de M. de Boislandry furent déclarées chimériques. Battu sur un point, M. de Boislandry eût-il pu l'être sur les autres ? N'aurait-il pu donner la preuve des galanteries qu'il imputait à sa femme ? Nous n'en savons rien, car il n'y eut point de procès : la séparation se fit à l'amiable, sur l'arbitrage du chancelier Boucherat. Mais puisque Boislandry redoutait si peu l'éclat d'un pro-cès scandaleux, aurait-il accepté la sentence arbitrale de Boucherat s'il avait pu convaincre judiciairement sa femme d'adultère, et obtenir ainsi la libre possession de sa dot ? J'en doute.

« La séparation fut faite par la médiation de Louis Boucherat, chancelier de France, est-il dit dans la note déjà citée du *Recueil Maurepas*. La négociation dura longtemps, parce que Mme de Bois-landry et M. Turgot Saint-Clair vouloient que le mari rendît la dot telle qu'il l'avoit reçue de sa femme, ce qu'il ne pouvoit faire, en ayant employé une partie à l'acquisition d'une maison où ils logeoient, et qu'il offroit de rendre pour le prix qu'elle lui avoit coûté [2]. Mais

---

1. Nous rencontrons, il est vrai, dans le *Recueil Maurepas* (tome XXV, p. 435 et suivantes), au moment même où nous mettons sous presse, deux chansons datées de 1686 sur Mme de Boislandry ; mais Mme de Boislandry s'étant mariée en octobre 1686 est-il vraisemblable qu'elle ait pu, cette même année et après son mariage, nouer et dénouer une intrigue ? Ces chansons, arbitrairement datées, appartiennent sans doute à l'année 1699, car elles nous paraissent faire allusion à la rupture dont il sera question plus loin, entre Ca-therine et Chaulieu. Voici la première, moins le dernier vers ; elle est attribuée à Mme Murat :

> Iris étoit tendre et belle,
> Mon sort étoit doux ;
> Mais puisqu'elle est infidèle,
> Le bon vin me tient lieu d'elle....

2. « La maison en litige, nous apprend Éd. Fournier (p. 472 et 473), se trouvait rue de la Perle, au Marais, tout près de la rue Vieille-du-Temple

enfin le médiateur régla que le mari garderoit le bien et lui feroit huit mille livres de pension. »

Les préliminaires judiciaires de cette séparation amiable n'étaient pas restés secrets. On chansonna Mme de Boislandry, on chansonna M. de Boislandry :

> Pauvre petite Boislandry,
> Ne pleurez pas votre aventure.
> Grâce aux soins de votre mary,
> Pauvre petite Boislandry,
> La faculté, etc.

Il en est de cette chanson comme d'un très grand nombre de celles que contient le *Recueil Maurepas :* on peut à peine en citer un fragment. Nous ne savons si l'événement auquel il y est fait allusion eut beaucoup de retentissement ; cette chanson est le seul document qui l'ait révélé. Quoiqu'il n'en soit parlé ni dans les lettres ni dans les mémoires du temps, il faut bien accepter le témoignage si précis de l'annotateur de la chanson ; mais sur ce témoignage unique nous ne pouvons croire qu'à la cour et à la ville tout le monde fût instruit de la disgracieuse querelle de M. et Mme de Boislandry.

> Malgré votre époux, ce pied-plat,

dit la chanson, et aussitôt l'annotateur ajoute : « Il n'y a jamais eu un plus grand sot que M. de Boislandry. » Il est possible que l'annotateur, dont les allégations sont souvent suspectes à nos yeux, ait cette fois raison : M. de Boislandry était d'une famille peu « espritée, » suivant l'expression de Saint-Simon[1]. Nous sommes moins sûr que le commentateur anonyme n'a pas pour Mme de Boislandry des sévérités imméritées, ou du moins prématurées, lorsqu'il écrit la remarque suivante sous un vers de la même chanson, datée de 1693 : « Cette petite femme avoit nombre d'amants et ne leur étoit pas cruelle. » Si Mme de Boislandry eût déjà été entourée, en 1693, de ce nombreux cortége d'amants heureux, nous serions étonné que le nom de chacun d'eux eût échappé à la publicité, et se fût soustrait, par exemple, à la malignité des chansonniers[2].

et du jeu de paume de *la Sphère*. Elle dépendait, ajoute-t-il, du franc-alleu dont Bruant des Carrières et son frère Libéral Bruant, l'architecte, étaient détenteurs, comme on le voit par le partage des biens de la succession de Bruant des Carrières, dont l'acte, en date du 7 octobre 1696, passé devant les notaires Delange et Lavalette, nous a été communiqué par M. de Mareuil, descendant de des Carrières. »

1. *Journal* de Dangeau, tome I, p. 242.
2. Mme de Boislandry est citée parmi les femmes galantes de Paris dans une

C'est seulement à la fin de l'année 1694, plusieurs mois après la publication du caractère d'*Arténice*, deux années environ après les galanteries dont s'était alarmé M. d'Aligre, que nous voyons sa femme accepter les hommages d'un amant dont le nom nous soit connu. Le premier qu'elle ait accueilli après la séparation (du moins pensa-t-il être le premier) est l'abbé de Chaulieu, à qui elle demeura fidèle, ou qui la crut fidèle pendant plus de quatre années.

Dans une pièce de vers datée du 1ᵉʳ janvier 1695, et qui semble bien marquer le commencement des amours de Chaulieu et de sa nouvelle maîtresse, il nous montre l'*Amour* et l'*Amitié* se rendant de compagnie auprès de Mme de Boislandry pour lui offrir son cœur :

> Ne seriez-vous point l'Amour ?

demande Mme de Boislandry à l'un des visiteurs.

> — Je le suis ; mais las ! je n'ose
> Vous parler de mon retour ;
> Je sais que je suis la cause
> D'un nombre infini de maux,
> Dont l'affreuse Jalousie
> Et sa triste frénésie
> A troublé votre repos.
> Qui fit seul votre souffrance,
> Veut faire votre bonheur ;
> Et je viens, en récompense,
> Vous faire présent d'un cœur

chanson qui est datée de 1693 et intitulée : « A Maximilien-Henri de Béthune, chevalier de Sully, colonel d'un régiment, sur quelques femmes de Paris » (*Chansonnier Maurepas*, tome VII, p. 413) :

> Au Marais est la Boislandry....

Mais il suffisait que son mari eût appelé sur elle l'attention publique pour que les chansonniers s'emparassent de son nom ; cette chanson, si elle est bien de 1693, est sans doute l'écho de celle dont nous avons précédemment (p. 325) cité les premiers vers. Nous verrions peut-être un indice plus grave de la légèreté des mœurs de Catherine dans une déclaration de Chaulieu que l'édition de ses Œuvres de 1774 (tome II, p. 217) intitule : « A Mme D***, célèbre coquette, qui avoit demandé une déclaration d'amour en vers, » si Mme D*** était Mme d'Aligre de Boislandry ; mais s'agit-il bien de Mme de Boislandry ? s'agit-il même d'une Mme D*** ? C'est l'éditeur de 1774 qui, sans raison et de sa propre autorité, indique par l'initiale D*** la personne à qui Chaulieu adresse cette pièce d'un tour fort léger et quelque peu impertinent ; le titre est simplement : « A Mme de **, » etc., dans la brochure publiée en 1744 par l'abbé d'Estrées, où elle a paru pour la première fois. Cette brochure a pour titre : *Recueil de poésies galantes du chevalier de **, et de quelques pièces fugitives de l'abbé de Chaulieu et autres, au Parnasse françois, chez les héritiers d'Apollon :* voyez l'édition Saint Marc des Œuvres de Chaulieu, 1750, tome II, p. 33.

Digne de votre tendresse [1]....

.... *L'affreuse Jalousie*
Et sa triste frénésie.

c'est M. de Boislandry. Le *nombre infini de maux* dont il a « troublé »
son « repos, » c'est la menace du procès, l'enquête très indiscrète de
la faculté, tout ce qui a précédé la séparation. On voit que Chaulieu
fut ou se crut le premier successeur de l'amant, pour nous inconnu,
dont M. de Boislandry prit ombrage. De l'humeur dont était Catherine, elle dut assez vite user de la liberté qui lui était donnée : aussi
pourrait-on, je crois, sans trop d'impertinence, supposer que la séparation ne lui avait rendu sa liberté qu'en 1694, l'année même où elle
devint maîtresse de Chaulieu. Il avait alors cinquante-cinq ans, si l'on
accepte les dates que donnent Saint-Marc et la plupart des biogra-
phes ; cinquante-neuf, s'il est vrai qu'il mourut âgé de quatre-vingt-
quatre ans, en 1720, ainsi qu'il est dit dans le *Parnasse françois* de
Titon du Tillet et dans l'acte d'inhumation tel que le reproduit
Jal dans son *Dictionnaire* [2]. Quant à Catherine, elle avait vingt et un
ans.

Au début de ces amours, Catherine reçoit du poëte le nom d'*Iris* [3],
et ce nom, avec le diminutif de Catherine, *Catin* [4], est celui qu'on lit
le plus souvent dans ses vers; une fois seulement Catherine devien-
dra par anagramme *Ricanète* [5]; une ou deux tout au plus, *Chloris* [6],
Lesbie [7], *Phyllis* [8]; ou encore, je le crains, *Agathon*, si les deux pièces
qui célèbrent très singulièrement Agathon [9] sont de Chaulieu.

1. *Œuvres* de Chaulieu, édition de 1774, tome II, p. 68. C'est à cette édition que nous renverrons, sauf indication contraire.
2. Cette date s'accorde également avec une note de l'édition de 1774 des
Œuvres de Chaulieu (tome I, p. 88). Nous devons faire remarquer que Saint-
Marc, suivant lequel Chaulieu mourut (en 1720) à quatre-vingt-un an, avait,
comme Jal, lu son acte d'inhumation dans les registres du Temple (*Œuvres*
de Chaulieu, édition de 1750, tome I, p. LXII, note 8).
3. Voyez tome II, p. 117 (année 1695), p. 85 (1699), p. 76, et peut-être
aussi p. 77, 279 etc. Cette dernière pièce, qui ne s'est pas retrouvée dans
les manuscrits de Chaulieu, serait antérieure à ses amours avec Mme de Boislandry, si elle est de lui, et si *Iris* y est bien Mme de Boislandry.
4. Voyez tome II, p. 255 (1697), 256 (1699), 115, 116, 120 et 121 (1700),
96 (1703), 114, 250, 259.
5. *Ibidem*, p. 221. — 6. *Ibidem*, p. 118 (1696).
7. *Ibidem*, p. 80 et 97, où il semble bien être question de Catherine. Ailleurs (p. 105), *Lesbie* est Mlle de Launay.
8. Voyez tome I, p. 25. L'année 1700 permet de reconnaître Catherine
dans *Phyllis*.
9. Tome II, p. 271 et 279. — Comme pièces adressées à Mme de Boislan-

Mme de Boislandry, avons-nous dit, fut fidèle pendant quatre
années à Chaulieu :

> Mon Iris m'est toujours fidèle :
> Nous sommes l'un de l'autre également contents ;
> Je n'ai lieu de me plaindre d'elle
> Que de l'aimer depuis quatre ans [1].... (Tome II, p. 85.)

Si pendant quatre ans Catherine ne fut pas infidèle, du moins
était-elle coquette, et Chaulieu paraît s'en plaindre dès 1697. *Catin*
d'ailleurs avait des élans de sincérité qui pouvaient quelque peu trou-
bler la quiétude de son amant, et il dut sans grand étonnement se
voir un jour préférer le jeune comte de Lassay [2]. C'est au printemps
de 1699 que Catherine abandonna son poëte : la date nous semble
certaine. Le 24 mars 1699, le jour de la fête de Catherine [3], Chaulieu
avait offert, comme les trois années précédentes, son bouquet de vers
et de fleurs, jurant de nouveau l'éternité de son amour. Ce fut à une
époque très rapprochée de cette date que Mme de Boislandry oublia
ses serments [4]. Sur quelque propos un peu vif du poëte trahi, les deux
amants se séparèrent. La brouille toutefois ne fut pas de longue durée. L'année n'était pas encore terminée que plein de miséricorde
pour les infidélités de Catherine, et même résigné à les voir se continuer, Chaulieu demandait à rentrer en grâce.

Une pièce de vers, envoyée à Mme de Boislandry sous le nom
de Mlle de la Force, exprime ses tendres regrets et ses reproches
amoureux [5] ; dans une lettre en prose, il implore son pardon [6] et

---

dry, voyez encore tome II, p. 80, 83 (?), 93-98, 103 (?), 112, 119 (1698
et 1700), etc.

1.   Que de l'aimer depuis *six* ans,

est-il dit dans l'édition Saint-Marc (1750, tome II, p. 69) ; mais les leçons
de l'édition de 1774, faite sur les manuscrits de Chaulieu, sont toujours préférables. Il est d'ailleurs impossible d'admettre la prolongation de la fidélité de
Mme de Boislandry au delà de quatre ans. Elle est la seule, parmi les maîtresses de Chaulieu, dont il ait conservé aussi longtemps l'amour, et c'est une
raison qui nous permet de la reconnaître ici avec quelque certitude dans Iris,
nom qui, au surplus, lui est presque toujours applicable dans les poésies de
Chaulieu.

2. Léon comte de Madaillan, puis comte de Lassay, et enfin marquis de
Lassay (1738). Né en 1683 du second mariage du célèbre marquis de Lassay,
il avait alors seize ans. Il devint en 1711, l'année même de son propre mariage,
l'amant de la duchesse de Bourbon, veuve de l'ancien élève de la Bruyère.

3. Tome II, p. 256. — 4. Voyez tome II, p. 72.

5. Tome II, p. 221-225.

6. « Convenez des vôtres (*de vos torts*), je conviendrai des miens ; mais pourquoi les mettre au pluriel? Je n'en eus de mes jours qu'un avec vous. Je suis

rappelle les promesses jurées de faire survivre l'amour à l'amitié ; une
lettre en prose et en vers, datée du 1er janvier 1700, nous le montre
offrant encore son amour à son ancienne maîtresse [1]. On se revit,
et bientôt l'on s'aima de nouveau. Après un an d'oubli, Chaulieu
rentrait en grâce, et se vengeait à son tour de son rival [2], donnant

fort colère, vous le savez ; j'étois encore fort amoureux, vous le méritez : ma
bouche laissa aller quelques paroles aux Tuileries l'*été passé*, que l'on vous
rapporta, dont mon cœur ne fut jamais complice. Quoi qu'il en soit, je suis prêt
de vous en demander pardon à genoux. » (Tome II, p. 196.) — La date de cette
lettre ne peut être douteuse : elle est de la fin de l'année 1699. Il semble qu'à
cette époque la beauté de Mme de Boislandry ait reçu une atteinte passagère :
« Consultez-vous bien, écrit Chaulieu (*ibidem*, p. 197), et vous verrez que de
toutes les choses du monde, rien ne peut vous faire autant d'honneur que le
retour de mon amitié, qui ne peut avoir de raison que vos bonnes qualités :
vos agréments ne pouvant au plus ramener que ce bon fripon dont je ne fais
plus aucun cas, et dont il n'est plus ici question (*l'amour*). Pour mieux vous
le marquer, bien loin d'insulter aux chagrins et aux déplaisirs que vous avez si
cruellement essuyés, et que vous méritiez si peu, j'ai partagé vos ennuis, je
vous ai plainte, et j'ai condamné les mouvements secrets de vengeance, qui
pouvoient bien me faire quelque plaisir ; mon cœur s'est trouvé trop vengé,
parce que je vous ai trouvée trop malheureuse. » La *Lettre pour étrennes*,
écrite le 1er janvier 1700 (tome II, p. 72), explique ce passage un peu obscur :

> Pour le plaisir de ma vie,
> Je te prie,
> Reprends l'éclat de beauté
> Que Vénus t'avoit ôté
> Par envie.

1. *Lettre pour étrennes*, citée dans la note précédente.

2.   .... Maître en friponnerie,
> Je démêlai d'abord la tromperie ;
> Je me tins coi, et jurai bien et beau
> De m'en venger avant *Pâque fleurie*.

(*Sur mon rival, qui me croyoit brouillé avec ma maîtresse, pendant que
j'étois raccommodé avec elle*, tome II, p. 115 et 116. — Chaulieu avait d'abord
écrit : *Sur L**** [Lassay], *qui me croyoit brouillé avec Madame D****, *pendant que, etc.*)
Le dimanche des Rameaux était tombé en 1699 le 12 avril, en 1700 le
4 avril. C'était, en effet, avant Pâques fleuries de l'année 1700, c'est-à-dire
avant le 4 avril, que Chaulieu avait tenu la promesse qu'il s'était faite : le
jour de sainte Catherine, le 24 mars, il envoyait à Mme de Boislandry un
bouquet, c'est-à-dire une pièce de vers, où, « afin de tromper L....., qui étoit
amoureux d'elle, » il ne parlait que d'amitié, et le lendemain il lui écrivait un
madrigal tout différent, où se montre l'amant préféré :

> Sous le doux nom d'amitié je t'ai fait
> Un beau bouquet pour le jour de ta fête....
> A mon rival j'ai tendu ce panneau....
>   (Tome II, p. 119 et 120.)

à ses amis attristés le spectacle d'une vieillesse oublieuse de toute dignité [1].

En 1703, il était encore l'ami de Mme de Boislandry [2]; mais bien qu'il lui parlât encore le langage de la galanterie, l'amitié seule survivait [3]. C'était le temps où son cœur semble s'être tourné vers la marquise de Lassay, belle-mère de son rival auprès de Catherine.

Le comte de Lassay avait depuis longtemps oublié Catherine de Boislandry quand il se maria (1711), et Chaulieu n'était plus qu'un très vieil ami lorsque Catherine, après quelques mois de veuvage, épousa en secondes noces (1712) M. de Chevilly, dont elle était la maîtresse depuis 1708 ou 1709 [4]. Après son second mariage, le silence se fait autour de Mme de Boislandry, qui mourut en 1737.

1.   La Fare me disoit un jour tout en colère :
        « Sais-tu que ta maîtresse est friponne et légère ?
        Romps des fers qu'en honneur tu ne peux plus porter ;
        Laisse-la désormais, et songe à l'éviter.
        — Le conseil est très bon, et d'un ami sincère,
        Lui dis-je, et je croirois que l'on ne peut mieux faire,
            Cher ami, que d'en profiter ;
        Mais son esprit m'amuse ; elle a l'art de me plaire,
        Et je ne l'aime plus assez pour la quitter. » (Tome II, p. 98.)

2. Voyez tome II, p. 96 : *A la même* (Madame D***), *pour la prier de le venir voir pendant sa goutte en* 1703.

3. Cette même année 1703, l'abbé Courtin écrivait à Chaulieu (tome I, p. 135 et 136) :

        Te souvient-il, abbé, de ces beaux yeux
        Dont trop longtemps tu fus amant fidèle ?
        C'étoit pourtant une simple mortelle,
        Et par tes vers tu l'élévois aux cieux.
        Libre à présent et sans inquiétude,
        Tu vis content et tu fais ton étude
        De la tranquille et sage volupté.

Chaulieu, qui dans sa réponse à Courtin (p. 142) se prétend

        Revenu des erreurs après de longs détours,

rappelle à la Fare, vers la même époque, sa longue passion pour Mme de Boislandry, et s'excuse de l'avoir aimée malgré ses infidélités (tome I, p. 288) :

        Marquis, à qui le fond de mon âme est connu,
            Tu sais que mon cœur, prévenu
            Longtemps pour un objet aimable,
        Ne pouvant se résoudre à le trouver coupable
            Malgré son infidélité,
            Chercha dans la nécessité
            D'un changement inévitable
            Des raisons pour rendre excusable,
        Parmi tant d'agréments, tant de légèreté.

4. Voyez la correspondance de Mathieu Marais avec Mme de Merigniac,

Revenons aux années 1693 et 1694, époque tout à la fois du procès ou plutôt de la menace du procès, et de la publication du caractère d'*Arténice*. Quelle était la secrète pensée de la Bruyère quand
il l'écrivait et le publiait ?

« L'hommage, dit Walckenaer (p. 726), que la Bruyère rendait
à Mme de Boislandry, dans son livre si estimé et si répandu, dut la
consoler en partie des blessures qui lui étaient faites par les chansonniers. La Bruyère flattait dans Mme de Boislandry le sentiment
le plus fort chez une coquette, la vanité. De telles louanges prou-
vaient beaucoup, et il était bien évident que cette *parfaite amie* du
sévère moraliste, de l'amer censeur des femmes, *avait réussi à le mener plus loin que l'amitié.* »

Quelques années plus tard, Sainte-Beuve écrivait dans un article sur la Bruyère : « Comme il sent bien le mérite de certaines
femmes, leur charme élevé, profond quand elles joignent l'agrément
à l'honnêteté ! Il en aima pourtant qui passèrent pour légères, et
il s'est piqué de les venger. On cite une Mme d'Aligre dont il a fait
un portrait charmant, d'un tour inattendu : « Il disoit que l'es-
« prit dans cette belle personne, etc. » C'est un diamant pur que ce
petit *fragment*, comme il l'intitule. Et si l'on regarde à la nature des
propos qui sont restés attachés au nom de cette dame, on admire la
délicatesse du peintre d'avoir ainsi loué une femme qui avait eu les
plus odieux démêlés avec son mari et qui avait été chansonnée. Quel
plus touchant dédommagement, et quelle revanche immortelle contre
l'opinion qui la harcelait et l'insultait ! M. Destailleur [1] veut douter
que tant d'éloges puissent s'adresser à une femme compromise : c'est
n'apprécier qu'à demi la générosité de la Bruyère. » (*Nouveaux lundis*,
tome I, p. 134.)

Si la Bruyère a écrit ce *fragment* après l'humiliation que reçut
Mme de Boislandry, quel hommage précieux pour elle en effet ! Et
même s'il l'écrivit avant les querelles conjugales, combien encore
dut en être flattée la vanité d'*Arténice* ! Il nous reste cependant à
citer un commentaire où le caractère d'*Arténice* est tout différemment compris : c'est celui d'Édouard Fournier, l'ingénieux auteur de
la Comédie de J. de la Bruyère, et le seul critique qui ait voulu voir dans
ce portrait autre chose qu'un éloge. Désireux de ne pas affaiblir
son argumentation, nous reproduirons *in extenso*, parmi les pages
qu'il consacre à Mme de Boislandry et qu'il appelle « le plus difficile

---

dans les *Mémoires* de Mathieu Marais, tome I, p. 150, édition de Lescure,
et le *Chansonnier Maurepas*, tome XI, p. 313.

1. Ainsi que M. Destailleur, M. Desnoiresterres a mis en doute l'identité
d'*Arténice* et de Catherine de Boislandry : voyez les *Cours galantes*, tome II,
p. 251.

et le plus délicat de tous *ses* chapitres, » la plupart de celles où il
propose une nouvelle explication, qui est inacceptable, à notre avis.

« Jusqu'ici, dit Édouard Fournier (tome II, p. 447), nous n'avions
guère eu de lui (*de la Bruyère*) que des portraits vivement, verte-
ment accentués, presque des caricatures, à prendre le mot dans le
sens modéré qu'on lui donnait alors. Cette fois, c'est une miniature
de Petitot qu'il nous donne, avec des nuances de coloris idéal,
comme on en trouve chez Largillière. Je me suis défié.

« Tant d'éclat dans l'éloge, sans ombre apparente, sans réticence
visible, me mit en soupçon pour cet éloge même, venu d'une telle
main. Je me demandai s'il était possible que sa malice abdiquât ainsi
tout d'un coup, et peu à peu j'arrivai, connaissant le terrain, à
trouver que l'ironie était là, comme partout, cachant sa pointe dans
la fleur de la louange et se faisant un poison de son parfum.

« Ce qui me guida dans cette découverte, ce fut un examen plus
attentif du portrait, au point de vue de la forme toute nouvelle qui
lui est donnée et de la place qu'il occupe ; mais ce fut surtout la
connaissance enfin acquise du caractère même et de la vie de la
personne à qui la Bruyère pensait quand il le peignit.

« Il nous le présente avec un titre, unique chez lui ; il l'intitule :
Fragment. Ce n'est qu'un débris d'émail, où l'on devra chercher, non
une physionomie entière, mais un côté de physionomie ; non le
rayonnement d'une existence complète, mais le reflet d'une seule
partie de cette existence, prise dans son passé (car le chapitre commençant par ces mots : *Il disoit*.... n'indique rien du présent), cueillie,
examinée, enfin, dans son printemps, car dès les premières lignes la
femme représentée apparaît comme étant « trop jeune et trop fleurie
« pour ne pas plaire. »

« Pourquoi cet appel au passé, s'interrompant sans conclusion,
juste au moment où le présent devrait le continuer ? ne serait-ce
point parce que celui-ci n'en fut pas la continuation parfaite ; et
alors ne faudrait-il pas chercher dans l'esquisse inachevée de la
Bruyère, faisant si bien voir ce qui avait été, la condamnation de
ce qui fut depuis ?

« C'est ce que je fus insensiblement conduit à penser. Je ne doutai
même plus, lorsqu'en regardant de plus près, je vis que ce portrait, au
lieu d'être au chapitre *du Cœur* ou à celui *des Femmes*, se lit au chapitre *des Jugements*, si terrible pour la vanité de nos illusions, si
cruel sur « la misère de la prévention ; » lorsque je songeai surtout que
celle dont la vie s'y trouve étalée avec tant d'élogieuse complaisance
pour sa jeunesse, et tant d'oubli, plein d'ombres, pour ce qui suivit,
est Catherine Turgot, aussi charmante et délicatement vantée sous
son nom de jeune fille qu'elle fut cruellement fameuse sous son nom
d'épouse, Mme de Boislandry. »

Il disoit.... Cette entrée en matière est le premier argument d'Édouard Fournier. « *Il disoit,* » donc il ne dit plus : ce verbe au passé lui semble une preuve que le portrait n'est plus ressemblant, au moment même où il est écrit, et que l'auteur a voulu en donner avis au modèle et au public. Mais *il disoit....* est tout simplement, ce me semble, un tour qui rappelle celui d'Alceste s'adressant à Oronte :

> .... Un jour, à quelqu'un, dont je tairai le nom,
> Je disois, en voyant des vers de sa façon....
> .... Je lui disois, moi, qu'un froid écrit assomme....
> Je lui mettois aux yeux, etc. [1]

Ou encore ces vers d'Arsinoé s'adressant à Célimène :

> Hier j'étois chez des gens de vertu singulière,
> Où sur vous du discours on tourna la matière [2]....

Et cette réponse de Célimène :

> En un lieu l'autre jour où je faisois visite,
> Je trouvai quelques gens d'un très rare mérite,
> Qui parlant des vrais soins d'une âme qui vit bien,
> Firent tomber sur vous, Madame, l'entretien [3]....

Alceste, Arsinoé et Célimène emploient ce tour pour faire la critique des gens en leur présence : la Bruyère s'en est servi pour l'éloge. Cet imparfait, après tout, ne vient-il pas très naturellement dans un morceau que l'auteur présente comme le feuillet égaré d'un roman ?

Édouard Fournier tire un second argument de la coquetterie et des aventures de Mme de Boislandry. Divisant sa vie en deux parties entièrement dissemblables, il nous montre dans l'une Catherine Turgot candide et pure ; dans l'autre, Mme de Boislandry femme galante, presque dévergondée. La raison de la métamorphose qui a fait de la « pure et charmante jeune fille » une mauvaise épouse est « l'intrusion d'un sot mari, » nous dit-il [4]. Ainsi unie à un « époux ridicule, »

---

1. *Le Misanthrope*, acte II, scène II, vers 344 et suivants.
2. *Ibidem*, acte III, scène v, vers 879 et 880.
3. *Ibidem*, vers 915 et suivants.
4. « Pour Mlle Turgot, comme pour tant d'autres, chez qui l'épouse continue si mal la pure et charmante jeune fille, il y eut, entre ce qu'elle était et ce qu'elle devint, l'intrusion malséante d'un sot mari. » (*La Comédie de J. de la Bruyère*, p. 452.) — « La pensée de la Bruyère au sujet de ce mariage dit encore Éd. Fournier (p. 454), est facile à deviner. Quand, dès l'apparition de son livre, qui suivit d'assez près, il parla de l'espèce de fatalité que la richesse des

et « n'ayant rien pour se distraire du dégoût que lui inspirait son
mari, pas même la maternité, puisqu'une fille, seule enfant qu'elle
ait eue, était morte huit mois après sa naissance, » Mme de Boislandry, ajoute-t-il, se jette « avec toute la fougue d'une dissipation
désespérée » dans la société de Chaulieu et de ses amis, et devient
aussitôt une *Ricanète* éhontée.

Soit, Mme de Boislandry fut coquette, elle eut pour le moins trois
ou quatre amants de 1693 à 1711, nul ne peut le nier ; mais pour
savoir si le portrait qu'en a fait la Bruyère est un hommage sincère
ou une ironie, il faut se tenir aux années 1693 et 1694, à l'époque
où la coquetterie de Mme de Boislandry éveille peut-être justement
déjà la jalousie de son mari, mais où un galant homme peut encore
prendre sa défense : « Avec une bonne conduite, elle a de meilleures intentions, » dit la Bruyère. Jusque-là Chaulieu ne l'a pas
compromise [1]. Le souvenir de ce qu'elle devint plus tard à son école
ne doit donc pas la faire reléguer, dès 1694, parmi les femmes qu'un
honnête homme, même un honnête homme du temps de Louis XIV,
n'aurait pu louer sérieusement et sans ironie.

Quand Édouard Fournier, au surplus, oppose la jeune fille à la
jeune femme, il faut se rappeler que Mme de Boislandry s'est mariée
enfant, et que c'est bien certainement de la jeune femme, et non de
la jeune fille, que nous avons le portrait. Portrait flatté, sans nul doute,
et qui devait bientôt cesser d'être ressemblant, comme il serait arrivé

dots jette dans les mariages [*], il me semble qu'il fait allusion à Catherine ;
mais plus tard il me paraît encore mieux y penser, lorsqu'il dit : « Les belles
« filles sont sujettes à venger ceux de leurs amants qu'elles ont maltraités, ou
« par de laids, ou par de vieux, ou par d'*indignes* maris [**]. » L'*indigne* était
M. de Boislandry, dont on disait : « C'est un pied plat, » ou bien : « Il n'y a
« jamais eu un plus grand sot. » — Nous avons quelque peine à voir une allusion à Catherine dans les réflexions que mentionne Éd. Fournier. Mariée
très jeune, elle n'a pu être une de ces filles « riches » qui laissent « échapper
les premières occasions » et se préparent ainsi « un long repentir. » De plus,
est-il vraisemblable qu'à treize ans elle eût déjà « maltraité » des amants ?

1. Saint-Marc attribue à Chaulieu deux pièces intitulées : « Sur Mlle D. T.,
qui aimoit éperdument un moineau franc » (*Œuvres* de Chaulieu, édition de
1774, tome II, p. 251 et 252 ; et édition de 1750, tome II, p. 54) : ces
pièces, qui n'ont pas été retrouvées dans les manuscrits de Chaulieu, semblent
s'adresser à une jeune fille de plus de treize ans, et l'on sait que Catherine s'est
mariée à cet âge. Quoi qu'il en soit, personne n'a jamais proposé de lire *De
Turgot* dans les lettres D. T., et nous ne savons aucun autre document qui
permette de conjecturer que Chaulieu ait connu Catherine avant 1694.

* Tome II de cette édition, p. 101, n° 60.
** *Ibidem*, p. 102, n° 62.

pour celui qu'on eût pu tracer de Mme Ulrich au moment où la Fontaine en fit la rencontre ; mais tel que pouvait et que devait l'écrire
un indulgent ami, ou encore un amoureux sincère. La Bruyère est
peut-être ici cet amoureux : il n'est pas un amoureux qui raille et
qui se venge lui-même, encore moins un moraliste qui venge la morale outragée.

Mais ne veut-on pas admettre que le caractère d'*Arténice*, écrit
en 1694, puisse être le portrait sérieusement fait d'une femme accu-
sée par son mari et près d'être abandonnée par lui ? deux conjectures
se présentent, qui nous semblent préférables à l'interprétation que
nous discutons. Peut-être ce caractère a-t-il été écrit plusieurs années
avant qu'il fût imprimé, dans ces premiers temps de mariage où
Mme de Boislandry n'est encore qu'une coquette dont les aventures,
si elle en a, ne font pas grand bruit : ce ne serait pas le seul morceau
que la Bruyère eût gardé quelques années sur sa table ou dans sa
cassette avant de l'envoyer à l'imprimerie [1]. La date de 1693, donnée aux différends de M. et Mme de Boislandry par un collection-
neur de chansons déjà vieilles, est peut-être inexacte : c'est la seconde
conjecture. Au mois de novembre 1693, M. Turgot Saint-Clair
écrit un madrigal à Mme Deshoulières ; or l'on aurait droit de
s'étonner qu'il fît du bel esprit à cette époque, si c'est au mois de
mai de la même année que l'honneur de sa fille a été soumis à
l'expertise de Passerat et de Bessière, et dans les mois suivants qu'ont
été discutées les questions relatives à la séparation. De plus, les vers
de Chaulieu extraits du « *Voyage de l'Amour et de l'Amitié*, fait pour
Madame D. » (voyez ci-dessus, p. 326), ont une date certaine, celle
du 1er janvier 1695 : or le poëte semble y faire allusion à des « maux »
tout récents.

Quel que soit le mérite de son interprétation nouvelle, Édouard
Fournier ne prétend pas avoir surpris le secret de la Bruyère : il pense
avoir retrouvé celle qui avait eu cours chez les contemporains, et
c'est encore un point sur lequel je ne saurais être de son avis.

« Le deuil, » dit-il (p. 473) après avoir raconté l'histoire de la séparation de Mme de Boislandry, et la consolation qu'elle dut trouver à
ses ennuis dans une liberté plus grande, « le deuil dura davantage chez
ses amis, qui, comme la Bruyère, l'ayant admirée dans la candeur de
sa pure jeunesse, avaient à gémir des doutes sans nom dont elle avait
subi l'outrage, et qu'une justification médicale ne pouvait pas tous

---

1. Cette hypothèse a déjà été proposée par Desnoiresterres : « Bien que
ce portrait ait été publié pour la première fois en 1694, dans la 8e édition,
il est impossible que la Bruyère ne l'ait pas tracé avant ces déplorables dé-
bats. » (*Cours galantes*, tome II, p. 251.)

détruire. Ceux qui n'eurent pas à dire leur opinion furent les moins à plaindre. La Bruyère fut obligé de dire la sienne. Une nouvelle édition de son livre était attendue. Depuis deux ans, ce qui était bien long, il n'en avait pas donné. On était donc de la curiosité la plus impatiente pour les nouveaux chapitres que, suivant l'usage, on espérait trouver dans cette édition, au sujet des choses qui avaient pu faire évènement depuis la dernière.

« L'aventure de Mme de Boislandry était la plus intéressante de toutes. On l'y guetta d'autant plus qu'on n'ignorait pas qu'il avait connu la dame. Comment pourra-t-il en parler ? Qu'en dira-t-il ? Il s'en tira, comme on l'a vu, avec la délicatesse la plus exquise, la plus discrète, mais aussi la plus terrible.

« Dans son livre, qui reparut en effet peu de mois après, et qui dut être si avidement dévoré aux endroits où un signe nouveau, « qu'on avoit exigé de lui, » indiquait les additions nouvelles [1], on ne trouva qu'un regret voilé. Mais, placé comme il l'était, au chapitre *des Jugements,* c'est-à-dire des choses qui se démentent, désillusions ou contradictions humaines, ce regret plein d'éloges pour le passé, sans un mot pour le présent, sur le seuil duquel il faisait un arrêt si brusque, fut, je le répète et vous le penserez comme moi, la plus navrante des condamnations. La Bruyère ne pouvait rien de plus fort, comme leçon, contre Mme de Boislandry, et pour la faire rentrer en elle-même, que d'opposer au désordre public de la femme ce que la jeune fille avait fait espérer de vertus : au fruit gâté, la fleur sans tache. »

Si les lecteurs des *Caractères* avaient « guetté » avec tant d'impatiente curiosité l'apparition de la 8e édition pour y trouver le sentiment de la Bruyère sur la mésaventure de Mme de Boislandry, comment son nom aurait-il échappé aux annotateurs? Le silence de tous les contemporains, moins Chaulieu, nous donne au contraire lieu de croire qu'*Arténice* n'a été reconnue que de bien peu de personnes.

Qu'elle se soit reconnue d'elle-même ou qu'elle ait reçu de la Bruyère la confidence de la pensée secrète qui a inspiré ce *fragment,* ne doutons pas qu'elle n'ait bien accueilli cet hommage, et qu'elle n'ait pris plaisir à s'en prévaloir quelque jour auprès de Chaulieu. Édouard Fournier, si je ne me trompe, admet que Chaulieu vit tout simplement un éloge dans le caractère d'*Arténice* : c'est assurément ce qu'y a vu Mme de Boislandry, et nous demandons la permission de l'y voir aussi.

Nous souhaitons qu'il se découvre quelque part, soit des lettres soit des poésies ou même des romans de Catherine Turgot. « Per-

---

1. Voyez tome II de cette édition, p. 8.

sonne n'a jamais mieux écrit, et peu aussi bien, » dit Chaulieu :
si c'est une Sévigné ignorée que permet d'entrevoir cette phrase,
combien est regrettable la perte de sa correspondance, et pour le
prix qu'elle aurait eu par elle-même, et pour le chapitre de la vie
de la Bruyère qu'elle eût peut-être contenu !

Dans une note dont Édouard Fournier a cité quelques extraits,
communiqués par G. Desnoiresterres, se trouve un autre témoignage du mérite littéraire de Mme de Boislandry, mais moins flatteur, car on y marque sa mesure, et l'on en fait une seconde Mme de
Villedieu. Nous ignorons d'où vient cette note, qui est évidemment
du dix-huitième siècle, et qu'il serait intéressant de pouvoir joindre
au dossier de Mme de Boislandry. En voici du moins trois frag-
ments, qui sont épars dans le texte du xxxviie chapitre de la Comédie
de J. de la Bruyère : « On y est, en quelques mots, dit Édouard Fournier
(p. 459), renseigné sur « les sociétés qu'elle avoit avec l'abbé de
« Chaulieu, Servien, le marquis de la Fare, et autres beaux esprits
« voluptueux, dont elle étoit l'amie et la déesse. » .... « Elle écrivoit
« comme Mme de Villedieu (p. 457). » .... « C'est elle qui avoit
« mis M. de Lassay en réputation, et l'on s'en étoit fié à elle, comme
« à une connoissance parfaite, et c'est dans le temps qu'il étoit
« son amant qu'on lui a donné le sobriquet de *Lassay, plutôt mort*
« *que lassé* (p. 463). »

Ne terminons pas ce long commentaire sans dire qu'aux yeux de
M. Allaire, qui ne nous a pas convaincu (*La Bruyère dans la maison
de Condé*, tome II, p. 575 et suivantes) le caractère d'Arténice est
celui de Madame la duchesse de Bourbon, femme de l'élève du futur
auteur des *Caractères*. Le portrait, qu'en a tracé Saint-Simon, pourrait être rapproché de celui d'Arténice. Mais comment la Bruyère
eût-il pu dire d'une princesse de Condé « il ne lui sauroit peut-être
manquer que les occasions ou ce qu'on appelle un grand théâtre pour
y faire briller toutes ses vertus ? »

Page 92. — *Loin de s'appliquer à vous contredire avec esprit, et d'imiter
Elvire.... Laissant à Elvire les jolis discours et les belles-lettres....*

Édouard Fournier supplée heureusement, je crois, au silence des
clefs en reconnaissant Mlle de la Force dans *Elvire*. Elle était en effet
l'amie de Mme de Boislandry, et nous en donnerons comme preuve
que c'est sous le nom de Mlle de la Force que Chaulieu lui écrivit
après la première rupture, une lettre qui a été rappelée ci-dessus,
p. 328. Mlle de la Force toutefois est plus connue par son mariage
de trois années avec le fils du président Briou que par ses ouvrages.

Si Arténice était la duchesse de Bourbon, selon le sentiment de

M. Allaire et contrairement au nôtre, on pourrait reconnaître avec lui la duchesse du Maine dans Elvire. Voyez sur elle l'*Histoire de la vie et des ouvrages de la Fontaine,* 3e édition, p. 3o5.

IX

Page 93, n° 29. — .... *Un air réformé, une modestie outrée....*
Une gravité trop étudiée.... (1690 et 1691.)

Toutes les clefs placent le nom du premier président de Harlay en marge de la seconde partie de cette réflexion, la plupart en regard de la phrase : *Un air réformé, une modestie outrée,* etc., quelques-uns en regard du second alinéa : *Une gravité trop étudiée....*

Saint-Simon (édition Boislisle, tome II, p. 55) a fait le portrait suivant du président de Harlay : « Un habit peu ample, un rabat presque d'ecclésiastique, et des manchettes plates comme eux, une perruque fort brune et fort mêlée de blanc, touffue, mais courte avec une grande calotte par-dessus. Il se tenoit et marchoit un peu courbé, avec un faux air plus humble que modeste. »

X

Page 94, n° 33. — *Un homme qui a beaucoup de mérite et d'esprit,*
et qui est connu pour tel.... (1689.)

Clef de 1696 : « Feu M. Pellisson, de l'Académie françoise. Il étoit fort laid. » — Clefs du dix-huitième siècle : « M. Pellisson, maître des requêtes, historien du Roi et de l'Académie, très laid de visage, mais bel esprit. Il a fait plusieurs ouvrages. Il étoit bénéficier et avoit été huguenot. On veut qu'il soit mort dans cette religion en 1693. »

La laideur de Pellisson était en effet proverbiale, et son nom devait venir naturellement sous la plume des annotateurs. « Guilleragues disoit hier que Pellisson abusoit de la permission qu'ont les hommes d'être laids, » écrivait en 1674 Mme de Sévigné (tome III, p. 353).

« .... Une petite vérole, dit l'abbé d'Olivet (*Histoire de l'Académie,* tome II, p. 260),... lui déchiqueta les joues et lui déplaça presque les yeux.... Mais avec toute sa laideur, il n'avoit pour plaire qu'à parler. »

Si la Bruyère avait pensé à Pellisson en écrivant cette remarque, elle pourrait être une réponse à ce vers de Boileau, où il est fait allusion à sa fortune et à sa laideur :

L'or même à la laideur donne un teint de beauté.

(*Satire* viii, vers 2o5.)

Pellisson avait lu ce vers en 1667 ; il eut en 1689 le plaisir de lire la réflexion de la Bruyère.

XI

Pages 100-103, n° 56. — *Talent, goût, esprit, bon sens,* etc.
Page 101. — *Il y a dans le monde…. Un homme paroît grossier….*
(1691.)

Quand la Bruyère publia ce caractère, où il était impossible de ne pas reconnaître la Fontaine, le fabuliste était depuis plusieurs années l'ami de Mme Ulrich. Elle y répondit, ou peut-être y fit répondre après la mort de la Fontaine, et peu de temps avant celle de la Bruyère, dans le *Portrait* [1] qu'elle mit en tête des *Œuvres posthumes de Monsieur de la Fontaine,* éditées par elle en 1696. Voici la partie du *Portrait* qui est relative à la personne même de la Fontaine :

« Je dois d'abord ôter de votre esprit la mauvaise impression que pourroit y avoir laissée la lecture d'un portrait que l'on a fait de M. de la Fontaine, et que vous avez trouvé parmi quantité d'autres, et vous dire que, quoiqu'il rende justice aux ouvrages de cet excellent auteur [2], il ne la rend pas de même à sa personne.

« On peut dire que celui qui l'a fait a plutôt songé à faire un beau contraste en opposant la différence qui se trouvoit, à ce qu'il prétendoit, entre les ouvrages et la personne d'un même homme, qu'à faire un portrait qui ressemblât. On voit qu'il n'a pas assez étudié son sujet. Il semble même qu'il s'y soit copié traits pour traits, et qu'il ait trouvé dans lui-même toute la grossièreté et toute la stupidité qu'il donne si généreusement à la personne de M. de la Fontaine. Il faut pourtant avouer que celle de cet auteur fameux ne prévenoit pas beaucoup en sa faveur. Il étoit semblable à ces vases simples et sans ornements, qui renferment au dedans des trésors infinis. Il se négligeoit, étoit toujours habillé très simplement, avoit dans le visage un air grossier ; mais cependant dès qu'on le regardoit un peu attentivement, on trouvoit de l'esprit dans ses yeux ; et une certaine vivacité, que l'âge même n'avoit pu éteindre, faisoit voir qu'il n'étoit rien moins que ce qu'il paroissoit.

« Il est vrai aussi qu'avec des gens qu'il ne connoissoit point, ou qui ne lui convenoient pas, il étoit triste et rêveur, et que même, à l'entrée d'une conversation avec des personnes qui lui plaisoient, il

---

1. *Portrait de M. de la Fontaine,* par M. *** (le marquis de Sablé, suivant quelques-uns).

2. Outre le passage que nous commentons, voyez l'alinéa que la Bruyère a consacré à la Fontaine dans son *Discours à l'Académie.*

étoit froid quelquefois ; mais dès que la conversation commençoit à l'intéresser et qu'il prenoit parti dans la dispute, ce n'étoit plus cet homme rêveur, c'étoit un homme qui parloit beaucoup et bien, qui citoit les anciens, et qui leur donnoit de nouveaux agréments. C'étoit un philosophe, mais un philosophe galant : en un mot c'étoit la Fontaine, et la Fontaine tel qu'il est dans ses livres.

« Il étoit encore très aimable parmi les plaisirs de la table. Il les augmentoit ordinairement par son enjouement et par ses bons mots, et il a toujours passé avec raison pour un très charmant convive.

« Si celui qui a fait son portrait l'avoit vu dans ces occasions, il se seroit absolument dédit de tout ce qu'il avance de sa fausse stupidité. Il n'auroit point écrit que M. de la Fontaine ne pouvoit pas dire ce qu'il venoit de voir. Il auroit avoué au contraire que le commerce de cet aimable homme faisoit autant de plaisir que la lecture de ses livres.

« Aussi tous ceux qui aiment ses ouvrages (et qui est-ce qui ne les aime pas ?) aimoient aussi sa personne. Il étoit admis chez tout ce qu'il y a de meilleur en France. Tout le monde le desiroit ; et si je voulois citer toutes les illustres personnes et tous les esprits supérieurs qui avoient de l'empressement pour sa conversation, il faudroit que je fisse la liste de toute la cour.

« Je ne prétends pas néanmoins sauver ses distractions, j'avoue qu'il en a eu ; mais si c'est le foible d'un grand génie et d'un grand poëte, à qui les doit-on plutôt pardonner qu'à celui-ci ? »

Mme Ulrich justifie les assertions de la Bruyère dans une certaine mesure : la Fontaine était souvent « froid, triste et rêveur ; » mais elle a raison de dire que le désir de « faire un beau contraste » entre la personne et les ouvrages de la Fontaine a entraîné la Bruyère un peu trop loin. De l'empressement avec lequel on recherchait sa société, des amitiés célèbres qui le rendirent le familier de plusieurs femmes d'esprit, de ses ouvrages mêmes ses admirateurs peuvent tirer bien des témoignages qu'il est permis d'opposer à la Bruyère.

Voici en quels termes l'a vengé Sainte-Beuve :

« On a paru s'étonner de ce succès si prompt de la Fontaine dans ce monde de cour, » dit-il en parlant de l'introduction de la Fontaine dans la société brillante dont s'entourait Foucquet. « Ceux qui, sur la foi de quelques anecdotes exagérées, se font de lui une sorte de rêveur toujours absent, ont raison de n'y rien comprendre ; mais c'est que l'aimable poëte n'était point ce qu'ils se figurent. Il avait certes ses distractions, ses ravissements intérieurs, son doux enthousiasme qui l'enlevait souvent loin des humains ; le jour où il faisait parler *dame Belette* et où il suivait *Jeannot Lapin* dans la rosée, ils lui semblaient plus intéressants tous deux à écouter qu'un cercle de beau monde ou même de brillants esprits. Mais quand la Fon-

taine n'était pas dans sa veine de composition, quand il était arrêté
sous le charme auprès de quelqu'une de ces femmes spirituelles et
belles qu'il a célébrées et qui savaient l'agacer avec grâce, quand il
voulait plaire enfin, tenez pour assuré qu'il avait tout ce qu'il faut
pour y réussir, au moins en causant. Et qui donc a mieux défini
que lui la conversation parfaite, et tout ce qu'elle demande de sérieux ou de léger ?

. . . .
Jusque-là qu'en votre entretien
La bagatelle a part : le monde n'en croit rien.
Laissons le monde et sa croyance.
La bagatelle, la science,
Les chimères, le rien, tout est bon ; je soutiens
Qu'il faut de tout aux entretiens :
C'est un parterre où Flore épand ses biens ;
Sur différentes fleurs l'abeille s'y repose,
Et fait du miel de toute chose.

« Ce qu'il disait là à Mme de la Sablière, il dut le pratiquer souvent, mais avec ceux qui lui plaisaient et à ses heures. Voltaire,
dans une lettre à Vauvenargues, rapportant le talent de la Fontaine
à l'instinct, à condition que ce mot *instinct* fût synonyme de *génie*,
ajoutait : « Le caractère de ce bonhomme était si simple, que dans
« la conversation il n'était guère au-dessus des animaux qu'il faisait
« parler.... L'abeille est admirable, mais c'est dans sa ruche : hors
« de là l'abeille n'est qu'une mouche. » On vient de voir, au contraire, « que la Fontaine voulait qu'on fût abeille, même dans l'en-
« tretien. » (*Causeries du lundi*, tome VII, p. 414 et 415 [1].)

A la suite de la citation que fait Sainte-Beuve, plaçons encore
ce fragment d'une lettre adressée en 1689 par Vergier à Mme d'Her-
vart, où se trouve un précieux portrait de la Fontaine :

« Ce qu'il y a de meilleur dans sa lettre, dit-il en parlant du *bon
homme*, est qu'il me marque qu'il va passer six semaines avec vous
à la campagne. Voilà un bonheur que je lui envie fort, quoiqu'il ne
le ressente guère, et vous m'avouerez bien, à votre honte, qu'il sera
moins aise d'être avec vous, que vous ne le serez de l'avoir, surtout
si Mlle de Beaulieu vient vous rendre visite, et qu'il s'avise d'effa-
roucher sa jeunesse simple et modeste par ses naïvetés, et par les
petites façons qu'il emploie, quand il veut caresser de jeunes filles.

Je voudrois bien le voir aussi,
Dans ces charmants détours que votre parc enserre,
Parler de paix, parler de guerre,

1. Voyez aussi Walckenaer, *Histoire de la vie et des ouvrages de J. de
la Fontaine*, 4ᵉ édition, tome I, p. 27-31.

> Parler de vers, de vin, et d'amoureux soucis ;
> Former d'un vain projet le plan imaginaire,
> Changer en cent façons l'ordre de l'univers,
> Sans douter proposer mille doutes divers ;
> Puis tout seul s'écarter, comme il fait d'ordinaire,
> Non pour rêver à vous, qui rêvez haut à lui,
>   Non pour rêver à quelque affaire,
>   Mais pour varier son ennui.

Car vous savez, Madame, qu'il s'ennuie partout, et même (ne vous en déplaise) quand il est auprès de vous, surtout quand vous vous avisez de vouloir régler ou ses mœurs ou sa dépense. » (*OEuvres de Vergier*, édition de Londres, 1780, tome III, p. 192 et 193.)

S'il était nécessaire toutefois de citer, à l'appui du jugement de la Bruyère, des témoignages plus nets et plus précis que les concessions de Mme Ulrich, on les trouverait dans les *Mémoires* de Saint-Simon (édition Boislisle, tome II, p. 281), qui peint en passant la Fontaine par ces mots : « La Fontaine, si connu par ses fables et ses contes, et toutefois si pesant en conversation » ; dans les *Mémoires* de Louis Racine *sur la vie de Jean Racine* [1] ; dans les *Mélanges de littérature* de Vigneul Marville (Bonaventure d'Argonne), qui contiennent le récit d'un repas qu'on lui donna « pour avoir le plaisir de jouir de son agréable entretien, » et « où il mangea comme quatre et but de même, » s'endormit pendant trois quarts d'heure, puis s'en alla [2] ; et enfin dans l'*Histoire de l'Académie françoise*, de l'abbé d'Olivet tome II, p. 300), qui est le résumé impartial des appréciations diver-

---

1. « Autant il étoit aimable par la douceur du caractère, autant il l'étoit peu par les agréments de la société. Il n'y mettoit jamais rien du sien, et mes sœurs qui dans leur jeunesse l'ont souvent vu à table chez mon père, n'ont conservé de lui d'autre idée que celle d'un homme fort malpropre et fort ennuyeux. Il ne parloit point, ou vouloit toujours parler de Platon, dont il avoit fait une étude particulière dans la traduction latine. Il cherchoit à connoître les anciens par la conversation et mettoit à profit celle de mon père.... » (*OEuvres de J. Racine*, édition Mesnard, tome I, p. 326.)

2. « On s'approcha de lui, on voulut le mettre en humeur et l'obliger à laisser voir son esprit ; mais son esprit ne parut point. Il étoit allé je ne sais où, et peut-être alors animoit-il ou une grenouille dans les marais, ou une cigale dans les prés, ou un renard dans sa tanière ; car durant tout le temps que la Fontaine demeura avec nous, il ne nous sembla être qu'une machine sans âme. On le jeta dans un carrosse, et nous lui dîmes adieu pour toujours. Jamais gens ne furent plus surpris, et nous nous disions les uns aux autres : « Comment se peut-il faire qu'un homme qui a su rendre spirituelles les plus « grosses bêtes du monde, et les faire parler le plus joli langage qu'on ait ja- « mais ouï, ait une conversation si sèche, et ne puisse pas pour un quart « d'heure faire venir son esprit sur les lèvres, et nous avertir qu'il est là ? » *Mélanges d'histoire et de littérature*, tome II, p. 355, édition de 1700.)

ses qu'ont pu faire les contemporains de l'esprit de conversation de la Fontaine :

« A sa physionomie on n'eut pas deviné ses talents.... Rarement il commençoit la conversation ; et même pour l'ordinaire il y étoit si distrait, qu'il ne savoit ce que disoient les autres. Il rêvoit à tout autre chose, sans qu'il eût pu dire à quoi il rêvoit. Si pourtant il se trouvoit entre amis et que le discours vînt à s'animer par quelque agréable dispute, surtout à table, alors il s'échauffoit véritablement, ses yeux s'allumoient, c'étoit la Fontaine en personne, et non pas un fantôme revêtu de sa figure.

« On ne tiroit rien de lui dans un tête-à-tête, à moins que le discours ne roulât sur quelque chose de sérieux et d'intéressant pour celui qui parloit. Si des personnes dans l'affliction et dans le doute s'avisoient de le consulter, non seulement il écoutoit avec grande attention, mais, je le sais de gens qui l'ont éprouvé, il s'attendrissoit, il cherchoit des expédients, il en trouvoit ; et cet idiot, qui de sa vie n'a fait à propos une démarche pour lui, donnoit les meilleurs conseils du monde.

« Une chose qu'on ne croiroit pas de lui, et qui est pourtant très vraie, c'est que dans ses conversations il ne laissoit rien échapper de libre ni d'équivoque. Quantité de gens l'agaçoient dans l'espérance de lui entendre faire des contes semblables à ceux qu'il a rimés ; mais il étoit sourd et muet sur ces matières : toujours plein de respect pour les femmes, donnant de grandes louanges à celles qui avoient de la raison et ne témoignant jamais de mépris à celles qui en manquoient.

« Autant qu'il étoit sincère dans ses discours, autant étoit-il facile à croire tout ce qu'on lui disoit. »

« La Bruyère, » écrivait Voltaire en 1776 [1], sous le nom de M. de la Visclède, s'est servi de couleurs un peu fortes pour peindre notre fabuliste ; mais il y a du vrai dans ce portrait : *Un homme paroît grossier*, etc. » Telle doit être en fin de compte la conclusion de tout commentaire sur ce caractère.

Un autre est simple, timide.... (1691.)

Cet autre est, comme nous l'avons dit, le grand Corneille.

« Mon père avait bu avec Corneille, écrit Voltaire en 1761 à l'abbé d'Olivet [2] ; il me disait que ce grand homme était le plus ennuyeux mortel qu'il eût jamais vu et l'homme qui avait la conversation la

---

1. *OEuvres de Voltaire*, édition Beuchot, tome XLVIII, p. 274.
2. *Ibidem*, tome LIX, p. 623.

plus basse. » On peut citer un certain nombre de témoignages à l'appui du sentiment commun de la Bruyère et du père de Voltaire.

« Vigneul-Marville parle à peu près de même[1] (*que la Bruyère*), dit M. Marty-Laveaux dans la *Notice biographique* placée en tête du tome I de son édition de *Corneille* (p. xxxi) :

« A voir M. de Corneille, on ne l'auroit pas pris pour un homme
« qui faisoit si bien parler les Grecs et les Romains et qui donnoit
« un si grand relief aux sentiments et aux pensées des héros. La
« première fois que je le vis, je le pris pour un marchand de Rouen.
« Son extérieur n'avoit rien qui parlât pour son esprit ; et sa con-
« versation étoit si pesante qu'elle devenoit à charge dès qu'elle
« duroit un peu. Une grande princesse, qui avoit desiré de le voir
« et de l'entretenir, disoit fort bien qu'il ne falloit point l'écouter
« ailleurs qu'à l'Hôtel de Bourgogne. Certainement M. de Corneille
« se négligeoit trop, ou pour mieux dire, la nature, qui lui avoit été
« si libérale en des choses extraordinaires, l'avoit comme oublié
« dans les plus communes. Quand ses familiers amis, qui auroient
« souhaité de le voir parfait en tout, lui faisoient remarquer ces légers
« défauts, il sourioit et disoit : « Je n'en suis pas moins pour cela
« Pierre Corneille. » Il n'a jamais parlé bien correctement la
« langue françoise ; peut-être ne se mettoit-il pas en peine de cette
« exactitude, mais peut-être aussi n'avoit-il pas assez de force pour
« s'y soumettre. »

« Fontenelle, à la fin du portrait, fort intéressant pour nous et
fidèle sans aucun doute, qu'il nous a laissé de son oncle, ne rend
pas un témoignage beaucoup plus favorable de son talent de lecteur :
« M. Corneille, dit-il, étoit assez grand et assez plein, l'air fort simple
« et fort commun, toujours négligé, et peu curieux de son extérieur.
« Il avoit le visage assez agréable, un grand nez, la bouche belle, les
« yeux pleins de feu, la physionomie vive, des traits fort marqués et
« propres à être transmis à la postérité dans une médaille ou dans
« un buste. Sa prononciation n'étoit pas tout à fait nette ; il lisoit
« ses vers avec force, mais sans grâce[2]. »

« Enfin Corneille, confirmant par avance ces divers témoignages,
a dit de lui-même :

.... L'on peut rarement m'écouter sans ennui,
Que quand je me produis par la bouche d'autrui[3]. »

---

1. *Mélanges d'histoire et de littérature*, recueillis par Vigneul-Marville (Bonaventure d'Argonne), 1701, tome I, p. 167 et 168.
2. *OEuvres de Fontenelle*, tome III, p. 124 et 125 (édition de 1742).
3. *OEuvres de Corneille*, tome X, p. 477.

Boisrobert et Segrais, également cités par M. Marty-Laveaux[1], lui reprochaient, l'un de barbouiller ses vers, l'autre de n'en point sentir la beauté.

Il ne juge de la bonté de sa pièce que par l'argent qui lui en revient, écrit la Bruyère. Charpentier répétait la même accusation : « Corneille..., avec son patois normand, lit-on dans un passage du *Carpenteriana* (reproduit encore dans la même *Notice biographique*[2]), vous dit franchement qu'il ne se soucie point des applaudissements qu'il obtient ordinairement sur le théâtre, s'ils ne sont suivis de quelque chose de plus solide. »

Pages 101 et 102. — *Voulez-vous quelque autre prodige?*
Concevez un homme.... (1691.)

Chacun nomma Santeul en lisant ce caractère.

« Ce bonhomme, écrivait le président Bouhier en parlant de Santeul, étoit en effet un composé assez bizarre de sérieux et de bouffon, de sage et de fou : en sorte qu'on eût dit que c'étoit deux hommes, comme l'a fort bien représenté la Bruyère dans le beau portrait qu'il en a fait parmi ses *Caractères* sous le nom de *Théodas*, portrait qui plut si fort à Santeul lui-même que je me souviens d'avoir vu, entre les mains de la Bruyère, une de ses lettres où il l'en remercioit et où il signoit *Votre ami Théodas, fou et sage.* » (*Souvenirs de Jean Bouhier, président au Parlement de Dijon,* publiés par L. Larchey, p. 71.)

Dans une lettre adressée à Santeul, que l'on trouvera ci-après dans la correspondance, la Bruyère rappelle ce caractère de *Théodas* : « Voulez-vous que je vous dise la vérité, mon cher Monsieur ? Je vous ai fort bien défini la première fois : vous avez le plus beau génie du monde, et la plus fertile imagination qu'il soit possible de concevoir ; mais pour les mœurs et les manières, vous êtes un enfant de douze ans et demi. »

Tout ce que l'on sait de Santeul confirme chacun des traits du caractère. Il convient particulièrement d'en rapprocher la lettre que B. de la Monnoye écrivit sur lui quelques jours après sa mort :

« Vous ne sauriez croire, dit-il après avoir raconté les dernières heures de son ami, combien les personnes qui aiment l'esprit le regrettent ici. On ne pouvoit le pratiquer sans l'aimer. Ses saillies, ses plaisanteries, au travers desquelles il faisoit paroître un sens exquis, étoient les plus agréables du monde. Je voudrois que vous

1. Tome I, p. XXXI, note 1.
2. *Ibidem,* p. XXXI, note 1. — *Carpenteriana,* Paris, 1724, p. 110.

eussiez assisté à la description d'un chapitre que tinrent ses confrères
pour délibérer s'ils chanteroient ses hymnes dans leur congrégation.
Je défie tous les Scaramouches de mieux copier les personnages qui
composèrent cette assemblée : ce n'étoit plus Santeul, c'étoient une
vingtaine de visages, d'airs et de sons, tous différents les uns des
autres. Une des choses qui plaisoient le plus en lui, c'étoit sa franchise à reconnoître ses défauts et à relever ceux d'autrui. Malheur
à qui il échappoit devant lui quelque raisonnement ou quelque
expression peu juste ! Malheur surtout aux téméraires ignorants
qui osoient critiquer ses vers, ou même qui les lisoient de mauvaise
grâce ! Il les foudroyait sans miséricorde. Son génie et la possession
où il se croyoit d'être le plus grand poëte latin de l'Europe lui avoient
acquis cette supériorité. J'avois trouvé cependant moyen de lui faire
entendre raison contre lui-même, et il corrigeoit volontiers ses vers
sur les avis que je prenois la liberté de lui donner. C'étoit un homme
sans fiel, méprisant les satires qu'on faisoit contre lui quand elles étoient
fades, et les redisant avec plaisir quand il y avoit du sel. » (*OEuvres
choisies de Bernard de la Monnoye,* in-8°, 1769 et 1770, tome III,
p. 215.)

C'est bien là, avec quelques atténuations, ce Théodas multiple,
tantôt bouffon, tantôt poëte d'un grand talent, « avide et insatiable
de louanges, prêt de se jeter aux yeux de ses critiques, et dans le
fond assez docile pour profiter de leur censure, » bon homme au
demeurant. Sa *folie* était comme proverbiale ; la Monnoye en parle
dans cette lettre, et c'est un sujet de plaisanterie qui lui est familier
(voyez tome III, p. 216 et 217 ; et tome II, p. 127).

« Quel homme étoit-ce que Santeul ? écrit de son côté l'abbé le
Gendre dans ses *Mémoires* (p. 184). Il ne seroit pas aisé de le dire.
A le voir, on n'eût dit d'un fou, d'un Jean-Farine, d'un saltimbanque,
et quelquefois d'un possédé. Je l'ai vu faire des cabrioles, je l'ai vu
faire la couleuvre et siffler comme cet insecte ; je l'ai vu en fureur
contre ses serins (il en avoit une volière toute pleine), parce qu'ils
s'obstinoient à ne point chanter ; quand l'enthousiasme le prenoit,
son visage, ses pieds et ses mains étoient dans une agitation qu'on
ne peut bien représenter ; cet air maniaque ou polisson le faisoit
desirer dans les meilleures compagnies pour y servir de baladin,
rôle bien indigne d'un religieux comme l'étoit ce poëte latin. D'un
autre côté, ses poésies étoient si belles qu'on oublioit en les lisant
toutes ces indignités, ou du moins on ne faisoit qu'en rire. Il a atteint en quelques-unes de ses hymnes la perfection des anciens.... »

Rappelons l'épigramme de Boileau :

> Quand j'aperçois sous ce portique
> Ce moine, au regard fanatique,

Lisant ses vers audacieux,
Faits pour les habitants des cieux,
Ouvrir une bouche effroyable,
S'agiter, se tordre les mains,
Il me semble en lui voir le diable
Que Dieu force à louer les saints.

« Si j'étois roi de France, je vous ferois mettre aux Petites-Maisons », ce propos que l'on place dans la bouche de Bossuet parlant à Santeul paraît très vraisemblable. Conférez *la Vie et les bons mots de M. Santeul, etc.*, édition de 1722, tome I, p. 138; tome II, p. 184, 185, 187, etc. : on y voit que chacun des amis de Santeul parlait de sa folie en prose et en vers.

XII

Page 103, nº 58. — *Tel, connu dans le monde....* (1687.)

Selon les clefs, *Tel, connu....* « M. le Peletier de Sousy, intendant des finances; » *tel autre....* « M. le Peletier, son frère, le ministre d'État, ci-devant contrôleur des finances. »

Les mémoires du temps s'accordent à nous montrer en M. le Peletier, le ministre, un contrôleur général irrésolu, peu habile, peu fertile en expédients. (Voyez Gourville, p. 527; Choisy, p. 305; le Gendre, p. 132-134; et le tome II de cette édition, p. 359 et 360.)

XIII

Pages 103 et 104, nº 59. — *Tout le monde s'élève....* (1687.)

Allusion, suivant les clefs, à « l'Académie françoise, » et suivant Walckenaer (p. 727), à la réception de l'abbé de Choisy, qui eut lieu au mois d'août 1687.

Comprendre ainsi la remarque, c'est en restreindre à tort l'application. S'il s'agissait d'ailleurs des choix de l'Académie, la Bruyère aurait-il pu avoir en vue l'élection de l'abbé de Choisy, qui n'avait pas encore vingt-sept ans quand il devint académicien ? Choisy, il est vrai, fut reçu à l'Académie peu de temps après avoir présenté à Louis XIV sa *Vie de David* et sa traduction des *Psaumes* [1], et peut-être la bonne grâce avec laquelle Louis XIV accueillit son hommage lui valut-elle les suffrages de l'Académie. Mais par quelles « récompenses » le Roi s'était-il « déclaré ? » Adjoint en 1685 à l'ambassade qui partit pour Siam, l'abbé de Choisy était tombé à son retour dans une disgrâce de six mois, dont la fin n'avait eu d'autre bon effet pour lui que de lui permettre de présenter ses œuvres à Louis XIV.

1. *Mémoires* de Choisy, collection Petitot, tome LXIII, p. 335.

XIV

Clef de 1696 : « L'abbé de Rubec. »
Sur l'abbé de Drubec, voyez tome II, p. 381, note x, et ci-dessus, tome III, p. 316, note v. Clefs manuscrites : « L'abbé de Rubec, Dacier, Charpentier de l'Académie. »

XV

Clefs diverses : « *Socrate* (n° 66), *un philosophe*, Antisthius (n° 67), l'auteur. »

XVI

Clefs diverses : « M. le Tellier, chancelier de France ; M. de Louvois. »

XVII

La Bruyère imprimait en capitales les noms des personnages historiques qu'il voulait mettre en relief, et en italique[1] ceux de ses personnages imaginaires, du moins la première fois qu'ils étaient cités. Or, tandis que le nom de Pison fut toujours imprimé en italique dans le premier alinéa de cette réflexion, celui de Caton obtint dans quatre éditions les honneurs de lettres capitales : le lecteur devait penser qu'il s'agissait de l'un des Caton de l'histoire romaine, que ce fût Caton le censeur ou Caton d'Utique. Mais à la 8ᵉ édition *Caton* devenant un personnage fictif reparut en italique, c'est-à-dire imprimé avec les mêmes caractères que le Pison du premier alinéa : il personnifiait ainsi l'homme vertueux, comme Pison l'homme de peu de vertu. De même que le nom de Caton, le nom de Pison était celui d'un personnage de l'histoire romaine. Il est

1. Sur les habitudes typographiques de la Bruyère, voyez tome II, p. 15.

vraisemblable que la Bruyère se souvenait, en l'écrivant, des injures
que Cicéron[1] a lancées contre Lucius Calpurnius Piso, l'appelant
« furie, monstre, glouton, bête féroce, âne, pourceau et lui souhai-
tant d'être mis en croix » (*in Pisonem*, chapitre XVIII). Ainsi que l'a
remarqué M. Albert Collignon dans sa *Note sur l'onomastique de la
Bruyère* (voyez tome IV, p. 119), c'est le plus souvent sans y attacher
une signification précise que notre auteur donne à ses personnages
fictifs des noms empruntés à l'histoire ou à la littérature ; ici, le nom
fictifs des noms empruntés à l'histoire ou à la littérature ; ici le nom
de Caton est certainement choisi avec intention, et il en est sans doute

XVIII

Page 112, n° 80. — *Tel soulage les misérables, qui néglige sa famille....*
(1692.)

Clef manuscrite : « M. le duc de Mazarin ». Interprétation négli-
geable sans doute, le procès qu'à la suite du décès de sa femme,
Hortense Mancini, le duc de Mazarin engagea contre son fils étant
postérieur de plusieurs années à la mort de la Bruyère.

XIX

Page 114, n° 88. — *Le plus grand malheur.... Tels arrêts....* (1689.)

Toutes les clefs donnent ici le nom de M. Penautier, ainsi
annoté dans celles du dix-huitième siècle : « Penautier[2], receveur
général du clergé de France, accusé d'avoir empoisonné M. *** (*Matharel*)[3], trésorier des États de Bourgogne, son beau-père, de laquelle
accusation il a été déchargé par un arrêt qui fut très fort sollicité par
M. le Doute, conseiller de la Grand'Chambre, son beau-frère, aussi
conseiller au Parlement, qui étoit très habile et en grand credit. L'on
veut qu'on ait encore distribué beaucoup d'argent à cet effet. »

« Penautier, dit Saint-Simon (*Mémoires*, édition Boislisle, tome
XXII, p. 84), mourut fort vieux en Languedoc (1711). De petit cais-
sier, il étoit devenu trésorier du clergé, et trésorier des États du Languedoc, et prodigieusement riche. C'étoit un grand homme, très bien
fait, fort galant et fort magnifique, respectueux et très obligeant ; il

1. La Bruyère aimait à lire Cicéron : voyez le *Discours sur Théophraste*,
tome I, p. 15, 16 et 19.
2. Pierre-Louis de Reich, seigneur de Penautier.
3. Les clefs Coste laissent le nom en blanc ; la clef Cochin et la clef de 1720
inscrivent à tort celui de « M. le Secq ». Le Secq était le nom de famille de la
femme de Louis Matharel, beau-père de Penautier.

avoit beaucoup d'esprit et il étoit fort mêlé dans le monde ; il le fut aussi dans l'affaire de la Brinvilliers et des poisons, qui a fait tant de bruit, et mis en prison avec grand danger de sa vie. Il est incroyable combien de gens, et des plus considérables, se remuèrent pour lui, le cardinal Bonzi à la tête, fort en faveur alors, qui le tirèrent d'affaire. Il conserva longtemps depuis ses emplois et ses amis ; et quoique sa réputation eût fort souffert de son affaire, il demeura dans le monde comme s'il n'en avoit point eu. »

Son procès, qui eut un grand retentissement, fut intenté sur la plainte de la veuve de Hanyvel de Saint-Laurent, trésorier général du clergé ; elle soutenait que son mari avait été empoisonné à l'instigation de Penautier, qui voulait lui succéder et lui succéda en effet dans sa charge. A cette accusation se joignit bientôt celle que contient l'annotation des clefs[1]. « Penautier, dit Mme de Sévigné le 22 juillet 1676 (tome IV, p. 534), sortira un peu plus blanc que de la neige : le public n'est point content, on dit que tout cela est trouble. » — « Penautier est heureux, écrit-elle deux jours plus tard (p. 541 et 542) : jamais il n'y eut un homme si bien protégé ; vous le verrez sortir, mais sans être justifié dans l'esprit de tout le monde. » Le 29 juillet (p. 552), elle conte les épigrammes qui se font contre lui, et ajoute : « Je suppose que vous savez qu'on croit qu'il y a cent mille écus répandus pour faciliter toutes choses[2] : l'innocence ne fait guère de telles profusions. »

On lit dans les *Causes célèbres* de Richer (tome I, p. 422) que Penautier, qui, rendu à la liberté, avait repris l'exercice de ses fonctions et s'était rendu aux États de Languedoc, vit les plus grands personnages s'empresser autour de sa table ; mais son acquittement ne put empêcher que « sa réputation n'eût fort souffert de son affaire, » ainsi que le dit Saint-Simon : l'arrêt fut « infirmé par la voix du peuple, » suivant l'expression de la Bruyère.

Outre les *Causes célèbres* de Richer et les *Lettres* de Mme de Sévigné, voyez, sur l'affaire de Penautier, l'*Histoire de France* de Michelet, tome XIII (*Louis XIV et la révocation de l'édit de Nantes*), chapitre XVI.

---

1. Il n'est pas question de l'empoisonnement de Matharel dans la relation du procès de Mme de Brinvilliers qui se trouve dans les *Causes célèbres* de Richer ; mais cet empoisonnement est l'un des crimes dont Penautier fut accusé ; le passage suivant de Mme de Sévigné en est la preuve : « Et pourquoi empoisonner le pauvre Matharel ? écrit-elle le 8 juillet 1676 (tome IV, p. 523). Il avoit une douzaine d'enfants. Il me semble même que sa maladie violente et point subite ne ressembloit pas au poison. »

2. Conférez le *Siècle de Louis XIV,* de Voltaire, chapitre XXVI.

Page 114, n° 89. — *Un homme est fidèle à de certaines pratiques....*
(1687.)

Clef de l'exemplaire de la bibliothèque Danyau : « *Tel autre y revient*, Monsieur le Prince. »
La conversion de Condé en ses dernières années avait fait grand bruit, comme on sait.

XX

Page 116, n° 93, 3ᵉ alinéa. — *Je me contredis, il est vrai : accusez-en les hommes....* (1690.)

Clefs du dix-huitième siècle : « *Je dis les mêmes....* Le pape Innocent XI, qui a changé du blanc au noir, des sentiments qu'il avoit, étant cardinal, à ceux qu'il a eus étant pape. »

XXI

Page 116, n° 94. — *Il ne faut pas vingt années.... Vauban est infaillible.... Qui me garantiroit que dans peu de temps....* (1691.)

Cette sorte de prévision s'accomplit, s'il faut en croire les clefs du dix-huitième siècle : « Cela est arrivé à M. de Vauban après la reprise de Namur par le prince d'Orange en 1695, et l'on a prétendu qu'il avoit fort mal fortifié cette place ; mais il s'en est justifié en faisant voir que l'on n'avoit point suivi le dessin qu'il en avoit donné, pour épargner quelque dépense qu'il auroit fallu faire de plus, comme un cavalier qu'il avoit marqué du côté de la rivière, à quoi l'on avoit manqué, et par où la ville fut prise. »
Antiphile.... Clefs manuscrites : « Le pape Innocent XI. »

XXII

Pages 118 et 119, n° 99. — *Ceux qui, ni guerriers ni courtisans....* (1692.)

Clef de 1696 : « Conseillers et autres gens de robe[1] qui allèrent voir le siége de Namur. » — Clefs suivantes : « Allusion à plusieurs courtisans et particuliers qui allèrent voir le siége de Namur, en

1. « Et autres inutiles, » dans une clef manuscrite.

1692[1], qui fut fait dans une très mauvaise saison, et par la pluie, qui dura pendant tout le siége. »

Le siége de Namur, commencé vers le 25 mai 1692, dura un peu plus d'un mois : la capitulation eut lieu à la fin de juin, et l'entrée dans la ville se fit le 1er juillet. Le temps avait été mauvais, et le siége avait paru long. « La vérité, dit Racine, qui assistait au siége avec Valincour, et qui a écrit plusieurs lettres à Boileau « du camp « près de Namur, » la vérité est que notre tranchée est quelque chose de prodigieux, embrassant à la fois plusieurs montagnes et plusieurs vallées, avec une infinité de tours et de retours, autant presque qu'il y a de rues à Paris. Les gens de la cour commençoient à s'ennuyer de voir si longtemps remuer la terre. » (*Lettre* du 24 juin 1692.)

Les princes auxquels la Bruyère était attaché, Monsieur le Prince et Monsieur le Duc, prirent part au siége de Namur. La Bruyère les aurait-il accompagnés ? Nous en doutons : Racine eût sans doute parlé de lui dans l'une de ses lettres.

XXIII

Pages 121 et 122, n° 106. — *Un jeune prince....* (1687.)

Clefs diverses : « Monseigneur le Dauphin. »

XXIV

Pages 126 et suivantes, n°ˢ 118 et 119. — *O temps ! ô mœurs, etc.*
(1690 et 1691.)

Les auteurs des clefs ont en général bien compris les allusions que fait ici la Bruyère à ce qui se passait en Angleterre. Nous ne transcrirons pas toutes leurs annotations : ce serait répéter une partie des notes que nous avons placées au bas des pages, ou reproduire dans une forme peu intéressante le récit d'évènements bien connus.

En regard des mots : *Il a mordu le sein de sa nourrice* (p. 132), on lit dans les clefs Coste : « Le prince d'Orange, devenu plus puissant par la couronne d'Angleterre, s'étoit rendu maître absolu en Hollande et y faisoit ce qu'il lui plaisoit. »

La phrase : *Mais qu'entends-je de certains personnages, etc.* (p. 133), a été ainsi annotée dans les clefs imprimées du dix-huitième siècle : « Allusion à ce qui se passa en 1690 (*lisez :* 1691), à la Haye, lors du premier retour du prince d'Orange de l'Angleterre, où les ligués se

1. On a imprimé, par erreur, tantôt 1693, tantôt 1695, dans les clefs de Coste.

rendirent, et où le duc de Bavière fut longtemps à attendre dans l'antichambre. »

Le congrès de la Haye eut lieu au commencement de 1691; Guillaume fit son entrée à la Haye le 26 janvier. Sur la familiarité avec laquelle Guillaume reçut les princes étrangers pendant son sé-jour en Hollande, voyez la *Relation du voyage de sa Majesté Britan-nique et de la réception qui lui a été faite,* publiée en 1692, à la Haye, par Arnoud Leers, p. 24 et 25.

La Bruyère inséra ce morceau dans la 6e édition, dont l'*Achevé d'imprimer* est du 1er juin 1691. Il l'écrivit sans doute après le siége de Mons ; de là cette phrase (p. 133): *Si l'ennemi fait un siége, il doit le lui faire lever, et avec honte....* Le siége de Mons, commencé le 15 mars par les troupes de Louis XIV, eut pour résultat la capi-tulation de la ville le 10 avril, sans que Guillaume, qui en était tout près, pût la secourir. *A moins que tout l'Océan ne soit entre lui et l'en-nemi,* serait donc une raillerie de plus à l'adresse du roi d'Angleterre, désolé de n'avoir pu conserver Mons.

DE LA MODE.

I

Page 135, n° 1. — *Une chose folle....* (1687.)

Suivant toutes les clefs, *Théotime* est « M. Sachot, curé de Saint-Gervais, qui exhortoit toutes les personnes de qualité à la mort; » et *son successeur* « dans cet emploi » est « le P. Bourdaloue. »

Jacques Sachot, docteur en théologie, curé de Saint-Gervais, a été en effet un confesseur souvent appelé auprès des mourants : « Il aimoit beaucoup à remplir ses devoirs, et faisoit surtout paroître un zèle extraordinaire à exhorter les mourants, » dit le *Mercure* du mois de mars 1686 (p. 268), en annonçant sa mort. Il n'est pas étonnant que le très grand succès des prédications de Bourdaloue ait inspiré à beaucoup de gens le désir d'être exhorté par lui. Mme de Sévigné nous le montre en 1680 confessant le marquis de Pomenars avant une opération (tome VI, p. 189), et en 1695 assistant le maréchal de Luxembourg à ses derniers moments (tome X, p. 228).

Il ne semble pas toutefois que M. Sachot eût jamais cessé d'être, sinon un confesseur des dernières heures, du moins un directeur à la mode, car il se faisait en 1685 des chansons sur le grand nombre de femmes qu'il dirigeait. « Il étoit glorieux, vain, grand bavard, et se croyoit le plus habile homme du monde ; il étoit ravi d'avoir un troupeau de dévotes qui lui obéît et le regardât comme un oracle ; mais sa vanité y avoit seule part, » est-il dit dans une note du *Chansonnier Maurepas* (tome V, p. 435), dont l'auteur le défend contre une accusation de galanterie (voyez aussi *ibidem,* p. 431, note 4).

La viande noire est hors de mode, dit la Bruyère. Les délicats qui, suivant le conseil de Saint-Évremond (tome III, p. 70), accommodaient leur goût à leur santé, ne mangeaient pas de viande noire :

« Du mouton tendre et succulent ; du veau de bon lait, blanc et délicat ; la volaille de bon suc, moins engraissée que nourrie ; la caille grasse prise à la campagne, un faisan, une perdrix, un lapin, qui sentent bien chacun dans son goût ce qu'ils doivent sentir, sont les véritables viandes qui pourront faire en différentes saisons les délices de votre repas, » écrit Saint-Évremond au comte d'Olonne en 1674. — « Si une nécessité indispensable, ajoute-t-il, vous fait dîner avec quelques-uns de vos voisins que leur argent ou leur adresse aura sauvés de l'arrière-ban, louez le lièvre, le cerf, le chevreuil, le sanglier, et n'en mangez point. Que les canards et quasi les cercelles s'attirent les mêmes louanges. De toutes les viandes noires, la seule bécassine sera sauvée en faveur du goût, avec un léger préjudice de la santé. » (*Ibidem,* p. 71.)

II

Pages 135-142, n° 2. — *La curiosité n'est pas un goût....* (1691.)

Les auteurs des clefs ont nommé un peu au hasard, tombant quelquefois juste, se trompant sans doute plus souvent encore, un certain nombre de curieux en regard des caractères où la Bruyère a décrit divers genres de curiosités. Il serait facile d'augmenter considérablement la liste. Nous n'inscrirons ici que les noms déjà cités par d'autres avant nous.

Pages 135 et 136. — *Le fleuriste a un jardin dans un faubourg....*

Clef de 1696 : « M. Cambout, avocat au Conseil, ou des Costeaux, fleuriste. » — Ces deux noms, qui appartiennent à deux personnages différents, n'en font plus qu'un dans la plupart des clefs suivantes, dont le premier est généralement écrit *Caboust :* « M. Caboust, sieur des Costeaux, avocat au Parlement, » ou « fleuriste. » La clef de 1700 et un certain nombre de clefs manuscrites ne nomment ici que Caboust, réservant des Côteaux pour l'alinéa suivant.

Ce nom de Cabout, placé en regard du caractère du fleuriste, est, je crois, l'une des meilleures rencontres qu'aient faites les commentateurs. La Bruyère avait dû voir souvent cet avocat, qui s'occupait des affaires du grand Condé, et, à ses heures de loisir, des fleurs de Chantilly. La correspondance de Condé, conservée dans les archives du château de Chantilly, renferme un certain nombre de lettres où Cabout entretient tour à tour le prince de fleurs et d'affaires. Ainsi le 10 octobre 1684, il annonce sa visite à Chantilly pour le samedi suivant, se proposant de mettre en terre le lendemain des anémones, qu'il appelle des *ennemones,* et de les ranger « dans l'ordre qu'il s'est proposé pour que S. A. en ait encore plus de plaisir, les voyant en place au printemps prochain. » — « L'on vous en dira, Monseigneur, tout ce que l'on en voudra, ajoute-il, mais rien ne presse de les placer, et il ne seroit pas même trop tard quand la chose seroit différée jusques à la fin du mois. »

Citons encore ce passage d'une lettre du 13 août 1685, où il s'agit de tulipes, d'anémones et d'œillets : « J'ai reçu, Monseigneur, pour Votre Altesse, du sieur de la Motte d'Harfleur, deux cents tulipes de couleur, et six de panachées dont il fait grand cas. J'ai aussi dans sa boîte huit pattes d'ennemones, dont il me fait un récit qui n'est pas médiocre. En tout cas, c'est un fort honnête homme, qui voudroit bien pouvoir contribuer quelque chose au divertissement de Votre Altesse et à la beauté de ses jardins à fleurs.... Je ne sais si Votre Altesse a encore quelques-uns de ses œillets en fleurs ; mais j'en ai depuis quinze jours un qui ne défleurira de plus de trois jours : nous n'avons jamais eu un plus beau couleur de feu, sur un plus grand blanc ; il est des plus grands et faisant parfaitement sa fleur sans crever. Et j'ose répondre qu'elle (*Son Altesse*) peut dès à présent compter au moins sur deux marcottes de celles que j'en ai faites sur un très vigoureux pied, aussi bien de tout ce que j'en ai et qu'elle n'en a pas. »

Descôteaux est le célèbre flûtiste de ce nom, ami de Philibert, autre flûtiste qui fut impliqué dans le procès de la Voisin[1]. Un passage du *Journal* de Mathieu Marais[2], signalé par Édouard Fournier dans le journal *la Patrie* en 1864 et dans sa *Comédie de J. de la Bruyère*

---

1. Voyez tome II, note vi, p. 369 et 370, et les *Lettres historiques et galantes de Mme du Noyer,* 1757, tome III, p. 296 et suivantes. — Pour ses bonnes fortunes et son succès à la cour, Éd. Fournier renvoie aux *Mémoires* de Boisjourdain, tome II, p. 265, et aux *Poésies* de Lainez, 1758, in-8o, p. 29.

2. *Revue rétrospective,* deuxième série, tome IX, année 1837, p. 438 et 439.

(p. 212), nous montre en lui « un des grands fleuristes de l'Europe, » reconnu par ses contemporains dans le caractère de la Bruyère.

« J'ai vu pendant les fêtes, écrit Mathieu Marais dans les premiers jours de novembre 1723, Descôteaux, que je croyois mort. Il a soixante-dix-neuf ans. C'est lui qui a poussé la flûte allemande au plus haut point, et qui a perfectionné la prononciation du chant, suivant les règles de la grammaire et la valeur des lettres, qu'il sait mieux que personne. Il chanta des paroles de Verger très exactement. Il a encore au suprême degré le goût des fleurs, et c'est un des grands fleuristes de l'Europe. Il est logé au Luxembourg, où on lui a donné un petit jardin, qu'il cultive lui-même [1]. La Bruyère ne l'a pas oublié dans ses *Caractères* sur cette curiosité outrée de ses tulipes, qu'il baptise du nom qu'il lui plaît. Il veut être philosophe, et parler Descartes ; mais c'est bien assez d'être musicien et fleuriste. »

Trois années après la publication du caractère du *Fleuriste*, la Bruyère put entendre Descôteaux chez Monsieur le Duc, au petit Luxembourg : il y joua avec Filbert (Philibert) et Vizé, le 24 novembre 1694. Voyez le *Journal* de Dangeau, tome V, p. 112.

Sur Descôteaux, hautbois du roi, voyez encore le *Dictionnaire critique* de Jal, p. 432 et un article publié dans la Revue des Deux Mondes, année 1920, p. 117, par M. Edmond Pilon.

Page 136. — *Parlez à cet autre de la richesse des moissons....*

Clefs Coste et clefs manuscrites : « Le sieur Marlet, l'avocat. » — Le nom est écrit, plus exactement, *Merlet* dans quelques clefs marginales.

Sur l'avocat Merlet et l'ouvrage qu'il a consacré à la culture des arbres fruitiers, voyez tome IV, p. 157. Au nom Merlet Walckenaer substitue celui de Rambouillet, père du célèbre Rambouillet de la Sablière, dont il a déjà été question au tome II, p. 197, note 7. « C'était, dit Walckenaer (*Remarques et Éclaircissements*, p. 730), ce riche financier qui, dans le vaste enclos qui a pris son nom dans le faubourg Saint-Antoine, faisait cultiver les meilleurs fruits de Paris. (Conférez, ajoute Walckenaer, notre article *la Sablière*, dans la *Biographie universelle*, ou dans l'édition que nous avons donnée des *Poésies d'Antoine Rambouillet de la Sablière et de François de Maucroix*, 1825, in-8°, p. xi et xii.) On envoyait chercher pour la table du Roi des fruits de l'enclos de Rambouillet, qu'on appelait aussi des Quatre-Pavillons. »

---

1. Avant de venir au Luxembuurg, il habitait le faubourg Saint-Antoine, « centre embaumé de la culture qu'il adorait, » dit Éd. Fournier (p. 211), d'après le *Livre commode des adresses pour* 1692, p. 63 et 109.

Page 137. — *Un troisième.... vous parle.... de Diognète....*

Diognète est, suivant la clef Cochin, le duc d'Aumont; suivant les clefs Coste, le P. Menestrier; et d'après quelques clefs manuscrites, le Vaillant, le Nostre, ou Longpré.

Louis-Marie-Victor duc d'Aumont, pair de France, premier gentilhomme de la chambre, etc., qui mourut en 1704, à l'âge de soixante-douze ans, figure comme amateur de tableaux sur la liste des antiquaires et curieux de Paris, publiée par Spon dans la *Recherche des antiquités et curiosités de la ville de Lyon* (Lyon, 1673, p. 212-218), et réimprimée pour l'*Académie des Bibliophiles* par Louis Lacour en 1866.

Claude-François Menestrier (1671-1705) est l'antiquaire qui a publié l'*Histoire de Louis le Grand par les médailles,* et tant d'autres ouvrages.

Jean-Foy Vaillant (1632-1706), médecin et célèbre numismate, avait un beau cabinet de médailles antiques, rue Saint-Jacques. Martin Lister le nomme le meilleur numismate de l'Europe, dans son livre publié à Londres en 1699, sous ce titre : *A Journey to Paris in the year* 1698, et réimprimé à Londres en 1823 par Henning, sous ce titre : *An Account of Paris*; voyez chapitre iv, p. 90 et 91 de cette seconde édition.

Le Nostre avait un cabinet de tableaux, de bronzes et de médailles, dont Seignelay lui avait offert quatre-vingt mille francs, et dont, en 1693, il fit présent à Louis XIV. (*Journal* de Dangeau, tome IV, p. 288 ; *Mercure galant,* mai, p. 296 ; et Lister, *An Account of Paris,* chapitre iii, p. 63-65 de l'édition Henning.)

Page 138. — *Vous voulez, ajoute Démocède, voir mes estampes?...*

Annotation de la plupart des clefs : « M. de Gagnères (ou Gaignières), écuyer de feu Mlle de Guise, ou M. de Beringhen, premier écuyer du Roi (*que quelques clefs nomment:* Monsieur le Premier). »

François-Roger de Gaignières, mort en 1715, à l'âge de soixante-dix-sept ans environ, avait une très belle collection de livres, estampes, manuscrits, cartes et plans, qu'il offrit à Louis XIV, et dont s'enrichit la Bibliothèque du Roi. Voyez, sur sa collection, Saint-Simon, édition Chéruel, tome XVI, p. 365 et suivantes; Dangeau, tome VIII, p. 378 et suivantes; Lister, *An Account of Paris,* p. 88 ; le Prince, *Essai sur la Bibliothèque du Roi,* édition de L. Paris, p. 137 et suivantes ; une notice de L. Delisle publiée dans le tome Ier du *Cabinet des manuscrits* de la Bibliothèque nationale, p. 335-356, etc.

Jacques-Louis de Beringhen, premier écuyer du Roi, était un

curieux beaucoup moins célèbre. Il est né en 1651 et mourut en
1723.

« On doit peut-être, dit Walckenaer (*Remarques et Éclaircissements*,
p. 731), inscrire plutôt l'abbé de Marolles et Quentin de Lorangère,
qui avaient formé des suites fort complètes de l'œuvre de Callot. Le
*Catalogue raisonné des diverses curiosités du cabinet de feu M. Quen-
tin de Lorangère....* par E. F. Gersaint (Paris, 1744) contient,
p. 64, un article qui est un curieux commentaire de ce passage de
la Bruyère : « Une petite Vierge dans un rond un peu ovale, et peu
« formé, de seize lignes de hauteur, sur treize lignes de largeur,
« tenant l'enfant Jésus dans ses bras, avec un globe représentant le
« monde, *gravée très légèrement et pointillée sans nom de Callot....* Ce
« morceau, et environ douze ou quinze autres de cet œuvre qui sont
« à peu près aussi rares, ou uniques, viennent d'un fameux œuvre
« de Callot, fait dans le temps même que vivoit ce maître.... Le
« grand-père de M. Mariette d'aujourd'hui possédoit cet œuvre, qui
« existe encore dans le même cabinet ; mais feu M. de Lorangère a
« acquis de lui ces morceaux, M. Mariette n'ayant pu résister aux in-
« stances réitérées de M. de Lorangère, ni au *prix auquel il les porta*
« pour les lui arracher. »

Page 139. — *Mais quand il ajoute que les livres....*

Les clefs Coste donnent le nom de « M. Moret, conseiller, » qu'il
faut lire « Morel, » ainsi qu'il est écrit sur diverses clefs manuscrites.

Il y avait à cette époque deux Morel au Parlement, l'un et l'autre
fils de Zacharie Morel, maître de la Chambre aux deniers : François (ou Jean) Morel, abbé de Saint-Arnoul de Metz, qui fut conseiller en 1674, et eut en 1680 et dans les années suivantes diverses
missions diplomatiques ; Zacharie Morel, qui fut conseiller à la qua-
trième Chambre des enquêtes en 1682, et mourut doyen du Parlement
en 1737. Un autre Morel (François-Philippe) devint conseiller clerc
du Parlement en 1692.

Page 139. — *Quelques-uns par une intempérance de savoir....*

Clefs Coste : « MM. Thevenot et la Croix. »

Melchisedech de Thevenot, « connu parmi les savants pour ses
grandes connoissances, surtout dans les langues et les mathématiques, »
dit la *Gazette de France,* mourut à Issy, le 29 octobre 1692, âgé de
soixante et onze ans. Il avait visité l'Asie Mineure en 1676, et avait

séjourné quatre ans à Constantinople. Il fut nommé en 1684 garde
de la Bibliothèque du Roi. — Son neveu, Jean Thevenot, dont on
vantait également les connaissances en mathématiques, en géogra-
phie, en botanique, et qui savait beaucoup de langues, était mort
en 1667, en Arménie.

François Petis de la Croix (1653-1713), professeur d'arabe au collège royal en 1692, secrétaire interprète du Roi en 1695 à la place
de son père, avait été envoyé en 1670 par Colbert dans le Levant,
pour se perfectionner dans la connaissance des langues et des usages
de l'Orient. Après avoir passé trois ans à Alep, il était allé jusqu'à
Ispahan pour y étudier le persan.

Pages 140 et 141. — *Un bourgeois aime les bâtiments....*

« Toutes les clefs manuscrites, dit Walckenaer, nomment ici Amelot
de Bisseuil[1], dont la maison, située Vieille rue du Temple, était une des
curiosités de Paris, et surtout célèbre par sa belle porte. Elle était visitée
par tous les étrangers. La longue et curieuse description de cette maison, qui se trouve dans toutes les éditions de Germain Brice[2], mérite
d'être lue par ceux qui s'occupent de l'histoire de l'art en France.

« .... Cette maison, située dans la Vieille rue du Temple, au coin
de la rue des Blancs-Manteaux (*et en face du marché des Blancs-Manteaux*), était originairement composée de trois corps de bâtiments ; il
y en avait un qui donnait sur la rue des Singes.... L'architecte Collart, qui en a fait les dessins, les a fait graver dans un recueil publié
en 1687. Le plan, les coupes, les vues perspectives, les détails des
sculptures de la chapelle, de l'escalier, de la belle porte, de la cuisine
même, sont représentés dans ce recueil, dans douze planches exé-
cutées avec soin par l'habile burin de J. Marot. « Je ne vante pas,
« dit Collart dans le préambule de sa description, je ne vante pas
« beaucoup le bâtiment de cette maison, mais la belle ordonnance,
« la magnificence de l'ouvrage, les belles peintures[3] et sculptures

---

1. La famille Amelot se divisait en trois branches : les Amelot Carnetin,
les Amelot de Gournay, et les Amelot de Chaillou. Amelot de Bisseuil était
l'aîné de cette troisième branche : voyez le *Dictionnaire des bienfaits du Roi*,
au nom *Amelot*.

2. « Voyez *Description nouvelle de ce qu'il y a de plus rare dans la ville de
Paris*, par M. B*** (*Brice*), Paris, 1685, in-12, tome I, p. 144-150 ; dans
la seconde édition, 1687, in-12, avec le nom de l'auteur et fort augmentée,
tome I, p. 149-154 ; dans la 7ᵉ édition du même ouvrage, 1717, tome I,
p 482-487 ; et Jaillot, *Recherches critiques, historiques et topographiques sur
la ville de Paris*, quartier Saint-Antoine, p. 130. » (*Note de Walckenaer.*)

3. Il s'y trouvait des peintures de Louis Boulogne et de la Fosse : voyez

« faites par les plus excellents maîtres de Paris. M. Amelot de Bis-
« seuil fit commencer et raccommoder cette maison en 1657 ; elle
« fut finie dans le même temps en 1660.... »

« Ce qui est dit dans ce caractère, que le constructeur de cette
maison y a achevé sa vie, se trouve confirmé par l'annonce de sa
mort dans le *Mercure galant* de mai 1688, p. 160, ainsi conçue :
« Messire Jean-Baptiste Amelot, seigneur de Bisseuil, maître des re-
« quêtes, mort le jeudi saint dernier, 15 avril, en sa belle maison
« de la Vieille rue du Temple, qu'il avoit fait bâtir, et qui est fort
« estimée par la délicatesse de l'architecture qu'il y a fait observer. »
(Walckenaer, *Remarques*, etc., p. 731 et 732.)

Amelot laissa trois filles, dont l'une, Charlotte-Angélique, épousa
Jean-Baptiste du Deffant, marquis de la Lande, colonel d'un régiment de dragons, nommé quelquefois dans les clefs à côté d'Amelot ;
elle fut la belle-mère de la célèbre marquise du Deffant [1].

Beaumarchais occupait en 1787 l'entresol de la maison d'Amelot
de Bisseuil [2].

Pages 141 et 142. — *Diphile commence par un oiseau....*

Clefs du dix-huitième siècle : « Santeuil, qui avoit toutes ses chambres pleines de serins de Canarie. »

Le chanoine Santeul élevait en effet beaucoup de serins, et il
entrait « en fureur » contre eux quand « ils s'obstinoient à ne
point chanter. » (*Mémoires de le Gendre*, p. 184 [3].) Le caractère de
Diphile est-il le sien ? la Bruyère y a du moins introduit plusieurs
traits qu'il a empruntés à d'autres amateurs d'oiseaux : ainsi Santeul n'élève que des canaries, et sans doute dans une seule volière,
n'ayant pas de maison à leur abandonner ; de plus, il n'a point
d'enfants. Relevant cette dernière dissemblance, Éd. Fournier propose
de reconnaître en *Diphile* le « gouverneur des serins » de la princesse
de Bourbon, mère de l'ancien élève de la Bruyère [4] ; mais *Diphile* est un
curieux, et non un domestique chargé de prendre soin des oiseaux

---

les *Mémoires inédits de l'Académie de peinture*, tome I, p. 201, auxquels renvioe
Éd. Fournier dans *la Comédie de J. de la Bruyère*, p. 141.

1. *La Comédie de J. de la Bruyère*, p. 143.
2. *Ibidem*, p. 142 et 143. — 3. Voyez ci-dessus, p. 345.
4. « A l'hôtel de Condé, sous l'œil même de notre railleur, dans la domesticité
de Madame la Princesse, qui avait, elle aussi, ce goût des oiseaux, si général
alors chez les grandes dames, je trouve bien mieux l'amateur complet, le *Diphile* authentique, père de famille et couveur de *Canaries* : c'est l'homme qui
avait soin des volières, et prenait le titre de « gouverneur des serins de S. A.
« Madame la Princesse. » (*La Comédie de J. de la Bruyère*, p. 209.)

dans l'hôtel d'un prince. Suivant la clef Félibien, Diphile serait un
M. Pigear.

Page 142. — <i>Qui pourroit épuiser....</i>
Devineriez-vous, à entendre parler celui-ci de son léopard...?

« Lister, le plus savant conchyliologiste de son temps, et dont le
Synopsis conchyliorum est encore consulté avec fruit, dit Walckenaer
(<i>Remarques,</i> etc., p. 734), nous apprend, dans son <i>Voyage à Paris,</i> que
lorsque la Bruyère écrivait, les amateurs de coquilles étaient assez
nombreux. Il nous dit aussi que celui qui possédait la plus belle
collection était Boucot, un des gardes des rôles des officiers de
France. Il demeurait rue Hautefeuille. (Voyez Lister, <i>A Journey to
Paris,</i> etc., 1699, p. 57 [chapitre IV, p. 81 et 82 de l'édition
Henning].) »

Page 142. — <i>Cet autre.... c'est surtout le premier homme de l'Europe
pour les papillons....

« Votre Grandeur se souvient, écrit Boursault dans une de ses lettres, que pendant un an ou deux on fut à la cour, et à Paris même,
dans un enjouement pour les papillons qui étoit une espèce de manie.
On étoit, si j'ose me servir de ce mot, enthousiasmé de la beauté de
leurs ailes ; et ceux qui n'en avoient pas de peints dans leur cabinet,
ne passoient pas pour gens de bon goût. » (<i>Lettres nouvelles de M. Boursault,</i> 2e édition, 1700, tome II, p. 231.)

III

Page 144, n° 7. — <i>Il n'y a rien qui mette plus subitement un homme
à la mode....</i> (1691.)

Toutes les clefs nomment ici « Morin le joueur[1], » pris au hasard
parmi les joueurs de profession. Mais peu importe de savoir à quel
joueur a pensé la Bruyère en écrivant cette remarque : qui est Catulle ? qui est son disciple ? Ce point seul a quelque intérêt.

« L'abbé de Chaulieu, dit Édouard Fournier après avoir fait au
jeune duc de Chartres l'application du caractère de <i>Théagène</i>[2], est peut-

<hr>

1. Clef Cochin : « Morin, qui de basse naissance, s'est par le jeu familia-
risé avec les grands seigneurs. » Voyez tome II, p. 416 et 417, note XXXVII.
2. Voyez notre tome II, p. 250, n° 2, et p. 450. note 1. — Dans la <i>Co-</i>

être encore plus clairement désigné sous le nom de *Catulle*, si direct
s'appliquant à lui, qu'il semble moins un pseudonyme qu'un synonyme. On ne l'a cependant pas reconnu davantage. A l'endroit où la
Bruyère dit : « Catulle ou son disciple, » toutes les clefs sont muettes,
quoique Chaulieu, par plusieurs passages de ses *Poésies*, où éclate
son admiration pour le poëte latin, dont il déclare qu'il suit les
leçons [1], semble dire : « Catulle, c'est moi ; » et bien que dans un
autre endroit, l'*Épître au chevalier de Bouillon*, qui commence ainsi :

> Élève que j'ai fait dans la loi d'Épicure,

il semble dire encore, pour compléter l'explication du passage de la
Bruyère : « Mon disciple, c'est le chevalier de Bouillon [2]. »

Édouard Fournier ajoute que la Bruyère avait beaucoup connu l'un
et l'autre, ce qui est du moins vraisemblable pour Chaulieu, qu'il
avait pu voir à Chantilly, ou chez Mme de Boislandry, si notre auteur
était encore son ami après la publication du caractère d'*Arténice* [3].
Mais nous ne demeurons pas convaincu que l'alinéa de la Bruyère
ait été publié en vue de Chaulieu, qui avait beaucoup de succès à
la ville, sinon à la cour, où sans doute il n'allait guère.

médie de J. de la Bruyère (p. 189-191), publiée depuis l'impressson de notre
premier volume, Éd. Fournier veut en effet que *Théagène* soit le duc de
Chartres, le futur Régent, « tombé depuis près de quatre ans des mains de
l'honnête Saint-Laurent en celles du vicieux Dubois.... »

« Saint-Laurent, ajoute-t-il, était connu dans le monde de Boileau et de
Racine, qui écrivait sur sa mort si rapide, et sur la joie qu'en éprouvèrent les
commensaux du Palais-Royal, cette phrase d'une si singulière énergie : « Les
« voilà débarrassés d'un homme de bien » (*Lettre à Boileau*, du 4 août 1687).

« Par cette voie, la Bruyère pouvait tout savoir sur l'éducation du prince et
dire de lui ce qu'il en a dit sous ce pseudonyme de *Théagène*, derrière lequel,
malgré la transparence du voile, on ne l'a pourtant pas reconnu. »

Nous croyons devoir maintenir notre interprétation.

Si l'on se rappelle que le duc de Bourbon, élève de la Bruyère, choisissait
assez mal ses amis et ses plaisirs ; qu'en octobre 1687 il faisait avec plusieurs
jeunes gens dont le Roi lui interdisait la fréquentation, et dont Dangeau nous
donne les noms (de Bellefonds, Chémeraut, Château-Renault et le petit Broglie),
une partie de débauche qui eut un grand retentissement (voyez-en les détails
dans le *Journal* de Dangeau, tome II, p. 55, et dans les *Lettres de Mme de
Sévigné*, tome VIII, p. 135) ; si l'on se souvient enfin du rôle que le marquis
de Lassay jouait auprès du jeune duc à l'époque même où paraissait le caractère de *Théagène* (voyez ci-dessus, p. 320), on ne doutera pas, je pense, que
ce ne soient, comme nous l'avons dit, les amitiés et les plaisirs du duc de
Bourbon qui aient inspiré à la Bruyère les lignes dont il s'agit.

1. *Poésies* de Chaulieu, édition Desenne, 1824, in-12, p. 89 et 121.
2. *La Comédie de J. de la Bruyère*, p. 191 et 192.
3. Voyez ci-dessus, p. 322 et suivantes, note ix.

S'il fallait hasarder une conjecture, nous dirions que le souvenir
de Catulle et la date à laquelle parut cette remarque nous font soupçonner que la pensée de la Bruyère se reportait sur Bussy Rabutin.

On se représente malaisément dans Bussy, j'en conviens, un Catulle ou un disciple de Catulle ; mais il le lisait souvent, et il aimait
à le traduire. Le 18 mars 1689, il envoyait au P. Bouhours [1] la traduction en vers de deux de ses épigrammes, traduction dont il se
montrait assez content, car il en était au moins une où il croyait
avoir mis plus de finesse que le poëte latin [2] ; le 4 juin, il adressait à
Corbinelli la traduction d'autres épigrammes du même auteur [3] ; et les
vers que reçoivent Bouhours et Corbinelli ne sont pas les seuls qu'il
ait tirés des poësies de Catulle [4]. C'en était assez pour être salué du
titre de disciple de Catulle. La Bruyère put connaître les traductions
et les imitations que, dans ses loisirs, Bussy faisait de son poëte favori [5] : peut-être Bouhours les lui avait-il montrées ; peut-être Bussy
lui-même s'en était-il fait honneur auprès de lui à l'un de ses voyages
à Paris. Dans une lettre écrite de Paris et datée du 10 mars 1688,
Bussy avait « demandé » au marquis de Termes « la connoissance »
de la Bruyère [6] : comme il ne revint en Bourgogne qu'en mai, il put
le voir avant son départ. Nous écarterons la conjecture d'une rencontre à Dijon, la Bruyère n'ayant pas accompagné M. le Prince
aux États de Bourgogne en mai 1688. Mais il put le revoir à Paris
ou à Versailles au printemps de 1690, une année avant la publication
de la réflexion où il met en comparaison « Catulle ou son disciple....
avec celui qui vient de perdre huit cents pistoles en une séance. »

Toutes les fois que Bussy revint à la cour après son exil de seize
ou dix-huit ans, il y eut la figure, quelles qu'aient été ses illusions,
d'un courtisan disgracié. Chacun de ses voyages put donner lieu à
une réflexion du genre de celle qui nous arrête, et, entre tous,
celui où nous avons supposé que le marquis de Termes présenta la
Bruyère à Bussy. Longtemps avant qu'il se mît en route, Mme de

---

1. *Correspondance de Bussy*, tome VI, p. 219-221.

2. « Je vous envoie encore une autre épigramme du même Catulle, que j'ai
traduite, à mon avis, plus finement qu'il ne l'a faite. » (*Ibidem*, p. 221.) Conférez p. 220, 226 et 235 ; et encore tome V, p. 597 et 598, où une phrase
d'une lettre datée du 10 octobre 1686 montre qu'il lisait et traduisait déjà
Catulle à cette date.

3. *Ibidem*, tome VI, p. 246 et 247.

4. Voyez la « Traduction de quelques épigrammes choisies de Catulle, »
publiée par Ludovic Lalanne dans l'*Appendice* du tome VI de la *Correspondance de Bussy*, p. 609-611.

5. *Ibidem*, p. 246.

6. Voyez la *Correspondance de Bussy*, tome VI, p. 122 et 123, ou notre
tome II, p. 15, note.

Sévigné avait averti Bussy des ennuis qu'il trouverait à la cour et de l'inutilité de ses démarches; mais elle n'avait pu altérer sa confiance[1]. Il arrive à Versailles vers la fin de décembre 1687; un mois plus tard, il écrit à la comtesse de Toulongeon[2] : « Je commence à m'ennuyer beaucoup ici, ma chère sœur. La petite grâce que le Roi a faite à mon fils l'abbé me fit passer agréablement les huit premiers jours. Après cela, la fatigue de la cour, à quoi je ne suis plus accoutumé, l'argent qu'il faut toujours avoir à la main, les longueurs de toutes les affaires qu'on y a me dégoûtent fort d'y faire un long séjour. » Le 19 mars[3], il annonce à Mme de Toulongeon que « la patience, l'argent » et elle lui manquant, il va partir et laisser à un de ses amis le soin de solliciter pour lui. Quelques jours après, le 28 mars[4], il rend brièvement compte de son voyage à la marquise de Montjeu, et se montre plus attristé qu'il ne veut en avoir l'air : « Nous nous sommes fort vus M. (Jeannin ?) et moi. Il se porte à merveille; il m'a trouvé bon visage : un petit air de bonne fortune fait un petit air de bonne santé. Cependant je suis bien las d'être longtemps debout sans sortir d'une place, et de courir le long de ces grands appartements pour se faire entrevoir au Roi. Je ne crois pas être fou, quand je trouve que cette vie ici est bien pénible, et s'il s'y trouve quelques gens heureux et contents, ils sont encore jeunes, riches, et titrés : moi, qui ne suis rien de tout cela, je me trouverois fort misérable d'avoir à y passer le reste de mes jours. »

On le voit, plus de ces lettres joyeuses qu'il écrivait à d'autres voyages pour conter les bonnes grâces du Roi et les empressements des gens de cour. Trois fois il avait demandé au Roi le payement de

---

1. « Le sujet de votre voyage est triste, lui écrit Mme de Sévigné le 28 juillet 1687 ; vous trouverez à Versailles peu de disposition à sentir les malheurs des autres ; on n'a que les mêmes paroles à dire pour découvrir son état, et elles sont si souvent répétées par la plus grande partie des courtisans, que les oreilles y sont accoutumées, et qu'elles ne sauroient aller jusqu'au cœur. Je sais qu'il y a des circonstances dans vos prétentions qui mériteroient de grandes distinctions ; mais on n'a pas le loisir de les examiner. En un mot, je meurs de peur que toute votre destinée ne soit malheureuse depuis un bout jusqu'à l'autre. Cependant je ne veux point vous décourager, ni vous paroître un oiseau de mauvaise augure. » Puis elle lui recommande de prendre les conseils de l'évêque d'Autun, M. de Roquette, comme avec l'espoir qu'il le détournera de son voyage (*Correspondance de Bussy*, tome VI, p. 85, et *Lettres de Mme de Sévigné*, tome VIII, p. 72). — Corbinelli cherche à atténuer ce qu'a dit Mme de Sévigné, et cependant, dit-il, sa lettre « est un récit en abrégé, mais véritable, des mœurs du pays dont elle parle. » (*Correspondance de Bussy, ibidem*, p. 86. Conférez p. 90, 96, 98 et 99.)

2. *Correspondance de Bussy*, tome VI, p. 121.

3. *Ibidem*, p. 123. — 4. *Ibidem*, p. 124.

ce qui lui était dû sans obtenir de réponse, et la promesse douteuse qu'il en reçut lorsqu'il prit congé ne pouvait lui donner beaucoup d'espérance [1]. Mme de Sévigné l'avait bien prédit : le voyage
avait été inutile et peu agréable. « Je suis venu chez moi remplacer
par être mon maître le bien que je n'ai pu attraper en faisant le
valet [2] : » tel est le dernier mot de Bussy sur ce voyage.

Avant la publication de la réflexion où se trouve cette allusion à
un disciple de Catulle « poli, enjoué, spirituel » (c'est bien là un
portrait), Bussy fit un autre voyage à la cour où il n'eut pas lieu
d'être plus content, je ne dis pas du Roi, mais des courtisans :
« .... Au milieu de tous ces agréments, écrit-il le 28 avril 1690 à
Mme de Toulongeon (tome VI, p. 332), je trouve, ma chère sœur,
que c'est un étrange pays que celui-ci : les gens qui y sont les mieux
établis y avalent bien des couleuvres, mais c'est un enfer pour les
malheureux. Tout ce que je sais et tout ce que je vois sur cela me
fait trouver heureux dans ma province. » Malgré les promesses
qu'il a reçues du Roi, et sur lesquelles il compte, il a encore le
cœur un peu gros à son égard : « Sur cela je vous dirai, écrit-il à
Mme de Sévigné (*ibidem*, p. 348 et 349, et *Lettres de Mme de Sévigné*,
tome IX, p. 554), que si je voulois être fâché, j'en pourrois venir
à bout sans en aller chercher bien loin des sujets, mais que je veux
être content. »

Bussy a-t-il fait à la Bruyère la confidence de ses tristesses ? ou la
Bruyère l'a-t-il vu quelque jour dans un coin de la galerie de Versailles, « longtemps debout sans sortir d'une place, » abandonné des
courtisans qui s'empressaient autour d'un Dangeau ou d'un Langlée ?
Qu'on y cherche le souvenir de scènes dont la Bruyère a été l'un des
témoins, ou celui d'une conversation soit avec Bussy, soit avec un
ami commun de la Bruyère et de Bussy, le marquis de Termes, par
exemple, cette réflexion nous semble bien mettre en présence le
joueur à la mode et le provincial Bussy, « poli, enjoué, spirituel, »
et cependant oublié des courtisans qu'il a connus jadis, négligé de
ceux qu'il n'a point connus. A son premier retour, il avait inspiré
un peu de curiosité ; mais qui se souciait, hors quelques amis, d'un
homme disgracié et inutile à tous, eût-il traduit Catulle tout entier,
en eût-il eu l'esprit et la grâce ?

Si cette remarque est un second hommage [3] que la Bruyère ait
rendu à Bussy disgracié, il en a d'abord gardé le secret, car ce
n'est qu'en décembre 1691, plusieurs mois après la publication de la

1. Voyez ses deux lettres au P. Bouhours, *Correspondance de Bussy*,
tome VI, p. 124-126, et p. 129 et 130.
2. *Ibidem*, p. 130.
3. Voyez le premier dans le tome II de cette édition, p. 38, n° 32.

7ᵉ édition, qu'il en adressa un exemplaire à Bussy, et cela, sans lui donner avis que cette édition nouvelle contenait une réflexion qui pouvait lui plaire. Bussy, c'est une objection que l'on pourrait faire à l'encontre de notre hypothèse, ne semble point s'être jamais reconnu là où nous croyons le reconnaître.

IV

Pages 144 et 145, nᵒ 8. — *Une personne à la mode ressemble à une fleur bleue....* (1691.)

On lit dans quelques clefs manuscrites que c'est « en 1689 ou environ », que « les dames ornoient leur tête » de bouquets de bleuets; d'autres donnent l'année 1695 et sont démenties par la date de la publication de cet alinéa.

V

Page 146, nᵒ 11. — *Un homme fat et ridicule....* (1687.)

Clefs du dix-huitième siècle : « M. Bourlon. » — Clef manuscrite : « M. Bourbon. » — Autre clef manuscrite : « M. Mourlon, intendant de Mlle de Guise. »

Il y eut plusieurs magistrats du nom de Bourlon au Parlement et à la Chambre des comptes. S'agit-il de Nicolas-Louis de Bourlon, conseiller maître des comptes en 1674, qui était sans doute fils de Mathieu Bourlon, conseiller maître à la même chambre ?

Nous trouvons de plus, à cette même époque, Bourlon, écuyer du Roi, et capitaine des levrettes de la chambre.

Suivant une interprétation consignée sur l'exemplaire de Félibien, l'homme fat et ridicule serait non un homme à la mode, mais Varillas, c'est-à-dire un homme dont le costume suranné, chapeau, collet, manteau, pourpoint, chausses, bottines, faisait « nargue à la mode et le procès à la vanité ».

VI

Page 148, nᵒ 13. — *N.... est riche, elle mange bien....* (1691.)

Les coiffures changent.... Ces mots nous donnent, à un mois près, la date à laquelle la Bruyère inséra cet alinéa dans le chapitre *de la Mode.* Il l'écrivit au moment même où il allait mettre sous presse la 6ᵉ édition, peut-être même pendant l'impression. C'est au mois d'avril 1691 que, par ordre du Roi, les femmes abandonnèrent les coiffures hautes, qui étaient à la mode depuis dix années environ[1]. Au commencement de juin, alors que l'impression de l'édition était achevée, le retour aux coiffures plates était encore une nouvelle, et une nouvelle digne d'intérêt, car le 5 juin l'abbé de Choisy en faisait part à Bussy[2].

Mais on revint bien vite aux coiffures élevées. A peine N... l'eut-elle mise à la mode, que sa coiffure était déjà « hors de mode » une seconde fois. En 1692, la Bruyère écrit qu' « il faut juger des femmes depuis la chaussure jusqu'à la coiffure exclusivement » (tome II, p. 84, n° 5), tant la chaussure et la coiffure sont élevées.

La mode des coiffures hautes résista longtemps. En 1699, nouvelle diminution pendant un voyage de la cour à Fontainebleau; en 1701, tentative nouvelle et peut-être plus durable. Mais quand on baissait la coiffure, on haussait les patins[3].

1. « Parlons maintenant de la plus grande affaire qui soit à la cour. Votre imagination va tout droit à de nouvelles entreprises ; vous croyez que le Roi, non content de Mons et de Nice, veut encore le siège de Namur : point du tout ; c'est une chose qui a donné plus de peine à Sa Majesté et qui lui a coûté plus de temps que ses dernières conquêtes ; c'est la défaite des *fontanges* à plate couture : plus de coiffures élevées jusques aux nues, plus de *casques*, plus de *rayons*, plus de *bourgognes*, plus de *jardinières ;* les princesses ont paru de trois quartiers moins hautes qu'à l'ordinaire ; on fait usage de ses cheveux, comme on faisoit il y a dix ans. Ce changement a fait un bruit et un désordre à Versailles qu'on ne sauroit vous représenter. Chacun raisonnoit à fond sur cette matière, et c'étoit l'affaire de tout le monde. On nous assure que M. de Langlée a fait un traité sur ce changement pour envoyer dans les provinces : dès que nous l'aurons, Monsieur, nous ne manquerons pas de vous l'envoyer. » (*Lettre* de Mme de Sévigné au duc de Chaulnes, datée de Grignan, le 15 mai 1691, tome X, p. 24 et 25.)

2. « Les coiffures hautes sont condamnées ; au moins le Roi a-t-il prié les princesses de ne s'en plus servir. » (*Correspondance de Bussy*, tome VI, p. 485.) Bussy répondait le 8 juin : « Je sais le meilleur gré du monde au Roi du rabaissement des coiffures ; je ne pouvois plus souffrir les femmes, et quoique je n'aie plus affaire de leur beauté, je ne m'accommode point de leur désagrément. » (*Ibidem*, p. 486.)

3.   On dit que le bon sens ici va revenir :
       Paris cède à la mode, et change ses parures.
       Le peuple imitateur, ce singe de la cour,
             A commencé depuis un jour
       D'humilier enfin l'orgueil de ses coiffures.
       Mainte courte beauté s'en plaint, gronde, tempête,
       Et pour se rallonger consultant les devins,
       Apprend d'eux qu'on retrouve, en haussant ses patins,
       La taille que l'on perd en abaissant sa tête.
             Voilà le changement extrême
       Qui met en mouvement nos femmes de Paris....

(*Œuvres de Chaulieu,* lettre écrite pendant l'hiver de 1701 pour Mme la

VII

Pages 148 et 149, n⁰ 14. — *Iphis voit à l'église....* (1691.)

Clef manuscrite : « M. le Rebours, avocat au Grand Conseil. »

Ce personnage était sans doute le fils, soit de M. le Rebours, maître des Comptes, mort en 1680, soit de Thierry le Rebours, alors président honoraire au Grand Conseil, soit de Claude le Rebours, alors conseiller au Parlement. Clef Félibien : « La Basinière qui eut le pied coupé pour avoir porté des souliers trop petits. »

Le nom d'Iphis est emprunté au neuvième livre des *Métamorphoses* d'Ovide où Isis transforme en homme la jeune fille Iphis.

VIII

Page 150, n⁰ 16. — *Le courtisan autrefois.... Cela ne sied plus :
il porte une perruque....* (1687.)

Les clefs du dix-huitième siècle nomment : « M. le duc de Beauvillier. » Son nom est beaucoup mieux placé un peu plus bas : voyez la note x.

IX

Pages 151 et 152, n⁰ 21. — *Négliger vêpres....* (1694.)

Si l'on négligeait vêpres à la cour, c'est que Louis XIV assistait beaucoup plus souvent au salut qu'aux vêpres, et que l'on n'allait guère à la chapelle que lorsqu'il y était. « Il manquoit rarement le salut les dimanches, s'y trouvoit souvent les jeudis, et toujours pendant toute l'octave du saint sacrement, dit Saint-Simon en parlant du Roi (édition Boislisle, tome XXVIII, p. 368).... Il alloit à vêpres les jours de communion. »

Page 152. — *Un dévot est celui qui sous un roi athée
seroit athée.* (1692.)

« Ce petit paragraphe, dit Walckenaer (*Remarques*, etc., p. 735), a été ajouté dans la septième (*édition*), et pourtant dans cette édition, où l'auteur a donné une table de toutes ses augmentations, il n'a pas fait mention de celle-ci : il semble avoir voulu glisser ainsi, inaperçu, le trait le plus acéré qu'il eût décoché contre les faux dévots. »

Nous avons relevé (p. 152, note 3) la faute d'impression de la 9⁰ édition : *seroit dévot*. Elle a donné lieu à une critique d'une page et

marquise de Lassay, à S. A. S. Madame la Duchesse, tome I, p. 117 et 118, édition de 1774).

demie de la part de Brillon, qui, ne sachant point que le mot *dévot*
avait remplacé le mot *athée* par suite d'une distraction ou d'une correction maladroite de l'imprimeur, s'est efforcé de démontrer dans
ses *Sentimens critiques* (p. 446 et 447) qu'il eût été mieux de dire :
seroit athée.

X

Pages 153 et 154, nº 23. — *Quand un courtisan sera humble....*
(1687 et 1690.)

Le vrai dévot, dans la pensée de la Bruyère, était selon toutes les
clefs, le duc de Beauvillier[1]. Les clefs du dix-huitième siècle contiennent sur ce personnage la note malveillante qui suit :

« Le duc de Beauvillier, gouverneur des enfants de France, fils
de M. le duc de Saint-Aignan, dont il s'est emparé de tous les biens
sans payer les dettes. Il s'est jeté dans la dévotion. Il est chef du
Conseil des finances. Il a fait faire à Saint-Aignan en Berry un banc
de menuiserie d'une élévation semblable aux chaires des évêques. »

« Depuis que Dieu l'eut touché, » dit Saint-Simon du duc de
Beauvillier (édition Boislisle, tome XXV, p. 42), « ce qui arriva de
très bonne heure, je crois pouvoir avancer qu'il ne perdit jamais sa
présence, d'où on peut juger, éclairé comme il étoit, jusqu'à quel
point il porta la piété. Doux, modeste, égal, poli avec distinction,
assez prévenant, d'un accès facile et honnête jusqu'aux plus petites
gens ; ne montrant point sa dévotion, sans la cacher aussi, et n'en in-
commodant personne, mais veillant toutefois ses domestiques, peut-
être de trop près ; sincèrement humble, sans préjudice de ce qu'il devoit à ce qu'il étoit, et si détaché de tout, comme on l'a vu sur plusieurs
occasions qui ont été racontées, que je ne crois pas que les plus saints
moines l'aient été davantage. L'extrême dérangement des affaires de
son père lui avoit néanmoins donné une grande attention aux siennes
(ce qu'il croyoit un devoir), qui ne l'empêchoit pas d'être vraiment
magnifique en tout, parce qu'il estimoit que cela étoit de son état. »

XI

Pages 154-159, nº 24. — *Onuphre n'a pour tout lit....* (1691.)

Onuphre, avons-nous dit, est le personnage de *Tartuffe,* tel que le

---

1. Paul de Beauvillier, duc de Saint-Aignan, pair de France, premier gentilhomme de la chambre du Roi, chef du conseil royal des finances (1685),
ministre d'État (1691), etc.

comprend la Bruyère. A-t-il voulu faire la critique de la pièce de
Molière, ou représenter une variété nouvelle de Tartuffe ? Laissons
à d'autres le soin d'élucider ce point [1]. Nous ferons du moins remarquer qu'entre Tartuffe et Onuphre plus de vingt années se sont
écoulées, et que la mode de l'hypocrisie a changé. Le masque de
Tartuffe, arraché par Molière, ne peut plus servir à personne, et
l'hypocrisie a dû devenir plus habile. D'ailleurs, comme on l'a déjà
dit souvent [2], il ne faut pas oublier que Tartuffe est en scène, et que
les exigences dramatiques se seraient difficilement accommodées d'un
Tartuffe semblable à Onuphre.

Les commentateurs se sont égarés dans la recherche de l'original
d'Onuphre, que la plupart ont voulu retrouver dans l'abbé Mauroy,
deux fois nommé déjà dans les clefs (voyez ci-dessus, p. 286, et
p. 305, note xv).

Voici les annotations des clefs du dix-huitième siècle :

« *Onuphre....* M. de Mauroy, prêtre de Saint-Lazare, depuis curé
des Invalides, qui avoit été auparavant mousquetaire, et pour ses
libertinages mis à Saint-Lazare, dont il embrassa la profession. [Il
y vécut douze ans en réputation d'honnête homme, ce qui lui fit
donner la cure des Invalides.] Depuis il reprit ses anciennes manières, mais gardant toujours les apparences. [Il se mit dans les intrigues de femmes, et si avant avec Mlle Doujat, nièce de M. Doujat,
doyen du Parlement, qu'après l'avoir entretenue du temps et fait de
grandes dépenses avec elle, et avoir, pour les soutenir, engagé le patrimoine des Invalides, il la maria au fils de M. le Boindre, conseiller
au Parlement [3], à laquelle il donna de son chef, cinquante mille livres ; mais cette intrigue s'étant dans la suite découverte, il a été condamné à une prison perpétuelle et envoyé à l'abbaye de Sept-Fonds,
en Bourbonnois, de l'ordre de Cîteaux, pour y passer le reste de ses
jours, où il est mort depuis, fort repentant de sa vie déréglée.] »

La clef Cochin ajoute : « Ou l'abbé du Pin, docteur de Sorbonne,
qui s'est attaché à Mlle Lemazier, veuve Villary de Passy, sœur de
M. Lemazier, greffier des requêtes de l'Hôtel, père de celui qui vient
de mourir le dernier, à laquelle il a mangé près de trois cent mille
livres ; il s'est fait faire plusieurs dons qui ont donné lieu à un grand
procès, sur lequel est intervenu arrêt en la Grande Chambre au mois
de mai 1696, qui a cassé la donation, qui étoit de quinze mille livres. »

---

1. « On peut voir dans la Bruyère, dit la Mothe cité par l'abbé Trublet, un
tableau de l'*hypocrite,* où il commence toujours par effacer un trait de Tartuffe,
et ensuite en *recouche* un tout contraire. » (*Mémoires sur Fontenelle,* p. 53.)

2. Voyez particulièrement *la Comédie de J. de la Bruyère,* p. 351-355.

3. Sans doute Jean le Boindre, conseiller à la Grande Chambre du Parlement, en 1645. Son nom est en blanc dans la clef Cochin.

Au moment où parut le caractère d'*Onuphre*, les méfaits de l'abbé Mauroy n'étaient pas encore découverts[1].

Nous ne saurions dire de quel abbé du Pin il est question dans la clef Cochin. Ce n'est sans doute pas d'Ellies du Pin, auteur de la *Bibliothèque des auteurs ecclésiastiques*, éditeur des *Dialogues sur le quiétisme* de la Bruyère : l'abbé le Gendre, qui ne l'aimait guère (voyez ses *Mémoires*, p. 160-164), n'eût pas manqué, s'il eût été galant, de le lui reprocher.

Page 155. — *Le Combat spirituel, le Chrétien intérieur,*
et l'Année sainte....

Ces titres n'ont pas été imaginés par la Bruyère.

Le Combat spirituel est un ouvrage italien que l'on attribue généralement au théatin Laurent Scupoli, et qui a été plusieurs fois traduit en français (1608, 1659, 1675, 1688, etc.).

1. C'est à la date du 5 décembre 1691 que Dangeau signale sa fuite : « M. de Mauroy, missionnaire, qui étoit curé et directeur des Invalides, a fait banqueroute et a emporté plus de quarante mille écus. On a découvert beaucoup d'histoires scandaleuses ; et même des dames de qualité sont mêlées dans cette affaire. » Mauroy n'avait certes pas emporté quarante mille écus, car il était parti pour l'abbaye de Sept-Fonds, où il voulait prendre l'habit ; c'est là qu'il fut arrêté au commencement de janvier 1692. Il fut condamné aux galères en février 1693 ; le Roi commua la peine et l'envoya à Sept-Fonds, à la condition que s'il faisait la moindre tentative pour s'évader, il serait mis aux galères à perpétuité.

Voici la note que Saint-Simon a placée à côté de la mention de sa fuite, dans le *Journal* de Dangeau (tome III, p. 438) :

« Ce M. de Mauroy étoit un prêtre de la congrégation de la Mission, gentilhomme de bon lieu, savant et de beaucoup d'esprit et d'intrigue, grand directeur et grand cagot, qui avoit fait longtemps avec ses poulettes de quoi être brûlé, sans qu'on en eût le moindre soupçon, et avoit volé tant et plus M. de Louvois, avec qui la cure des Invalides lui avoit donné grande relation et à qui il tiroit tant qu'il vouloit d'aumônes, et pour des sommes très considérables. L'éclat fut donc du plus grand scandale ; néanmoins le Roi ne voulut pas qu'il fût poussé à bout, et le confina dans l'abbaye de Sept-Fonds, où il se convertit si bien, qu'il y fit profession, et y a été plus de trente ans l'exemple le plus parfait de la pénitence, de la miséricorde de Dieu et des vertus de cette maison, qui est la même vie et la même règle que la Trappe. Ce grand pénitent s'éleva à tant de sainteté, que l'abbé, homme rare en conduite, en esprit et en vertu, dont il est chez lui l'exemple, fit venir, sans le lui dire, les brefs de Rome nécessaires pour qu'il pût dire la messe, et ne l'y put jamais résoudre. Il est mort, depuis deux ou trois ans, si chargé de mérites, qu'il faudroit un volume pour écrire un si parfait retour à Dieu, qui ne lui avoit rien fait perdre de l'agrément naturel de l'esprit. »

Le Chrétien intérieur, ou la Conformité intérieure que doivent avoir les chrétiens avec Jésus-Christ, par un solitaire (Paris, 1661, 1662, etc.), est de Jean de Bernières Louvigny.

Deux ouvrages avaient paru sous le titre d'*Année sainte*. L'un, attribué au P. Bordier de l'Oratoire, et publié en 1668, a pour titre : *l'Année sainte, ou Bref martyrologe propre pour les paroisses et familles chrétiennes*, par un docteur en théologie de Paris. L'autre, composé par Loisel, curé de Saint-Jean en Grève, et publié en 1678, est intitulé : *l'Année sainte ou Sentences tirées de tous les écrits de saint François de Sales*.

XII

Pages 159 et 160, n° 25. — *Riez, Zélie....* (1692.)

Clefs du dix-huitième siècle : « Mme de Pontchartrain. » — Clef manuscrite : « Mme de Montchevreuil. »

Louis Phélypeaux, comte de Pontchartrain, avait été nommé contrôleur général en 1689. Voici le portrait que Saint-Simon nous a laissé (édition Boislisle, tome XXIV, p 227) de Mme de Pontchartrain ; il rappelle sous bien peu de points le caractère de *Zélie*.

« Elle étoit fille de Maupeou, président d'une des Chambres des enquêtes et peu riche, mais bon parti pour Pontchartrain, qui l'étoit encore moins quand elle l'épousa. On ne peut guère être plus laide ; mais avec cela une grosse femme, de bonne taille et de bonne mine, qui avoit l'air imposant, et quelque chose aussi de fin. Jamais femme de ministre ni autre n'eut sa pareille pour savoir tenir une maison, y joindre plus d'ordre à toute l'aisance et la magnificence, en éviter tous les inconvénients avec le plus d'attention, d'art et de prévoyance, sans qu'il y parût, et y avoir plus de dignité avec plus de politesse, et de cette politesse avisée et attentive, qui sait la distinguer et la mesurer, en mettant tout le monde à l'aise. Elle avoit beaucoup d'esprit sans jamais le vouloir montrer, et beaucoup d'agrément, de tour et d'adresse dans l'esprit, et de la souplesse, sans rien qui approchât du faux, et quand il le falloit, une légèreté qui surprenoit ; mais bien plus de sens encore, de justesse à connoître les gens, de sagacité dans ses choix et dans sa conduite, que peu d'hommes même ont atteint comme elle de son temps. Il est surprenant qu'une femme de la robe qui n'avoit vu de monde qu'en Bretagne, fût en si peu de temps au fait, aux manières, à l'esprit, au langage de la cour ; elle devint un des meilleurs conseils qu'on pût trouver pour s'y bien gouverner. Aussi y fut-elle dans tous les temps d'un grand secours à son mari, qui, tant qu'il la crut, n'y fit jamais de fautes, et ne se trompa en ce genre que lorsqu'il s'écarta de ses

avis. Avec tout cela, elle avoit trop longtemps trempé dans la bourgeoisie pour qu'il ne lui en restât pas quelque petite odeur. Elle
avoit naturellement une galanterie dans l'esprit raffinée, charmante,
et une libéralité si noble, si simple, si coulant de source, si fort accompagnée de grâces, qu'il étoit impossible de s'en défendre. Personne ne s'entendoit si parfaitement à donner des fêtes. Elle en avoit
tout le goût et toute l'invention, et avec somptuosité et au dehors et
au dedans, mais elle n'en donnoit qu'avec raisons et bien à propos,
et tout cela avec un air simple, tranquille et sans jamais sortir de
son âge, de sa place, de son état, de sa modestie. La plus secourable
parente, l'amie la plus solide, la plus effective, la plus utile, la meilleure en tous points et la plus sûre. Délicieuse à la campagne et en
liberté ; dangereuse à table pour la prolonger, pour se connoître en
bonne chère sans presque y tâter, et pour faire crever ses convives ;
quelquefois fort plaisante sans jamais rien de déplacé ; toujours gaie,
quoique quelquefois elle ne fût pas exempte d'humeur. La vertu et
la piété la plus éclairée et la plus solide, qu'elle avoit eue toute sa
vie, crût toujours avec la fortune. Ce qu'elle donnoit de pensions
avec discernement, ce qu'elle marioit de pauvres filles, ce qu'elle en
faisoit de religieuses, mais seulement quand elle s'étoit bien assurée
de leur vocation, ce qu'elle en déroboit aux occasions, ce qu'elle
mettoit de gens avec choix et discernement en état de subsister, ne
se peut nombrer. »

Et un peu plus loin (p. 232) Saint-Simon termine ainsi le portrait :
« Le chancelier, ravi de faire aussi ces bonnes œuvres, l'en laissoit
entièrement maîtresse. Leur union, leur amitié, leur estime étoit
infinie et réciproque. Ils ne se séparoient de lieu que par une rare
nécessité, et ils couchoient partout dans la même chambre. Ils avoient
mêmes amis, mêmes parents, même société. En tout ils ne furent
qu'un.... Elle y mourut (à Versailles) le jeudi 12 avril, à ,,,, à ....
ans, universellement regrettée de toute la cour, qui l'aimoit et la
respectoit, et pleurée des pauvres presque avec désespoir. Le chancelier alla cacher le sien dans son petit appartement de l'Institution
de l'Oratoire. ....Son fils fut le seul de toute la famille qui essuya
cette perte avec tranquillité, et même des domestiques. »

Voyez de plus, sur Mme de Pontchartrain, la notice publiée dans
le *Mercure galant* de juin 1708, p. 373-391.

Mme de Montchevreuil [1] n'a jamais pu être « badine et folâtre. »

_____

1. Marguerite Boucher d'Orsay, gouvernante des filles d'honneur de la Dauphine (« emploi, dit Saint-Simon, édition Boislisle, t. I, p. 109, qu'elle
prit par pauvreté » en 1680), plus tard (1690) chargée de la direction de
Mademoiselle de Blois, morte en 1699. Elle avait épousé en 1653 Henri de
Mornay, marquis de Montchevreuil, qui fut gouverneur du duc du Maine

Le portrait qu'en font les mémoires et les chansons du temps montre bien qu'avant de « tenir à la faveur, » elle n'a jamais « ri » comme *Zélie,* encore moins « éclaté. »

« Montchevreuil, dit Saint-Simon (édition Boislisle, tome I, p. 109), étoit un fort honnête homme, modeste, brave, mais des plus épais. Sa femme, qui étoit Boucher d'Orsay, étoit une grande créature, maigre, jaune, qui rioit niais, et montroit de longues et vilaines dents, dévote à outrance, d'un maintien composé, et à qui il ne manquoit que la baguette pour être une parfaite fée. Sans aucun esprit, elle avoit tellement captivé Mme de Maintenon qu'elle ne voyoit que par ses yeux, et ses yeux ne voyoient jamais que des apparences et la laissoient la dupe de tout. Elle étoit pourtant la surveillante de toutes les femmes de la cour, et de son témoignage dépendoient les distinctions ou les dégoûts et souvent par enchaînement les fortunes. Tout jusqu'aux ministres, jusqu'aux filles du Roi, trembloit devant elle ; on ne l'approchoit que difficilement ; un sourire d'elle étoit une faveur qui se comptoit pour beaucoup. Le Roi avoit pour elle une considération la plus marquée. Elle étoit de tous les voyages et toujours avec Mme de Maintenon. »

« Mme de Maintenon, écrit de son côté Mme de Caylus dans ses *Souvenirs* (édition Asselineau, p. 102), plaça encore dans la maison de Madame la Dauphine Mme de Montchevreuil, femme de mérite, si l'on borne l'idée de mérite à n'avoir point de galanterie. C'étoit d'ailleurs une femme froide et sèche dans le commerce, d'une figure triste, d'un esprit au-dessous du médiocre, et d'un zèle capable de dégoûter les plus dévots de la piété, mais attachée à Mme de Maintenon, à qui il convenoit de produire à la cour une ancienne amie d'une réputation sans reproche, avec laquelle elle avoit vécu dans tous les temps, sûre et secrète jusqu'au mystère. »

XIII

Pages 160 et 161, n° 28. — *C'est une pratique ancienne....* (1694.)

Et que Lorenzani fait de beaux motets. — Les motets de Lorenzani ont été imprimés en 1693 par Ballard. Voyez sur ce personnage le *Mercure galant, passim,* et la *Biographie des musiciens* de Fétis.

et du comte de Vermandois, capitaine et gouverneur du château de Saint-Germain en Laye (1685), et chevalier de l'ordre du Saint-Esprit (1688).

DE QUELQUES USAGES.

I

Pages 165 et 166, n° 5. — *Quelle est la roture....* (1689.)

Clefs du dix-huitième siècle : « *Quelques-uns même ne vont pas la chercher....* Allusion au pélican [que portent pour armes MM. le Camus]. » Les mots placés entre crochets n'ont presque jamais été reproduits dans les clefs imprimées, ce qui rend la phrase inintelligible dans la plupart des éditions Coste.

Sur les trois le Camus (Nicolas le Camus, procureur général, puis premier président de la Cour des aides, le cardinal le Camus et Jean le Camus, lieutenant civil), voyez tome II, p. 392 et 393, note vi.

Le trait de la Bruyère allait plutôt à l'adresse des Bazin qu'à celle des le Camus : les derniers avaient pris pour armes le pélican de leur enseigne ; les premiers, les trois *couronnes* de leur enseigne. « Il est généralement admis, dit P. Paris dans son édition de Tallemant (tome V, p. 214), que les Bazin étaient de riches marchands de toiles et de draps de la ville de Troyes, qui fabriquèrent les premiers cette légère étoffe croisée à laquelle est resté le nom de *bazin*. L'enseigne de la maison, ajoute-t-on, était *Aux trois couronnes,* et les Bezons ont eu le bon esprit de l'adopter pour leurs armes. La Chesnaye des Bois n'en rattache pas moins le maréchal de Bezons, fils de notre Claude Bazin de Bezons, à une maison noble de Normandie. » Le Claude Bazin, sieur de Besons, dont il s'agit, fils de Pierre Bazin, trésorier de France à Soissons, et père, suivant P. Paris, du maréchal de Besons [1], était de l'Académie française, et mourut en 1684. En donnant cette noble origine à la famille des Besons, la Chesnaye se met en contradiction avec Saint-Simon : « Son père étoit conseiller d'État, » dit Saint-Simon (édition Boislisle, tome XXIX, p. 83), après avoir fait le portrait du maréchal ; « et son frère aîné, qui étoit mort, l'avoit été aussi, tous deux avec réputation. Leur nom est Bazin, de la plus courte bourgeoisie, et Besons, dont ils portoient tous le nom, est ce village sur la Seine, près de Paris, si connu par la foire qui s'y tient tous les ans, dont le père avoit acquis la seigneurie. »

Quatre ans plus tard, en 1693, le Noble lançait dans sa comédie

---

1. Besons ne devint maréchal qu'en 1709.

du *Fourbe* (voyez notre tome II, p. 392) une allusion directe aux le Camus ; quatre ans plus tôt, devançant la Bruyère, Louis Petit avait déjà raillé

> Un de ces beaux Messieurs, fils d'un vendeur de sarge,

improvisant ses armes de la même façon :

> Il ne lui manquoit plus qu'un peu de qualité.
> Sur une vieille tige il fut bientôt enté :
> Avec l'or on fait tout. Ses armes on prépare,
> Et vous allez entendre une chose assez rare.
> L'enseigne de son père étoit un lion vert ;
> Aussitôt l'écusson d'argent se vit couvert ;
> Un lion de sinople ensuite l'on applique
> Sur ce champ argenté, mais lion magnifique,
> Mais lion lampassé, rampant, onglé, gueulé :
> Ce qui sentoit beaucoup un noble signalé [1].

II

Page 166, n° 6. — *Il suffit de n'être point né dans une ville....* (1687.)

Les exemples de gens qui, venus de la campagne, avaient été « crus nobles sur leur parole, » abondaient sans nul doute à la cour. Saint-Simon en cite un parmi les gentilshommes de la garde-robe du Roi : le marquis de la Salle, dont nous parlerons ci-après, p. 395, note XVIII. Ce marquis avait pour grand-père un sabotier, qui, « étant devenu à son aise, » avait acheté « une petite terre qui jamais n'a valu mille écus de rente..., dans la lisière de la forêt de Senonches qui s'appelle la Salle. » On y fit « un petit castel de cartes, » et la famille en prit le nom. Voyez les *Mémoires* de Saint-Simon, édition Boislisle, tome XXIII, p. 163.

---

1. *Discours satyriques et moraux*, 1686, in-12, satire II, p. 16. — Dans sa *Comédie de J. de la Bruyère* (p. 152), Ed. Fournier cite, d'après les *Mémoires* de Boisjourdain, postérieurs à l'époque où nous sommes placés, une famille qui avait tiré de son enseigne, non pas ses armoiries, mais son nom même : « Mme de Veni, dit Boisjourdain, est originaire d'une famille de petits marchands de Riom en Auvergne, dont la boutique avait pour enseigne le Saint-Esprit, avec la prière pour légende : *Veni, sancte Spiritus.* En changeant leur nom de commerce, ils ont pris pour nom le premier mot de cette prière : *Veni.* » (*Mélanges historiques, satiriques et anecdotiques* de M. de B... Jourdain, écuyer de la grande écurie du Roi (Louis XV), tome II, p. 465 et 466.)

III

Pages 166 et 167, n° 8. — *Les grands.... se moulent sur de plus grands....* (1694.)

Clefs du dix-huitième siècle : « Allusion à ce que feu Monsieur [1], pour s'approcher de Monseigneur le Dauphin, ne vouloit plus qu'on le traitât d'*Altesse Royale*, mais qu'on lui parlât par *Vous*, comme l'on faisoit à Monseigneur et aux enfants de France. Les autres princes, à son exemple, ne veulent pas être traités d'*Altesse*, mais simplement de *Vous*. »

« Gaston, frère de Louis XIII, dit à ce sujet Saint-Simon (édition Boislisle, tome XVII, p. 304), prit le premier l'*Altesse Royale*.... C'est le seul fils de France qui l'ait pris. Monsieur, frère de Louis XIV, le dédaigna parce que les filles de Gaston l'avoient pris avec le rang de petites-filles de France, quoique Monsieur leur père et Madame sa seconde femme l'aient conservé toute leur vie. Ainsi Monsieur, frère de Louis XIV, le fit prendre à ses enfants, et se seroit également offensé qu'on le lui eût donné ou qu'on l'eût omis pour eux. Tout le monde, même princes et princesses du sang, l'ont toujours donné aux filles de Gaston et aux enfants de Monsieur en leur parlant, sans en faire aucune façon. »

Peut-être les princes de Condé négligeaient-ils d'exiger l'*Altesse Sérénissime* : la Bruyère donnait très souvent ce titre au grand Condé dans ses lettres, comme nous le verrons ; mais beaucoup de ses correspondants, ceux surtout peut-être qui étaient de sa maison, comme Gourville, usaient avec lui d'une assez grande familiarité.

IV

Page 167, n° 9. — *Certaines gens portent trois noms....* (1689.)

La multiplicité des noms au dix-septième siècle introduit quelque confusion dans les récits du temps. Les noms de famille, les noms de seigneurie et les surnoms formaient une telle diversité d'appellations dans les familles, que le rédacteur de la table de la *Gazette de France*, au dix-huitième siècle, avait cru devoir dresser et publier une table supplémentaire des noms et surnoms qui permît de reconnaître et de rattacher à la même famille chacun de ses membres.

Les clefs ont placé un certain nombre de noms à côté de cet alinéa.

1. Philippe d'Orléans, frère de Louis XIV, mort en 1701.

Celle de 1696 cite, pour l'ensemble de la remarque : « MM. Delrieu, maître d'hôtel du Roi, Logeois, Sonnin ; » celles du dix-
huitième siècle : « M. de Dangeau [1] ou bien le Camus (ou) de Vienne[2],
qui se fait descendre de l'amiral de Vienne [3], ou M. Langlois (ou)
de Rieux[4]. »

Les mêmes clefs et la plupart des clefs manuscrites font, aux diverses parties de l'alinéa, l'application de quelques-uns des noms
ci-dessus mentionnés et de plusieurs autres :

« *D'autres ont un seul nom dissyllabe, qu'ils anoblissent par des par-
ticules :* Laugeois, qui se fait appeler de Laugeois ; Delrieux, qui se
fait nommer de Rieux ; — *Celui-ci, par la suppression d'une syllabe :*
Delrieux, homme d'affaires, maître d'hôtel ordinaire du Roi, qui en
prenant cette charge s'est fait nommer de Rieux ; — *Plusieurs suppriment leurs noms :* M. Laugeois (et non *Langlois,* comme il est imprimé dans les clefs Coste), fils de Laugeois, receveur aux confiscations du Châtelet, qui se fait appeler d'Imbercourt ; — *Il s'en trouve
enfin qui nés à l'ombre des clochers de Paris, veulent être Flamands
ou Italiens :* M. Sonning, fils de M. de Sonin, receveur de Paris, qui
se fait nommer de Sonningen ; M. Nicolaï. »

Nous avons déjà eu l'occasion de parler de Laugeois d'Imbercourt[5].

De Rieu était en effet un maître d'hôtel du Roi[6], et son nom, ainsi

---

1. Philippe de Courcillon, marquis de Dangeau, l'auteur du *Journal,* ou
son frère, l'abbé de Dangeau : leur nom vient ici sans raison, puisque Saint-
Simon lui-même, qui aimait si peu le marquis de Dangeau, le déclare gentilhomme.

2. Peut-être la leçon *le Camus de Vienne* est-elle une mauvaise lecture des
mots : « le conseiller de Vienne, » et s'agit-il de Louis de Vienne, conseiller
au Parlement depuis 1685. Au lieu de : « le Camus de Vienne, » une clef manuscrite donne : « Petit de Vienne ; » une autre : « le Camus de Benoît de Saint-
Port. » Le nom de Camus vient encore mal à propos dans la seconde variante : il y avait alors un Pierre Benoît de Saint-Port, nullement le Camus,
qui était avocat général au Grand Conseil depuis 1688, et avait été auparavant
avocat du Roi au Châtelet.

3. Jean de Vienne, d'une ancienne maison de Bourgogne, mort en 1396, à la
bataille de Nicopolis.

4. Les clefs imprimées ont réuni à tort les deux noms distincts Langlois
(qu'il faut lire : *Laugeois*) et de Rieux : voyez ci-après.

5. Voyez tome II, p. 400 et 401, notes XVI et XVIII.

6. On lit dans une clef manuscrite : « De Rieux, maître d'hôtel du Roi,
qui se nommoit auparavant Delrieux, sur quoi l'on dit qu'il voloit plus qu'il
ne s'étoit arraché d'aile. » — « On disoit » qu'il « avoit tant volé qu'il en
avoit perdu une aile, » écrit Mathieu Marais dans son *Journal,* tome II,
p. 348. Delrieu n'avait pu espérer en altérant son nom qu'on le prît pour
un membre de l'illustre famille de Rieux, le souvenir du véritable nom ne
se perdit jamais : voyez Dangeau et Marais, aux endroits cités.

écrit, se trouve dans l'*État de la France* (tome I, p. 61, édition de 1698). Il avait vendu cent mille écus une charge de maître de la Chambre aux deniers avant de devenir maître d'hôtel du Roi (Dangeau, tome II, p. 157).

Sonnin ou Sonning, que l'on appelait souvent aussi Sonningen, fils d'un financier qui avait obtenu la recette de la généralité de Paris, était l'ami de Chaulieu, de la Fare et de Courtin (voyez sur lui les *Cours galantes* de Desnoiresterres, tome III, p. 269 et suivantes). — Quant à Nicolaï, marquis de Goussainville, etc., premier président de la Chambre des comptes depuis 1686, son nom est inscrit ici en souvenir de l'origine qu'on lui donnait très inexactement, à ce qu'il paraît : « Le roi Charles VIII, en allant à la conquête du royaume de Naples, » dit Choisy (*Mémoires*, collection Petitot, tome LXIII, p. 297) au sujet de la charge de capitaine des chasses du pays de Beaumont, « la donna à M. Nicolas, qui se trouvant en Italie, habilla son nom à l'italienne, en changeant son *s* en *i*. »

Les Laugeois, en se donnant le nom d'Imbercourt, étaient de ceux qui n'avaient qu'à perdre en prenant le nom d'un homme célèbre, un d'Imbercourt ayant sa place parmi les grands capitaines français dont Brantôme a écrit la vie. La Bruyère songeait peut-être ici à l'un de ses commensaux à l'hôtel Condé, Charles de Saint-Lary Bellegarde, seigneur de Xaintrailles, premier écuyer du duc de Bourbon en 1684, et celui de son fils en 1710. Il « n'étoit rien moins que Poton, qui est le nom du fameux Xaintrailles[1], » dit Saint-Simon (édition Boislisle, tome XIX, p. 57). « Il n'étoit ni Poton ni Xaintrailles, écrit-il encore ailleurs (édition Boislisle, tome XXIV, p. 141), mais un très petit gentilhomme. » On disait à la cour qu'il était d'une famille noble du Vendomois, nommée Roton, et que son père ou son grand-père, estimant avec raison que la maison des Poton, depuis longtemps éteinte, était meilleure que la sienne, s'était fait Poton ; on l'accusait même d'avoir pris le soin d'effacer la queue de la lettre R dans tous les titres de quelque ancienneté qui étaient relatifs à sa famille[2]. Louis XIV faisait peu de cas de Xaintrailles, et reprochait à Monsieur le Prince, dit Bussy, de faire « entrer un homme comme celui-là dans son carrosse[3]. » « Je vois bien, ajoute Bussy, que Sa Majesté ne croit pas que ce Xaintrailles ici soit le Xaintrailles de Poton, et je le tiens bien averti[4]. »

1. J. Poton de Xaintrailles, maréchal de France sous le règne de Charles VII.
2. *Chansonnier Maurepas*, tome V, p. 101, notes.
3. *Lettres de Mme de Sévigné*, tome VIII, p. 135 et 136, lettre de Bussy, du 19 novembre 1687. — Monsieur le Prince était alors Henri-Jules de Bourbon, fils du grand Condé.
4. Puisque nous rencontrons ici le souvenir de l'un des personnages avec

Louis Petit avait encore, avant la Bruyère, noté cette façon de
s'anoblir par le changement d'une lettre dans son nom :

> Mais combien de maisons encore toutes neuves
> Sont illustres pourtant grâces aux fausses preuves !
> Le généalogiste est payé pour cela :
> Il tire d'un héros la fill' d'un Quinola ;
> D'un franc bourgeois enté sur une tige antique,
> Il cache adroitement et l'aune et la boutique.
> Un *de* que l'on ajoute à son nom inconnu,
> Qui sans cet ornement paroîtroit un peu nu.
> Une lettre à propos dans ce nom ménagée,
> Ou selon l'occurence une lettre changée,
> Fonde sa qualité, lui prête des aïeux,
> Que l'on tire à plaisir des nobles les plus vieux.
>
> (*Discours satyriques et moraux*, 1686, satire XII, p. 89 et 90.)

V

Pages 167 et 168, n° 10. — *Le besoin d'argent a réconcilié
la noblesse....* (1687.)

Une clef manuscrite cite le mariage du maréchal de Tourville avec
Mlle Laugeois (voyez tome II, p. 400 et 401, note XVIII); une autre
celui du maréchal de Lorges avec Mlle Frémont (*ibidem*, p. 390,
note I). A ces deux exemples combien d'autres eût-on pu ajouter !

lesquels vivait la Bruyère, achevons de le faire connaître en reproduisant entièrement les deux passages que lui consacre Saint-Simon, et qui montrent en
lui un compagnon fort peu aimable :

« C'étoit, dit-il (édition Boislisle, tome XIX, p. 57), un homme sage, avec
de l'esprit, fort mêlé dans la meilleure compagnie, mais qui l'avoit gâté en
l'élevant au-dessus de son petit état, et qui l'avoit rendu important jusqu'à
l'impertinence. C'étoit un gentilhomme tout simple et brave, mais qui n'étoit
rien moins que Poton, qui est le nom du fameux Xaintrailles. » Et en men-
tionnant sa mort (1713, édition Boislisle, tome XXIV, p. 141): « C'étoit un
homme d'honneur et de valeur, le meilleur joueur de trictrac de son temps,
et qui possédoit aussi tous les autres (jeux) sans en faire métier. Il avoit
l'air important, le propos moral et sentencieux, avare, et avoit accoutumé à
des manières impertinentes tous les princes du sang et leurs amis particuliers, qui étoient devenus les siens. Il n'étoit ni Poton ni Xaintrailles, mais
un très petit gentilhomme, et point marié. »

VI

Pages 168 et 169, n° 13. — *Il n'y a rien à perdre à être noble....*
(1690.)

« La richesse de certains hommes qui se disent pauvres est connue,
dit Brillon paraphrasant la pensée de la Bruyère ; elle fait du bruit,
cause même de l'indignation ; les places publiques, les marchés, les
foires sont une légère partie de leur domaine. Il y a à s'étonner que
sous un nom emprunté ils n'aient pas mis une enchère aux cinq
grosses fermes.

« Des pauvres qui sont obligés de se servir du titre de nobles[1]
pour augmenter impunément leurs acquisitions méritent d'autres
mouvements que ceux de la pitié. A quoi tient-il ici que je m'emporte ? » (*Théophraste moderne*, p. 326 et 327).

Plus tard, Brillon se rétracta : « J'ai fait, » écrit-il au mot *Célestins*,
dans son *Dictionnaire des arrêts* (tome II, p. 44, édition de 1727),
« une ridicule critique dans mon *Théophraste moderne* de l'association
des Célestins avec les secrétaires du Roi. Je pensois après la Bruyère
que c'étoit un trait d'avarice de leur part. A vingt ans on n'est pas
aussi expérimenté qu'à cinquante ; mais à ce dernier âge on doit au
moins se faire honneur de rétracter ses préjugés de la jeunesse. Je
consens volontiers que les Célestins, que le voisinage de l'Arsenal a
rendu mes amis, prennent ceci pour une nouvelle réparation de
l'injure faite à leur vœu de pauvreté. »

VII

Pages 169 et 170, n° 16. — *Il y a des choses qui ramenées....* (1689.)

Plusieurs clefs manuscrites citent comme l'un des abbés désignés
« le chevalier de Lorraine, abbé de Saint-Jean des Vignes à Soissons, »
le célèbre favori du duc d'Orléans.

La réflexion ne s'applique pas au chevalier de Lorraine, homme
d'épée, auquel plusieurs traits ne conviennent point. Il n'en est pas
moins vrai que le chevalier de Lorraine, maréchal de camp, était « le
père et le chef » de plusieurs abbayes : l'abbaye de Tiron, qu'il
avait eue en 1672 ; celle de Saint-Jean des Vignes, qu'il reçut en
1678 ; enfin celles de Saint-Père en Vallée et de Fleury-sur-Loire,
qui lui furent données en 1679.

---

1. « Religieux qui ont les privilèges des secrétaires du Roi. »

En velours gris et à ramages comme une éminence....

La Bruyère fait-il allusion au costume que prenait le cardinal de
Bouillon « pour se donner une distinction ? »

« Il portoit, dit Saint-Simon (édition Boislisle, tome XXVI,
p. 151), des habits *gris,* doublés de rouge, avec des boutons d'or
d'orfévrerie à pointe, d'assez beaux diamants; jamais vêtu comme un
autre, et toujours d'invention, pour se donner une distinction. »

VIII

Page 171, n° 18. — *Les belles choses le sont moins hors de leur place....,*
L'on ne voit pas d'images profanes dans les temples.... (1687.)

« A une église de Paris, fait dire Monteil à l'un de ses Parisiens
du dix-septième siècle, je vis une tenture où étaient représentés les
amours de Vénus et d'Adonis parer, un jour de fête, le pourtour de
la chaire d'un prédicateur qui parla avec beaucoup de chaleur contre
les désordres des passions et les mauvaises mœurs. Je le demande :
y a-t-il rien de plus curieux que d'entendre un prédicateur prêcher
une chose sur une chaire qui en prêche une autre ? » (*Histoire des
Français des divers états,* tome IV, p. 419, 4e édition, 1853.) Et
l'auteur ajoute en note, à l'appui de ce passage : « On mettait vraisemblablement cette tenture à la chaire de l'église de Saint-Roch
dans ce temps (*dix-septième siècle*), et dans celui qui a précédé la
Révolution, car on l'y a mise depuis. Elle y était à la Fête-Dieu de
1822. » (Même volume, *notes,* p. 120.)

IX

Pages 171 et 172, n° 19. — *Déclarerai-je donc ce que je pense de ce qu'on
appelle dans le monde un beau salut....* (1694.)

Clef manuscrite : « La musique des pères théatins, dont ils ont fait
tant de différents concerts. C'étoit Lorenzani qui étoit auteur de cette
musique, qui a scandalisé tout Paris. Les places étoient louées comme
à la Comédie et à l'Opéra. »

Les saluts en musique des théatins qui ont eu le plus de succès
sont ceux qu'ils disaient pour les morts. Ils semblent avoir commencé en septembre 1685. Le *Mercure galant* de ce mois, après
avoir mentionné celui du 26, annonce qu'il y en aura tous les mercredis dans l'église des théatins, avec musique du « fameux M. Lau-

renzani, maître de musique de la Reine, » et le *Mercure* d'octobre
(p. 272) rend compte de ces cérémonies dans les termes suivants :

« Les théatins continuent tous les mercredis leurs prières pour
les morts, selon leur usage en Italie. Elles commencent par un *De
profundis* que ces pères chantent ; ensuite on chante un psaume ou
un motet qui convient à cette pieuse institution. Un prédicateur
monte après en chaire, et fait une petite exhortation d'un peu plus
d'un quart d'heure. Elle est suivie d'un autre motet, après quoi l'on
donne la bénédiction du saint sacrement. Il y a de grandes indul-
gences accordées par le saint-siége à ceux et à celles qui y assistent.
Les prédicateurs sont tous des gens choisis, et celui qui fait la musique, et qui a pris ce qu'il y a de plus excellents musiciens dans
Paris, est ce fameux romain M. Lorenzani, qui étoit maître de la
musique de la feue Reine.... Le grand monde qui se trouve à ces
prières marque mieux que toutes sortes d'éloges combien on est sa-
tisfait de cette musique. »

Ce genre de spectacle, ainsi annoncé à grand bruit, produisit
quelque scandale, ainsi que l'indique la lettre suivante de Seignelay,
adressée à l'archevêque de Paris, sous la date du 6 novembre 1685 :

« On s'est plaint au Roi que les théatins, sous prétexte d'une dévotion aux âmes du purgatoire, faisoient chanter un véritable opéra
dans leur église, où le monde se rend à dessein d'entendre la musique ; que la porte en est gardée par deux suisses, qu'on y loue les
chaises 10 s.[1], qu'à tous les changements qui se font, et à tout ce
qu'on trouve moyen de mettre à cette dévotion, on fait des affiches
comme à une nouvelle représentation. Sur quoi Sa Majesté m'ordonne de vous écrire pour savoir de vous s'il y a quelque fondement à cette plainte, et pour vous dire que dans le mouvement où
sont les religionnaires pour leur conversion, il seroit peut-être à
propos d'éviter ces sortes de représentations publiques[2] que vous

---

1. Les théatins avaient commencé en 1662 la construction « d'une église si
grande, qu'elle ne convenoit ni à leurs facultés ni à l'emplacement » qu'ils oc-
cupaient (*Dictionnaire historique de Paris*, par Hurtaut et Magny, tome IV,
p. 696). Longtemps interrompus, les travaux ne purent être repris qu'en 1714
« au moyen d'une loterie. » Le P. Alexis de Buc, supérieur des théatins, avait
sans doute compté sur le produit des concerts payants pour l'achèvement de
l'église.

2. Un couplet d'une chanson du temps, qui ne porte point de date, mais qui
est placée au milieu de chansons de 1680, dans le *Chansonnier Maurepas*
(tome II, p. 217), nous apprend que les théatins avaient eu recours plus
tôt à d'autres sortes de représentations :

    Allons voir les machines
    Des pères théatins

savez leur faire de la peine, et qui peuvent augmenter l'éloignement qu'ils ont de la religion. » (*Correspondance administrative sous le règne de Louis XIV*, tome II, p. 602.)

La lettre de Seignelay dut mettre fin à « ces sortes de représentations, » ou du moins à l'appel que les théatins faisaient publiquement aux amateurs de musique : il n'est plus question dans le *Mercure*, ni ailleurs, que nous sachions, de leurs saluts hebdomadaires.

La remarque de la Bruyère, bien que publiée en 1694, semble donc se rapporter aux saluts de 1685. Dans son *Théophraste moderne*, imprimé en 1699, Brillon rappelle aussi les cérémonies musicales des théatins, et en parle comme de souvenirs lointains : « Alors j'étois jeune, » nous dit-il[1] ; et la clef du *Théophraste* imprimée pour l'édition de 1701 explique ainsi les deux initiales T. T. de Brillon : « *Théatins*, où l'on exécutoit *autrefois* de *belles musiques.* »

Les théatins cependant n'avaient pas abandonné dès 1685 la pensée de donner de beaux saluts, et ils saisirent en 1686 l'occasion d'une grande cérémonie, dont l'éclat et la pompe ne pouvaient déplaire au Roi. Le 26 juin 1686, il y eut dans leur église un salut « pour rendre grâces à Dieu du retour de la santé du Roi. » On y chanta le *Te Deum* de Lorenzani ; le nonce du pape y officia et donna la bénédiction du saint sacrement. « Le bruit qui s'étoit répandu de cette cérémonie, ajoute le *Mercure* (juin 1686, p. 297), attira quantité de personnes de la première qualité, du nombre desquels étoient M. le prince de Meckelbourg[2] et M. le duc de Saint-Aignan. Il y eut le soir une grande illumination, au milieu de laquelle parut un soleil très brillant. Cette illumination fut accompagnée d'un feu d'artifice, et le P. Alexis de Buc, supérieur de ce couvent, n'oublia rien de tout ce qui dépendoit de ses soins pour augmenter l'éclat de la fête. » On annonçait la célébration d'une messe solennelle tous les ans « pour la conservation du Roi ; » mais nous ne retrouvons plus aucune mention de salut avec des motets mis en musique par Lorenzani.

> Qui font danser leurs saints
> Comme les feuillantines.
> Il n'est rien si charmant....

1. « Dois-je avouer une chose ? Alors j'étois jeune. Le bruit d'une musique m'avertit qu'il y avoit une cérémonie aux T. T.... J'entre ; mon oreille est charmée des voix, mon cœur est peu ému à la présence des saints mystères ; l'exemple d'un clergé nombreux ne m'y porte point encore.... » (*Théophraste moderne*, p. 285, édition de 1701.) En 1685 Brillon avait quinze ans.

2. Ce même personnage que les commentateurs ont reconnu dans le *spectateur de profession* dépeint par la Bruyère : voyez tome II, p. 429, note IX.

Les places retenues et payées....

Ainsi qu'on vient de le voir (p. 383), les places se payaient dix sols
aux saluts des théatins pour les morts. Peut-être est-ce à la suite de
cette augmentation dans le prix des places, et pour en empêcher le
retour, que l'on fit mettre « aux principales portes du temple » des
« défenses solennellement écrites » d'exiger pour une chaise plus
d'un sol [1]. Mais malgré ces affiches le prix s'en élevait souvent, et
même très haut : « *Circus*, dit Brillon [2], attiroit la foule à ses discours ; l'église étoit remplie d'amphithéâtres ; il falloit, pour trouver place, s'y rendre de bonne heure et donner un louis.... »

Des livres distribués comme au théâtre....

Les livrets du ballet qui suivit le *Bourgeois gentilhomme* se distri-
buaient aux frais du Roi dans les représentations de la cour. Au
théâtre, les livrets des ballets se vendaient. De même, ceux des tragédies au témoignage de Brillon.

« Une tragédie nouvelle, dit-il [3], est annoncée : les acteurs qui
se préparent à la faire valoir espèrent de l'impression un double
gain ; la pièce se débite dans le parterre et dans les loges ; quelques-
uns l'achètent, et suivent le comédien qui récite, prêts à le reprendre s'il manque de mémoire, anticipant les moments d'applaudir, relisant les beaux endroits. Comment les *Thiphènes* qui
apportent dans la chaire tant d'usages profanes ne se sont-ils point
avisés de celui-ci, qui pourroit les enrichir ? Il ne reste, en effet, qu'à
imprimer leurs discours et à les mettre dans la nef une heure avant
qu'on ne les prononce ; le profit du débit ira au déclamateur, et en
tout il aura imité ce qui se pratique au théâtre. »

X

Page 173, nᵒ 22. — *Dans ces jours qu'on appelle saints,*
le moine.... (1687.)

Cette remarque est-elle une réflexion générale sur les démêlés du
clergé séculier avec le clergé régulier, une dénonciation des sentiments que l'ordre des barnabites professait sur quelque point de doc-

1. Brillon, *Théophraste moderne,* chapitre *des Prédicateurs,* p. 350.
2. *Ibidem,* p. 366.
3. *Ibidem,* p. 344 et 345.

trine, ou une attaque contre un barnabite en particulier ? La troisième
explication est la plus vraisemblable, à notre avis. En 1687, point
de désaccord, que nous sachions, entre les deux clergés sur la doctrine ; l'ordre des barnabites n'est accusé d'aucune dissidence ; mais
il est deux barnabites pour le moins dont les enseignements sont,
pour des motifs divers, considérés comme dangereux. L'un est moliniste, l'autre quiétiste. Parlons d'abord du premier, qui ne nous
semble pas devoir être celui de la Bruyère.

« On a arrêté, écrit Dangeau, le 31 janvier 1688 (tome II, p. 102),
un barnabite à Paris, accusé d'être un peu moliniste ; il y a quelques
docteurs en fuite, soupçonnés d'être tombés dans des erreurs très-
approchantes de celle-là, et qu'on accuse d'avoir des commerces secrets avec la cour de Rome. » Quel est le nom de ce barnabite ? Était-
ce un directeur accrédité ? Nous ne savons rien de lui, et l'ignorance
où nous sommes de tout ce qui se rattache à ce personnage, assurément
peu connu, nous dispose mal à voir en lui le barnabite de la Bruyère.
Remarquons qu'il s'agit d'un *moliniste,* bien que dans *la Comédie
de J. de la Bruyère*[1] Édouard Fournier présente comme *molinosiste*
le moine de Dangeau : d'une part le texte donné par les éditeurs de
Dangeau contredit Édouard Fournier ; de l'autre la mention que fait
Dangeau de docteurs qui professent, ou à peu près, la même doctrine,
et qui de plus sont accusés de relations secrètes avec Rome, nous paraît démontrer qu'il n'y a point de faute d'impression. Si c'était d'un
molinosiste ou quiétiste que Dangeau voulût annoncer l'arrestation,
la seconde nouvelle s'accorderait mal avec la première : quelles relations secrètes auraient pu entretenir des molinosistes avec la cour de
Rome, alors qu'elle venait de condamner la doctrine de Molinos ?
D'ailleurs il n'y avait pas, en 1687, de docteurs en théologie qui
fussent des molinosistes ou des quiétistes assez compromis pour
avoir la pensée de s'enfuir.

Laissons donc de côté, jusqu'à meilleure information, le moliniste de Dangeau, et passons au barnabite quiétiste dont les menées
ont pu provoquer la remarque de la Bruyère. Revenant un peu plus
loin sur le barnabite des *Caractères,* Édouard Fournier reconnaît en
lui le confesseur de Mme Guyon, et ce, nous semble, avec raison. Il
ne reste plus qu'à nommer ce confesseur, ou plutôt ce directeur
de Mme Guyon[2] : c'est le P. la Combe, auteur de l'*Analyse de l'O-
raison mentale,* livre condamné par l'Inquisition le 9 septembre 1688.

---

1. Pages 355 et 356, note.
2. « Ce barnabite, dit Éd. Fournier dans sa seconde note sur le même
passage de la Bruyère (p. 542, note), n'était autre qu'un moine savoyard
du couvent de Montargis, dont Mme Guyon avait fait son confesseur et
son confident (*Annales de la Cour et de Paris,* tome I, p. 246). » — Fran-

Le P. la Combe était venu à Paris en compagnie de Mme Guyon, au mois de septembre 1686, et les « deux premiers auteurs du Quiétisme en France, » suivant l'expression de Phelipeaux, avaient aussitôt commencé une active propagande. « Mme Guyon, dit-il dans sa *Relation de l'origine.... et de la condamnation du Quiétisme* (p. 26), prit soin de procurer des connoissances à son ami, dont elle fit valoir le mérite et la spiritualité. Sa réputation fût bientôt établie, et en peu de temps il devint un fameux directeur chez les barnabites. L'un et l'autre faisoient de fréquentes conférences aux dévotes, qui y étoient puissamment attirées par l'espérance d'arriver en peu de temps à la plus haute et plus sublime contemplation. »

Ne semble-t-il pas cette fois que nous soyons en présence du barnabite des *Caractères* ?

Si ce sont les conférences de la Combe et leur succès qui ont été l'occasion de la remarque de la Bruyère, hâtons-nous de dire que cet appel aux sévérités de l'Archevêché fut, sinon imprimé, du moins publié trop tard pour que l'on puisse accuser la Bruyère d'avoir provoqué l'arrestation du P. la Combe et de son amie : arrêtés dans les derniers mois de 1687, l'un et l'autre étaient déjà emprisonnés quand la première édition des *Caractères* fut mise en vente [1].

Mais le supérieur lui-même des barnabites, le P. Dominique de la Mothe, frère de Mme Guyon [2], n'était-il pas gagné à sa doctrine, et ne pourrait-il être, tout aussi bien que le P. la Combe, le moine confesseur que nous cherchons ? Trop prudent pour s'exposer aux rigueurs ecclésiastiques, l'était-il assez pour ne pas exciter les impatiences des curés par ses prédications et ses directions ? Le passage suivant des *Mémoires* de le Gendre, qui fut, comme on sait, chanoine

---

çois la Combe (car il s'agit bien de lui) n'appartenait pas au couvent de Montargis ; mais c'est en traversant cette ville, dans l'un de ses voyages, qu'il fit la connaissance de Mme Guyon, par l'entremise du confesseur de cette dame, et qu'il devint son directeur.

1. « En 1687, pendant qu'on examina à Rome la doctrine de Michel Molinos, qui fut censurée le 20 novembre de la même année, François de Harlay de Chanvalon, archevêque de Paris, informé du commerce scandaleux qui étoit entre Mme de Guyon et le P. la Combe, aussi bien que des pernicieux dogmes, semblables à ceux de Molinos, qu'ils osoient répandre, crut devoir y remédier ; et pour en arrêter les progrès, il les fit arrêter par ordre du Roi. La Combe fut enfermé chez les pères de la doctrine de Saint-Charles.... Après un séjour de cinq à six semaines à Saint-Charles, il fut transféré à la Bastille. » (*Relation de l'origine, du progrès et de la condamnation du Quiétisme*, p. 29.) Il passa ensuite en diverses prisons du Midi, et fut enfermé à Vincennes en 1698. Il se rétracta et mourut fou.

2. Mme Guyon se nommait Jeanne Bouvier de la Mothe.

de Notre-Dame et secrétaire de l'archevêque de Paris, suffirait-il
à inspirer quelque doute sur sa parfaite orthodoxie ?

« Parmi les barnabites, dit-il (p. 17), il y avoit un P. de la Mothe,
qui par le crédit de ses amis prêchoit depuis longtemps dans les endroits les plus célèbres, sans y avoir d'autres auditeurs que ses pénitents et dévotes ; je n'ai guère ouï dire de discours plus secs que les
siens, et prononcés moins agréablement. C'étoit un mystique, qui
paroissoit toujours en contemplation. »

Appliquée au P. de la Mothe, la réflexion de la Bruyère ne s'adres-
serait plus à un directeur quiétiste enfermé déjà le jour où elle est
publiée, mais à un prédicateur que suit et suivra longtemps, dans
les églises où il prêche[1], un troupeau fidèle de pénitents et de dévotes. Aussi ce prédicateur nous représente-t-il assez mal le moine que
la Bruyère nous montre, non pas en chaire, mais au confessionnal, non
pas prêchant, mais dirigeant et confessant les paroissiennes du curé.
La doctrine de la Mothe d'ailleurs, quelle qu'elle fût, ne se séparait pas assez nettement de celle du curé pour que ce dernier pût
la déclarer hérétique et sacrilége, et pour que ses pénitents fussent
appelés ses « adhérents : » le Gendre l'eût accusé de tout autre chose
que de sécheresse, de mysticisme et de contemplation, s'il avait fait
ouvertement profession de quiétisme. Comme nous l'avons indiqué dès
le début, le *barnabite* de la Bruyère est bien plus vraisemblablement
la Combe, « le Molinos de France, » suivant une expression de le
Gendre, que le P. de la Mothe.

Au surplus, s'il peut y avoir doute sur la personne du barnabite
signalé par la Bruyère, du moins est-il presque certain pour nous
que c'est déjà le quiétisme que poursuit ici l'auteur des *Caractères*,
près de neuf années avant d'écrire les *Dialogues sur le quiétisme.*

XI

Page 173, n° 23. — *Il y a plus de rétribution dans les paroisses....* (1687.)

Les rétributions dont parle la Bruyère furent l'objet d'une régle-
mentation, quatre ans plus tard : voyez le *Règlement de Monseigneur
l'archevêque de Paris pour l'honoraire des curés et des ecclésiastiques de la
ville et des faubourgs de Paris* (in-4°, 1693, F. Muguet). Aucune taxe

---

1. Son nom se retrouve assez fréquemment parmi les prédicateurs désignés
pour prêcher les carêmes et les avents dans les paroisses de Paris : c'est ainsi
qu'il est annoncé pour prêcher le carême de 1684 à l'église Saint-Leu et
Saint-Gilles, le carême de 1685 à l'église Saint-Barthélemy, le carême de 1687
à l'église Saint-Benoît, le carême de 1688 à Saint-Germain l'Auxerrois, etc

n'y est indiquée pour la confession, il est superflu de le dire. Voltaire a cité dans son *Dictionnaire philosophique*, au mot *Taxe*, les chapitres de ce *Règlement* qui sont intitulés : *Mariages* et *Convois*.

XII

Pages 173 et 174, n° 24. — *Un pasteur frais et en parfaite santé...*
(1691.)

Clef de 1696 : « Le curé de Saint-Merry. » — Clef Cochin : « M. de Blampignon, curé de Saint-Médéric, homme à bonnes fortunes et qui a toujours sous sa direction les plus jolies femmes de la paroisse [1]. » — Clefs du dix-huitième siècle : « M. de Blampignon, curé de Saint-Médéric ou feu M. Hameau, curé de Saint Paul [2]. » — Clef manuscrite : « M. de Lamet, curé de Saint-Eustache. »

Les auteurs de clefs ont cru voir tout particulièrement dans les deux premières lignes le portrait d'un ou deux curés ; mais la « censure » de la Bruyère s'étend à presque tous les curés de Paris, qui se déchargeaient sur d'autres du soin de prêcher l'avent ou le carême. Voyez à la Bibliothèque nationale le recueil factice contenant les listes des prédicateurs de Paris de 1646 à 1700 (Lk⁷, 6743, *Réserve*).

XIII

Page 175, n° 25. — *Tite, par vingt années....* (1689.)

Clefs du dix-huitième siècle : « *Tite*, Parceval (*ou* Perceval), vicaire de Saint-Paul [3]. — Un *autre clerc*, M. le Sourd (*ou* le Seur), qui n'étoit pas prêtre quand il fut curé de Saint-Paul. » M. le Sourd, dit une clef, est le successeur de M. Hameau dans la cure de Saint-Paul,

---

1. M. de Blampignon prêchait du moins quelquefois le carême ou l'avent hors de son église, s'il ne les prêchait à Saint-Merry ; car il prêcha devant les carmélites de la rue du Bouloy pendant les avents de 1672 et de 1673, et le carême de 1675. Il fut l'un des deux docteurs qui signèrent l'approbation des *Dialogues sur le quiétisme*. C'est le même Blampignon sans doute qui, simple bachelier en théologie, prêchait l'avent de 1660 aux religieuses de Saint-Thomas.

2. « André Hameau, conseiller du Roi en la Cour de parlement, docteur en théologie de la maison et société de Sorbonne, et curé de l'église et paroisse Saint-Paul, » figure dans un contrat passé en 1677 entre la veuve de Molière et les marguilliers de Saint-Paul. (E. Soulié, *Recherches sur Molière*, p. 299.) Une note du *Chansonnier Maurepas* (tome VI, p. 418) le donne pour peu savant et peu intelligent.

3. Ce vicaire serait-il le même que Perceval, docteur en théologie, aumônier et prédicateur du Roi, qui figure en 1660 et les années suivantes sur la liste des prédicateurs ?

M. Hameau vivait encore quand parut la remarque de la Bruyère : il figure sur la liste des membres du Parlement contenue dans l'*État de la France* de 1689.

Une clef manuscrite ajoute au vicaire de Saint-Paul ceux de Saint-Nicolas des Champs et de Saint-Eustache.

XIV

Page 178, n° 28. — *La fille d'Aristippe*.... (1689.)

Clefs des éditions Coste et clefs manuscrites : « Mlle Fodel [1], fille de M. Morel, de la Chambre aux deniers. »

Il a déjà été question plus haut (p. 358) de Zacharie Morel, maître de la Chambre aux deniers. Une clef manuscrite, qui nous a été communiquée par M. Ch. Livet, fait de « Mme Faudel » la femme d'un président.

XV

Page 179, n° 30. — *Un homme joue et se ruine*.... *Un Ambreville*.... (1691.)

Ambreville était un personnage célèbre.

Le 1er juillet 1683, Seignelay écrivait au procureur du Roi Robert : « Sa Majesté veut aussi que vous fassiez prendre tous les bohémiens qui sont à la suite d'Ambreville, et que si vous pouvez connoître que ledit d'Ambreville soit coupable de quelque crime, vous le fassiez prendre lui-même et lui fassiez faire son procès. » (*Correspondance administrative sous le règne de Louis XIV*, tome II, p. 591.) — Dangeau annonce en ces termes l'exécution de d'Ambreville à la date du vendredi 19 juillet 1686 : « On brûla à Paris Ambleville, fameux bohémien, pour avoir dit des impiétés abominables ; le Roi lui avoit donné grâce pour plusieurs crimes, mais il n'a pas voulu lui en pardonner un si atroce. » Il avait une sœur du nom de Léance, qui, éloignée de Paris, ou du moins exilée à Saint-Germain en 1683, fut enfermée à l'Hôpital général en juin 1686. « Sa Majesté m'ordonna en même temps de vous écrire, dit Seignelay dans une lettre adressée au procureur général de Harlay, que son intention est qu'elle soit soigneusement gardée audit hôpital, en sorte que le public soit déchargé de cette femme, qui attire un si grand nombre de bohèmes à Paris. » (*Correspondance administrative, ibidem.* p 596.)

« D'Ambreville que l'on a brûlé (lisons-nous enfin dans le *Mena-*

---

1. Les imprimeurs des clefs ont mal lu ce nom, et ont écrit *Fodet*.

giana, tome IV, p. 176), étoit un merveilleux pantomime. Il con-
trefaisoit un homme sans en omettre le moindre trait, et le rendoit
remarquable à ceux qui ne l'auroient vu qu'une fois. Il étoit fort
souple et fort adroit de son corps. A l'entreprise de Gigery, il étoit
forçat sur les galères du Roi : un Maure bien monté venoit souvent insulter les François, et faire le coup de pistolet aux gardes
avancées ; d'Ambreville se cacha derrière une masure, où il atten-
dit le Maure, et quand il fut passé, il lui sauta en croupe, et le ren-
versa mort de deux coups de poignard. »

XVI

Page 179, nº 31. — *Il s'est trouvé des filles qui avoient de la vertu....*
(1689.)

La question que touche la Bruyère était l'une de celles qui occu-
paient le plus les esprits, et sur laquelle le clergé et la magistrature
avaient peine à s'accorder. Un passage de l'abbé le Gendre (*Mémoires,*
p. 168-171), que nous reproduisons en entier, résume les discussions qui s'agitaient, exprime les sentiments du clergé, et rappelle
les décisions qui mirent fin au débat.

« Une des plus grandes (*affaires*) qu'il y eût alors, dit-il, et sur
laquelle depuis vingt ans le Roi, le clergé et le Parlement n'avoient
pu s'accorder, étoit la dot et les pensions des religieuses. Le Parlement en 1667, sur le réquisitoire de M. l'avocat général Talon, le
fléau des moines et moinesses, avoit défendu sous très rigoureuses
peines ces dots et ces pensions, comme contraires au bien public,
comme simoniaques et prohibées par les canons. Il appartient aux
magistrats d'interpréter les lois civiles, parce qu'ils sont les déposi-
taires autant des intentions que de l'autorité du Prince ; pour l'explication des canons, qui sont les lois ecclésiastiques, elle n'est point de
leur ressort, et elle est réservée particulièrement aux prélats. Qui
peut mieux pénétrer l'esprit de ces lois et en développer le sens, que
ceux à qui est confié le dépôt de la foi et des mœurs ?

« Cet arrêt fit beaucoup crier ; aussi intéressoit-il autant les bonnes familles que les couvents d'hommes et de filles. Si ces monastères
sont des écoles de vertu, si ce sont des asiles contre la corruption
du siècle, ce sont aussi des décharges pour les familles. A-t-on un
grand nombre d'enfants, on est bien soulagé de pouvoir à un juste
prix en placer honorablement une partie en des couvents. Pourquoi, disoit-on, s'élever contre les pensions ? Elles sont si modiques
qu'elles ne peuvent faire ni grand bien à ceux qui en jouissent, ni
grand mal à ceux qui les donnent. D'ailleurs, ces pensions étant via-

gères, le fonds en demeure à la famille. En quoi sont-elles illicites, en quoi sont-elles simoniaques ? La simonie consiste dans la tradi- tion de quelque chose de temporel pour une chose spirituelle : qu'y a-t-il d'approchant dans les pensions, puisqu'elles ne sont destinées qu'à nourrir la religieuse ou qu'à lui fournir ses petites commodités, ce qui soulage le couvent d'autant ?

« A l'égard des dots, il y avoit plus de difficultés, l'esprit de l'É- glise et son ancienne discipline étant que dans les couvents on ne reçoive de religieuses qu'autant qu'on en peut nourrir. Les canons leur défendent de prendre de l'argent ou de stipuler des conditions dotales pour admettre à la profession. Ceci ne doit s'entendre que des anciennes abbayes, qui sont suffisamment rentées, ou de ces grosses communautés qui, quoique beaucoup plus modernes, dispu- tent avec les abbayes de faste et d'opulence.

« En des maisons aussi puissantes, à quoi peuvent servir des dots, sinon à entretenir le luxe et les plaisirs d'une abbesse mondaine, ou à élever mal à propos des bâtiments superbes, dont la magnificence fait plus de honte que d'honneur aux maisons religieuses, où doit régner la modestie, si recommandée par leurs règles ? Aujourd'hui l'abus est si grand que plus un couvent a de bien, plus il en faut pour y entrer ; quelque vocation qu'ait une fille, dès qu'elle est pau- vre, elle n'est plus censée en avoir. Chose étrange, qu'on ne puisse, sans être riche, être admis en aucun couvent à faire vœu de pau- vreté ! et à renoncer à ses biens, qu'il n'en coûte une partie ! A l'é- gard des maisons qui n'ont pas de bien et qui ont peine à subsister, c'est une nécessité de prendre des dots, non pour admettre la novice à faire profession, mais en fin de pourvoir à sa nourriture et de four- nir sa quote-part des frais communs du monastère. Cette coutume, qui insensiblement a passé en loi, paroît d'autant moins odieuse qu'elle est autorisée par des papes, par des saints, et d'ailleurs fon- dée en raison. Saint Charles Borromée, dont on a une si grande idée, étoit si fort persuadé qu'il est permis dans ces couvents de sti- puler des dots, que lui même a dressé un modèle de ces contrats.

« Quelque différence que l'on mette entre les couvents pauvres et les couvents riches, l'arrêt indistinctement avoit proscrit toutes les dots, et Louis XIV, par un édit, avoit confirmé l'arrêt, desirant si fort de le voir bien exécuter, que l'assemblée du clergé de 1675, et, dix ans après, celle de 1685, firent inutilement les remontrances les plus vives pour vaincre cette résistance ; ce ne fut même qu'en 1693 que parut la déclaration qui modifioit l'édit. Monsieur de Paris [1] eut grande part à cette déclaration, et n'en fut point loué ; la raison, c'est

1. François de Harlay.

que, déférant trop aux sollicitations de dames puissantes qui proté-
geoient les monastères, et trop peu aux représentations que lui firent
les magistrats, il tourna les choses de manière qu'on accordoit aux
religieuses plus qu'elles n'eussent osé espérer. Il leur étoit permis par
cette nouvelle jurisprudence, dans les villes où il y a parlement, de
prendre huit mille francs de dot et cinq cents livres de pension, et
dans les autres villes, trois cent cinquante livres de pension et deux
mille écus pour dot. Est-il couvent en province où les religieuses,
quelque intéressées qu'elles soient, osassent demander et se flattas-
sent d'obtenir autant que par cette déclaration on leur permet de
recevoir ? »

XVII

Page 180, n° 33. — *Faire une folie.... c'est épouser Mélite....* (1689.)

Clefs des éditions Coste : « M. le marquis de Richelieu, Mlle de
Mazarin, fille du duc de ce nom. »

Le marquis de Richelieu [1] avait enlevé d'un couvent, en 1682, la
fille du duc de Mazarin [2], et l'avait épousée en Angleterre. Il l'avait
épousée sans dot [3] ; mais Mlle de Mazarin ne ressemblait nullement
à *Mélite*. Une clef manuscrite applique cette remarque à Armand-
Jean du Plessis, duc de Richelieu, et à Anne-Marguerite d'Acigné,
qu'il épousa en secondes noces dans l'année 1684, et qui mourut en
1698. « Elle étoit Acigné, dit Saint-Simon (édition Boislisle, tome V,
p. 330), de très bonne maison de Bretagne. »

XVIII

Page 180, n° 34. — *Il étoit délicat autrefois de se marier....* (1687.)

Les clefs des éditions Coste citent, comme maris auxquels la
Bruyère pouvait opposer les maris d'autrefois : « M. le prince de
Montauban, M. de Pons, M. de la Salle, M. Belot. »

1. Louis-Armand du Plessis, marquis de Richelieu, né en 1654, mort
en 1730, neveu d'Armand-Jean duc de Richelieu, nommé ci-après.
2. Marie-Charlotte de Mazarin, fille d'Armand-Charles duc de Mazarin et
de la Meilleraye, et d'Hortense Mancini, née en 1662, morte en 1729.
3. Deux ans plus tard, Mazarin accorda son pardon, et donna cent mille
francs et le gouvernement de la Fère à son gendre, à condition qu'il épouse-
rait une seconde fois sa fille, et que ce second mariage se ferait en France.
Le Roi accorda des lettres de grâce. « C'étoit la première grâce, dit Dangeau (tome I, p. 62), que le Roi eût accordée pour un enlèvement. »

Le nom du prince de Montauban [1] était bien choisi. « C'étoit, dit Saint-Simon (édition Boislisle, tome XII, p. 282), un homme obscur et débauché que personne ne voyoit jamais, et qui pour vivre avoit épousé la veuve [2] de Rannes, tué lieutenant général et mestre de camp général des dragons [3].... C'étoit une bossue, tout de travers, fort laide, pleine de blanc, de rouge et de filets bleus pour marquer les veines, de mouches, de parures et d'affiquets, quoique déjà vieille, qu'elle a conservés jusqu'à plus de quatre-vingts ans qu'elle est morte. Rien de si effronté, de si débordé, de si avare, de si étrangement méchant que cette espèce de monstre, avec beaucoup d'esprit et du plus mauvais, et toutefois de l'agrément quand elle vouloit plaire. Elle étoit toujours à Saint-Cloud et au Palais-Royal quand Monsieur y étoit, à qui on reprochoit de l'y souffrir, quoique sa cour ne fût pas délicate sur la vertu. Elle n'approchoit point de la cour, et personne de quelque sorte de maintien ne lui vouloit parler quand rarement on la rencontroit. Elle passoit sa vie au gros jeu et en débauches, qui lui coûtoient beaucoup d'argent. A la fin Monsieur fit tant que sous prétexte de jeu, il obtint un voyage de Marly [4]. Les Rohans, c'est-à-dire alors Mme de Soubise, l'y voyant parvenue, la soutint de son crédit ; elle joua, fit cent bassesses à tout ce qui la pouvoit aider, s'ancra à force d'esprit, d'art et de hardiesse. Le jeu l'appuya beaucoup. Son jargon à Marly amusa Mme la duchesse de Bourgogne ; la princesse d'Harcourt la protégea chez Mme de Maintenon, qu'elle vit quelquefois. Le Roi la faisoit causer quelquefois aussi à table ; en un mot, elle fut de tous les Marlys, et bien que l'horreur de tout le monde, il n'y en eut plus que pour elle, en continuant la licence de sa vie, ne la cachant pas, et sans se donner la peine du mérite des repenties. »

Au moment où la Bruyère publiait ses *Caractères*, les querelles de M. et de Mme de Montauban avaient déjà occupé le public : « Il y eut, écrit Dangeau à la date du 16 février 1686 (tome I, p. 296), un grand fracas entre M. et Mme de Montauban, et elle s'enfuit la nuit de son logis ; elle veut se séparer, et lui veut la ravoir. »

La famille de Pons était fort nombreuse, sans parler des personnages qui, en dehors de cette famille, portaient le même nom, tel

---

1. Jean-Baptiste-Armand de Rohan, prince de Montauban. Il mourut en 1704.

2. Charlotte de Bautru. Elle se maria le 2 août 1682 avec le prince de Montauban, et mourut en 1725.

3. Nicolas d'Argouges, marquis de Rannes, tué en Allemagne en 1678.

4. Suivant une note du *Chansonnier Maurepas* (tome XXVII, p. 207), on prétendait que la princesse d'Harcourt avait reçu d'elle cinq cents écus pour lui obtenir ce voyage.

que le fils du comte de Marans[1]. Peut-être les clefs font-elles allusion à M. de Pons, guidon de la gendarmerie de la garde du Roi, de « cette grande et illustre maison de Pons, » comme dit Saint-Simon, qui épousa en 1710 une riche héritière, « fille unique de Verdun » et veuve de M. de la Baume, fils aîné du maréchal de Tallart. « La femme, dit Saint-Simon (édition Chéruel, tome XVI, p. 430), étoit aussi dépiteusement laide que le mari étoit beau, et aussi riche qu'il étoit pauvre ; d'ailleurs autant de gloire, d'esprit, de débit et d'avarice l'un que l'autre.... Elle étoit très méchante, très difficile à vivre, maîtresse absolue de son mari, dont l'humeur étoit pourtant dominante, et qui régnoit tant qu'il pouvoit sur tous ceux qu'il fréquentoit. »

Quant au personnage que les clefs indiquent sous le nom de M. de la Salle, il nous semble assez difficile de reconnaître en lui, comme on l'a fait, Louis Caillebot, marquis de la Salle, ancien maître de la garde-robe du Roi[2], qui, à soixante-six ans, épousa en 1712 une fille de vingt ans, belle et bien faite[3], et sans dot. Ce mariage, dont Saint-Simon conte les détails (édition Boislisle, tome XXIII, p. 169), occupa beaucoup la cour : « il a été très heureux, dit Saint-Simon, et cette jeune femme a vécu avec lui à merveilles ; vertu, complaisance, soin d'attirer du monde, et pourtant avec économie. » On pourrait mettre le nom de Mme de la Salle à côté de celui de Mélite un peu plus haut (p. 393, note XVII), si elle ne s'était mariée si tard.

Le nom de la Salle au surplus n'était pas rare. Un Antoine Monet de la Salle, qui vivait à cette époque et qui mourut en 1724, doyen des maîtres des requêtes et conseiller d'État ordinaire, est vraisemblablement le personnage auquel il est fait allusion, car ce personnage est qualifié « maître des requêtes » sur un exemplaire du temps.

Nous avons déjà rencontré le nom de Belot (ou Blot, suivant l'orthographe de plusieurs clefs manuscrites) : voyez tome II, p. 383, note XII. Ce nom était alors porté par un avocat célèbre, cité dans la Requête des Dictionnaires de Ménage[4] ; mais il ne peut être question de lui, car il était né en 1605 et avait alors quatre-vingt-deux ans.

---

1. *Mémoires* de Saint-Simon, édition Boislisle, tome XXIV, p. 172. — Une clef manuscrite porte : *de Pont*, au lieu de : « de Pons. »

2. Louis Caillebot, marquis de la Salle, sous-lieutenant de la compagnie des chevau-légers de la garde en 1674, brigadier de cavalerie en 1677, maître de la garde-robe du Roi en 1679. Il vendit cette charge en 1712. Nous l'avons nommé plus haut, p. 376, note II ; voyez son histoire et son portrait dans Saint-Simon, édition Boislisle, tome XXIII, p. 163 ; conférez le *Mercure galant* de mars 1682.

3. Voyez le *Journal* de Dangeau, tome XIV, p. 239 et 244.

4. Voyez l'*Histoire de l'Académie*, édition Livet, tome I, p. 135 et 482.

XIX

Page 181, nᵒ 36. — *Ce n'est pas une honte....* (1690.)

Clefs du dix-huitième siècle : « *Une femme avancée en âge :* Mme la présidente le Barois. »

Il faut sans doute lire : « de la Barroire. »

Mme de la Barroire, qui était veuve d'un conseiller de Paris lorsqu'elle épousa le président de la Barroire, mourut au mois de septembre 1691, ainsi que nous l'apprend la notice que lui consacre le *Mercure* de ce mois (p. 236-238). « Monsieur le président son mari étant fort connu, y est-il dit, nous ne vous parlerons que de la défunte. Elle n'en a point eu d'enfants, et laisse de grands biens, auxquels il a beaucoup de part à cause des avantages considérables qu'elle lui a faits par leur contrat de mariage. »

Le président de la Barroire [1] ne survécut à sa femme que quelques semaines : le *Mercure* d'octobre 1691 (p. 221) enregistre la mort de « Messire Gabriel Bizet de la Barroire, seigneur de la Cour et de Senlis, bailli de Soissons, président en la cinquième Chambre des enquêtes. » Nous ne savons quelle différence d'âge séparait les deux époux ; mais M. de la Barroire n'était plus jeune quand il mourut, car il était entré au Parlement comme conseiller le 19 décembre 1653. Il avait été l'un des jeunes gens qui, sans « honte » ni « faute, » épousent par « prudence, » par « précaution, » une femme « avancée en âge, » si l'on en croit une clef manuscrite ; il avait eu « l'infamie de se jouer de sa bienfaitrice par des traitements indignes, » si l'on en croit une autre [2].

Celle qui lui fait l'application de la première phrase place, bien mal à propos, en sa compagnie Scarron, en souvenir de son mariage avec Mlle d'Aubigné, la future Maintenon, et cite, comme l'un des jeunes maris que vise la seconde phrase du caractère, Louis Saladin d'Anglure de Bourlemont, duc d'Atri, déjà nommé dans le tome II, p. 413.

---

1. Il a déjà été question de ce président au tome II, p. 457.
2. Cette remarque eût été plus justement appliquée peut-être à la mère du président de la Barroire : à l'âge de soixante et un ans elle avait épousé en troisièmes noces Pierre Perrin, alors fort jeune, médiocre poëte, que l'on nomme habituellement l'abbé Perrin, et qui obtint le privilège de l'Opéra en 1669 : voyez les *Historiettes* de Tallemant des Réaux, tome VI, p. 489-491, et le *Dictionnaire critique* de Jal. Cette Mme de la Barroire ne porta jamais le nom de son troisième mari, et resta Mme de la Barroire, quoiqu'elle fût très régulièrement Mme Perrin.

XX

Pages 181 et 182, n° 37. — *Il y a depuis longtemps*
dans le monde.... (1687.)

« Ceux qui déclament contre les billets [1], » dit Brillon dans une
remarque où il reprend et développe la pensée de la Bruyère, « sont
ceux qui n'ont point d'argent à placer. Le financier, le marchand
ne jugent pas ces cas usuraires; la Sorbonne le décide autrement : à
qui est-il permis d'appeler de cette décision ? » (*Théophraste moderne*,
p. 644.)

Si l'on veut se rendre compte du genre de discussions que les
questions relatives au prêt à intérêt soulevaient au moment même
où écrivait la Bruyère, on peut ouvrir le traité publié en 1688 par
l'abbé Gaitte, auteur d'un premier livre sur le même sujet, qui avait
paru quelques années plus tôt. Son second ouvrage, qui a pour
titre : *Tractatus de usu et fœnore* (Paris, in-4°), a été analysé dans
le *Journal des Savants*, année 1689, p. 25-28. Quelques pages plus
loin (p. 333-335), ce journal rend compte d'un traité sur l'*Usure*,
publié en 1689 par le P. Thorentier, de l'Oratoire.

XXI

Page 182, n° 38. — *On a toujours vu dans la république....* (1689.)

Clef de 1696 : « La surintendance des finances. » — Clefs du dix-
huitième siècle : « Le receveur des confiscations, ou la charge de
surintendant des finances. » — Des clefs manuscrites ajoutent : « Le
prévôt des marchands ou les intendants des finances. »

La Bruyère a donné lui-même, dans une note imprimée dans la
9e édition (voyez ci-dessus p. 182, note 2), la véritable interprétation
de sa réflexion.

XXII

Pages 182 et 183, n° 39. — *Le fonds perdu, autrefois si sûr....* (1691.)

Clefs du dix-huitième siècle : « Allusion à la banqueroute faite par
les hôpitaux de Paris et les Incurables en 1689 [2], qui a fait perdre

. « Qui produisent intérêt sans aliénation. »
2. Une clef manuscrite ajoute à la banqueroute des hôpitaux de Paris celle
de la banque de Lyon.

aux particuliers qui avoient des deniers à fonds perdu sur les hôpitaux, la plus grande partie de leurs biens : ce qui arriva par la friponnerie de quelques-uns des administrateurs, que l'on chassa, dont un nommé André le Vieux, fameux usurier, père de le Vieux, conseiller à la Cour des aides[1], étoit le principal. Cet administrateur devoit être fort riche ; mais sa femme l'a ruiné. [Elle devint amoureuse d'un nommé Ponsange[2], qui étoit mousquetaire, auquel elle acheta une charge de lieutenant aux gardes, et lui donna ensuite un gros équipage, et moyen de tenir table ouverte à la plaine d'Ouïlles[3], où ledit le Vieux, qui ne savoit rien de cette intrigue, alloit souvent faire bonne chère, qu'on ne lui refusoit pas, puisqu'il la payoit bien. La femme voulut lui faire épouser sa fille ;… mais le Vieux s'y opposa, et fit décréter contre Ponsange, et enfin l'obligea, moyennant dix mille livres qu'il lui donna, de quitter sa fille, laquelle s'amouracha ensuite d'un nommé Férillart[4], maître des comptes à Dijon, qui l'enleva et l'épousa.] Le fils du susdit (*le Vieux*), de concert avec la mère, voloit le père, qui le surprit. Il y eut plainte, qui fut retirée. L'on dit que ce le Vieux étant à l'extrémité, et le curé de Saint-Germain l'Auxerrois l'exhortant à la mort, il lui présenta un petit crucifix de vermeil qu'il l'engagea à adorer, à quoi l'autre ne répondit rien ; mais le curé le lui ayant approché de la bouche pour le lui faire baiser, le Vieux le prit à sa main, et l'ayant soupesé, il dit qu'il n'étoit pas de grand prix, qu'il ne pouvoit pas avancer beaucoup d'argent dessus. »

Pavillon, qui avait perdu deux mille livres de rente viagère par suite de l'insolvabilité des hôpitaux, a composé « sur les hôpitaux insolvables » des stances qui ont été publiées dans ses *OEuvres* (p. 129-131, édition de Paris, 1720), et recueillies dans le *Chansonnier Maurepas* (tome VII, p. 371-373), où elles sont accompagnées de notes. « L'an 1689, lit-on dans une de ces notes, l'hôpital des Incurables fit banqueroute, et l'Hôpital général et celui de l'Hôtel-Dieu … furent sur le point d'en faire autant la même année[5]. » Les administrateurs des hôpitaux, qui étaient les premiers présidents du Parlement, de la Chambre des comptes et de la Cour des aides, le prévôt des marchands « et plusieurs notables bourgeois et mar-

1. André-Georges le Vieux, conseiller au nouveau Châtelet, puis, en 1683, conseiller à la Cour des aides.

2. *Dousange,* dans le manuscrit Cochin.

3. Voyez tome II, p. 199, note 1.

4. *Terillart,* dans le manuscrit Cochin.

5. Il y est également dit que Pavillon avait « de l'argent à fonds perdu sur l'Hôtel-Dieu : » c'est dans une note de l'édition de ses *OEuvres* que l'on estime à deux mille livres de rente la perte qu'il subit.

chands, disoient que les hôpitaux ne pouvoient subsister qu'en re-
tranchant les rentes des particuliers, et qu'il valoit mieux que ceux-
ci perdissent leur bien que de priver le public, par la ruine des hôpitaux, du bien que les pauvres en retiroient. »

Pavillon répondait :

.... Ce n'est pas du bien d'autrui
Qu'un chrétien doit faire l'aumône.

La charité doit tout embraser de ses feux ;
Mais ses soins, pour tous équitables,
Ne font jamais des malheureux
Pour secourir des misérables.

XXIII

Page 183, n° 40. *Vous avez une pièce d'argent*... (1692.)

Les clefs Coste citent, à l'appui de cette remarque, l'un des plus
riches partisans de cette époque, Bourvalais [1], « qui même dans sa
prospérité, dit Walckenaer (*Remarques*, etc., p. 742), passa toujours pour ignorant et stupide. » — Des clefs manuscrites nomment : « Brunet, Frémont, de l'Isle, et les autres qui s'enrichissent
dans les fermes aux dépens du peuple. »

XXIV

Pages 186 et 187, n° 48. — *Il n'y a aucun métier.... Où est l'école
du magistrat ?...* (1689.)

Décider souverainement des vies.... Cette expression a rappelé le
Châtelet à la pensée des auteurs de diverses clefs ; mais la Bruyère
parle aussi bien des jeunes magistrats du Parlement, et peut-être
même pense-t-il uniquement à eux. La *pourpre,* en effet, désigne
plus particulièrement les magistrats du Parlement, dont l'habit de
cérémonie était, pour les présidents, le manteau d'écarlate fourré, et
pour les conseillers, la robe d'écarlate. Au Châtelet, les lieutenants
civil, de police, criminel et particulier, les avocats et procureurs du
Roi portaient aussi la robe d'écarlate ; mais les conseillers avaient
la robe noire.

La réflexion de la Bruyère, que tant d'autres déjà avaient dû faire,

1. Voyez tome II, p. 393 et 394, note VIII.

peut rappeler ces vers de Petit où se trouve le même souvenir de la *férule* :

> Quoi ? donner hardiment les dix mille louis
> Pour s'asseoir sur un banc semé de fleurs de lis !...
> Souvent Thémis en gronde, et hautement se plaint
> Que l'on mette en trafic son ministère saint,
> Qu'on place sur les bancs, chose bien ridicule,
> Des enfants dont la main sent encor la *férule,*
> Et qui sans concevoir ni le droit ni le fait,
> Sur des cas importants opinent du bonnet.
>
> (*Discours satyriques, satire* iv, p. 31 et 32.)

En marge de ces diverses réflexions sur la magistrature, nous lisons, dans un exemplaire du temps, l'annotation manuscrite qui suit : « Les juges font un métier de leur profession, et leurs épices sont excessives. On peut dire qu'ils achètent la justice en gros et la vendent en détail. »

XXV

Page 187, n° 49. — *La principale partie de l'orateur....* (1689.)

Clefs des éditions Coste : « *Il déguise ou il exagère les faits* : M. Fautrier, avocat. » — Clefs manuscrites : « M. Vautrier, avocat. » — Autres clefs : « M. Vautier (*ou* Vaultier), avocat. »

Plusieurs clefs manuscrites semblent faire hommage à l'avocat Fautrier ou Vautier des premiers mots de l'alinéa, au lieu de le reconnaître dans le déclamateur dont la Bruyère fait le portrait.

« Vaultier, l'avocat le plus déchirant (*c'est-à-dire le plus satirique*) qui ait peut-être paru au Palais, dit le Gendre (*Mémoires*, p. 28), y attiroit un monde infini, quand principalement il plaidoit une cause grave. »

XXVI

Pages 188 et 189, n⁰ˢ 51 et 52. — *La question est une invention merveilleuse....* (1689.)

Il avait paru en 1682, à Amsterdam, un livre intitulé : « *Si la torture est un moyen seur de verifier les crimes secrets,* dissertation morale et juridique par laquelle il est complotement traité des abus qui se commettent partout en l'instruction des procez criminels et particulierement en la recherche du sacrilege, ouvrage necessaire à tous juges tant souverains que subalternes, et tous avocats consultants et patrocinaux, par maistre Augustin Nicolas, conseiller du Roy et maistre des requestes ordinaire de son hostel au Parlement de la Franche-Conté. »

Une condition lamentable est celle d'un homme.... (1691.)

Clefs du dix-huitième siècle :

« M. le marquis de Langlade, mort innocent aux galères ; le Brun, appliqué à la question, où il est mort. Le premier avoit été accusé d'un vol fait à M. de Montgommery, et le voleur, qui avoit été son aumônier, fut trouvé depuis et pendu. Le second fut accusé d'avoir assassiné Mme Mazel, et pour cela mis à la question. L'assassin, nommé Berry, qui étoit fils naturel de ladite dame Mazel[1], a paru depuis et a été roué en place de Grève. »

C'est sur l'accusation du comte de Montgommery et de sa femme que le marquis et la marquise de Langlade, qui habitaient la même maison et qui étaient leurs amis, furent en septembre 1687, soupçonnés d'avoir commis un vol. Langlade, après avoir courageusement subi la question ordinaire et extraordinaire, fut condamné aux galères pour neuf ans en février 1688, et mourut à l'hôpital des forçats, à Marseille, le 4 mars 1689. Mme de Langlade avait été bannie pendant neuf ans de la prévôté de Paris, et condamnée à la prison jusqu'à ce qu'elle eût remis à M. de Montgommery les dix mille écus qui lui avaient été volés, et payé les frais du procès. Les véritables auteurs du vol ayant été découverts, M. et Mme de Langlade furent réhabilités par un arrêt du Parlement en 1693 ; M. de Montgommery fut obligé de restituer les sommes qu'il avait reçues, et l'on recueillit, par une quête faite à la cour, cent mille francs, que l'on offrit à Mlle de Langlade.

Mme Mazel, qui recevait grande compagnie, et donnait à jouer[2] et à souper deux fois par semaine, avait été assassinée le 27 novembre 1689 : Jacques le Brun, son domestique, fut condamné à mort par le Châtelet. L'arrêt ayant été infirmé, on commençait de nouvelles enquêtes, quand le Brun, brisé par la torture, mourut dans les premiers jours du mois de mars 1690. Le vrai coupable, Gerlat, dit Berry, fut arrêté le 27 mars. Un arrêt du Parlement réhabilita en 1691 la mémoire de le Brun.

---

1. Ce n'est pas lui, mais l'abbé Poulard, son complice, disait-on, qui passait pour être fils naturel de Mme Mazel.

2. Elle était l'une des femmes dont parle la Bruyère dans son *Discours sur Théophraste* : voyez tome I, p. 22, note 4. Elle avait, au moment où elle fut assassinée, deux cent soixante-dix-huit livres dans la bourse où elle enfermait l'argent des cartes.

LA BRUYÈRE. III. — 1   26

XXVII

Page 189, n° 53. — *Si l'on me racontoit qu'il s'est trouvé*
autrefois.... (1691.)

Clef de 1696 : « *Un prévôt*, Lasnier Grand-Maison, prévôt de
l'Ile. — *Un homme de crédit*, M. de Saint-Pouange, à qui l'on prit
un diamant au sortir de l'Opéra. » — Dans les clefs imprimées du
dix-huitième siècle, le prévôt qui fait rendre à M. de Saint-Pouange
« une boucle de diamants » dérobée à l'Opéra se nomme simplement
Grand-Maison, et il est qualifié soit grand prévôt de l'hôtel, soit
grand prévôt de la connétablie.

La confusion que l'on a faite entre deux personnages et entre les
fonctions diverses qui portaient l'appellation commune de prévô-
tés, montre que l'aventure dont il s'agit était assez peu connue.
Une clef manuscrite nous avertit que Lasnier, dont elle fait un
« prévôt de l'Ile, » et Grand-Maison, qu'elle qualifie « lieutenant de
robe courte, » sont deux personnages distincts. Une autre nous
donne le véritable nom et le titre officiel de Grand-Maison : « Le
sieur Francine de Grand-Maison, prévôt général des connétables et
maréchaux de France aux gouvernements de Paris et de l'Ile-de-
France, y est-il dit, fit rendre à M. de Saint-Pouange un diamant
de prix, etc. »

Les prévôts des maréchaux étaient chargés de la sûreté des
chemins et de la répression des délits qui s'y commettaient. Celui
qui avait cette mission dans l'étendue de l'Ile de France se nommait
simplement prévôt de l'Ile, et tel était le titre habituel de Francine
de Grand-Maison, qui mourut en décembre 1688 [1].

A défaut des annotations des clefs, le *Mercure historique et poli-*
tique nous eût donné le commentaire de la réflexion de la Bruyère.
« Il s'est vu autrefois à Paris, est-il dit dans le numéro d'août 1688

1. En annonçant sa mort, le *Mercure* (décembre 1688, p. 303) lui donne
les titres suivants : « M. de Francine, seigneur de Grand-Maison, prévôt général de l'Ile de France, intendant général des eaux de Sa Majesté, maréchal
de bataille de la milice de Paris et major de la même ville. » Était-il le fils de
Pierre Francine, mort en avril 1686, avec les titres de maître d'hôtel ordinaire
du Roi, et d'intendant des eaux et fontaines ? S'il en est ainsi, il eût reçu de
celui de ses frères qui épousa la fille de Lulli (voyez tome II, p. 334), l'intendance des eaux et fontaines, car c'est le gendre de Lulli qui en avait la survivance : ce dernier l'aurait abandonnée quand il prit soin de l'Opéra, après
la mort de Lulli. Francine de Grand-Maison laissa la prévôté de l'Ile à un
fils, qui la céda en 1718 : voyez le *Journal* de Dangeau, tome XVII, p. 416,
où il faut corriger « prévôt de *Lille* » en « prévôt de l'*Ile*. »

(tome V, p. 843 et 844), que les voleurs avoient pour protecteurs les principaux officiers de la justice. Que ne conte-t-on point de ceux qu'on appelle communément *Coupeurs de bourses*, etc. ? D'abord que l'on avoit un ami auprès de celui-ci [1], il vous faisoit retrouver tout ce que vous aviez perdu, et le commerce étoit si étroit entre eux, qu'il les apostoit lui-même pour vous déniaiser, principalement lorsque l'on se faisoit fort d'être au-dessus de leurs ruses. Mais enfin toutes ces galanteries, qui sentoient beaucoup *le fripon*, ne sont plus à la mode il y a déjà quelque temps. Le Roi, après en avoir purgé Paris, a fait tout son possible pour mettre le même ordre dans tout son royaume. Mais enfin le moyen d'oublier les bonnes coutumes ? Comme on devient forgeron à force de manier le fer, de même un lieutenant criminel, ou quelque autre juge semblable, à force d'avoir communication avec les voleurs, devient voleur lui-même. Chacun sait les tours de passe-passe qu'a joués..... ; et c'est pour cela qu'un homme qui par sa naissance faisoit honneur à cette charge n'a pas jugé à propos de la garder longtemps. Si cela se fait donc encore quelquefois à Paris, nonobstant la présence du soleil dont les rayons ne souffrent point de pareilles monstres, » ajoute le *Mercure*, « on ne doit point s'étonner que de pareils abus se produisent au loin ».

Sur l'allusion que fait la Bruyère à des magistrats complices de voleurs et sur les preuves de complicité qu'apportaient, d'après son témoignage, « des faits récents connus et circonstanciés », voyez une note supplémentaire au tome IV, p. 158. Depuis la rédaction de cette note, nous avons cherché sans succès dans les registres du Parlement les éclaircissements que ne nous donnent point les clefs.

XXVIII

Page 190, n° 54. — *Combien d'hommes qui sont forts....* (1689.)

Clefs des éditions Coste : « M. le président de Mesmes, et le lieutenant civil. »

Nous avons parlé (tome II, p. 423, note III) du président de Mesmes [2], dont les galanteries étaient fort connues, et (p. 392, note VI) du lieutenant civil Jean le Camus [3].

---

1. Il y a ici une faute d'impression, ou plutôt de rédaction ; il s'agit de l'un des protecteurs que les voleurs avaient parmi les officiers de la justice.

2. Jean-Antoine de Mesmes, président à mortier en 1688, membre de l'Académie française en 1710, premier président en 1712, est mort en 1723, âgé de soixante et un ans.

3. Jean le Camus, frère puîné du cardinal le Camus et du premier président

XXIX

Pages 190 et 191, n° 57. — *Il est vrai qu'il y a des hommes....* (1690.)

Clefs des éditions Coste : « L'abbé de la Rivière, évêque de Langres. »

Louis Barbier de la Rivière, évêque de Langres en 1656, mort le 30 janvier 1670, est cet abbé de la Rivière, aumônier et favori de Gaston d'Orléans, frère de Louis XIII, dont il est question dans les mémoires antérieurs à l'époque où nous placent les *Caractères* (voyez les *Historiettes* de Tallemant des Réaux, tome II, p. 98 et 99, note de P. Paris, et la *Correspondance de Bussy*, tome I, p. 267, etc.). Nous ne savons rien qui justifie l'annotation des clefs.

XXX

Pages 191 et 192, n° 58. — *S'il n'y avoit point de testaments....* (1690.)

Clefs des éditions Coste : « La princesse de Carignan ; le président Larché. » — Clefs manuscrites : « Les héritiers de M. le Boultz, conseiller au Parlement. »

Marie de Bourbon, fille de Charles comte de Soissons, femme de Thomas-François de Savoie, prince de Carignan, qu'elle avait épousé en 1624 (et qui mourut en 1656), belle-mère de la comtesse de Soissons (Olympe de Mancini), était morte le 4 juin 1692. Son testament, où elle avait déshérité trois de ses petits-enfants, donna lieu à quelques discussions de famille, dont la fin est ainsi annoncée par Dangeau (tome VI, p. 205), à la date du 8 octobre 1697 : « J'appris que M. le prince de Carignan s'est accommodé avec Mme la comtesse de Soissons la mère, et ses enfants, de tous les biens qu'ils avoient en France. Il donne à Mme la comtesse de Soissons quarante mille écus d'argent comptant pour payer ses dettes et quarante mille francs de pension ; il donne à Mlle de Carignan et à Mlle de Soissons chacune dix mille écus d'argent comptant et vingt mille francs de pension ; à M. le comte de Soissons et à M. le prince Eugène [1], son frère, cinq mille francs de pension chacun ; ils ont beaucoup moins que leurs sœurs, parce que Mme la princesse de Carignan, leur grande mère, les avoit déshérités [2]. » — On dit, écrit ailleurs Dangeau

de la Cour des aides, était lieutenant civil depuis 1684, et mourut en 1710, âgé de soixante-treize ans.

1. Eugène-Maurice de Savoie, fils d'Olympe Mancini.
2. Conférez les *Lettres de Mme de Sévigné*, tome VII, p. 199.

'(tome IV, p. 460), que le prince de Carignan « aura en France plus de quatre cent mille livres de rente. »

Le président Larcher que nomment les clefs est-il Michel Larcher, marquis d'Esternay, etc., président de la Chambre des comptes, mort en 1654, dont il est souvent question dans Tallemant? ou son fils Pierre Larcher, marquis d'Esternay, etc., qui devint président à la Chambre des comptes en 1651, sur la démission de son père, et qui mourut en 1712[1]?

La famille le Boultz se composait, quelques années avant la publication des *Caractères*, de quatre frères et de deux sœurs : 1° Noël le Boultz, seigneur de Chaumot, conseiller en la Grand'Chambre du Parlement; 2° Luc le Boultz, maître des comptes; 3° Louis le Boultz, seigneur de Roncerey, maître des requêtes; 4° François le Boultz, conseiller à la troisième Chambre des requêtes; 5° Mme Blondeau, veuve d'un président à la Chambre des comptes; et 6° Mme du Tronchey, femme d'un président à l'une des Chambres des enquêtes[2]. Des quatre frères, il ne restait plus en 1685 que le Boultz de Roncerey, qui ne figure plus sur l'*État de la France* de 1692. Les deux frères aînés pour le moins[3] avaient eu des enfants. Le Boultz de Chaumot avait laissé deux fils : l'un était en 1685 conseiller à la troisième Chambre des enquêtes (le même sans doute qui figure dans l'*État de France* de 1692, sous le nom de François le Boultz, seigneur de Chaumot, conseiller depuis 1658, et alors conseiller de la Grand'Chambre); l'autre était aumônier du Roi.

Nous ignorons si les annotateurs font allusion à la succession qu'eurent à se partager les quatre frères le Boultz et leurs sœurs, ou à l'un des héritages qu'ils laissèrent à leur mort.

1. Le fils de Pierre-Michel Larcher, troisième du nom, devint aussi président à la Chambre des comptes en 1700, sur la démission de son père, et mourut en 1715. Il y a une autre branche de cette famille qui a compté plusieurs intendants. Celle des deux branches à laquelle s'allia en 1719 un fils du marquis d'Argenson était fort riche : voyez le *Journal* de Dangeau, tome VII, p. 178.

2. Voyez le *Mercure galant* du mois de février 1685, p. 133.

3. Nous ne savons de qui était fils Jean-François le Boultz, qui devint en 1691 conseiller de la troisième Chambre des enquêtes.

XXXI

Pages 192-195, n⁰ˢ 59 et 60. — *Titius assiste à la lecture d'un testament....*
(1690.) — *La loi qui défend.... La loi qui ôte aux maris....* (1690.)

Clefs du dix-huitième siècle : « M. Hennequin, procureur général
au Grand Conseil [1], avoit été fait légataire universel par le testament
de Mme Falentin [2], femme de l'avocat au Conseil, qui n'avoit fait
faire ce testament au profit du sieur Hennequin que dans la vue
qu'il remettroit les biens, comme étant un fidéicommis. Mais le
sieur Hennequin ne l'ayant pas pris sur ce ton, et voulant s'approprier les biens, même ayant pris le deuil et fait habiller tous ses domestiques, M. Falentin fit paroître un autre testament en faveur de
M. de Bragelogne [3], qui révoquoit le premier, et qui a été confirmé,
celui-ci ayant mieux entendu l'intention de la défunte. »

Le *Chansonnier Maurepas,* où se trouve un *Conte* sur la mésaventure
de M. Hennequin (tome VII, p. 137-142), lui donne la date de 1687,
et fait un récit dont tous les détails s'accordent avec l'hypothèse où
se place la Bruyère dans la remarque 60. Mme Falentin, qui ne
laissait pas d'enfants, n'avait mis dans sa confidence que son mari ;
ni M. Hennequin, ni M. de Bragelogne n'avaient été instruits de
son désir. Le public n'hésita pas cependant à condamner l'indéli-
catesse de M. Hennequin, qui avait voulu « s'approprier cette succession, au lieu de la laisser au mari, son ancien ami, comme tout
honnête homme auroit fait, jugeant bien que c'étoit l'intention de
la testatrice.... Cela fit grand bruit, ajoute-t-on dans la note du
Chansonnier, et pensa désespérer M. Hennequin, qui fut déshonoré
et vilipendé partout. »

« Dans la coutume de Paris, lisons-nous dans une autre note du
même recueil, les femmes ne peuvent faire de dons à leurs maris,

1. Louis-François Hennequin, sieur de Charmont, d'abord conseiller, puis
procureur général au Grand Conseil en 1668 ou 1671. Il était beau-frère de
l'Hôte, célèbre avocat, et avait deux frères : l'un était chanoine de Notre-Dame,
conseiller au Parlement (François Hennequin, mort en 1709) ; l'autre avait été
secrétaire de l'assemblée du clergé en 1685.

2. *Valentin* dans les clefs imprimées ; *Falentin,* qui doit être la meilleure
leçon, dans le manuscrit Cochin et dans le *Chansonnier Maurepas,* tome VI,
p. 136.

3. Une clef manuscrite fait de Bragelogne un président de Bretagne ; mais il
s'agit, suivant le *Chansonnier Maurepas,* de Jérôme de Bragelogne, conseiller
à la Cour des aides de Paris (à laquelle il appartenait depuis 1658, année où
il avait cessé d'être conseiller au Parlement de Metz).

les maris à leurs femmes, à moins d'un don mutuel *ou d'un fidéi-commis.* » C'est résoudre sans hésitation la question que pose la Bruyère, et qu'il laisse indécise.

Si.... la propriété d'un tel bien est dévolue au fidéicommissaire, pourquoi perd-il sa réputation à le retenir? M. Hennequin avait perdu la sienne, comme nous venons de le voir. — *Sur quoi fonde-t-on la satire et les vaudevilles?* La « satire » et les « vaudevilles » sont sans nul doute le *Conte* qui a été recueilli dans le *Chansonnier Maurepas.*

XXXII

Page 195, n° 62. — *Typhon fournit un grand de chiens....*
(1689.)

Clef de 1696: « *Typhon,* M. de Baric, maître des Requêtes. — *Un grand :* M. de Louvois. » — Clefs des éditions Coste: « *Typhon,* M. de Bercy, maître des Requêtes. » — Clefs manuscrites: « *Typhon,* Borie, Baric. »

Les copistes et les imprimeurs ont sans doute mal lu ce nom sur la première liste où il a figuré. Quoique les occupations de Louvois lui laissassent peu de loisirs, il aimait la chasse, et prenait soin d'avoir une belle meute (voyez l'*Appendice* de l'*Histoire de Louvois,* par C. Rousset, tome IV): peut-être en effet Bercy[1], que nomment les clefs Coste, l'a-t-il « fourni » de chiens et aussi de chevaux. Mais quelle autre ressemblance pourrait-il avoir avec *Typhon?*

Quelques clefs manuscrites ont remplacé le nom énigmatique de Borie, Baric ou Bercy, par celui de Charnacé, qui avait été page du Roi et lieutenant des gardes, et qui, retiré en Anjou, y avait commis plusieurs crimes et fabriqué de la fausse monnaie.

« De Charnacé, autrefois lieutenant des gardes du corps, écrit

---

1. Anne-Louis-Jules Malon de Bercy, fils d'un président au Grand Conseil, tenu sur les fonts de baptême par la reine Anne et par le cardinal Mazarin, a été conseiller au Parlement de Metz, conseiller au Parlement de Paris (1667), maître des Requêtes (1673), commissaire pour les affaires des Aides, puis intendant. Nommé à l'intendance de Berri en 1674, il n'en accepta ou du moins n'en remplit pas les fonctions. En 1683, il devint intendant d'Auvergne ; en 1684, il fut nommé intendant à Moulins, puis intendant à Lyon. Ayant eu de graves démêlés avec l'archevêque de Lyon, Villeroy, il perdit en 1686 son intendance, et reçut en dédommagement le titre d'inspecteur général des ports de mer. Il devint en 1687 premier directeur de la compagnie des Indes orientales, et enfin commissaire pour la réformation des justices maritimes. Il mourut en 1706, doyen des maîtres des requêtes, à l'âge de soixante-trois ans. C'est lui qui a fait construire Bercy.

Dangeau le 1ᵉʳ juin 1689 (tome II, p. 404 et 405), a eu une lettre de cachet pour s'en aller en Béarn. Il y a beaucoup d'accusations contre lui, et l'intendant de la province a envoyé des informations fort fâcheuses pour lui. Avant que de partir, il a épousé Mlle de Bouille, et a fait mettre un enfant qu'il avoit d'elle, sous le poêle. Il plaide contre M. de Roquelaure et M. de Foix pour la succession du duc du Lude, prétendant que tout le bien de la feue duchesse du Lude doit revenir à la fille qu'il vient d'épouser. Cette Mlle de Bouille avoit déjà été mariée avec M. de Pomenart, et depuis avoit fait casser son mariage et avoit repris son nom. »

Charnacé ne fut chassé d'Anjou que plusieurs mois après la publication de ce caractère; mais on savait déjà sans doute une partie de ses méfaits. Saint-Simon a plaisamment raconté le mauvais tour qu'il avait joué à un tailleur dont la maison « bouchoit tout l'agrément de son avenue, » et fut un jour transportée plus loin par son ordre. « Il veut plaider, dit Saint-Simon en parlant du tailleur, il veut demander justice à l'intendant, et partout on s'en moque. Le Roi le sut, qui en rit aussi, et Charnacé eut son avenue libre. S'il n'avoit jamais fait pis, il auroit conservé sa réputation et sa liberté. » (*Mémoires*, édition Boislisle, tome V, p. 305 et suivantes).

Il fut emprisonné en 1698.

XXXIII

Pages 195 et 196, nᵒ 63. — *Ragoûts, liqueurs, entrée, entremets....*
(1691.)

Clef de 1696 : « Le maréchal de Duras. » — Clefs des éditions Coste : « *Où est-il parlé de la table... ?* Il prétend parler du combat de Valcourt, ou de M. le maréchal d'Humières. »

Le maréchal d'Humières [1], qui fit le siège de Valcourt au mois d'octobre 1689, subit un échec le 27, et fut repoussé après un combat où il perdit mille ou douze cents hommes. Les auteurs des clefs ont vu dans la réflexion de la Bruyère une allusion à cette défaite du maréchal d'Humières, l'officier général dont la somptuosité était le plus souvent célébrée. Il avait depuis bien longtemps transporté au camp le luxe des villes, car c'est au siège d'Arras, en 1654, que nous reporte le passage suivant de Gourville, rappelé ci-dessus, p. 196, note 1 : « Étant fort connu de M. le marquis d'Humières, depuis maréchal de France, j'allai à son quartier.... Je fus bien surpris le soir, quand

1. Louis de Crevant, duc d'Humières, maréchal de France en 1668, mort en 1694.

on lui servit à souper, de voir que c'étoit avec la même propreté et la même délicatesse qu'il auroit pu être servi à Paris. Jusque-là personne n'avoit porté sa vaisselle d'argent à l'armée, et ne s'étoit avisé de donner de l'entremets et un fruit régulier ; mais ce mauvais exemple en gâta bientôt d'autres ; et cela s'est poussé si loin jusqu'à présent, qu'il n'y a aucuns officiers généraux, colonels ni mestres de camp, qui n'aient de la vaisselle d'argent, et qui ne se croient obligés de faire, autant qu'ils peuvent, comme les autres... Le lendemain j'allai voir M. de Turenne, et j'eus l'honneur de dîner avec lui : il n'avoit que de la vaisselle de fer-blanc, avec une grande table servie de toutes sortes de grosses viandes en grande abondance : il y avoit plus de vingt officiers à la grande table, et encore quelques autres petites ; il y avoit des jambons, des langues de bœuf, des cervelas et du vin en quantité. »

Le maréchal de Duras [1] méritait-il une mention particulière à côté du maréchal d'Humières ? plutôt que le maréchal de Créqui par exemple, qui se faisait suivre en 1674 de sa vaisselle d'argent, plutôt même qu'aucun des autres chefs d'armée, qui sans doute avaient la même coutume ?

Voici, d'après C. Rousset (*Histoire de Louvois*, 1862, tome I, p. 347), l'analyse de l'ordonnance rendue en 1672 « pour la modération » des tables des officiers généraux et majors et autres servant dans les armées : Défense d'avoir plus de deux services de viande et un de fruit : nulles assiettes volantes ; des plats de pareille grandeur, ne contenant que des mets d'une même sorte, excepté pour les rôtis ; encore les viandes ne seront-elles pas l'une sur l'autre.

XXXIV

Pages 196 et 197, n° 64. — *Hermippe est l'esclave de ce qu'il appelle....*
(1691.)

Clef de 1696 : « M. d'Hermenonville [2]. » — Clef Cochin : « M. Damfreville, chef d'escadre [3]. C'est (*a-t-on ajouté, pour rectifier sans doute ce que l'on pensait devoir être une erreur de lecture*) M. d'Allorvillers, ou de Denonville, sous-gouverneur de M. le duc de Bourgogne, ci-

---

1. Jacques-Henri de Durfort, duc de Duras, maréchal de France en 1675, mort en 1704, âgé de soixante-quatorze ans.

2. Il y avait un intendant des finances de ce nom.

3. Lieutenant général de la marine, mort en 1692, laissant un fils qui a été colonel.

devant gouverneur de Madagascar[1]. » — Clefs manuscrites : « M. de
Renonville[2], d'Allonville, d'Alleville, d'Asserville, de Noinville,
d'Angervilliers[3]. »

Chacun, comme l'on voit, s'est évertué à déchiffrer sur la liste
qu'il copiait un nom mal écrit et peu connu. Il est possible que ce
nom, qui finit presque partout en *ville*, et quelquefois en *villers* ou
villiers, soit le nom défiguré, et précédé de je ne sais quel autre mot
mal lu, de Villayer, doyen du Conseil et membre de l'Académie française, qui mourut l'année même où parut le caractère d'*Hermippe*[4]. Le
portrait de Villayer est ici parfaitement ressemblant, comme le montre
la note suivante de Saint-Simon, qui est l'une de ses additions au
Journal de Dangeau (tome III, p. 295), et qu'y a déjà relevée Édouard
Fournier dans *la Comédie de J. de la Bruyère* (p. 559 et 560) :

« Ce bonhomme Villayer étoit plein d'inventions singulières, et
avoit beaucoup d'esprit. C'est peut-être à lui qu'on doit celle des
pendules et des montres à répétition pour en avoir excité le desir.
Il avoit disposé à sa portée dans son lit une horloge avec un fort
grand cadran, dont les chiffres des heures étoient creux et remplis
d'épices différentes, en sorte que conduisant son doigt le long de
l'aiguille sur l'heure qu'elle marquoit ou au plus près de la division
de l'heure, il goûtoit ensuite et par le goût et la mémoire connoissoit la nuit l'heure qu'il étoit. C'est lui aussi qui a inventé ces chaises volantes, qui par des contre-poids montent et descendent seules
entre deux murs à l'étage qu'on veut, en s'asseyant dedans, par le seul
poids du corps, et s'arrêtant où l'on veut. Monsieur le Prince s'en est

1. Sur Denonville, mort en 1710, voyez Saint-Simon, édition Boislisle,
tome XX, p. 94.

2. Un des fils de Berrier, celui qui a été secrétaire du Conseil à la place de
son père, se faisait appeler Berrier de Renonville.

3. Ce dernier nom a été porté par le fils du partisan Bauyn, qui a été secrétaire d'État en 1726, et peut-être par Bauyn lui-même.

4. Jean-Jacques Renouard, comte de Villayer, conseiller du Parlement,
maître des Requêtes, membre de l'Académie (1658), mourut le 8 mars 1691, et
fut remplacé à l'Académie par Fontenelle, qui dans son discours de réception
ne rappela point le souvenir de son prédécesseur immédiat. Du moins Thomas Corneille, qui fit la réponse, parla-t-il de lui : « L'Académie, dit-il à son
neveu,... vous choisit pour vous donner, non seulement une place dans son
corps, mais celle d'un magistrat éclairé, qui dans une noble concurrence, ayant
eu l'honneur d'être déclaré doyen du conseil d'État par le jugement même de
Sa Majesté, faisoit son grand plaisir de se dérober à ses importantes fonctions,
pour nous venir quelquefois faire part de ses lumières. » Comme Corneille,
comme Dangeau, le *Mercure* se tut sur les talents de Villayer en mécanique,
lorsqu'il enregistra sa mort (mars 1691, p. 129). Voyez encore sur lui Tallemant des Réaux, tome VI, p. 58, et tome VII, p. 441 et 442.

fort servi à Paris et à Chantilly. Madame la Duchesse, sa belle-fille
et fille du Roi, en voulut avoir une de même pour son entre-sol à
Versailles, et voulant y monter un soir, la machine manqua et s'ar-
rêta à mi-chemin, en sorte qu'avant qu'on pût l'entendre et la secourir en rompant le mur, elle y demeura bien trois bonnes heures
engagée. Cette aventure la corrigea de la voiture, et en a fait passer
la mode[1]. »

XXXV

Pages 197 et 198, n° 65. — *Il y a déjà longtemps que l'on improuve
les médecins....* (1687.)

Clefs du dix-huitième siècle : « *Ils placent leurs fils au Parlement et
dans la prélature :* Les Daquin. »

Daquin (ou d'Aquin) avait à cette époque un fils conseiller, mais
son fils Louis ne fut évêque qu'après la disgrâce de sa famille. Le
nom de Daquin, premier médecin du Roi jusqu'en 1693, était au
surplus fort bien choisi comme exemple de la fortune à laquelle
pouvaient prétendre les médecins. Voyez ci-après la note XXXVI.

Avec Daquin, plusieurs clefs manuscrites citent Vallot, premier
médecin du Roi avant Daquin[2], et Brayer, médecin dont le nom se
retrouve dans les *Lettres de Mme de Sévigné.*

XXXVI

Pages 198-201, n° 68. — *Carro Carri débarque....* (1694.)

Clefs du dix-huitième siècle : « *Caretti,* Italien, qui a fait quelques
cures qui l'ont mis en réputation ; il a acquis beaucoup de bien, et
vend fort cher ses remèdes ; ou Helvétius, Hollandois, qui avec la racine d'hypécacuanha pour le flux de sang, a gagné beaucoup de bien. »

Nous avons déjà parlé du premier (tome II, p. 432 et 433), auquel
la Bruyère fait certainement allusion.

---

1. « Parmi les inventions de notre *Hermippe,* dit Éd. Fournier, il ne faut
pas oublier celle de la *petite poste,* et surtout son complément le plus curieux,
l'invention des *billets de port payé,* premier type des *timbres-poste* en plein
dix-septième siècle. Le recueil inédit des lettres de Mlle de Scudéry, possédé
par M. Feuillet de Conches, où il est parlé de ces *billets,* nomme l'inventeur
« M. de Valayer. » C'est sans nul doute notre très ingénieux *Hermippe-*Villayer. » (*La Comédie de J. de la Bruyère,* p. 560, note 1.)

2. Il fut l'un des partisans de l'usage du quinquina et de l'émétique. Il
mourut en 1678.

.... Il n'hésite pas de s'en faire payer d'avance.... Commencez par lui livrer
quelques sacs de mille francs....

En 1684, Caretto avait exigé de M. Legras douze cents livres
avant de donner ses soins à Mme Legras : la malade était morte au
troisième breuvage, et M. Legras plaidait (inutilement sans doute)
pour obtenir la restitution des douze cents livres. « Caretto, écrit le
médecin Bourdelot au grand Condé, le 6 novembre 1684, en lui
donnant ces détails,... « commence à se décrier.... Néanmoins il se
dispose à retourner en Flandre, emportant cinquante mille livres de
ce pays. » (*Archives du Musée Condé.*)

Adrien Helvétius est le grand-père du philosophe. Voici le portrait
qu'en fait Saint-Simon (édition Boislisle, tome VIII, p. 92-94).

« C'étoit un gros Hollandois qui, pour n'avoir pas pris les degrés
de médecine, étoit l'aversion des médecins, et en particulier l'horreur de Fagon, dont le crédit étoit extrême auprès du Roi, et la tyrannie pareille sur la médecine et sur ceux qui avoient le malheur
d'en avoir besoin. Cela s'appeloit donc un empirique dans leur langage, qui ne méritoit que mépris et persécution, et qui attiroit la
disgrâce, la colère et les mauvais offices de Fagon sur qui s'en servoit. Il y avoit pourtant longtemps qu'Helvétius étoit à Paris, gué-
rissant beaucoup de gens rebutés ou abandonnés des médecins, et
surtout les pauvres qu'il traitoit avec une grande charité. Il en
recevoit tous les jours chez lui à l'heure fixée tant qu'il y en vouloit
venir, à qui il fournissoit les remèdes et souvent la nourriture. Il ex-
celloit particulièrement aux dévoiements invétérés et aux dyssenteries.
C'est à lui qu'on est redevable de l'usage et de la préparation diverse
de l'ipécacuanha pour les divers genres de ces maladies, et le discernement encore de celles où ce spécifique n'est pas à temps ou même
n'est point propre. C'est ce qui donna la vogue à Helvétius, qui
d'ailleurs étoit un bon et honnête homme, homme de bien, droit et
de bonne foi. Il étoit excellent encore pour les petites véroles et les
autres maladies de venin. D'ailleurs médiocre médecin. »

Page 199. — *Vos médecins, Fagon....*

Clefs du dix-huitième siècle : « M. Fagon, premier médecin du
Roi, qui a succédé à M. Daquin, qui fut disgracié en 1693 par trop
d'ambition, et pour avoir demandé au Roi la place de président à
mortier, vacante par la mort de M. de Nesmond, pour son fils, intendant à Nevers[1], et outre cela l'archevêché de Bourges pour un

---

1. Ce fils fut conseiller au Parlement, puis secrétaire du cabinet du Roi (1684).

autre fils, simple agent du clergé [1]. Il passoit aussi pour fort intéressé, et faisant argent de tout, jusque-là qu'il tira de du Tarté, chirurgien, vingt mille livres pour lui permettre de saigner le Roi dans
une petite indisposition, où il s'en seroit bien passé. Mais le principal
sujet de sa disgrâce [2] fut qu'il étoit créature de Mme de Montespan,
et que Mme de Maintenon vouloit le faire sortir pour y mettre son
médecin Fagon. Daquin enveloppa dans sa disgrâce toute sa famille.
L'intendant fut révoqué, et obligé de se défaire de sa charge de maître des Requêtes ; son fils qui étoit capitaine aux gardes [3], eut le même
ordre. [L'abbé [4] fut nommé, pour ses bonnes qualités, évêque de
Fréjus à la place de son oncle [5], disgracié et exilé à Quimper-Coren-
tin, remercia le Roi et eut l'évêché de Séez en Normandie, pour lors
vacant, où il est mort de la peste en visitant un de ses neveux.] Daquin n'étoit pas fort habile dans sa profession. Il est mort d'apo-
plexie aux eaux de Vichy, où il étoit allé, le 18 mai 1696. »

L'énumération des faveurs que reçut la famille Daquin n'est
pas complète, car il n'y est parlé ni de celles qu'obtinrent les frères
de Daquin, ni des sommes d'argent, souvent considérables, qui lui
furent données à lui-même. Pour en citer un exemple, il reçut, en
juin 1687, un don de cent mille livres.

XXXVII

Pages 201 et 202, n° 70. — *Que penser de la magie...?* (1689.)

L'abbé de Choisy exprime à peu près le même sentiment sur
les « faits embarrassants, » si toutefois le passage qui a été publié

et intendant de Nevers. Rappelé au mois de janvier 1694, à la suite de la disgrâce de son père, il vendit sa charge de secrétaire du cabinet, et en acheta
une de président au Grand Conseil.

1. C'est l'archevêché de Tours, suivant Dangeau et Saint-Simon, qu'il demandait pour son fils Louis, le même sans doute qui avait une abbaye dans le
diocèse de Luçon, et qui l'échangea en 1687 contre une abbaye à Reims, tout
en obtenant une pension sur l'abbaye qu'il délaissait. Voyez ci-après, note 4.

2. Voyez le récit de cette subite disgrâce, arrivée le 2 juin 1693, dans le
Journal de Dangeau, tome IV, p. 388 et 389 ; et dans les *Mémoires* de Saint-
Simon, édition Boislisle, tome I, p. 287-290. Conférez les *Mémoires* de Choisy,
p. 355.

3. Il avait été reçu capitaine aux gardes en 1690.

4. On lit dans les clefs Coste : « Et l'abbé est demeuré ce qu'il étoit. »
C'est une inexactitude, et nous remplaçons cette phrase par celle que donne la
clef de 1720. Louis Daquin a été nommé évêque de Fréjus en 1697, et de Séez
en 1699. Il était, dit Saint-Simon, « de très bonnes mœurs, de beaucoup
d'esprit et de savoir. » Conférez les *Mémoires* de le Gendre, p. 212-214.

5. Luc Daquin, évêque de Fréjus, de 1680 à 1697.

dans ses *Mémoires* sur ce sujet est authentique [1] : « Je ne crois pas autrement aux sorciers et aux diseurs de bonne aventure, dit-il : je n'ai jamais rien vu d'extraordinaire…. » Puis, après cette déclaration, il note quelques faits extraordinaires, dont l'un pour le moins lui paraît constant : « les trois personnes présentes le content à qui veut l'entendre. »

XXXVIII

Page 216, n° 73, 3e alinéa. — *Laurent payé pour ne plus écrire….*
(1692.)

Parmi les personnages de la cour que Laurent fait figurer à la suite du Dauphin dans la *Relation de la fête Dauphine* (p. 14), parmi

> …. Tous les grands héros d'élite
> Qu'Alexandre (*le Dauphin*) avoit à sa suite,

et qu'il désigne par des surnoms, un seul est inconnu : c'est *Aristophane*, le seul dont l'auteur ne dise point le vrai nom dans la clef imprimée page 2. Laurent se désignait-il lui-même sous ce pseudonyme ? était-il donc, dans cette circonstance, de la suite du prince ? Aristophane ne peut être la Bruyère, car ce n'est pas à la suite du Dauphin qu'il assista à la fête.

DE LA CHAIRE.

Page 220, n° 1. — *Le discours chrétien est devenu un spectacle….*
(1687.)

Dans le chapitre *des Prédicateurs* de son *Théophraste moderne*, auquel nous avons déjà fait plusieurs emprunts (p. 384 et suivante), et dont nous donnerons divers autres extraits, Brillon a plus d'une fois développé cette remarque. La lecture de ce chapitre est parfois un intéressant commentaire du chapitre de la Bruyère sur le même sujet.

1. Voyez ses *Mémoires*, collection Petitot, tome LXIII, p. 323-326.

II

Page 221, n° 3. — *Jusqu'à ce qu'il revienne un homme....* (1687.)

Clefs du dix-huitième siècle : « M. Letourneur, grand prédicateur, qui a fait *l'Année sainte* (lisez : *l'Année chrétienne* [1]), qui ne prêchoit que par homélies, et qui a été fort suivi dans Paris, » — « surtout dans la paroisse de Saint-Benoît, où il prêcha un carême [2], » ajoute le manuscrit Cochin.

Suivant toutes les clefs, moins celle de 1700, l'abbé le Tourneux ou le Tourneur, prieur de Villiers-sur-Fère en Tardenois, est le prédicateur que regrette la Bruyère. Il est mort le 26 novembre 1686, plus d'une année avant la publication des *Caractères*, à l'âge de quarante-six ans.

« M. le Tourneur, dit une note du *Chansonnier Maurepas*, tome IV, p. 360, étoit un simple prêtre, boiteux et sans aucun extérieur, et peu éloquent. Il fut d'abord peu suivi ; mais sa doctrine, claire, intelligible à expliquer la sainte Écriture, sa morale sensée et sa solide piété le firent bientôt connoître et préférer à tous les autres prédicateurs, excepté le P. Bourdaloue.... Les jésuites furent jaloux de la réputation que M. le Tourneur s'étoit acquise ; ils eurent le crédit de lui faire défendre de prêcher par François de Harlay, archevêque de Paris, sous prétexte qu'il débitoit les dogmes et la morale des jansénistes. Il se retira dans un prieuré qu'il avoit dans le diocèse de Soissons, où il a vécu exemplairement et sans faste, et où il commença et composa l'excellent livre de *l'Année chrétienne*, qui est un extrait de ses sermons. »

Parmi les traits de franchise de Boileau, Louis Racine a cité le suivant : « Le Roi lui disoit un jour : « Quel est un prédicateur qu'on « nomme le Tourneux ? On dit que tout le monde y court : est-il si « habile ? » — « Sire, reprit Boileau, Votre Majesté sait qu'on court « toujours à la nouveauté : c'est un prédicateur qui prêche l'Évan- « gile. » Le roi lui demanda d'en dire sérieusement son sentiment. Il répondit : « Quand il monte en chaire, il fait si peur par sa laideur « qu'on voudroit l'en voir sortir ; et quand il a commencé à parler, « on craint qu'il n'en sorte [3]. » (*Mémoires sur la vie de Jean Racine,* dans les *Œuvres de Racine,* édition Mesnard, tome I, p. 338.)

1. Cet ouvrage, composé de treize volumes, parut de 1685 à 1701.
2. Celui de 1682. Il y avait à cette époque un autre prédicateur du même nom à Paris : ce dernier était principal du collège de Boncours.
3. Voyez encore sur Nicolas le Tourneux, l'*Histoire de Port-Royal* de Sainte-Beuve, tome V, p. 209 et suivantes, édition de 1867.

III

Clefs du dix-huitième siècle : « Manière de prêcher de l'abbé Boileau. »

Charles Boileau, curé de Vitry, puis abbé de Beaulieu, membre de l'Académie française, prêchait à Paris depuis 1679 [1].

« Anselme [2] et Boileau, dit le Gendre (*Mémoires*, p. 12), portés sur les ailes de la protection puissante, l'un de Mme de Montespan, l'autre de M. Bontems, s'élevèrent bien haut tout d'un coup. Étoient-ce des orateurs parfaits ? Non sans doute : aucun d'eux n'en avoit les grâces ; leurs gestes à l'un et à l'autre n'étoient ni beaux ni naturels ; Anselme avoit la mine d'un pédant, et Boileau l'air d'un paysan.... Ils ne persuadoient point, parce qu'il y avoit trop d'art dans leur prédication. Les discours de Boileau n'étoient qu'un tissu de fleurs ; on n'y trouvoit que portraits, antithèses et allusions. Il y avoit moins de clinquant dans les discours d'Anselme ; mais la morale étoit si vague, que ne caractérisant personne, personne n'en étoit touché ; l'un et l'autre avoient peu de théologie. »

La Bruyère a un peu trop vite annoncé la fin des « antithèses » et prévu celle des « portraits ; » car Brillon, plusieurs années plus tard, se plaindra de l'abus qu'on fait en chaire des portraits et des antithèses. (*Théophraste moderne*, p. 334, 339, 340, etc.)

IV

L'éloge que fait la Bruyère de la manière de prêcher du P. Séraphin [3] a été publié en 1694, mais a dû être écrit dès 1692.

---

1. Il avait prêché, en 1679, le carême au couvent de Sainte-Madeleine, et l'avent au couvent de Notre-Dame de la Merci ; l'avent de 1680 aux Carmélites de la rue du Bouloi ; l'avent de 1681 aux Nouvelles Catholiques ; en 1683, le carême à Saint-Germain l'Auxerrois, et l'avent à Saint-Louis ; le carême de 1687 à Notre-Dame, etc. — Charles Boileau est mort en 1704. Il a été publié de lui, en 1712, deux volumes d'homélies et de sermons.

2. Le nom d'Anselme est aussi l'un de ceux que donnent les clefs : voyez ci-après, p. 424, note x.

3. Il y avait à cette époque plusieurs prédicateurs qui portaient le nom de P. Séraphin. A s'en tenir aux capucins, nous trouvons dans les listes des prédi-

Le P. Séraphin, qui depuis longtemps prêchait dans les paroisses de Paris, était venu prêcher le carême de 1692 dans l'église paroissiale de Versailles, et comme le dit la Bruyère, son éloquence y avait attiré les courtisans, tout en déplaisant aux paroissiens : l'alinéa semble écrit sous l'impression toute récente encore de l'un de ces sermons où la cour et la ville de Versailles se montraient d'un avis si différent. Le P. Séraphin ne revint à Versailles que quatre ans plus tard, pour prêcher cette fois au château et devant la cour. Le Roi déclara que ses sermons étaient « plus de son goût qu'aucun qu'il ait jamais entendu » (*Journal* de Dangeau, tome V, p. 376) : et Saint-Simon, de son côté, nota comme il suit ses succès (*Mémoires*, édition Bois-lisle, tome III, p. 78-80) : « Le P. Séraphin, capucin, prêcha cette année (1696) le carême à la cour. Ses sermons, dont il répétoit souvent deux fois de suite les mêmes phrases, et qui étoient fort à la

cateurs de ce temps : le P. Séraphin*; le P. Séraphin de Paris**; le P. François Séraphin de Paris, capucin***; le P. André Séraphin de Paris****; et le P. Séraphin de Saint-André*****. Nous pouvons sans doute mettre au compte du P. Séraphin de la Bruyère les sermons prononcés par « le P. Séraphin, » (de la note *) et certainement tous ceux du « P. Séraphin de Paris. » Il a été publié en 1694 et 1695 six volumes, en 1697 deux volumes, en 1703 quatre volumes d'homélies du P. Séraphin de Paris.

* « Le P. Séraphin, capucin, » prêche l'avent de 1684 à l'hôpital Sainte-Catherine ; le carême de 1694 à Saint-André des Arts, etc.

** « Le P. Séraphin de Paris, capucin, » prêche l'avent de 1671 à Saint-Barthélemy ; l'avent de 1672 et les carêmes de 1673, de 1681 et de 1682, aux Capucins de la rue Saint-Honoré et aux Capucines ; l'avent de 1675 et le carême de 1676 à Saint-Marcel ; l'avent de 1681 à Saint-Médard ; l'avent de 1684 à Saint-Jacques du Haut-Pas ; le carême de 1685 à Saint-Sauveur ; l'avent de 1685 et le carême de 1688 à Saint-Étienne du Mont ; l'avent de 1687 à Saint-Séverin ; l'avent de 1688 à Saint-Nicolas des Champs ; en 1689, le carême aux capucins du Marais et l'avent à Saint-Eustache ; en 1690, le carême aux Quinze-Vingts et l'avent à Saint-Gervais ; en 1691, le carême aux Saints-Innocents et l'avent à Saint-Merry ; en 1692, le carême à la paroisse de Versailles et l'avent à Saint-Nicolas des Champs ; en 1693, le carême à Saint-Séverin et l'avent à Saint-Eustache ; l'avent de 1695 à Saint-Germain l'Auxerrois ; le carême de 1696 à la chapelle du Roi à Versailles, etc.

*** « Le P. François Séraphin de Paris, capucin, » ancien professeur en théologie, prêche l'avent de 1676 et le carême de 1677 à Saint-Martin ; l'avent de 1681 au couvent de Sainte-Élisabeth ; le carême de 1685 au couvent de Sainte-Madeleine ; une partie du carême de 1689 aux Capucins du Marais, etc.

**** « Le P. André Séraphin, de Paris, capucin, » prêche l'avent de 1680 à Saint-Barthélemy ; le carême de 1685 aux Prémontrés de la rue Hautefeuille ; le carême de 1687 aux Capucins ; le carême aux Prémontrés et l'avent au couvent de Sainte-Élisabeth, en 1690 ; le carême de 1691 aux religieuses de Sainte-Madeleine ; l'avent de 1692 aux Bénédictines de la rue de la Ville-l'Évêque ; l'avent de 1693 aux Capucins, etc.

***** « Le P. Séraphin de Saint-André, capucin, » prêche l'avent de 1678 aux Capucins du Marais.

capucine, plurent fort au Roi, et il devint à la mode de s'y empresser
et de l'admirer, et c'est de lui, pour le dire en passant, qu'est venu
ce mot si répété depuis : *Sans Dieu point de cervelle.* Il ne laissa pas
d'être hardi devant un prince qui croyoit donner les talents avec les
emplois. Le maréchal de Villeroy étoit à ce sermon ; chacun, comme
entraîné, le regarda. Le Roi fit des reproches à M. de Vendôme,
puis à M. de la Rochefoucauld de ce qu'ils n'alloient jamais au sermon, pas même à ceux du P. Séraphin... »

Quelques semaines avant sa mort, la Bruyère put entendre le
P. Séraphin dans la chapelle de Versailles. Demeura-t-il aussi content de sa manière de prêcher ? Ne l'avait-il pas opposé avec trop
d'empressement aux déclamateurs du jour ? L'enthousiasme des
courtisans s'était refroidi en 1696, si nous en croyons Brillon [1], mais
le père Séraphin continua sans doute à mériter les éloges de la
Bruyère qui avait moins loué son talent que la simplicité « apostolique » avec laquelle il expliquait « uniment et familièrement » l'évangile. Si le P. Séraphin plut au Roi, à Mme de Maintenon, à la
Bruyère et pendant quelques temps aux courtisans, il fut jugé avec
moins de bienveillance par l'abbé Legendre. Sa sévérité ne peut nous
surprendre : il était chanoine de Notre-Dame et le P. Séraphin, on le
verra ci-après, a mal parlé des chanoines; de plus le P. Séraphin
était accusé de quiétisme et le quiétisme était odieux à l'abbé le
Gendre.

« S'il y avoit dans le clergé, dit-il dans ses *Mémoires* (p. 13-15),
des prédicateurs qui brilloient, il n'y en avoit pas moins parmi les
ordres religieux. Je ne mets point au nombre de ces prédicateurs le
P. Séraphin, capucin, quoique Mme de Maintenon, qui peut-être
appréhendoit la langue trop libre de ce bonhomme, lui ait fait, pour
le contenter, prêcher deux carêmes au Louvre. De talent, il n'en
avoit point, que celui de crier bien fort et de dire crûment des in-

---

1. « Cet homme tant souhaité, dont la mission réjouit les amateurs de la
simplicité évangélique, cet homme venu pour consoler les auditeurs, jusque-là
indignés de la profanation de l'apostolat, fait déserter la Chapelle, où il ne
prêche point. Les grands se mêlent avec les paroissiens, et l'accablent d'éloges
que le peuple osoit lui refuser. Des suffrages aussi illustres lui méritent un
royal auditoire : le courtisan, qui se montre enfin de l'avis du peuple, souhaite
le retour des hommes éloquents. Prêt d'abandonner une seconde fois la Chapelle, il se réconcilie avec les déclamateurs auxquels il rougit d'avoir préféré le
missionnaire; s'il continue de l'entendre, la bienséance l'y force, mais son goût
le porte ailleurs. » (*Théophraste moderne*, p. 336.) Annotation de ce passage
dans la clef qu'a publiée Brillon : « le Père Séraphin, capucin, plus suivi
quand il prêchait à la paroisse de Versailles, où allait Mme de Maintenon,
que quand il prêcha ensuite devant le Roi à la Chapelle. »

jures. Prêchant devant le Roi, le premier médecin présent, et se demandant à soi-même si Dieu n'a pas en ce monde des exécuteurs de
sa justice : « Qui en doute, s'écria-t-il, et qui sont ces exécuteurs ?
ce sont les médecins qui par leurs ordonnances données à tort et à
travers tuent la plupart des gens. » Prêchant le carême dans l'église
de Paris (*Notre-Dame*), ce père dit en face à Messieurs les chanoines
qu'ils menoient une vie molle et ne faisoient point leur devoir. Il
avoit grand tort : ce reproche ne convient point à des gens qui à
minuit chantent *matines* aussi pieusement que les capucins récitent
les leurs. Au reste tout Diogène que ce bonhomme étoit en chaire [1],
il ne l'étoit nullement à table : c'étoit un beau dîneur, et lorsqu'il
étoit hors du couvent, il ne vouloit manger ni boire que du meilleur. Devant prêcher à Saint-Benoît, une des paroisses de Paris, il
dit aux marguilliers, un mois et demi avant les Cendres, que voulant passer le carême dans la chambre du prédicateur, il le prioit de
lui avancer, sur l'honoraire qu'il ne devoit toucher qu'à Pâques, de
quoi avoir du vin en cave et payer son traiteur. Cet honoraire, quoique pourtant de cinq cents francs, étoit mangé avant le dimanche de
la Passion. Le marguillier en charge, homme peu disposé à mettre
du sien, dit au père, d'un ton assez sec, qu'il ne pouvoit plus rien
lui fournir. Le père, sans se déconcerter, répliqua : « Si le fonds
manque, qu'on fasse une quête dans la paroisse ; autrement je ne
prêche plus. » Il en coûta mille francs au cardinal de Noailles pour
régaler ce capucin, qui dans le carême qu'il nous prêcha eut toujours à sa table quatre capucins d'aussi bon appétit que lui. »

Le P. Séraphin devint en 1700 suspect de quiétisme, comme
nous l'avons dit, et l'archevêque de Paris lança contre lui un inter-
dit. Il mourut à Paris, en 1713 dans le grand couvent que son ordre
possédait rue Saint-Honoré, âgé de 77 ans. M. A. de Boislisle a donné,
dans ses annotations du passage précédemment cité des *Mémoires de
Saint-Simon,* quelques renseignements biographiques de plus sur le
P. Séraphin qui se nommait dans le monde Claude-Robert Hurault
et qui fut supérieur et gardien du couvent de Meudon.

Depuis trente années on prête l'oreille aux rhéteurs,
.... aux énumérateurs....

« .... Les auditeurs éclairés, dit Brillon (p. 339), ne confient pas
indifféremment le soin de leur salut : ils veulent de l'esprit dans la

---

1. On raconte que le P. Séraphin apostropha un jour du haut de la chaire,
dans la chapelle de Versailles et devant toute la cour, l'abbé de Fénelon, le
futur archevêque de Cambrai, que son sermon avait endormi.

morale, de l'éloquence dans le ministre. Un C.... (capucin) ne leur prêcheroit que l'Évangile : ils le laissent au peuple. Bientôt le peuple n'en voudra plus [1]. Il donne déjà dans le portrait, aime l'antithèse, ambitionne enfin de se sauver à la manière des nobles et des beaux esprits. Les marguilliers veulent à leur tour des *énumérateurs;* par précaution on les retient pour le carême de 1703, pour l'avent de 1704. L'église est étroite, bornée à des marchands ; au reste la chaire est bonne, elle est lucrative ; sur cela *Théocrite* se détermine, il se promet, engage sa parole, fût-il curé ou prélat [2].... »

V

Page 225, nᵒ 8. — *C'est avoir de l'esprit....* (1687.)

Clefs de 1696 et de 1700 : « *C'est avoir de l'esprit....* Feu M. l'abbé Bouin, le P. Soanen, le P. de la Roche, de l'Oratoire, et autres. »

Les clefs du dix-huitième siècle appliquent la première phrase à l'abbé Fléchier ou aux pères Senaut, la Roche et autres; la seconde au P. Soanen, « grand prédicateur, prêtre de l'Oratoire, évêque de Senez en 1695. »

Sur l'abbé Bouin, voyez ci-après, note vi, p. 421 et 422.

Le P. Soanen [3] était au dire de l'abbé le Gendre [4], « le plus éloquent » des prêtres de l'Oratoire. « Très éloquent, mais peu solide, dit-on de lui dans une note du *Chansonnier Maurepas* (tome V, p. 302), d'ailleurs agréable prédicateur, et fort suivi à cause de l'agrément de ses sermons. Sa morale étoit sévère, de même que celle de M. le Tourneur ; aussi la congrégation de l'Oratoire, dans laquelle il étoit, est-elle attachée au parti des jansénistes. »

Jean de la Roche, « le plus brillant » des prédicateurs de l'Oratoire, selon l'abbé le Gendre, était fort goûté par Racine [5].

1. On a vu dans la note précédente que déjà en 1692 les paroissiens de Versailles estimaient peu les sermons *à la capucine* du P. Séraphin.

2. Brillon écrivait ce passage en 1699.

3. Jean Soanen, né à Riom en 1647, mourut en 1740, à la Chaise-Dieu, où l'avait fait exiler son attachement au jansénisme. Il avait prêché le carême de 1682 à Saint-Benoît, celui de 1684 à Saint-André des Arts, celui de 1685 à Notre-Dame, ceux de 1686 et de 1688 devant le Roi, celui de 1687 à Saint-Merry.

4. « Des prêtres de l'Oratoire, qui faisoient bonne figure parmi les prédicateurs, le P. de la Tour passoit pour le plus touchant, le P. de la Roche pour le plus brillant, ... Soanen pour le plus éloquent. » (*Mémoires,* p. 17.)

5. Il avait prêché l'avent de 1682 à l'Oratoire, en 1684 le carême à Saint-Barthélemy et l'avent aux Carmélites, le carême de 1686 à Saint-Jean en Grève.

Fléchier, qui, dès ses premiers sermons, avait obtenu de grands succès oratoires, et qui depuis longtemps déjà avait prononcé ses plus belles orai sons funèbres, était évêque depuis deux ans, quand parurent les *Caractères*.

Le P. Senaut, supérieur général de l'Oratoire, dont on rappelle ici le souvenir, était mort depuis 1672. Il est l'auteur du traité de l'*Usage des passions*. Ses panégyriques des saints et ses orai-sons funèbres ont été imprimés; mais ses sermons n'ont pas été publiés.

VI

Page 225, n° 9. — *L'orateur fait de si belles images....* (1687.)

Clef de 1696 : « Le P. de la Boissière, le P. de la Roche, de l'O-ratoire, et le P. Gonnelieu. » — Clefs du dix-huitième siècle : « L'abbé Bouin, grand faiseur de portraits en chaire, habile prédi-cateur, et grand joueur; co qui l'a empêché de parvenir aux dignités ecclésiastiques, où il auroit eu bonne part sans cela. »

Joseph de la Fontaine de la Boissière, oratorien [1], prêcha en 1685 l'avent à l'Oratoire : c'était sans doute son début; il y prêcha encore le carême en 1686.

Nous avons parlé du P. de la Roche dans la note précédente.

Le P. Gonnelieu, jésuite [2], était, dit l'abbé le Gendre (*Mémoires,* p. 18), l'un de « ces prédicateurs populaires qui, en croyant mieux inculquer quelques vérités effrayantes, tonnent et tempêtent à tout moment. Le pieux tintamarre, ajoute-t-il, de ces hommes de feu qui déchirent leur surplis en chaire n'est tonnerre que pour le peuple : il n'y a que lui qui s'en effraye; et bien loin de faire impression sur l'esprit des personnes graves, elles (*sic*) los font rire souvent.... Quand on se possède si peu, on ne mérite point le nom de prédicateur. »

« Un religieux de Saint-Victor, et le seul de cette maison qui ait fait du bruit par ses sermons, dit l'abbé le Gendre en parlant de Bauïn (p. 16), étoit frère de M. Bauïn, le trésorier de la Chambre aux deniers. Il disoit de fort bonnes choses. S'il avoit eu des ma-

le carême de 1687 à Saint-Gervais, les carêmes de 1691 et de 1692 à la cha-pelle du Roi, etc. Il mourut en 1711, âgé de cinquante-sept ans.

1. Il y avait un homonyme qui était cordelier et prêchait depuis 1682.

2. Jérôme Gonnelieu, né en 1640, est mort en 1715. Il avait déjà prêché le carême de 1683 à Saint-André des Arts, l'avent de la même année et le carême de 1684 au couvent des jésuites, l'avent de 1685 à Saint-Germain l'Auxerrois, le carême de 1686 à Saint-Merry, le carême de 1687 à Saint-Roch, l'avent de 1687 à la paroisse de Versailles, etc.

nières plus réservées et plus de gravité dans ses mœurs, il auroit été loin. Quelque réputation et quelque mérite qu'il eût, il se faisoit si peu valoir que quand des gens de métier le prioient de prêcher leur saint, il le faisoit volontiers, à la condition, bien entendu, qu'ils lui donnassent ce qui lui convenoit de leurs marchandises. Il taxa les chapeliers à deux castors, les marchands de vin à vingt-cinq bouteilles de vin, et les pâtissiers à dix tourtes [1]. »

VII

Page 225, nº 10. — *Un beau sermon est un discours oratoire....* (1689.)

Clefs du dix-huitième siècle : « Le P. Gonnelieu. »

S'il faut juger le P. Gonnelieu sur le témoignage de l'abbé le Gendre (voyez ci-dessus, note vi), il est difficile d'admettre qu'il ait été l'un des prédicateurs auxquels il est fait allusion. C'est le nom de Bourdaloue que Walckenaer a proposé d'inscrire à côté de cette phrase. (Conférez tome IV, p. 54, nº 61.)

VIII

Page 226, nº 12. — *La morale douce et relâchée....* (1687.)

Clef de 1696 : « L'abbé Boileau. » — Clefs du dix-huitième siècle : « L'abbé Boileau et l'abbé Fléchier. »

1. « L'abbé Bauin, vulgairement appelé l'abbé Bouin, avoit été religieux de l'abbaye de Saint-Victor de Paris, et par conséquent chanoine régulier de Saint-Augustin. C'étoit un débauché et un libertin, qui ne pouvant s'accommoder de la régularité avec laquelle on vit dans cette abbaye, songea à changer d'ordre pour en sortir. Il entra dans l'ordre de Cluny par permission du pape, et depuis demeura à Paris, d'où il étoit, vivant comme un bandit, passant sa vie à jouer et à piper, à boire.... Avec tout cela il étoit bon prédicateur, solide, touchant, savant, éloquent ; mais en sortant de la chaire, il se jetoit dans la débauche. » (*Chansonnier Maurepas*, tome V, p. 359.) — Il a prêché, en 1665, l'avent à Saint-Jean en Grève et aux Nouveaux Convertis de la Foi, et le carême à l'abbaye de Saint-Victor ; l'avent de 1666 au couvent de Saint-Victor ; le carême de 1667 aux Carmélites de la rue du Bouloi ; le carême de 1668 à Saint-Jacques la Boucherie ; le carême de 1670 à Saint-Nicolas des Champs ; en 1671, le carême à Saint-Séverin et l'avent à Saint-Jacques la Boucherie ; le carême de 1672 à Saint-Barthélemy ; en 1673, le carême à Saint-Paul et l'avent à Saint-Germain l'Auxerrois ; le carême à Saint-Merry et l'avent aux religieuses carmélites de la rue Chapon en 1674 ; l'avent de 1677 aux Prémontrés de la rue Hautefeuille ; l'avent de 1679 à Saint-Benoît et à l'hôpital de la Charité ; le carême de 1680 à Saint-Roch. Il était docteur de Sorbonne, et avait les titres de conseiller, aumônier et prédicateur du Roi

IX

Pages 226 et 227, n° 13. — *L'on peut faire ce reproche....* (1689.)

Clefs diverses : « Contre les oraisons funèbres. »

Il s'en est trouvé quelques-uns...

Annotation de toutes les clefs, sauf quelques différences de rédaction : « L'abbé de Roquette, neveu de l'évêque d'Autun, devant prêcher le sermon de la Cène en présence du Roi, avoit composé un discours tout à la louange de ce prince ; mais Sa Majesté ne pouvant s'y trouver, l'abbé n'osa prononcer un discours où il étoit parlé beaucoup du Roi et peu de Dieu. »

Cette mésaventure de l'abbé de Roquette est parfaitement authentique. Le jeudi saint, 15 avril 1688, Louis XIV, retenu par la goutte, ne put assister à la cérémonie de la Cène : l'abbé de Roquette, « qui s'étoit préparé à prêcher devant le Roi, dit Dangeau, s'excusa, » et la cérémonie s'accomplit sans qu'il y eût de sermon (*Journal*, tome II, p. 130 ; sur cet abbé, voyez de plus au même tome, p. 369).

Le manuscrit Cochin confond cet abbé et son oncle Gabriel de Roquette, évêque d'Autun[1], auprès duquel il vivait, dans l'espoir d'obtenir sa coadjutorerie. « L'abbé Roquette, dit Saint-Simon (édition Boislisle, tome XIV, p. 297 et 298), avec ses sermons, son intrigue, ses cheveux blancs et tant d'espérance, n'a pu parvenir à l'épiscopat. Il a fini chez Mme la princesse de Conti, fille de Monsieur le Prince, dont il se fit aumônier, et son frère son écuyer. »

X

Page 227, n° 14. — *Théodule a moins réussi...* (1687.)

Clefs du dix-huitième siècle : « L'abbé Fléchier. » — Clefs manuscrites : « L'abbé Anselme[2]. »

Sur l'abbé Anselme, qui avait prêché en 1686 à Versailles, et dont le nom, aussi bien que celui de Fléchier, vient ici mal à propos, voyez ci-dessus, p. 416, note III.

---

1. Voyez tome II, p. 451 et 452, note IV.
2. Les sermons d'Antoine Anselme (1652-1737) ont été imprimés en 1721.

XI

Clef de l'exemplaire de la bibliothèque Danyau : « L'abbé d'Étampes et autres. »

Théodat a été payé....

Même clef et autres clefs manuscrites : « M. de la Broue, évêque de Mirepoix. »

Pierre de la Broue, « ami et créature de Monsieur de Meaux, » c'est-à-dire de Bossuet, suivant l'abbé Phelipeaux, a été nommé en 1679 à l'évêché de Mirepoix. « Ce prélat, ajoute Phelipeaux (*Relation sur l'origine.... du quiétisme*, p. 34), avoit prêché avec réputation ; il étoit bon théologien, et avoit du goût pour les belles-lettres ; il étoit d'un naturel doux et modeste.... » Il eût désiré être nommé précepteur du duc de Bourgogne ; mais Fénelon l'emporta sur lui. Il mourut dans son diocèse en 1720, âgé de soixante-dix-sept ans.

XII

Clef manuscrite : « L'abbé de Jarry. »

Laurent Juilhard du Jarry, prédicateur et poëte, prêtre prieur de Notre-Dame du Jarry, né en 1658, mort en 1730, a laissé plusieurs volumes de sermons, de panégyriques et d'oraisons funèbres, et un ouvrage sur le *Ministère évangélique* (1726). Il n'avait encore composé, si je ne me trompe, qu'une seule oraison funèbre qui eût été imprimée, celle du grand Condé, prononcée en l'abbaye de Maubuisson le 3 mai 1687. Il fit en 1690 celles de la Dauphine, Marie-Anne-Christine de Bavière, et du duc de Montausier ; en 1712 celle du grand Dauphin et de sa femme.

Cette réflexion lui a été, ce nous semble, très injustement appliquée ; car sur le titre de l'*Oraison funèbre du Prince de Condé*, il s'est simplement nommé : M. l'abbé du Jarry, » sans autre qualité.

.... De vastes affiches qui....

Brillon, après la Bruyère, s'est plaint des moyens auxquels recouraient les prédicateurs, et aussi les marguilliers de chaque paroisse, pour attirer la foule aux sermons de l'avent ou du carême :

« Ne dites point, écrit-il dans son *Théophraste moderne* (p. 34c et 341), qu'il y a de l'injustice à s'élever contre l'ambition du ministère évangélique : tout nous y porte. Une liste publiquement criée prévient en faveur du ministre ; une affiche, répandue et multipliée sur les portiques du temple, contient son éloge ; le ministre lui-même, à la fin d'un discours fleuri, invite agréablement ses auditeurs à le venir entendre. Usages vains et orgueilleux !... »

Cette « liste publiquement criée [1], » c'est celle où l'on a réuni, aux approches de chaque carême et de chaque avent, le tableau de tous les prédicateurs engagés par chaque fabrique : lorsqu'une église n'est pas en mesure de donner d'avance les noms de tous les orateurs qu'elle fera entendre, elle a soin de promettre « d'illustres prédicateurs. » La Bibliothèque nationale possède une collection de ces listes, réunies en deux volumes : voyez ci-dessus, p. 389, note xii, l'indication du premier.

Les églises, de plus, avaient soin de faire imprimer des affiches où le dénombrement des titres et des dignités des prédicateurs annoncés se faisait plus longuement que sur le tableau général : ce sont les « vastes affiches » dont parle la Bruyère, et qu'il nous montre distribuées ou collées de tous côtés, tandis que Brillon se contente de les multiplier « sur les portiques [2]. »

Les panégyriques étaient souvent d'excellentes occasions de se faire apprécier : « Certains panégyriques *où accourent les connoisseurs*, des vêtures, des professions, me mirent en vogue de bonne heure, » dit le Gendre dans ses *Mémoires* (p. 7 et 8).

XIII

Pages 229 et 230, n° 23. — *Tel tout d'un coup, et sans y avoir pensé la veille....* (1692.)

Clef de 1696 et clefs suivantes : « le sieur Gédéon Pontier, auteur du *Cabinet des Princes*. »

1. Il en est aussi question dans un autre passage du *Théophraste moderne* (p. 340) : « De riches offres, » dit Brillon à la suite d'un morceau cité plus haut (p. 420, note iv), « le consolent du chagrin de n'avoir qu'un très simple auditoire : il espère que la liste le rendra célèbre, et qu'à force d'être annoncé aux grands, il n'y aura point de place dans l'église pour les paroissiens, ni même dans l'œuvre pour les marguilliers. »

2. Brillon parle encore de ces affiches dans le même ouvrage, p. 355 et 356.

Dans *la Comédie de J. de la Bruyère,* Édouard Fournier a démontré
par un heureux rapprochement que les auteurs des clefs ont ici
rencontré le nom véritable de *Dioscore,* ou du moins de l'un des
Dioscore qui ont posé devant la Bruyère. Nous citons Édouard Fournier
(p. 292 et 293) :
« Ils ont joint les lettres avec les armes, et ont une belle biblio-
« thèque, où il y a des manuscrits rares, grecs et latins. Le père et
« le fils sont des bibliothèques vivantes. » C'est Gédéon Pontier qui
parle ainsi du grand Condé et de son fils, dans son bizarre ouvrage,
le Cabinet des Grands [1]. Il n'eut pas le profit de son éloge. Ayant dit
ailleurs [2], à propos de Paris : « L'agréable fleuve de la Seine passe
« par le milieu, et ne fait que serpenter à sa sortie comme s'il avoit
« de la peine à le quitter, » la Bruyère saisit la phrase au bond pour
en faire un des ridicules de son *Dioscore,* dont il dit : « Il écriroit
« volontiers que la Seine coule à Paris [3]. »

XIV

Page 235, n° 29. — *Il me semble qu'un prédicateur devroit....*
abandonner toutes ces divisions.... (1689.)

Clefs du dix-huitième siècle : « Le P. de la Rue, jésuite. »
« Le P. de la Rue [4] étoit un bon humaniste, dit l'abbé le Gendre
(p. 20) ; il avoit régenté la rhétorique avec éclat. Cette haute réputation qu'il s'étoit acquise au collège déclina insensiblement quand il
se fut mis à prêcher. Les connoisseurs ne le trouvèrent pas à beaucoup près aussi éloquent en françois qu'il l'avoit paru en latin. Il ne
laissa pas de faire du bruit et de se soutenir , tant par la prévention
que l'on avoit en sa faveur que par les intrigues de sa compagnie,
celles de ses amis et les grandes louanges qu'ils lui donnèrent. Sa
physionomie d'honnête homme, sa voix forte, quoique un peu rude,
et sa science, attiroient grand monde à l'entendre. Lorsqu'il se fut

1. 1681, in-12, tome I, p. 191.
2. *Ibidem,* p. 111 et 112.
3. « Tout le monde, dans ce trait, reconnut Gédéon Pontier. » (Camusat,
Histoire critique des journaux, tome II, p. 36 et 37. Voyez aussi les *Pièces
fugitives d'histoire et de littérature.* 1704, in-12, 3ᵉ partie, p. 517.) —
(*Note d'Éd. Fournier.*)
4. Charles de la Rue (1643-1725) avait déjà prêché l'avent de 1678 et l'avent
de 1684 au couvent des jésuites ; le carême de 1686 à Saint-Eustache ; l'avent
de la même année à Saint-Sulpice ; l'avent de 1687 devant le Roi, etc. On a
de lui quatre volumes de sermons, et quatre volumes de panégyriques ou
d'oraisons funèbres.

avisé d'imprimer ses sermons, croyant se mettre par là sur la ligne
du P. Bourdaloue, on les trouva si ordinaires qu'on eut honte de les
avoir applaudis. »

DES ESPRITS FORTS.

I

Pages 238 et 239, n° 4. — *Quelques-uns achèvent de se corrompre....*
(1690.)

La Bruyère ne pensait-il pas à François Bernier, le célèbre voya-
geur, qui, après avoir publié ses *Voyages* (1670 et 1671), fit paraître
en 1678 un *Abrégé de la philosophie de Gassendi*, bientôt suivi (1682)
de ses *Doutes sur quelques chapitres de l'Abrégé de la philosophie de
Gassendi*?

Bernier était mort en 1688. Il avait visité en 1654 l'Assyrie,
l'Égypte et l'Inde, et il était resté douze ans auprès du Grand Mogol.

II

Page 240, n° 8. — *Toute plaisanterie dans un homme mourant....* (1687.)

Clefs des éditions Coste : « M. le comte d'Olonne dit au lit de la
mort, quand on vint l'avertir que M. de Cornouaille, vicaire de
Saint-Eustache, entrait pour le confesser : « Serai-je encornaillé
« jusqu'à la mort ? »

Le comte d'Olonne reçut les derniers sacrements le 18 janvier 1686
et mourut le 3 février. L'auteur des *Jeux d'esprit et de mémoire* (1694,
p. 27), J. Brodeau, prétend avoir entendu conter cette anecdote à
Chantilly devant Condé, alors que d'Olonne vivait encore. La
Bruyère n'assistait pas à la conversation ; mais il dut entendre répéter,
soit à Versailles, soit à Chantilly, la méchante plaisanterie que l'on
prêtait à d'Olonne. Dans les *Jeux d'esprit*, le président de Champlâ-
treux fait à Condé le récit qui suit :

« Je crois que Votre Altesse, dit le président, sait que le
comte de .... est à l'extrémité et abandonné des médecins ; vous
savez avec toute la cour qu'il est du nombre de ceux à qui leur
femme ne leur a pas gardé longtemps la fidélité. Comme ce malade
a connu le péril de son mal, il envoya prier Monsieur le curé de

Saint-Eustache, son pasteur, de vouloir bien avoir la bonté de lui
venir administrer les sacrements de l'Église. Ce curé, se trouvant
incommodé, envoya à sa place M. de Cornouaille, son vicaire, qui
fit au malade le compliment dont il étoit chargé ; ce malade demanda
au vicaire comment il s'appeloit : il lui dit que son nom étoit *Cornouaille, à son service ;* le comte répondit : « Ah ! mon Dieu ! des
« cornes peuvent-elles servir de quelque chose à un honnête homme ?
« c'est la grandeur des miennes qui m'accablent, et me font mourir
« de chagrin de les porter. »
  « Il existe, dit Walckenaer (*Remarques,* etc., p. 751), un petit
ouvrage de Deslandes, sur les *Grands hommes qui sont morts en plai-
santant*[1], auquel la Bruyère fait probablement allusion dans ce caractère. » Cette conjecture est inadmissible, André-François Boureau
Deslandes étant né en 1690, et ayant fait paraître ce volume en 1712.

III

Page 243, n° 18. — *Un grand croit s'évanouir....* (1692.)

  Clef de 1696 : « *Un grand,* M. de Louvois. — *Un autre grand,*
M. de Seignelay. » — Clefs des éditions Coste : « Feu M. de la Feuillade, M. de Louvois ou M. de Seignelay. »

IV

Page 247, n° 26. — *Deux sortes de gens fleurissent.... Une troupe
de masques entre dans un bal....* (1694.)

  « Ceux qui ont la conduite du bal, dit Compan dans son *Dictionnaire de la Danse* (p. 24 et 25), doivent être attentifs que chacun
danse à son tour, afin d'éviter la confusion et le mécontentement.
Lorsqu'il arrive des masques, il faut les faire danser les premiers,
pour qu'ils puissent prendre de suite ceux de leur compagnie. »
  Il était d'usage que les masques fussent reçus dans un bal, dès
qu'ils s'y présentaient. Grâce à la règle de politesse qui faisait in-
viter immédiatement l'un des masques ainsi introduits, il leur était
facile de prendre la danse pour eux seuls, dans le menuet particulièrement, qui se dansait à deux, et où danseurs et danseuses se suc-
cédaient, choisis par la personne qui avait la main : c'est-à-dire la
danseuse du second menuet par le danseur du premier menuet, qui

---

1. *Réflexions sur les grands hommes,* etc., Amsterdam, 1712. Ce livre a été
plusieurs fois réimprimé.

dansait encore le second ; le danseur du troisième par la danseuse du second, qui dansait encore le troisième ; et ainsi de suite. On trouvera dans le *Dictionnaire* de Compan (p. 22-24) les règles d'étiquette ou de bon goût que l'on devait suivre pour les invitations, et dans les *Mémoires* de Saint-Simon (édition Boislisle, tome IV, p. 322 et tome VII, p. 52), deux passages qui peuvent servir de commentaire aux explications de Compan et à la scène décrite par la Bruyère.

Une troupe de danseurs inconnus, même non masqués, qui serait accourue, ainsi que les usages le permettaient, à l'assemblée où quelque bourgeois galant donnait les violons, eût pu de même empêcher quelque temps les gens du bal de danser ; mais le masque donnait des immunités particulières et rendait plus facile la prolongation de ce mauvais tour.

Il arrivait parfois à des sociétés rivales, à des cabales, d'essayer de s'exclure de la danse les unes les autres. En voici pour preuve un passage des *Mémoires* de Mademoiselle de Montpensier (édition Chéruel, tome I, p. 44) :

« Je fus encore aux assemblées et aux comédies que Mme la comtesse de Soissons faisoit donner : ce n'étoit plus à l'hôtel de Brissac, c'étoit à l'hôtel de Créqui. Madame la Princesse, à son imitation, en faisoit à l'hôtel de Ventadour. Il y avoit dans Paris des brigues perpétuelles pour ces deux assemblées, à qui s'attireroit plus de gens, c'est-à-dire plus d'hommes ; quant aux femmes, le nombre en étoit toujours réglé. Nous n'avions point de plus grand divertissement que lorsqu'il venoit quelqu'un de ceux de l'hôtel de Ventadour, comme MM. de Beaufort, Coligny, Saint-Mesgrin, que je nomme comme les tenants de l'assemblée et les plus galants qui donnoient les comédies et les violons. Quand ils venoient à l'hôtel de Créqui, nous nous donnions le mot l'une à l'autre pour ne les point faire danser…. S'il y avoit quelques grandes assemblées où toutes nos deux bandes fussent mêlées, c'étoient des intrigues inconcevables pour s'empêcher de danser les unes les autres : c'étoient là nos affaires d'État et nos occupations. »

V

Page 248, n° 29. — *Si l'on nous assuroit que le motif secret de l'ambassade des Siamois….* (1687.)

L'ambassade des Siamois dont il s'agit est certainement celle qui était arrivée en France à la fin de 1686, et à laquelle la Bruyère a déjà fait allusion (voyez ci-dessus, p. 88, n° 22). Suivant les clefs imprimées cependant (s'il n'y a pas de faute d'impression dans le dernier chiffre de l'année qu'elles indiquent), il serait question de

l'ambassade envoyée en « 1680 ; » mais celle qui partit de Siam vers
cette époque périt en mer : on apprit sa perte à Versailles, en 1684,
par le récit de Siamois qui vinrent à la cour et furent reçus par les
ministres. Cette première ambassade siamoise eut toutefois pour résultat l'envoi dans le royaume de Siam d'une ambassade française, qui
avait pour mission d'obtenir la conversion du Roi au catholicisme.
Le chevalier de Chaumont en était le chef, et l'abbé de Choisy était
« son coadjuteur, » comme le disait Louis XIV[1]. — Voyez sur la
réponse que l'on prêtait au roi de Siam, recevant l'ambassade de
Louis XIV, la *Correspondance de Madame, duchesse d'Orléans*, tome I
p. 94.

1. *Mémoires* de Choisy, collection Petitot, tome LXIII, p. 321.

TABLE DES MATIÈRES

CONTENUES DANS LA PREMIÈRE PARTIE DU TROISIÈME VOLUME.

FIN DE LA TABLE DES MATIÈRES.

CHARTRES. — IMPRIMERIE DURAND, RUE FULBERT.